ACCESO GRATIS a la Lectura en la Nube

Para visualizar el libro electrónico en la nube de lectura envíe junto a su nombre y apellidos una fotografía del código de barras situado en la contraportada del libro y otra del ticket de compra a la dirección:

ebooktirant@tirant.com

En un máximo de 72 horas laborales le enviaremos el código de acceso con sus instrucciones.

IUS ET FINIS TERRAE

Estudios en el marco del Magíster en Derecho de los Recursos Naturales y Medio Ambiente de la Universidad Finis Terrae

IUS ET FINIS TERRAE

Estudios en el marco del Magíster en Derecho de los Recursos Naturales y Medio Ambiente de la Universidad Finis Terrae

Alejandro Leiva López
Director

tirant lo blanch
Valencia, 2023

© VV-AA.

© TIRANT LO BLANCH
EDITA: TIRANT HUMANIDADES
C/ Artes Gráficas, 14 - 46010 - Valencia
TELFS.: 96/361 00 48 - 50
FAX: 96/369 41 51
Email: tlb@tirant.com
www.tirant.com/cl
Librería virtual: https://editorial.tirant.com/cl
ISBN: 978-84-1169-174-1
MAQUETA: Innovatext

COMITÉ CIENTÍFICO IUS ET FINIS TERRAE

Dominique Alezthier F.
Josefina Antúnez
Silvia Bertazzo
Camila Boettiger Philipps
Raúl Campusano Droguett
Alejandro Canut de Bon
Ignacio Carvajal Gómez
Javier Coopman Corral
Francisca Díaz
Jessica Fuentes Olmos
Trinidad Henríquez
Ian Henríquez Herrera
Sebastián Hernández
Javier Herrera Valverde
Francisco Irarrázaval Armendáriz
Tania Opitz Burgos
Rodrigo Poyanco Bugueño
Karla Quintero Bonilla
Carlo Sepúlveda Fierro
Alejandro Serani
Mattias Stiepovich López
Rodrigo Torres González

Índice

NATURALEZA JURÍDICA DE LA DECLARACIÓN EN CONS-
Francisco Irarrázaval Armendáriz

II. ARTÍCULOS ACADÉMICOS

(aprobados con Distinción Máxima),
programa de Magíster en Derecho de los Recursos Naturales
y Medio Ambiente 2020-2021, Universidad Finis Terrae

III. TESIS DE LICENCIATURA

(aprobada con Distinción Máxima),
Facultad de Derecho, Universidad Finis Terrae

PRESENTACIÓN

Esta obra es la primera de un conjunto de textos que intentarán contribuir —desde un prisma académico y científico— a la discusión nacional en materia de recursos naturales y medio ambiente. Se trata de una colección de libros de tiraje anual que aspira a constituirse en un referente en torno al debate medio ambiental chileno —lo cual, por cierto, habrá de juzgarlo el lector—, así como en un reservorio de las mejores investigaciones que surjan de los titulados del Magíster en Derecho de los Recursos Naturales y Medio Ambiente de la Universidad Finis Terrae, programa que constituye el marco dentro del cual se gesta esta colección.

En tal sentido, el primer tomo de la colección que aquí ve la luz se dirige —en lo estrictamente académico—, a la necesaria vinculación que debe existir entre el quehacer investigativo y el postgrado, procurando a partir del primero, enriquecer el segundo. Pero más profundamente —y en lo prospectivo— esta colección apunta a contribuir directamente al bien común en tanto cuidado de nuestra *casa común*[1]. De allí que el nombre escogido: *Ius et Finis Terrae,* signifique el "Derecho y el *fin* de la tierra*"*, tanto en un sentido teleológico —sentido y finalidad de la acción humana sobre nuestra casa común—; pero también geográfico: contribuimos *desde* el final de la tierra, desde la Universidad Finis Terrae.

Este fin, a su vez, nos incumbe especialmente en tanto universidad católica. Se trata de un bien común que no se construye separadamente de la comunidad universitaria, sino de la vivencia misma del ser y hacer universidad; esto es, como un modo de ser, como un *ethos* generado a partir de la amistad universitaria. La investigación, por ello, procura irradiar a la sociedad todo "aquello que en el ejercicio de la

---

[1] PAPA FRANCISCO (2015). *Laudato si.* Sobre el cuidado de la casa común. Santiago de Chile: Pontificia Universidad Católica de Chile.

búsqueda de la verdad se va profundizando"[2]. Ningún programa de magíster y ninguna investigación de índole científica tiene sentido, si no tiene por objeto último el contribuir al ejercicio profesional y a la ciencia, y con ello, por cierto, al bien común.

Este primer número contiene 14 trabajos en total: los primeros diez corresponden a estudios llevados a cabo por prestigiosos académicos cada uno de los cuales aborda materias vinculadas a la filosofía, al Derecho Ambiental y a los Recursos Naturales. De los cuatro estudios restantes, tres corresponden a los mejores trabajos de titulación ("Artículos Académicos") del programa de Magíster; y el último, corresponde a una versión condensada de la memoria de licenciatura de una de nuestras mejores tituladas de la carrera de Derecho. El fomento al desarrollo de trabajos investigativos de calidad entre nuestros egresados, acompañado del anhelo de dar cabida a futuros investigadores, también se estima aquí de la mayor relevancia.

Alejandro Leiva López
Santiago, 2022

---

[2] IDEARIO, Universidad Finis Terrae, p. 8. Disponible en: https://uft.cl/images/la_universidad/nuestro_ideario/ideario-finis-terrae.pdf

I. ESTUDIOS

SOBRE EL FUNDAMENTO
DE LOS DERECHOS DE LA NATURALEZA

Alejandro Canut de Bon Lagos[*]

INTRODUCCIÓN

En las últimas décadas se ha venido acuñando, de manera global, un concepto jurídico ciertamente novedoso: "derechos de la naturaleza". Este concepto ha sido recogido en diversas obras de doctrina, ha logrado consagración en normas administrativas, legales y constitucionales, y, por último, ha servido de base para fallos judiciales.

Se trata de un concepto y fenómeno interesante, en una variedad de sentidos, pero, sobre todo, en el hecho de que contradice la tradición occidental que —en materia jurídica— enseña que el derecho subjetivo requiere de un sujeto, y que dicho sujeto debe ser una persona.

Ahora bien, al indagar en el fundamento que sostiene esta novedad jurídica, ya sea en doctrina, en normas jurídicas o en sentencias judiciales, las dudas respecto de su solidez y coherencia no tardan en aparecer. No obstante, esto último no ha impedido su rápida e inusitada popularización.

A nuestro juicio, pareciera ser que la corrección política que rodea el concepto lo ha blindado —en alguna medida, al menos— del estricto análisis que los legisladores y jueces deben hacer. En efecto, en un mundo que ha cobrado consciencia de la fragilidad de la naturaleza, y de la imperiosa importancia de un derecho ambiental efectivo, se ha generado un fuerte respeto político por toda iniciativa que busca el necesario cuidado del medio que nos rodea.

---

[*] Abogado, Universidad de Concepción. Máster en Derecho de Recursos Naturales, Universidad de Denver, Estados Unidos; MBA Universidad de Chile; Máster en Derecho de Minas y Aguas, Instituto de Minas; y Magíster en Investigación Jurídica de la Universidad de los Andes. Correo: acanutdebon@caserones.cl

Nos parece que ese respeto, llevado a un extremo, ha dificultado que se haga, en ocasiones, un trabajo riguroso, con el debido escrutinio jurídico de los conceptos e instituciones que la sociedad va creando.

Por lo mismo, estimamos de interés estudiar los denominados derechos de la naturaleza, analizándolos con especial detención. En otras palabras, consideramos valioso procurar comprender a qué se refieren, en concreto y con precisión, desde una perspectiva estrictamente filosófico-jurídica, los autores, constituyentes, legisladores o sentenciadores que han utilizado el concepto, declarando o reconociendo a la naturaleza como un sujeto de derecho.

Es en ese marco en el que se procura el siguiente texto, invitando al análisis del concepto más allá de la aceptación social y rectitud política del mismo, destacando desde ya que el cuestionamiento que se pueda o no hacer de él, no busca, en modo alguno, un debilitamiento de la imperiosa y correcta intención de crear medios jurídicos idóneos y efectivos para cuidar y velar por la naturaleza de la que formamos parte.

1. CONCEPTO DE DERECHO DE LA NATURALEZA, OBJETIVO DEL TRABAJO Y ALGUNAS CUESTIONES PRELIMINARES

1.1. *Concepto de derecho de la naturaleza*

El concepto que nos preocupa está compuesto de dos términos, cuyos respectivos sentidos y alcances debemos fijar desde un inicio, a fin de poder avanzar de manera precisa con el objetivo de este trabajo. Se trata de dos palabras altamente polisémicas —derecho y naturaleza— que, por lo mismo, requieren una especial atención.

El primero de estos dos términos (derecho), se utiliza, en esta materia, en su acepción de derecho subjetivo, es decir, como la facultad o potestad de que goza un sujeto, en relación con otro sujeto, y que permite una conducta del primero o que exige una conducta del segundo[1-2-3].

---

[1]   Es importante tener presente que el concepto de "derecho subjetivo" no es unívoco, sino que —por el contrario— acepta diversas acepciones. En efecto, si bien principalmente se comprende como la facultad o potestad para exigir a otro una

El segundo término (naturaleza), es usualmente tomado, en este campo, como una forma genérica de referirse a todo lo que compone la biosfera, excluyendo solamente al ser humano y a los productos culturales o artificiales de este. Se incluye de esta forma a la fauna y a la flora, como también a sistemas u objetos inanimados, como bosques, ríos, lagos, montañas, aire, etc.[4]. De esta forma, uniendo estos dos términos, pareciera que quienes utilizan el concepto de derecho de la naturaleza se refieren —aunque no lo expliciten de manera detallada— a la facultad que tendría alguno de los componentes de la naturaleza (animales no humanos, plantas, bosques, árboles, arbustos, ríos, lagos, etc.), o un grupo de ellos, o todos ellos de manera genérica, de exigir al ser humano (individual o colectivamente considerado) una conducta determinada.

Dos conclusiones pueden destacarse de lo anterior. Primero, que el concepto en cuestión incluye lo que comúnmente se denomina derecho animal o derecho de los animales. En efecto, siendo los animales no humanos parte de la naturaleza, quedan estos entonces comprendidos como parte de los derechos de esta última. Segundo, el concepto se limita a la relación que se da entre, por un lado, los componentes de la naturaleza y, por otro lado, el ser humano. Dicho de otra forma, no se habla de derecho de la naturaleza en el sentido de la facultad de una especie de animal no humano en relación con otra especie de

---

conducta determinada, es posible distinguir acepciones precisas dentro de dicho concepto, que se identifican con palabras tales como "privilegio", "libertad" o "inmunidad". En el derecho anglosajón, se recurre, en esta materia, a la ya clásica distinción hecha por W.N. Hohfeld, en 1913. W.N. Hohfeld, *Conceptos jurídicos fundamentales* (México: Fontamara, 2004). Dado ello, la acepción del vocablo "derecho", contenida en conceptos tales como "derecho de la naturaleza" o "derecho animal", ha sido objeto de más de un estudio, buscando una mejor precisión, utilizando las distinciones hechas por aquel autor.

2 Saskia Stucki, "Towards a Theory of Legal Animal Rights: Simple and Fundamental Rights", *Oxford Journal of Legal Studies*, 40 n°3 (2020): 533-60.

3 Steve Wise, Drawing the Line. Science and the Case for Animal Rights (Cambridge, USA: Perseus Books. 2002), 25.

4 Se debe destacar que, para las ciencias naturales, el ser humano es parte de la naturaleza, tanto como los demás animales y componentes de ella. Pero en la temática de los derechos de la naturaleza el vocablo en cuestión excluye de su contenido al ser humano y, por cierto, como se ha indicado, a todos los productos culturales de este.

animal no humano, o de una especie vegetal o de un río en relación con otra especie vegetal o río.

1.2. Objetivo de este trabajo

Precisado lo anterior, cabe indicar que el objetivo de este trabajo es, como ya se enunció, analizar los principales fundamentos que subyacen a la genérica afirmación contenida en el concepto *derechos de la naturaleza*, y determinar criterios para su respectiva revisión.

En concreto, trataremos de responder la siguiente pregunta: ¿en qué se fundamentan las tesis que argumentan la existencia de derechos de la naturaleza, y qué criterios debemos tener presentes para analizar los argumentos que autores, legisladores y jueces entregan en su favor?

1.3. Cuestiones preliminaries

Para cumplir con ese objetivo estimamos importante referirnos, previamente, a tres cuestiones que nos parecen necesarias para abordar este trabajo de manera ordenada.

Una primera cuestión dice relación con la naturaleza de los fundamentos o argumentos que son utilizados para sostener la validez de los derechos de la naturaleza. En particular, la importancia de diferenciar aquellos fundamentos de naturaleza política o social, de aquellos de estricta naturaleza filosófico-jurídica (fundados en la ética o en la justicia).

Como es sabido, las normas del derecho positivo se fundamentan, ya sea en acuerdos meramente políticos, ya en acuerdos filosófico-jurídicos. Los primeros consisten en consensos sociales que buscan, principalmente, fines de utilidad práctica, sin mayor consideración a la ética o a la justicia como fundamento de fondo (como, por ejemplo, la norma jurídica que prohíbe conducir por la izquierda). Los segundos consisten en consensos sociales que buscan, ante todo, reconocer obligaciones éticas o de justicia (como, por ejemplo, la norma jurídica que prohíbe el homicidio)[5].

---

[5]   Se podrá apreciar que la decisión hecha por los legisladores en un determinado país, de que se conduzca por uno de los dos lados de la calzada —izquierda o

Entre estas últimas (aquellas normas que reconocen obligaciones éticas o de justicia), es posible volver a distinguir, esta vez entre aquellas con fundamentos filosófico-jurídicos indirectos (las que sostienen obligaciones en favor de la naturaleza, pero fundadas en el valor y bienestar humano) y aquellas con fundamentos filosófico-jurídicos directos (las que sostienen obligaciones en favor de la naturaleza, fundadas en la existencia de un valor inherente, *per se* en esta).

La siguiente y simple analogía quizás permita mayor claridad en la importancia de este punto. Es sabido que existen normas que prohíben destruir edificios que, en virtud de su especial arquitectura, han sido declarados monumentos históricos. El fundamento de estas normas es la existencia de un pacto social que busca proteger algunos edificios de su destrucción. Se trata, por lo mismo, de un acuerdo de fundamento político (consenso social), con una finalidad meramente práctica (protección de un edificio), o —si se desea, en el mejor de los casos— de un fundamento filosófico-jurídico indirecto, establecido en relación con otros seres humanos (la justicia de preservar el edificio, a fin de que futuras generaciones lo puedan también apreciar).

Lo que es importante destacar para los efectos de este trabajo, es que dicha norma —que protege el edificio— no contiene una consideración filosófico-jurídica directa, respecto del edificio mismo. Si ha de tener ella un fundamento ético o de justicia, lo es en relación con otros seres humanos. Y es que sin duda el edificio tiene un valor, pero se trata de un valor meramente instrumental, y no de un valor intrínseco, inherente. Su protección sería instrumental a un fin: que otros humanos puedan en el futuro también apreciar dicha construcción.

No queremos con esto decir que el acuerdo político o el fundamento filosófico-jurídico indirecto carezcan de valor para el derecho positivo, y no pueda o deba dar lugar a derechos y obligaciones jurídicas. Pero sí queremos decir que resulta de interés poner atención en si

---

derecha— consiste en una decisión cuyo contenido preciso es indiferente para la ética o la justicia. Lo importante es que la norma jurídica exista, cualquiera sea su contenido, y que el fin práctico de organización social se produzca. Esta distinción entre normas con mero contenido práctico, por un lado, y normas con contenido ético o de justicia, por otro lado, es posible encontrarla desde Aristóteles en adelante. Aristóteles, *Ética nicomáquea*, V, 7.o Libro 7: La intemperancia y el placer.

lo que se denomina derechos de la naturaleza tiene efectivamente un fundamento filosófico-jurídico directo, en relación con la naturaleza misma, o tiene sólo un fundamento filosófico-jurídico indirecto.

Y creemos importante dicha atención porque si la necesidad que se procura satisfacer es la protección de la naturaleza, bastaría entonces con establecer limitaciones a la actividad humana. No sería necesario —para proteger la naturaleza— tener que declarar a ésta como un sujeto de derecho.

En otras palabras y en forma de preguntas, ¿por qué resulta necesario crear el concepto de derecho de la naturaleza, y no solo limitarnos a proteger a esta, mediante prohibiciones impuestas a la actividad humana, si no es porque consideramos que existe una razón ética o de justicia directa, tras dicho concepto, que nos obliga a ello?; ¿por qué es necesario para proteger la naturaleza —a diferencia de los edificios antiguos— tener que declararla sujeto de derecho?; ¿existe un fundamento filosófico-jurídico directo, más allá del fundamento político práctico, o del fundamento ético o de justicia indirecto?

Cuando se lee o escucha a quienes postulan este nuevo concepto (derechos de la naturaleza), se puede apreciar con facilidad que asumen (si es que no lo dicen directamente) una respuesta afirmativa a dichas preguntas. En efecto, estiman que existe —en el caso de la naturaleza (y a diferencia de los edificios)— un fundamento ético o de justicia directo, para con la naturaleza misma, que hace imperioso y necesario reconocer a esta la condición de titular de derechos subjetivos.

Es más, quienes bogan por este concepto no suelen hablar de *declarar* el derecho, sino de reconocer el derecho de la naturaleza, marcando con ello, en alguna forma, la existencia de una obligación de fundamento directo, ya presente (en el campo filosófico-jurídico), la encontremos o no en el derecho escrito[6].

---

[6] Pareciera que quienes postulan los derechos de la naturaleza, o el derecho animal, insinúan —quizás sin buscarlo— posiciones o argumentos iusnaturalistas. En efecto, si dichos autores desearan mantener una separación entre derecho y moral (como se suele mantener en el mundo del positivismo estricto), no debieran entonces hablar de derechos de la naturaleza, o de derecho animal, cuando el derecho positivo aún no ha declarado la respectiva facultad u obligación. Debieran ellos, en dichos casos, limitarse a hablar de obligación o deber moral,

En resumen, nos parece importante y útil esta distinción. Después de todo, si la razón de la declaración no es la consagración de un deber ético o de justicia directo, es decir, relacionado con la naturaleza misma, bien podría entonces buscarse otro medio jurídico, que cumpla alternativamente dicha finalidad, antes de proceder con la creación de un concepto nuevo, que requiere de un esfuerzo no menor en su compatibilización con otras instituciones jurídicas y en su puesta en marcha[7].

Una segunda cuestión para tener presente consiste en si la existencia de un fundamento filosófico-jurídico directo (es decir, de un valor intrínseco) debe, siempre, necesaria y correlativamente, dar lugar al reconocimiento de consideración ética o moral y, esto último, al reconocimiento de un derecho moral. O, mejor dicho, si la existencia de lo primero (valor intrínseco), debe conllevar necesariamente la existencia de lo segundo (consideración moral), y de lo último (derecho moral).

Esto es importante, porque si se llegara a concluir que una determinada especie no humana reúne las características para reconocerle un valor intrínseco, y, por ello, consideración ética directa, nace entonces la pregunta: ¿debe concluirse de manera inmediata que se le debe a dicha especie reconocer también un derecho moral?

---

respecto de la naturaleza o de los animales (o incluso, si se desea, hablar de derecho moral de la naturaleza o derechos morales de los animales). En otras palabras, nos parece que se arriesga una suerte de contradicción si se postula, por un lado, una visión positivista estricta del derecho y, por otro lado, se utiliza el concepto de derecho animal o derecho de la naturaleza, sin más, sin señalar que se trata de derechos *morales*.

[7]   La declaración de derechos en favor de la naturaleza requiere un esfuerzo considerable para establecer y organizar reglas e instituciones que permitan la representación de la naturaleza. Pero, más importante que esto, requiere argumentos claros, que justifiquen sólidamente por qué la protección de la naturaleza necesita de derechos en su favor, a diferencia de la protección de edificios o monumentos, por poner sólo un ejemplo. De lo contrario se asume el riesgo de terminar declarando sujeto de derecho a todo aquello que deseemos, en el futuro, proteger. El sistema y ordenamiento jurídico está bien organizado, desde los tiempos del Derecho Romano, para que, cuando se desea dar protección, se limiten los derechos de las personas, sin necesidad de transformar en sujeto al objeto de la protección.

La mayoría de los autores (no todos[8]) asumen, sin reparar en este punto, una relación directa entre estos conceptos. Es más, utilizan a estos como una suerte de sinónimos (valor intrínseco, consideración moral y derecho moral). Por lo mismo, se concentran en alegar la existencia de un valor intrínseco o inherente, para concluir de inmediato la existencia de un derecho moral. Y ello es discutible. De la existencia de lo primero, no necesariamente se sigue la existencia de lo último, al menos para algunos otros autores.

En directa relación con este punto, aparece el concepto de *estatus moral*. Concepto este que se utiliza generalmente en la literatura como una forma más de referirse a las entidades que poseen valor moral inherente. No obstante, y esto es lo interesante, este concepto también se utiliza —por algunos autores— con una segunda acepción, más precisa, para referirse a la posición relativa que una entidad tiene, en esta materia, con relación a otra u otras entidades que se consideran también con valor inherente, como fin en sí mismo[9].

> Existen así dos criterios diferentes: "un criterio para merecer consideración moral y un criterio de importancia moral. El primero representa la preocupación central de este trabajo, mientras que el segundo, que fácilmente podría confundirse con el primero, pretende regir los juicios compartidos de peso moral en caso de conflicto. Saber si un árbol, pongamos por caso, merece alguna consideración moral, es un asunto que debe mantenerse separado de la cuestión de si los árboles merecen más o menos consideración que los perros, o los perros que los seres humanos"[10].

Una tercera y última cuestión, que estará presente a lo largo de las próximas páginas, es la diversidad de argumentos existentes en esta materia, dependiendo de los diversos posibles componentes de la

---

[8] Kenneth Goodpaster, "On Being Morally Considerable", *The Journal of Philosophy* 75 n°6 (1978): 308-325.

[9] Bernardo Aguilera, Estatus moral y concepto de personas, en *Ética Animal: fundamentos empíricos, teóricos, y dimensión práctica* (Madrid: Universidad Pontificia Comillas, 2018)

[10] Kenneth Goodpaster, Sobre lo que merece consideración moral, en *Naturaleza y valor. Una aproximación a la ética ambiental* (México: Universidad Autónoma de México, Instituto de Investigaciones Filosóficas y Fondo de Cultura Económica, 2004):151.

naturaleza en favor de los cuales se declaran o reconocen derechos. Es decir, la importancia de distinguir entre derechos de la naturaleza en que el titular es una especie de animal no humano (fauna); derechos de la naturaleza en que el titular es una especie vegetal (flora); y derechos de la naturaleza en que el titular es un objeto o sistema inanimado (ríos, lagos, piedras, etc.). Bien podría darse el caso de que corresponda concluir que existen argumentos éticos o de justicia directos para declarar derechos en favor de ciertos animales, pero que lo mismo no ocurra cuando se trate de declarar derechos en favor de otros animales, o de plantas, o de ríos, o viceversa.

Tendremos presente estas tres cuestiones y distinciones indicadas precedentemente, a fin de responder la pregunta que nos hemos planteado. En este proceso, repasaremos primero el contexto histórico en que se ha formado la tesis de que la naturaleza debe ser considerada sujeto de derechos. Haremos posteriormente una breve referencia a las doctrinas que han surgido con dicho propósito, procurando clasificar sus argumentos o fundamentos de manera resumida, consciente de que no podemos agotar acá tan vasto tema (nos limitaremos a enunciar la idea central de cada una de las tesis, como también sus principales autores y críticas). Por último, haremos un breve recuento de los criterios que se han de tener presentes para determinar el grado de rectitud, en el campo de la filosofía-jurídica, de los argumentos en favor de la existencia de derechos de la naturaleza.

Se espera que este ejercicio pueda servir de base para determinar cuáles de aquellos argumentos utilizados en la doctrina, o por constituyentes, legisladores y jueces, hoy por hoy, cumplen con procurar un fundamento que deba ser efectivamente considerado en este campo.

2. NACIMIENTO DEL CONCEPTO "DERECHOS DE LA NATURALEZA"

Las raíces de este concepto bien podrían situarse a inicios de la Edad Moderna, época en que dos distintas revoluciones empiezan a presionar —cada una desde su propio extremo— para un cambio en la relación hombre-naturaleza.

Por un lado, la Revolución Industrial, la cual implicó —desde inicios del siglo XIX— un cada vez más decidido cambio en el factor tecnológico, permitiendo que la cultura occidental aprovechara crecientemente los recursos del medio ambiente, y venciera progresivamente las fuerzas de la naturaleza, ante las cuales históricamente había debido rendirse.

Por otro lado, el Romanticismo, que —como contrapartida y de manera paralela— puso en el centro de la reflexión occidental la relación de la humanidad con la naturaleza. Pensadores como Ralph Waldo Emerson, Henry David Thoreau y John Muir, entre otros, plantearon la importancia de considerar el medio que nos rodea, en una dimensión estética y ética que resultó novedosa en Occidente[11].

Dichas dos revoluciones, una técnica y otra ideológica, se manifestaron en una diversidad de campos culturales, incluido el derecho. La ciencia jurídica, bajo esa influencia, fue abordando la tarea de proteger a la naturaleza de la actividad humana. La creación de parques nacionales y limitaciones en el trato a los animales, a fines del siglo XIX e inicios del XX, fueron las primeras manifestaciones de ello[12].

Se trató de un proceso lento, que no fue percibido de manera clara sino hasta bien entrada la segunda parte del siglo XX. Esto, tanto porque el sometimiento de la naturaleza se tradujo rápidamente en niveles de bienestar jamás antes vistos en la historia de la humanidad, lo que hacía apreciar de manera positiva el fuerte cambio tecnológico, cuanto porque la capacidad de resiliencia y regeneración de la flora y fauna hizo suponer, al menos en un inicio, que la industrialización

---

[11] Emerson publica en 1836 su famoso ensayo *Naturaleza*, y Thoreau publica en 1854 *Walden Pond*, ambos textos considerados cruciales en el movimiento del Trascendentalismo (primer movimiento filosófico estadounidense, que sirve de base para una profunda reflexión de la relación hombre-naturaleza). Muir, por su parte, fue un prolífico naturalista que, en decenas de artículos y libros, defendió la naturaleza y sensibilizó al ciudadano medio norteamericano sobre la importancia de la preservación.

[12] A modo de ejemplo se puede indicar: en 1864, el valle de Yosemite es cedido al estado de California, con la finalidad de su protección; en 1872 el Congreso Norteamericano creó el primer parque nacional, Yellowstone; en 1916 el presidente W. Wilson firma la ley de parque nacionales. Por su parte en Inglaterra, en 1876 se dicta la ley contra crueldad de los animales (*Cruelty to Animal Act*), la que es reemplazada en 1911 por la *Protection Animal Act*.

podría continuar por siempre, sin arrojar jamás un impacto negativo de consideración[13].

No obstante, poco a poco, desde una perspectiva científica y filosófica, fue posible observar una preocupación creciente por el tema ambiental. Un común denominador impregnó una variedad de obras en este marco: la revisión del equilibrio entre hombre y naturaleza.

Obras tales como *Land Ethic* (1948) de Aldo Leopold, *Silent Spring* (1963) de Raquel Carson, y *Wilderness and the American Mind* (1967) de Roderick F. Nash, son algunos ejemplos clásicos[14-15-16].

Este proceso de análisis y reflexión se consolidó claramente durante la primera mitad de la década de 1970. Estados Unidos dictó entonces las bases de su institucionalidad ambiental (1970); los países se dieron cita en Estocolmo, en la primera cumbre internacional sobre el cuidado de la Tierra (1971), y el Club de Roma publicó su famoso texto titulado *Los límites del crecimiento* (1972)[17].

Dichas iniciativas, junto a la primera gran amenaza de agotamiento de recursos naturales necesarios para el funcionamiento de la sociedad industrial (crisis del petróleo, 1973), la existencia de impactos ambientales de gran potencialidad (como el accidente en la isla de Las Tres Millas, 1979) y el conocimiento de la extinción de un número cada vez más creciente de especies, entre otras razones, crearon —durante los años setenta— la atmósfera necesaria para una reflexión política y filosófico-jurídica cada vez más profunda.

Así, y desde la perspectiva política, los años ochenta marcaron el inicio de muchos documentos y acuerdos internacionales que buscaban la protección de la naturaleza, para lograr un aprovechamiento

---

13   Entre los muy escasos textos que advirtieron tempranamente, es decir durante el siglo XIX, el deterioro de la naturaleza producto de la acción de la industrialización, véase: George P. Marh, *Man and Nature* (London: Samposon Low, 1864).

14   Aldo Leopold, *A Sand County Almanac. And Sketches Here and There* (New York: Oxford University Press, 1987)

15   Roderick F. Nash, *Wilderness and the American Mind* (New Heaven: Tale University Press, 2001).

16   Rachel Carson, *Silent Spring* (USA: First Mariner Books, 2002)

17   Donella Meadows et al., *Los límites del crecimiento* (New York: Universe Books,1972).

sustentable de la misma (*Nuestro futuro común*, ONU, 1987, fue el principal hito en ese sentido)[18].

La razón de esta preocupación era clara. La forma de vida occidental podía verse impactada si es que se agotaban los recursos naturales, se extinguían especies animales o se dañaban irremediablemente los paisajes. Se trató, principalmente, en un inicio al menos, de una preocupación por el ser humano. El daño del medio ambiente podía perjudicar las posibilidades de las generaciones humanas futuras, si es que no de las presentes.

Pero, desde de una perspectiva ética y de justicia, la reflexión fue más profunda que ello. Por cierto, más lenta y tímida, pero sin duda —como decimos— más profunda. El derecho de los seres humanos a utilizar la naturaleza debía —quizás— tener un límite, sin importar que dicho límite fuese o no beneficioso para los mismos seres humanos.

No se trataba ya, solamente, de considerar las generaciones presentes o futuras, sino de considerar a la naturaleza en sí. Se empezó a plantear de esta forma la discusión sobre un eventual valor intrínseco en la naturaleza, y la necesidad de realizar —para respetar dicho valor— un cambio paradigmático, desde un antropocentrismo a un biocentrismo o ecocentrismo ético.

Este tema fue planteado en la escena moderna, con meridiana claridad, en el año 1973, por un autor llamado Richard Sylvan (entonces Richard Routley), quien propuso lo que hoy se conoce como el *Dilema o argumento del último hombre*[19]. Dilema este que supone la existencia de un último ser humano en la faz de la Tierra. Este hombre —resumiendo el ejemplo de Sylvan— se encuentra de pie frente a la última secuoya existente, y se dispone a cortarla, por el mero placer que le produce la tala de grandes árboles. La pregunta de carácter filosófico que se plantea es, de esta forma, si acaso existe o no alguna razón que permita afirmar que es incorrecto o injusto el acto de talar esa última secuoya.

---

[18]   The Brundtland Commission, *Our Common Future* (ONU: Oxford University Press, 1987).

[19]   Richard Routley, "Is There a Need for a New, an Environmental, Ethics?", *Proceeding of the XVth World Congress of Philosophy* (Bulgaria: Sofia Press, 1973): 205-210.

Como podrá el lector advertir, si la respuesta es positiva, es evidente que algún valor directo (intrínseco, inherente) reconocemos en el árbol mismo, que lleva a dicha respuesta positiva (toda vez que dicha respuesta no podría estar fundada, en este ejemplo al menos, en la existencia de otros seres humanos presentes o futuros).

En el año 1974, otro filósofo, John Passmore, puso nuevamente sobre el tapete la importancia de esa distinción. La protección de la naturaleza como una decisión social, versus la protección de la naturaleza como el reconocimiento de un valor intrínseco en ella[20].

La crisis ambiental tomó así, rápidamente, en relación con la ética y el derecho, dos vertientes, una política y una filosófico-jurídica. Mientras la vertiente política se tradujo en una serie de regulaciones y prohibiciones que pesaban sobre el actuar humano, la vertiente filosófico-jurídica dio paso a una idea bastante más radical: declarar la naturaleza como sujeto de derecho[21].

El texto "Should Tree Have Standing? Toward Legal Rights for Natural Objects" (1971) de Christopher Stone[22], fue uno de los primeros en plantear la necesidad de reconocer derechos a los componentes de la naturaleza. En la misma época apareció un conjunto de otros textos en favor de los derechos de los animales no humanos, todos los cuales marcaron un claro punto de inflexión filosófico-jurídico. Los conocidos libros *Animals, Men and Morals* (1971)[23], *Animal Liberation* (1975)[24] y *The Case for Animal Right* (1983)[25], son los principales ejemplos de ello.

No queremos con esto decir que la idea de una consideración ética o de justicia hacia la naturaleza en general, o hacia los animales en particular, no hubiese sido planteada, en absoluto, anteriormente. Je-

---

[20] John Passmore, *La responsabilidad del hombre frente a la naturaleza* (Madrid: Alianza Editorial, 1974).

[21] Tom Regan, *The Case for Animal Rights* (USA: University of California Press, 1983).

[22] Christopher Stone, "Should Tree Have Standing? Towards Legal Rights for Natural Objects" *Southern California Law Review* 45 (1972) 450-501;

[23] Stanley Godlovitch & Roslind Godlovitch and John Harris (edit), *Animal, Mens and Morals: An Inquiry into the Maltreatment of Non-human* (United Kingdom: Gollancs Press, 1971)

[24] Peter Singer, *Animal Liberation* (United States: Harper Collins, 1975)

[25] Henry Salt, *Animal Rights* (United Kingdom: George Bell & Sons, 1892).

remy Bentham había dedicado líneas, como es bien sabido, al tema de la consideración ética debida a los animales, en su libro *The Principles of Moral and Legislation* (1780)[26], y Henry Salt, por su parte, había escrito *Animal Right* (1892)[27]. Pero sin duda hay un claro punto de inflexión a partir de los años setenta.

El resto de la historia es bastante conocida. Las cinco décadas que corren desde 1970 en adelante han significado una reflexión y doctrina cada vez más abundante, y ello ha producido normas jurídicas y fallos judiciales que han recogido dicha doctrina, sobre todo en los últimos 20 años.

Así, al presente, la cultura jurídica occidental se encuentra en medio de una importante reflexión en lo que respecta al trato y consideración que se otorga a la naturaleza y la fórmula jurídica que debemos utilizar para ello. Algunos postulan la importancia de limitar la actividad humana, con un fuerte derecho ambiental. Pero otros postulan que, si bien lo anterior es importante, no es suficiente, y proponen declarar o reconocer derechos a la naturaleza misma, postulando decididamente este concepto, fundados en razones políticas o filosófico-jurídicas indirectas y directas.

Los argumentos que se utilizan son, de esta forma, de diverso tipo, lo que implica la necesidad de analizarlos y agruparlos doctrinariamente, a fin de facilitar su comprensión y determinar su grado de coherencia y solidez.

3. PRINCIPALES DOCTRINAS QUE BUSCAN FUNDAMENTAR EL CONCEPTO

Para poder referirnos con propiedad a las principales doctrinas que buscan fundamentar el concepto que nos preocupa, resulta importante partir recordando la esencia de la teoría clásica del valor.

> … en la teoría clásica del valor… lo único que tiene valor intrínseco, lo único que vale por sí mismo, son algunos estados menta-

---

[26]   Jeremy Bentham, *The Principles of Moral and Legislation* (London: T. Payne and Sons, 1780)

[27]   Henry Salt, *Animal Rights* (United Kingdom: George Bell & Sons, 1892).

les de las personas... Según lo anterior, la teoría del valor clásica es antropocéntrica (algunos dirán "humanista"), pues considera que los especímenes de la especie *Homo sapiens* son los únicos que tienen estados intrínsecamente valiosos, y por consiguiente los únicos que nos imponen deberes y obligaciones propiamente morales. Desde esta perspectiva, sólo tenemos deberes u obligaciones morales para con otras personas o para con nosotros mismos[28]...

De acuerdo con esta teoría, los derechos y obligaciones fundados en la ética y justicia derivan del valor intrínseco que poseería —de manera exclusiva— el ser humano. Este valor tiene por fundamento la capacidad para razonar; característica esencial en la distinción entre el ser humano y el resto del reino animal, en lo que a consideración ética y de justicia se refiere. Es en esa capacidad donde se encuentra el valor ontológico especial del animal humano, y es a lo que la filosofía denomina dignidad[29].

La capacidad que da lugar a la dignidad consiste así —en esencia— en la posibilidad de generar conceptos abstractos y universales, y utilizarlos para formular juicios y razonamientos. Aquello que denominamos, precisamente, por lo mismo, pensamiento abstracto.

En otras palabras, y a modo de ejemplos, es esa capacidad lo que hace posible: el análisis de diversos aspectos de una misma realidad, permitiendo proyectar cualquiera de esos aspectos, o su conjunto, más allá de la experiencia presente (del aquí y del ahora); la facultad para crear en nuestra mente no solo estados próximos, sino largamente futuros y alternativos; la posibilidad de regular nuestro actuar, para perseguir algunos de dichos estados futuros, si así se desea y decide; la autoconciencia, esa habilidad que va más allá de estar advertidos del medio que nos rodea, mediante el uso de los sentidos —como lo están gran cantidad de los animales—, y que nos permite, así, estar conscientes de que estamos conscientes; la potencialidad de la autorreflexión e introspección, que nos faculta para meditar sobre la natu-

---

[28]   Margarita Valdés, *Naturaleza y valor. Una aproximación a la ética ambiental* (México: Fondo de Cultura Económica, 2004) 10.

[29]   Etimológicamente hablando, *dignidad* proviene del latín *dignitas*, que a su vez deriva de *dignus*, que significa, precisamente, valioso.

raleza fundamental de nosotros y de lo que nos rodea, de las causas y motivos de las acciones y de la esencia de las cosas[30].

En resumen, ese curioso e inexplicable fenómeno, que Michale Gazzaniga define como el acto por el cual "la materia neuronal crea la mente"[31], o que Spaemann resume con el hecho que nos da la "existencia en el tiempo"[32]. Así, lo que denominamos racionalidad, o lo que estimamos que demuestra la capacidad de comunicarnos con un lenguaje conceptual y abstracto, es —en última instancia— lo que nos permite la ciencia, el arte, y la libertad que conlleva la posibilidad de la autodeterminación. Dicho en términos más simples, aquello sin lo cual la vida carecería del valor que estamos acostumbrados a asignarle.

La racionalidad —entendida en esos términos, y no en otros más básicos— justifica, según la tradición filosófico-jurídica occidental, la distinción entre seres con valor intrínseco, por un lado, y seres con valor instrumental, por otro lado; entre seres que, como fines en sí mismo, son miembros de una comunidad (la comunidad ética) a la que se le debe un especial respeto y consideración, y seres a los que no se les debe dicho especial respeto ni consideración; entre personas y cosas[33].

Se trata de una tesis clara y sólida, construida a lo largo de la historia de Occidente, desde Aristóteles a Kant, de la que toda tesis alternativa debe hacerse cargo, si desea ser considerada con seriedad. Su peso no deriva de la simple tradición, sino de la solidez y lógica que contiene. Ha sido y es, sin duda, un pilar de la cultura occidental[34].

---

[30] Thomas Gutmann, "Dignidad y autonomía. Reflexiones sobre la tradición kantiana", *Estudios de filosofía del Instituto de Filosofía Universidad de Antioquia* 59 (2019) 233-54.
[31] Michael Gazzaniga, *El instinto de la conciencia. Cómo el cerebro crea la mente* (Barcelona: Paidós, 2019):12.
[32] Robert Spaemann, *Persons. The difference between "Someone" and "Something"* (United Kingdom: Oxford University Press, 1996) 107.
[33] Robert Spaemann, *"Persons. The difference between"*
[34] Con diversos matices, grandes pensadores han asignado a esta característica del ser humano ese rasgo propio y diferenciador, resumiéndolo en diferentes conceptos: racionalidad (Aristóteles), capacidad de comunicación (Descartes), pensamiento abstracto (Locke), dignidad (Kant), lenguaje (Wittgenstein, Chomsky), por poner los ejemplos más significativos. Así, y para estos efectos y en este campo, dichos conceptos son sinónimos. En efecto, por ejemplo, la conexión en-

Por cierto, y a pesar de su solidez, esta tesis tradicional no está exenta de situaciones marginales discutibles, que requieren un esfuerzo adicional de argumentación, con el que más de algún crítico podría no coincidir. Pero estas situaciones marginales no le restan valor a la parte básica y central de la tesis tradicional: existe un valor intrínseco en la racionalidad, y existe un consenso universal que a ella se le debe especial respeto.

Así, podrá discutirse si el ser humano que pierde permanentemente esa capacidad pierde con ella su valor; como podrá también discutirse si dicha capacidad está o no, en alguna medida, presente en otras especies. Podrá, por último, discutirse si es esta capacidad la única fuente de valor y respeto posible. Discusiones todas estas respetables. Pero no pareciera aceptable discutir que dicha capacidad no es, en sí misma, fuente de valor y respeto. Se le considera, en última instancia, y hasta donde el conocimiento alcanza, la característica más evolucionada de la naturaleza en general, y de la vida en particular.

Ahora bien, por la realidad que nos rodea, esta tesis —que radica la dignidad en la racionalidad— es antropocéntrica. Esto, en el sentido de que el ser humano es el único animal que conocemos, al presente, que cuenta con una clara racionalidad y, por lo mismo, el único al que Occidente le ha reconocido —sin dudar y en consenso— dignidad. Somos, así, la única especie (de aquellas que hoy conocemos) que sin lugar a dudas, queda ubicada dentro de un particular círculo que encierra a quienes se les debe consideración ética y de justicia.

---

tre lenguaje y autoconsciencia se funda en el hecho de que no podemos atribuir —de manera significativa, al menos— estados claros de autoconsciencia a seres que carecen de lenguaje, aun cuando tengan cierta capacidad básica de comunicación. Es importante señalar que la ciencia ha profundizado en la idea de que la adquisición de esa particular sensibilidad, que caracteriza al animal humano, es un fenómeno relativamente repentino en la historia (50.000-10.000 años atrás). Ian Tattersal, *Los señores de la Tierra. La búsqueda de nuestros orígenes humanos* (Barcelona: Pasado, 2012); Sverker Johansson, *En búsqueda del origen del lenguaje. Dónde, cuándo y por qué el ser humano empezó a hablar* (Barcelona: Planeta, 2021); David Reich, *Quienes somos y cómo hemos llegado hasta aquí. ADN antiguo y la nueva ciencia del pasado humano* (Barcelona: Bosh Editores, 2019); Robert Berwick y Noam Chomsky, *¿Por qué solo nosotros? Evolución y lenguaje* (Barcelona: Edit. Kairós, 2016); Noam Chomsky, *¿Qué clase de criaturas somos?* (Buenos Aires: Ariel, 2017).

Es importante destacar que la tesis no niega la posibilidad de que otros animales o especies se puedan situar dentro de este círculo, conforme demuestren racionalidad[35]. Pero no habiendo (en opinión de los autores tradicionales) otros animales que reúnan dicha característica en el mundo que hoy conocemos, no cabe —de acuerdo con esta tesis— sino considerar, por ahora al menos, sólo a nuestra especie dentro del círculo en cuestión. Se trata así de una tesis empíricamente antropocéntrica pero que, en teoría, acepta que otras especies puedan también gozar del valor intrínseco señalado, conforme cumplan el requisito de la racionalidad[36].

---

[35]   "Los derechos de las personas, son derechos humanos. Pero si existieran en el universo otros seres racionales, ... con auto conciencia, tendríamos entonces que reconocer a esos otros seres como personas" (traducción nuestra). Robert Spaemann. *Persons. The difference between "Someone" and "Something"* (United Kingdom: Oxford University Press, 1996) 248. Es más, algunos autores han señalado: "Debe notarse que dejo pendiente la cuestión de si es apropiado decir que las máquinas —en particular aquellas que no sólo se dirigen a un fin o meta, sino que también se auto regulan— tienen un bien propio. A la luz de las consideraciones desarrolladas en el libro de Daniel Dennett *Brainstorms: Philosophical Essay on Mind and Psychology,* es aconsejable dejar esta cuestión pendiente en este momento. Cuando las máquinas se desarrollen a tal punto que funcionen como lo hace nuestro cerebro, muy bien podríamos llegar a considerarlas sujetos adecuados de consideración moral". *Paul W. Taylor, La ética del respeto a la naturaleza* (México: Universidad Nacional Autónoma, 2005) 14.

[36]   El contractualismo clásico (Hobbes, Rousseau, Kant y Hume) puede ser considerado, en esta materia, como una forma indirecta de coincidir con esta tesis. En efecto, se puede argumentar —de manera directa— que el valor intrínseco de un ser está en la capacidad para razonar, o se puede también argumentar —de manera indirecta— que se requiere capacidad para razonar a fin de poder firmar un contrato social. Esto último, tanto porque sin dicha capacidad no se podría comprender el pacto mismo que se firma, cuanto porque los firmantes del pacto buscan una suerte de reciprocidad con el acto que celebran (Principio de Intercambio). En ambos casos (la razón considerada, ya sea como un valor en sí mismo, ya sea como un requisito para firmar un contrato), el hecho es que la conclusión es la señalada: la naturaleza y los seres no racionales quedan excluidos de consideración moral. En todo caso, bien sabemos que el contractualismo podrá ser una buena figura ficta, que ilustra claramente la pertenencia a una comunidad política y jurídica, pero no por ello está exento de discusiones. Se suele poner en duda tanto la necesidad de comprender el pacto que se firma como el Principio de Intercambio que se busca con él. Así lo ha sostenido, por ejemplo, Nussbaum. Cf. Martha Nussbaum. *Las fronteras de las personas. El valor de los animales, la dignidad de los humanos* (Barcelona: Taurus, 2009) 95.

Lo interesante de las últimas décadas, a este respecto, es que algunas tesis han planteado que es hora de reconsiderar la tradicional conclusión resumida precedentemente.

> En contra de esta manera de ver las cosas, muchos ecólogos y especialistas en ética ambiental, han tratado de desarrollar en las últimas décadas una teoría alternativa que propugne el valor de lo natural y que permita afirmar con toda legitimidad que cosas tan diferentes del ser humano como son los bosques, los mares, los ecosistemas, las especies de animales y vegetales, la biodiversidad... tienen un valor intrínseco[37].

A continuación, enunciaremos las principales tesis o corrientes que buscan este cometido, manteniendo en mente las cuestiones y distinciones que ya hemos indicado al inicio de estas páginas. Sólo nos referiremos de manera gruesa a la idea central existente en cada una de las tesis, sin entrar a distinguir los argumentos particulares de los muchos autores existentes al interior de cada una de las mismas.

3.1. Primera Tesis

La primera tesis alternativa es quizás la más simple de explicar. Sostiene que es posible, y en justicia corresponde, aceptar, en el círculo de la consideración ética, a otras especies que —en cierta medida— gozan también de capacidades cognitivas que las hacen merecedoras de ser titulares de, al menos, ciertos derechos[38].

---

[37] Margarita Valdés, *Naturaleza y valor. Una aproximación a la ética ambiental* (México: Fondo de Cultura Económica, 2004) 10.

[38] En esta tesis se pueden distinguir básicamente dos diferentes posiciones, dependiendo de las capacidades cognitivas que se reconozcan en los animales no humanos. En efecto, una posición consiste en argumentar —como se ha explicado— que algunos animales no humanos tienen derechos, por tener cierto grado de racionalidad (limitada, pero racionalidad al fin). Otra posición, diferente, consiste en sostener que dichos animales tienen derechos, por tener autoconciencia. Se trata de posiciones diferentes, que apuntan a un mismo fin, y que por ello se confunden en ocasiones. La racionalidad ya la hemos explicado, y debe ser —en un análisis preciso— diferenciada de la autoconciencia. Está última está limitada a la capacidad de reconocerse y tener conciencia de uno mismo, y de hacer ciertos planes futuros (limitados). La distinción no es menor, porque permite la lógica pregunta de si el valor inherente (aquel que permite ser tratado

Su simpleza consiste en que bien podría afirmarse que no estamos acá en presencia de una tesis demasiado diferente a la tesis tradicional, sino más bien ante una extensión de ella. Se procura romper el plano de igualdad o uniformidad en que la dignidad se nos había presentado, fijando una suerte de proporcionalidad o gradualidad en ella, y por lo mismo en el de las obligaciones filosófico-jurídicas que emanan de la misma.

Como se podrá deducir, esta tesis tiene más bien efectos limitados en la extensión que se puede lograr en el reconocimiento de los derechos hacia la naturaleza. Esto, puesto que, aunque se asuma que la tesis es correcta, el número de componentes de la naturaleza que podrían incluirse en ella es más bien mínimo.

En dicho sentido, es un paso reducido en extensión, pero no por ello de poca consideración en cuanto a su importancia, toda vez que por vez primera se permitiría empíricamente la inclusión de seres no humanos a la categoría de pacientes morales.

Esta ha sido la batalla jurídica dada, entre otros, por Steve Wise, fundada precisamente en una gradualidad en la dignidad animal. La línea que separa en esta materia al animal humano del animal no humano, no es —argumenta Wise— de un trazo claro y preciso, y por lo mismo tampoco deben serlo las consecuencias éticas o jurídicas que emanan de ella, dividiendo la realidad en un mundo en blanco y negro[39].

Señala esta tesis que hacer tal (es decir, separar todas las especies existentes en tan sólo dos grandes grupos) es un acto arbitrario e injusto. Argumenta Wise que algunos animales no humanos gozan de ciertas capacidades cognitivas que les permiten algún grado de autonomía sobre las sensaciones y emociones, en base a lo cual —citando diversos estudios etológicos— concluye la existencia de ciertos niveles de conciencia que deben ser también respetados por la ética y el derecho[40].

---

solo como fin, y nunca como medio) emana sólo de la racionalidad, o también de algunos grados de ésta, o —incluso— de la mera autoconciencia.

[39] Steve M. Wise, Sacudiendo la jaula: hacia los derechos de los animales (España: Tirant Lo Blanch, 2018).

[40] Steven M. Wise, Drawing the Line. Science and the Case for Animal Rights (Cambridge, USA: Perseus Books. 2002) 34-38.

Para este autor, como para otros de esta misma corriente[41] [42], el error de la tradición clásica occidental es más empírico que filosófico. Dicho error consistiría en que desconocíamos la verdadera capacidad cognitiva de otros animales. Pero desde el momento en que la etología ha venido enseñando, durante el siglo XX, la presencia, al menos, en matices, de la capacidad racional o de la autoconciencia, en otras especies, no cabría ya sino reconocer dicha enseñanza científica, y traducirla en grados de dignidad.

Por lo mismo, apoyado en estudios realizados por primatólogos, relativos, principalmente, a chimpancés y bonobos, pero también a otros animales, se ha alegado una profundidad —hasta hace poco insospechada— en las facultades mentales de esas criaturas, logrando, según sus partidarios, una base para su respectiva dignidad[43] [44] [45] [46].

Así, tanto Wise como otros filósofos y activistas de la causa animal, han patrocinado recursos de amparo en favor de primates y otras especies. La prueba rendida en estos procesos judiciales ha consistido en estudios sobre las capacidades y estados mentales de ciertos animales, entregando con ellos lo que consideran evidencia clara y suficiente de la existencia de cierta racionalidad o autoconciencia en otros seres, la que los haría merecedores de consideración ética.

Reconocemos en esta tesis un esfuerzo plausible, en el sentido de que busca un fundamento analítico filosófico-jurídico directo. En efecto, sus argumentos están lejos de limitarse a lo meramente político (a la importancia de proteger a los animales), o a lo meramente romántico (a la belleza y admiración que nos producen aspectos de su existencia). Este esfuerzo, por un argumento científico y filosófico-jurídico, es algo que no siempre está presente en quienes bogan por los

---

[41] Jesús Mosterín, *El reino de los animales* (Madrid: Alianza, 2013)

[42] David DeGrazia, *Taking Animals Seriously. Mental Life and Moral Status* (Cambridge: Cambridge Press, 1996).

[43] Carl Safina, *Mentes Maravillosas. Lo que piensan y sienten los animales* (Madrid: Galaxia Gutemberg, 2017)

[44] Frans de Waal, *Are We Smart Enough to Know How Smart Animals Are?* (London: Granta, 2017)

[45] Marc Bekoff, and Jane Goodall, *The Emotional Lives of Animals* (USA: New World Library, 2008)

[46] Marc Bekoff, Minding Animals: Awareness, Emotions and Heart (USA: Oxford University Press, 2003).

derechos de los animales en particular, o de la naturaleza en general, como veremos más adelante.

Pero si bien es cierto que muchos de dichos estudios y experimentos etológicos enseñan cierta presencia de facultades cognitivas en otras especies animales, no es menos cierto que dichas facultades son muy limitadas, al punto que persiste una diferencia exponencial con las facultades del ser humano. Esta diferencia es entendida, por la tradición clásica, como la justificación de la consideración ética que se brinda sólo a este último.

Dicho en otras palabras, las capacidades mentales de otras especies no alcanzarían —para los defensores de la tradición clásica— a una profundidad clara y evidente, que sea suficiente para el reconocimiento del valor inherente. Se limita a cierta capacidad lógica que, por muy asombrosa que pueda ser, no completa para éstos el sentido que demanda y justifica la dignidad, ni siquiera en un grado proporcional básico.

A pesar de las críticas, esta tesis ha resultado de gran impacto social y judicial, dando lugar a una importante cantidad de fallos y doctrina[47]-[48].

---

[47] Esta corriente es apoyada principalmente por dos fundaciones: *Nonhuman Rights Project y Great Ape Project*. Se trata de organizaciones dedicadas exclusivamente a garantizar los derechos de los animales no humanos (de los grandes simios, en el caso de la segunda). Persiguen cambiar el estatus jurídico de ciertos animales (simios, elefantes, delfines y ballenas), desde cosas a sujetos de derechos básicos, como el derecho a la libertad y a la integridad corporal.

[48] "Por muchos años, las preguntas por el pensamiento animal fueron un tanto esquivas, en parte, debido a un supuesto vínculo indisoluble entre pensamiento y lenguaje. La idea que el pensamiento y lenguaje son interdependientes ha primado en la literatura filosófica, principalmente en aquella trazada bajo lineamientos cartesianos y posteriormente desarrollada por los filósofos analíticos, en el siglo XX. Sin embargo, a partir de 1990, esta idea ha estado en el foco de distintos debates filosóficos, en parte, impulsados por numerosos estudios empíricos provenientes de la psicología comparada y la etología cognitiva, que dan cuenta de la existencia de distintas capacidades y procesos cognitivos en animales no humanos". Bernardo Aguilera et al., *Ética animal: fundamentos empíricos, teóricos y dimensiones prácticas* (España: Universidad P. Comillas, 2019) 39.

3.2. Segunda Tesis

Una segunda tesis o corriente se encuentra en la argumentación que boga por incluir en el círculo ya señalado, no sólo a los seres con capacidad de razonar, sino también a los seres con capacidad de sentir. Habría, en esta última capacidad, una segunda fuente de obligaciones morales y de justica, que no deberíamos, sostienen algunos, desconocer. Se fundamenta esta corriente en que esta capacidad conlleva la posibilidad de tener, al menos, el más básico de los intereses: el interés de no sufrir[49].

Como señaló Bentham en la segunda mitad del siglo XVIII, el asunto no es si las otras especies pueden razonar o hablar, sino si es que pueden sufrir. Existiría así una obligación directa de no producir un dolor innecesario, presenciemos o no, en el paciente moral, la capacidad de razonar. Obligación que nace de un derecho moral que se encuentra en la existencia del ser mismo que puede sentir.

Es importante notar que Bentham no discutió el deber de respeto a la capacidad de razonar, señalando que ésta constituyera un criterio errado. Por el contrario, es claro que para Bentham la razón o lenguaje es una poderosa y evidente característica que nos obliga, del momento en que es percibida en un ser, a tener que brindar respeto a los intereses que dicho ser pudiera tener.

Pero, junto con lo anterior, también nos indica que dicha característica (razón, autoconciencia o lenguaje) no es la única que delata o advierte que estamos en presencia de un ser con intereses que deben ser respetados. Hay otra evidente característica que hace tal, y esta es la capacidad de sentir.

Se trata, en resumen, de una tesis nueva y diferente, que complementa la existente, en el sentido de fijar una nueva fuente de consideración moral a la que el ser humano debe atender.

Esta tesis logró ganar aceptación en Occidente, en las últimas décadas, quizás porque la cultura occidental da por cierto, desde hace

---

[49] "La capacidad para sufrir (y por contraposición, la de disfrutar) es un requisito para tener cualquier otro interés; una condición que tiene que satisfacerse antes de que podamos hablar con sentido de intereses". Peter Singer, *Liberación animal* (España: Penguin, 2001) 25.

mucho (sin la necesidad de someterse a un riguroso proceso analítico), que causar dolor a un ser sintiente es algo errado, que no corresponde, y que sólo es procedente cuando existe una razón mayor que
lo justifica. Se podrá discutir cuál es el peso que debe tener esa razón,
pero no la necesidad de que exista una razón.

Se transformó así, esta tesis, en una doctrina que se ha venido reco-
giendo, en términos prácticos al menos, en el derecho escrito de prácticamente todo país. Hoy se prohíbe el maltrato animal, en un grado básico,
sin siquiera buscar para ello un fundamento indirecto como el conocido
argumento dado por Kant[50]. Tratar mal a un animal no racional es algo
que produce hoy reproche moral prácticamente de manera universal, salvo que —como se indicó— exista una razón que permita justificarlo.

Esta segunda tesis ha sido fuertemente impulsada en las últimas décadas por el filósofo Peter Singer, quien, tomando el núcleo de la propuesta
hecha por Bentham y agregando sus propios matices, ha sostenido que
los animales no humanos tienen intereses moralmente significativos.

En otras palabras, si bien los animales no humanos podrían carecer de la más mínima autoconsciencia (y por ello carecer de la posibilidad de una existencia continua, que les permita escapar mentalmen-
te al presente, y les otorgue creencias, deseos y sentimientos respecto
de estados futuros), no por ello carecen del interés en evitar el dolor.
Y a dicho interés se le debe también respeto, *per se.*

---

[50]   Kant señala en su obra *Metafísica de las costumbres* lo que la doctrina ha denominado como "obligaciones indirectas". Es decir, la obligación del ser humano de
evitar el trato violento para con los animales no humanos, fundándose para ello en
un deber de respeto y consideración a sus congéneres humanos. Esto, porque el actuar violento hacia los animales no humanos puede ser una conducta creadora de
costumbre o tendencia al actuar violento entre humanos: "Con respecto a la parte
viviente, aunque no racional, de la creación, el trato violento y cruel a los animales
se opone mucho más íntimamente al deber del hombre hacia sí mismo, porque con
ellos se embota en el hombre la compasión por el sufrimiento, debilitándose así y
destruyéndose paulatinamente una predisposición natural muy útil a la moralidad
en la relación con los demás hombres; si bien el hombre tiene derecho a matarlos
con rapidez (sin sufrimiento) o también que trabajen intensamente aunque no
más allá de sus fuerzas (lo mismo que tienen que admitir los hombres), son, por
el contrario, abominables los experimentos físicos acompañados de torturas, que
tiene por fin únicamente la especulación, cuando el fin pudiera también alcanzarse
sin ellos". Immanuel Kant, *La metafísica de las costumbres* (España: Tecnos, Colección Clásicos del pensamiento, 1797), 443.

Esta corriente puede llevar a muchos a concluir y a aceptar que los animales no humanos —a diferencia del hombre— no tienen un interés en su propia existencia futura, conforme se acepte que sí tienen un claro y evidente interés en no sufrir mientras se encuentran en el presente (existe una clara diferencia entre seres con interés en no sufrir, y seres con interés en continuar existiendo, que no es lo mismo).

En efecto, si se medita con detención, los animales dotados de la capacidad de tener sensaciones buscan una existencia libre de sufrimiento. Basta en la mayoría de los casos con observar la fauna que nos rodea. El reconocimiento de ello obligaría a considerar a estos animales, en ese sentido, sujeto de derechos morales[51].

En resumen, y con este argumento, la consideración moral no descansaría sólo en la autoconciencia, sino también en el interés de la ausencia de dolor (que bien podemos detectar al advertir la capacidad de sentir)[52].

Se trata de una tesis que rescatamos en este análisis no sólo por su tremendo peso e influencia actual, sino porque procura analíticamente un fundamento filosófico-jurídico directo, y no meramente político.

3.3. Tercera Tesis

Una tercera tesis o corriente filosófico-jurídica encuentra su argumento ampliándose a una fuente adicional, que se suma a las dos ya señaladas. Esta nueva fuente consistiría —en términos restringidos—

---

[51]   "Casi todos los signos externos que nos motivan a deducir la presencia de dolor en los humanos pueden también observarse en las otras especies, especialmente en aquellas más cercanas a nosotros, como los mamíferos y las aves. La conducta característica, sacudidas, contorsiones faciales, gemidos, chillidos u otros sonidos, intentos de evitar la fuente del dolor, aparición del miedo ante la perspectiva de su repetición, y así sucesivamente, está presente. Además, sabemos que estos animales poseen sistemas nerviosos muy parecidos a los nuestros, que responden fisiológicamente como los nuestros cuando el animal se encuentra en circunstancias en las que nosotros sentiríamos dolor...", Peter Singer, *Liberación animal* (España: Penguin, 2001) 27.

[52]   Podrá apreciarse que esta tesis tiene una clara raíz utilitarista, al evaluar las acciones por la cantidad de dolor o placer que puedan causar. Cosa que no es de extrañar, dado que Bentham, considerado el padre del utilitarismo, fue uno de los primeros en sostenerla.

en el respeto que debemos a las capacidades que posibilitan el desarrollo de toda especie hacia una vida buena y plena, o —en términos amplios— en la vida misma.

Así, en la versión restringida de esta corriente, la consideración ética no estaría limitada a los individuos con capacidad para razonar o sentir, sino que dependería también de otras capacidades que permitan el florecimiento de su existencia.

> … algunos autores sacan en nuestros días consecuencias del pensamiento de Aristóteles, para avalar una defensa de los animales basada en clave distinta a la de intereses, derechos o deberes: en la idea del *florecimiento* y de las capacidades necesarias para ello, que serán diferentes en las distintas especies. Tanto los seres humanos como los demás seres vivos están dotados de un conjunto de capacidades, dependiendo de sus respectivas especies, cuyo desarrollo puede llevarle a una vida buena, o, por el contrario, verse malogrado y desembocar en una vida desgraciada. Para cada especie, la vida en plenitud será diferente, porque no son iguales las capacidades de las moscas y las del elefante, ni la de los primates superiores y las ranas, pero todas ellas tienen la aspiración de llegar a la realización plena…[53]

Martha Nussbaum, clara exponente de esta tesis, se enfoca en las capacidades básicas que permiten el florecimiento de cada especie, sobre la base de una teoría descriptiva de éstas y de su forma de vida. Un listado de capacidades representativas de cada cual que permita la formulación de obligaciones de justicia *ad-hoc*, para cada tipo de ser. Postula así la importancia de determinar y respetar la particular dignidad de cada especie según ello.

Claro está que esta teoría, como las anteriores, es también objeto de críticas. La primera es la falta de practicidad de la misma. Para ser consecuente con ella, habría que realizar listados concretos de las capacidades esenciales por cada respectiva especie o grupo de especies, lo que resulta poco factible o práctico (si es que no imposible de hacer o cumplir).

---

[53]   Adela Cortina, *Las fronteras de la persona. El valor de los animales, la dignidad de los humanos* (España: Pengui-Barcelona) 141-142.

Es más, la misma Martha Nussbaum, si bien señala que su tesis del enfoque de las capacidades puede extenderse más allá de las especies sintientes, en el hecho se limita a tratar —en su más importante texto en esta materia— sólo a los seres sintientes, generando la razonable duda de si su teoría es, en términos prácticos al menos, aplicable efectivamente al resto de los seres vivos[54].

Y es que pareciera que un mundo en que cada especie —animales y plantas incluidos— tuviese derecho moral al desarrollo de ciertas capacidades, hasta llegar a su respectiva plenitud, obliga a juzgar negativamente una variedad de acciones que hoy ni siquiera son cuestionadas (situaciones que atentan contra más de alguna capacidad esencial, de los tantos millones de especies existentes en la naturaleza).

Una segunda crítica consiste en que al intentar este camino (hacer listados de capacidades por especies o grupos de especies), pareciera terminarse en alguno de estos dos extremos: o con un listado de capacidades que tienen significancia, conforme se esté en presencia de un ser sintiente, caso en el cual se cae en la teoría anterior; o con un listado de capacidades tan amplio o genérico que parecen estar presentes prácticamente en todo ser vivo, caso en el cual, en realidad, la fuente del valor intrínseco sería la capacidad de experimentar la vida en general.

Quizás considerando esta última crítica, algunos autores, como por ejemplo Paul Taylor[55], han optado derechamente por postular que existe valor intrínseco en la vida, sin más.

Se arguye que no conocemos otro lugar del universo que albergue vida, y bien sabemos científicamente lo difícil que es el hecho de que se dé la existencia de ésta, en cualquiera de sus formas, incluso en las

---

[54]   "No comento aquí cuestiones relativas a las plantas o al mundo natural en general, si bien opino que el enfoque de las capacidades puede hacerse también extensivo al tratamiento de esos ámbitos". Martha Nussbaum, *La frontera de la justicia* (España: Paidos, 2007) 343.

[55]   "Para tomar solo un ejemplo de una ética medioambiental biocéntrica, de un creciente volumen de textos filosóficos americanos, australianos, ingleses y noruegos, Paul W. Taylor del College of Brooklyn, empezó a explorar lo que él llamó moralidad "centrada en la vida" o moralidad "biocéntrica", desde inicio de los años ochenta" (traducción es nuestra). Roderick F. Nash, *The Rights of Nature. A history of Environmental Ethics* (USA: Wisconsin University Press, 1989) 155.

más básicas. Las muchas condiciones que se deben generar, y el misterio mismo que su origen representa, produce sin duda una admiración
que lleva a sostener la existencia de un valor intrínseco en ella, en
cualquiera de sus millones de formas.

Es más, en ocasiones no sólo se argumenta en favor de la vida de
cada ser por separado, sino en favor de la vida en la Tierra, en general,
como fenómeno que esta es.

> Adoptar un punto de vista biocéntrico sobre la naturaleza signi-
> fica: considerar a los humanos como miembros de la comunidad
> de vida de la Tierra al igual que a otros miembros de los ecosiste-
> mas naturales como una red compleja de sistemas interconectados,
> donde el funcionamiento biológico correcto de cada ser depende
> del funcionamiento biológico correcto de los otros[56].

Esta última versión ve en la vida un fenómeno curioso, único, y
por lo mismo, de valor. Se asume un respeto a la larga e imperceptible
evolución que se esconde tras millones de millones de años, y que ha
dado lugar a las especies vivas que hoy habitan nuestro planeta. Así,
productos de esa gran evolución, por básica que ciertas existencias
resulten, y por ausentes que ciertas capacidades superiores puedan
estar (como la capacidad de reflexionar y sentir), siguen estas siendo
admirables y dignas de un valor *per se*.

Esta posición, que ve en la vida —en particular o en general— el
valor intrínseco, se resume en el concepto de biocentrismo, y conceptualiza al ser humano como un miembro de una comunidad: la comunidad biótica de la Tierra, en la que todos los seres deben cuidarse
recíprocamente, sólo produciendo un daño a otras especies cuando
existe una razón para ello.

Pero, como toda tesis, enfrenta sus propios desafíos. El principal
de estos desafíos consiste en que, de ser la vida el fundamento final del
valor inherente que vemos en la naturaleza, estaríamos frente a una
corriente demasiado amplia, al punto de generar diversas preguntas
en forma de crítica: ¿qué se entiende por vida?, ¿no se contradice
acaso esta tesis con la idea de una comunidad que ha evolucionado,

---

[56]   Paul W. Taylor, *La ética del respeto a la naturaleza* (México: Universidad Nacional Autónoma, 2005) 7.

por el contrario, gracias a una continua lucha de la sobrevivencia del más fuerte?, ¿cuál sería el verdadero sentido de otorgar estatus moral a organismos tan simples como, por ejemplo, una esponja?[57].

Se trata de preguntas que atacan la poca precisión de esta tesis. Preguntas respecto de las cuales autores, como el mismo Taylor, esbozan respuestas, basándose en conceptos como el de estatus moral y el de derechos morales. En efecto, para Taylor, el hecho de que toda vida tenga valor intrínseco no quiere decir necesariamente que toda vida tenga igual valor intrínseco y genere el mismo estatus moral.

Se puede así argumentar que pesa sobre el hombre, único agente moral, sopesar frente a cada situación, frente a cada ser, el mayor valor en juego. Taylor es, de hecho, de los pocos autores que quiebra de manera clara y expresa la correlación entre valor intrínseco, consideración moral y derecho moral, entrando en un punto que hemos indicado precedentemente (toda vida goza de valor inherente, pero no toda vida goza de derecho moral).

En términos más simples, Taylor presenta el biocentrismo como una tesis ética, pero no por ello filosófica-jurídica. No ve en esta tesis el fundamento de derechos morales (menos, derechos legales). Y hemos de destacar que este autor es considerado uno de los padres del biocentrismo (lo que nos debiera llevar a precisar este concepto, no como representativo de una tesis para fundamentar derechos a todo ser vivo, sino sólo para fundamentar consideración ética a todo ser vivo).

Pero de ser esto último efectivo, la pregunta que queda en el aire es: ¿en qué radica entonces que algunas vidas tengan más valor que otras, al punto que sólo algunas generen derechos morales?, ¿radica

---

[57] Respecto de la primera de esas preguntas: ¿qué se entiende por vida? cabe señalar que en términos biológicos se suele entender por vida aquel estado caracterizado por la capacidad de metabolizar nutrientes (elaborar materia para producir energía y formar tejidos), crecer, reproducirse y responder y adaptarse a los estímulos ambientales. Cf. *Encyclopaedia Britannica*, 20 ed., s. v. «vida». La dificultad de la respuesta consiste en que se trata de un concepto demasiado amplio, puesto que incluye organismos tan complejos como muchos animales, y tan simples y primitivos como las esponjas (unidades multicelulares que carecen de órganos, de cerebro y de sistema nervioso) y las bacterias (unicelulares). Es más, el mundo científico discute, por ejemplo, si los virus —que poseen ADN o ARN, pero que no pueden reproducirse sin una célula huésped— debieran clasificarse como seres vivientes o no.

acaso en ciertas capacidades especiales existentes en algunas especies, o en la capacidad de sentir, o en la de razonar? Preguntas estas últimas que nos hacen volver, como ya se podrá advertir, a cualquiera de las tesis anteriores. En resumen, Taylor termina dejando abierta la pregunta sobre el verdadero fundamento de los derechos morales de la naturaleza.

En ningún lugar de la explicación precedente he afirmado que los animales o las plantas tengan derechos morales. Esta omisión ha sido deliberada. No pienso que la clase a la que hace referencia el concepto "poseedor de derechos morales" deba extenderse para que incluya cosas vivientes no humanas. Sin embargo, mis razones para tomar esta posición van más allá de los límites de este ensayo[58].

3.4. Cuarta Tesis

Por último, un cuarto conjunto de ideas o tesis que procura el reconocimiento de los derechos de la naturaleza lo encontramos en los argumentos que sostienen la necesidad de un respeto general a los sistemas ecológicos existentes en la biosfera.

Para esta tesis, no se trataría solamente del valor que hay en la capacidad de razonar, o en la de sentir, o en la de desarrollarse y florecer que posee todo ser vivo (o en el hecho mismo de ser sujeto de vida), o en el valor de la vida en general, como fenómeno, sino en el valor de la naturaleza considerada ésta, ahora y decididamente, como un todo; focalizándose en la admiración a las intrincadas y particulares interacciones que en ella se dan.

Los argumentos para esta tesis son de diversa naturaleza. Algunos sostienen que "...la vida no es más que materia con alto grado de complejidad... y si se quiere defender la tesis del valor intrínseco de la vida, se tiene que ir hasta el final y abrazar la tesis del valor intrínseco de la materia"[59].

---

[58]   Paul W. Taylor, *La ética del respeto a la naturaleza* (México: Universidad Nacional Autónoma, 2005) 44.

[59]   Margarita Valdés (edit.), *Naturaleza y valor. Una aproximación a la ética ambiental* (México: Fondo de Cultura Económica, 2004) 18.

Pero la gran mayoría de los autores buscan fundamento en la idea de que el conjunto de condiciones y equilibrios que tan especialmente se ha dado en la biosfera —en la interacción de materia biológica y no biológica— es un proceso de afinamiento y sinergia, único, que detenta un valor *per se*[60].

Uno de los más clásicos es Aldo Leopold, con su texto *La ética de la Tierra*, escrito en 1949. El deber del hombre, como un participante más de ese sistema, consiste en no interferir con la capacidad natural de la Tierra de auto renovarse, pero es en este preciso punto donde se encuentra quizás su mayor debilidad: ¿valoraríamos estos sistemas si en ellos no existiera vida alguna?

Y es que la importancia de la naturaleza, y de los maravillosos y asombrosos procesos que en ella se dan, consiste en ese trabajo silencioso e interconectado, que aprovecha la energía del sol y un conjunto de fenómenos físicos y químicos, produciendo delicados y necesarios equilibrios, que permiten —precisamente— la abundancia de la biodiversidad en el planeta. Se trata después de todo, de sistemas y con-

---

[60] En el mundo europeo y anglosajón, resulta imprescindible nombrar a Aldo Leopold, Thomas Berry, Baird Callicott, Arne Naess, Roderick Frazier Nash, Holmes Rolston III, y Kaarlo Pentii Linkola. *Cf.* Aldo Leopold, *The Land Etich, in a Sound County Alamanc* (UK: Oxford University Press, 1949), 237-265; Thomas Berry, y otros. *Spiritual Ecology, The cry of the Earth.* (USA: California, The Golden Sufi Center,2014); Baird Callicott, "Teoría del valor no antropocéntrica y ética Ambiental", en *Naturaleza y valor. Una aproximación a la ética ambiental* (México: Universidad Autónoma de México, Instituto de Investigaciones Filosóficas y Fondo de Cultura Económica, 2004) 99; Holmes Rolston III, "Values in and Duties to the Natural World", *in Ecology, Economy, Ethics* (New Heaven: Yale University Press, 1991) 73-96; Roderick F. Nash, *Wilderness and the American wild.* (USA: Yale University Press, 2014). Por su parte, en Sudamérica, una variedad de autores se ha hecho eco de estas ideas. No necesariamente siguiendo los argumentos de la corriente europea o anglosajona, sino arribando a sus propios argumentos y en ocasiones integrando —como parte de ellos— las cosmovisiones de pueblos originarios. Entre estos, Alberto Acosta, Ramiro Ávila Santamaria y Eduardo Gudynas. *Cf.* Alberto Acosta y Esperanza Martinez, *La naturaleza con derechos. De la filosofía a la política* (Ecuador: Universidad Politécnica Salesiana, 2011); Ramiro Ávila Santamaría, *La utopía del oprimido. Los derechos de la Pachamama (naturaleza) y el sumak Kawsay (buen vivir), en el pensamiento crítico, el derecho y la literatura* (México: Edit. Akal, 2011); Eduardo Gudynas, *Derecho de la naturaleza. Ética biocéntrica y políticas ambientales.* (Argentina: Edit. Tinta, 2015).

diciones cuya existencia la ciencia supone no es única en el universo, pero si única en el universo hasta el momento conocido, lo que no es en absoluto un hecho menor.

Así las cosas, si la maravilla de esos sistemas es la existencia de vida, debemos movernos a la tesis anterior, y enfrentar en ella la crítica ya señalada (¿valoraríamos la vida si careciera de toda conciencia y capacidad de sentir?).

> El valor, se podría sostener, pertenece sólo a la vida, tanto a las cosas vivientes individuales, como a las comunidades bióticas de cosas vivientes interdependientes. O bien, si se atribuye valor a cosas que (al menos como se las concibe comúnmente) ni están vivas ni son exactamente comunidades de cosas vivientes, es solo porque se trata de cosas que, cuando se encuentran en una condición que puede ser descrita apropiadamente como floreciente, tiene como constituyente esencial varias formas de vida, por ejemplo, un lago, o toda la Tierra o la llamada biosfera[61].

4. CRITERIOS PARA DETERMINAR EL GRADO DE RECTITUD Y VALIDEZ DE LOS FUNDAMENTOS —ENCONTRADOS EN DOCTRINA O DERECHO POSITIVO— EN FAVOR DE LA EXISTENCIA DE DERECHOS DE LA NATURALEZA

Al inicio de este trabajo nos hicimos una doble pregunta: ¿en qué se fundamentan las tesis que argumentan la existencia de derechos de la naturaleza, y qué criterios debemos tener presentes para analizar los argumentos que autores, legisladores y jueces entregan en su favor?

Pues bien, hasta este punto hemos contestado, al menos resumidamente, la primera parte de dicha pregunta. Procederemos a continuación a hacernos cargo de la segunda parte de ella.

El primer criterio que estimamos importante tener presente, al analizar los fundamentos —que se encuentran en la doctrina, fallos

---

[61]   Margarita Valdés (edit.), *Naturaleza y valor*, 201.

o normas jurídicas, reconociendo derechos a la naturaleza— consiste en poner atención a si se trata de un argumento meramente político, o un argumento filosófico-jurídico. En efecto, como hemos indicado al inicio de estas páginas, un argumento político (es decir, un acuerdo tomado con un fin práctico) es perfectamente válido para la ley, pero no conlleva un reconocimiento de derecho moral (es solo la declaración de un derecho positivo). Un argumento de esta naturaleza deja abierta la pregunta de por qué no reconocer entonces derechos a los edificios de valor arquitectónico, o a todo objeto que se desee proteger.

Los argumentos políticos, en esta materia, suelen ser aquellos que destacan la tremenda importancia de proteger el medioambiente, la urgencia de evitar la crisis ambiental o la pérdida de la biodiversidad, y el perjuicio y riesgo de fenómenos como el calentamiento global.

Todos fenómenos por cierto válidos y urgentes, en la arena política, pero no en la arena filosófico-jurídica. No identifican el valor intrínseco del respectivo componente de la naturaleza que se declara como sujeto de derecho. Y es que lo que está en discusión no es si la naturaleza debe o no ser protegida urgentemente (en ello hay consenso), sino si ésta tiene o no derechos morales fundados en un valor en sí misma. Diferencia que es el centro del tema que hemos venido tratando.

Un segundo tipo de criterio consiste en la identificación de argumentos que asumen que resulta suficiente probar la existencia de un valor inherente, para probar con ello la existencia de un derecho moral. En efecto, como se ha indicado durante el trabajo, una cosa es que se pueda asignar un valor inherente a algo, pero otra cosa diferente es que todo valor inherente deba ser entendido necesariamente como generador de un derecho moral.

El valor inherente genera consideración ética, pero de esta no pareciera seguirse de manera clara y directa un derecho moral (salvo quizás el derecho a ser considerado éticamente). Reconocemos, como ya fue indicado, que éste es quizás uno de los puntos menos tratados en esta temática (pero a la vez de los más profundos). Se relaciona con el concepto de estatus moral, y deberá dar lugar a un tratamiento doctrinal más detenido.

Un tercer tipo de criterio que es de utilidad en esta temática es el rechazo de los argumentos de corte romántico. Como ya señalamos, el movimiento ambiental nace en la tensión que producen precisamente dos revoluciones, una tecnológica (Revolución Industrial) y una ideológica (el Romanticismo). Por lo mismo, no es de extrañar que el Romanticismo este comúnmente presente al hablar de la naturaleza. Pero no por ello debe ser aceptado como argumento filosófico-jurídico. Se trata de aquellos argumentos que apelan a las sensibilidades y al misterio que puede producir la naturaleza, pero que carecen de un claro hilo racional y analítico. Argumentos que ensalzan la imaginación y los aspectos estéticos y sublimes del mundo animal y natural, llegando en ocasiones a su sacralización.

El Romanticismo es por cierto altamente válido y estético en muchos sentidos y campos, como en el artístico, por ejemplo, pero no termina de satisfacer un estándar analítico y preciso, como el que requiere la filosofía-jurídica.

Un cuarto tipo de criterio consiste en identificar aquellos argumentos que utilizan la plurinacionalidad, como una causa del reconocimiento de la naturaleza como sujeto de derecho. Fenómeno éste que se aprecia sobre todo al momento de dictarse constituciones y leyes que buscan crear nuevos equilibrios político-sociales, destacando aspectos culturales de los pueblos originarios.

Esto ha ocurrido claramente en las declaraciones hechas en países sudamericanos, y también en algunos anglosajones con fuerte componente de miembros de la primera nación, que reclaman un mayor reconocimiento al momento de dictarse normas jurídicas.

El reconocimiento de la plurinacionalidad no es un argumento filosófico-jurídico claro y directo, que explique el valor inherente que pueda o no tener la naturaleza para la sociedad occidental. Podrá afirmarse que una cultura o nación determinada considera que la naturaleza cuenta, para ellos, con un valor directo, pero ello no explica en qué cosiste dicho valor intrínseco o directo para Occidente[62].

---

[62]   En el derecho anglosajón, Holmes Rolston III, postula un grado importante de subjetividad en el reconocimiento de los valores de la naturaleza. Partiendo de la base de que la cultura es parte de la naturaleza, los valores son determinados por ésta. Holes Rolston III, Valores intrínsecos de la Tierra: la naturaleza y las naciones, en *Ética ambiental y políticas internacionales* (ONU: UNESCO, 2010) 51-74.

Un quinto criterio, al que se debe estar atento, es el abuso de la gradualidad en el fenómeno de la racionalidad, como vía de convicción. En efecto, si bien es cierto que una de las tesis indicadas postula que la racionalidad está presente en las especies en grados diferentes, ello no permite argumentar de manera simple y concluyente que ante cierta capacidad de razonamiento debe necesariamente existir cierto grado de reconocimiento de derechos morales. Quizás la clave en este punto es determinar con precisión qué se entiende por razonamiento.

El hecho es que la diferencia entre el animal humano y el resto de la naturaleza, en cuanto a la racionalidad, es de tal magnitud que —de ser esa la única fuente del valor directo— se trata de un verdadero abismo en materia filosófico-jurídica al momento de reconocer valores intrínsecos, y consecuentemente derechos morales.

Por lo mismo, quienes sostienen la gradualidad de la racionalidad como argumento deben establecer puntos de inflexión para la consideración ética, y el reconocimiento jurídico; puntos éstos que deben estar debidamente fundados analíticamente. No quiero con esto decir que esta vía de argumentación no sea posible; solo digo que requiere ser fundada con claridad, explicando el grado (dentro de esa gradualidad) que genera el derecho moral, y la razón de ello.

Concluimos estas páginas con claro entendimiento de que estamos frente a un tema que no permite ser agotado con facilidad. No desconocemos que las diversas tesis indicadas, todas, sin exclusión, exhiben un hilo conductor analítico y suficientemente claro como para ser consideradas interesantes y gozar de seriedad. Pero dicha consideración no necesariamente da derecho a reclamar convicción. Quizás, precisamente, es en esa distinción entre consideración y derecho donde debiera focalizarse parte importante de la investigación.

Bibliografía

Acosta, Alberto y Martínez, Esperanza. *La naturaleza con derechos. De la filosofía a la política*. Ecuador: Universidad Politécnica Salesiana, 2011.

Aguilera, Bernardo, Lecaros, Juan Alberto y Valdés, Erik (eds.). Ética *animal: fundamentos empíricos, teóricos y dimensiones prácticas*. España: Universidad P. Comillas, 2019.

Álvarez, Cristina. *Los derechos de la naturaleza*. España: Penthalon, 1986

Ávila Santamaría, Ramiro. *La utopía del oprimido. Los derechos de la Pachamama (naturaleza) y el Sumak Kawsay (buen vivir), en el pensamiento crítico, el derecho y la literatura.* México: Akal, 2019

Beauchamp, Tom and Frey, R.G. *Animal Ethics.* USA: Oxford University Press, 2011

Berry, Thomas et al... *Spiritual Ecology, The cry of the Earth.* USA: California, The Golden Sufi Center, 2014

Boyd, David R.. *The environmental rights revolution.* Canada: UBC, 2012

Boyd, David R.. *The rights of nature. A legal revolution that could save the word.* Canada: ECW., 2017

Cortina, Adela.. *Las fronteras de la persona. El valor de los animales, la dignidad de los humanos.* Barcelona: Pengui, 2009

Daly, Erin (eds.). *New Frontiers in Environment Constitutionalism.* USA: UN Environment Programe, 2012

Danolson, Sue & Kymlicka, Will. *Zoópolis; Una revolución animalista.* USA: Errat Naturee, 2018

DeGrazia, David. *Talking animals seriously. Mental life and moral status.* USA: George Washington University-Cambridge U. Press, 1996

DeGrazia, David. *Animal Rights.* UK: Oxford Press, 2002

Estupiñan, Lilian (eds.). *La naturaleza como sujeto de derechos en el constitucionalismo democrático.* Colombia: Universidad Libre de Bogotá, 2019

Ferry, Luc. *Ecological order.* USA: Chicago-Edit Grasset & Fasquelle, 1992

García Pachón, María del Pilar (ed.).. *Reconocimiento de la naturaleza y de sus componentes como sujetos de derechos.* Colombia: Universidad de Externado, 2020

Gazzaniga, Michael S. *¿Qué nos hace humanos? La explicación científica de nuestra singularidad como especie.* Barcelona: Paidós, 2020

González Ibarra, Juan de Dios & Bolívar Delgado, Román. *Derecho de los animales y constitucionalismo de la naturaleza.* México: Fontamara, 2018

González Marino, Israel (coord.). *Personalidad jurídica de los animales no humanos, y nuevas tendencias en derecho animal.* Actas de los III coloquios de derecho animal. Chile: Facultad de derecho de la universidad Central, 2020

Gudynas, Eduardo. *Derecho de la naturaleza. Ética biocéntrica y políticas ambientales.* Argentina: Tinta, 2015

Jamieson, Dale. *Ethics and environment. An introduction.* UK: Cambridge Press, 2008

Jonas, Hans. *The imperative of responsibility. In search of an ethics for the technological age.* USA: The University Chicago Press, 1984

Lamprea Montealegre, Everaldo. *Derecho de la naturaleza. Una aproximación interdisciplinaria a los estudios ambientales.* Colombia: Universidad de los Andes, 2019

Leopold, Aldo. *A sand county almanac.* UK: Oxford University Press, 1949

Martínez Moscoso, Andrés. *Tutela de los derechos de la naturaleza y el ambiente sano.* Ecuador: Colegio de Jurisprudencia. Universidad de San Francisco de Quito, 2021.

Molina Roa, Javier. *Derechos de la naturaleza. Historia y tendencias actuales.* Colombia: Universidad Externado, 2014

Molina Roa, Javier. *Los derechos de los animales. De la cosificación a la zoopolítica.* Colombia: Universidad Externado, 2018

Morton, Timothy. *El pensamiento ecológico.* España: Paidós, 2018

Mosterín, Jesús. *El reino de los animales.* España: Alianza Editorial, 2013

Nash, Roderick F.. *Wilderness and the American wild.* USA: Yale University Press, 2014.

Nash, Roderick F.. *The right of nature.* USA: Wisconsin University Press, 1989

Nussbaum, Martha. Las fronteras de la justicia. Consideraciones sobre la exclusión. España: Paidós, 2007

Oppy, Graham. *Naturalism and religion,* USA: Routledge, 2018

Ost, Francois. *Naturaleza y derechos. Para un debate ecológico en profundidad.* España: Mensajero, 1996

Passmore, John. *La responsabilidad del hombre frente a la naturaleza.* España: Edit. Alianza Universidad, 1994

Prieto Méndez, Julio M.. *Derechos de la naturaleza. Fundamento, contenido y exigibilidad jurisdiccional.* Ecuador: Corte Constitucional de Ecuador. 2013

Ramírez Vélez, Pablo. *La naturaleza como sujeto de derechos, materialización en el Ecuador. Derechos de la naturaleza en el Ecuador.* Ecuador: Académica Española, 2015

Regan, Tom. *The case for animal rights.* USA: California Press, 2004

Reich, David. *Quienes somos y cómo hemos llegado hasta aquí.* España: Antoni Bosh, 2019

Rivera Contreras, José P. (ed.). *Personalidad Jurídica de los animales no humanos y nuevas tendencias en derecho animal. Actas de los III Coloquios de derecho animal.* Santiago: Universidad Central, 2019

Saerle, John R. *El misterio de la conciencia.* USA: Edit. NY Review Books, 2000

Safina, Carl. *Mentes maravillosas. Lo que piensan y sienten los animales.* España: Galaxia Gutemberg, 2015

Sapontzis, S.F. *Morals, reason and animals.* UK: Oxford Press, 1984

Schmidtz, David & Willot, Elizabeth (ed.). *Environmental Ethics. What really matters, what really Works.* USA: Oxford University Press-NY., 2002

Scruton, Roger. *Animal rights and wrong.* UK: Demos, 1998

Singer, Peter. *Liberación animal.* España: Penguin, 2001

Singer, Peter. *Practical Ethics.* USA: Cambridge University Press, 1993

Sorabji, Richard. *Animal mind and human morals. The origin of the western debate.* UK: Edit. Duckwords. 2001

Spaemann, Robert. *Person. The difference between Someone and Something.* UK: Oxford University Press, 2017

Steiner, Gary. *Anthropocentrism and its discontents. The moral status of animal in the history of Western Philosophy.* USA: University of Pittsburgh Press, 2005

Stone, Christopher S.. *Should trees have standing? Law, Morality and the environment.* USA: Oxford University Press, NY. 2010

Suntein, Cass R. & Nussbaum, Martha C. (eds). *Animal Rights, Current Debates and New Directions.* USA: Oxford University Press, 2004

Taylor W., Paul. *La ética del respeto a la naturaleza.* México: Universidad Autónoma de México, 2005

Valdés, Margarita M.. *Naturaleza y valor. Una aproximación a la ética ambiental.* México: Universidad Autónoma de México. Fondo de Cultura Económica, 2004

Wise, Steven M.. *Drawing the line. Science and the case for animal rights.* USA: Perseus Books, 2003

PRINCIPIOS DE DERECHO AMBIENTAL Y RESPONSABILIDAD DEL DUEÑO

Silvia Bertazzo[*]

INTRODUCCIÓN

Este artículo se propone analizar algunos fallos, principalmente de las instancias judiciales más altas en Chile, que se han pronunciado sobre la responsabilidad civil del dueño por los daños ambientales producidos en su predio por terceros. En particular, se intenta identificar los criterios y argumentos que dichas sentencias ocupan para condenar al dueño y verificar si los estándares jurisprudenciales son compatibles con los principios ambientales y con las reglas que subyacen a la responsabilidad civil por daño ambiental.

El propietario de un predio puede resultar vinculado de distinta forma con la manifestación de deterioros ambientales en su inmueble: en algunos casos, él mismo es el autor material o llega a responder por la actividad desempeñada por sus dependientes, pero también pueden verificarse situaciones en que el daño ambiental es inferido por terceros que no tienen ninguna relación con el dueño. En estos contextos, se plantean ciertas interrogantes jurídicas, especialmente sobre los fundamentos para configurar la culpabilidad del propietario del inmueble, lo que nosotros vamos a tratar de dilucidar a través del estudio de algunos fallos en la materia.

[*] Doctora en Derecho de la Università degli Studi di Trento; Profesora de Derecho Ambiental y de Derecho Internacional Público de la Universidad de los Andes (Chile). Correo: silviabertazzo@gmail.com

1. REQUISITOS DE LA RESPONSABILIDAD CIVIL POR DAÑO AMBIENTAL

Ahora bien, nuestra indagación parte de la Ley N° 19.300 de 1994[1] (en adelante: L. 19300/1994), que contiene el estatuto especial de responsabilidad civil en materia de daños provocados al medio ambiente. Este cuerpo normativo establece un régimen subjetivo[2], como resulta evidente de la lectura del artículo 3, inciso 1° de la ley, en el cual se destaca que *"Sin perjuicio de las sanciones que señale la ley, todo el que culposa o dolosamente cause daño al medio ambiente, estará obligado a repararlo materialmente, a su costo, si ello fuere posible, e indemnizarlo en conformidad a la ley"*[3].

Entonces, en primer lugar, una vez averiguada la existencia del daño y su relevancia[4], para que se pueda configurar responsabilidad civil por daños ambientales, resulta necesario acreditar que la persona actuó con culpa o dolo, esto es, debe ser posible dirigir al agente un "reproche" personal[5] porque, dejando al lado el dolo, incurrió en un actuar negligente o realizó una conducta temeraria o imprudente, según las tradicionales categorías doctrinarias[6]. Lo anterior implica indagar cuál es el deber de cuidado y cuál es el estándar de diligencia exigibles a la persona. En el sistema chileno, a grandes rasgos, existen distintos caminos para determinar las reglas de conducta que un hombre prudente medio, el buen padre de familia, debe observar: en

[1]   Ley N° 19.300 de 9 de marzo de 1994, sobre Bases Generales del Medio Ambiente.
[2]   Jorge Bermúdez Soto, *Fundamentos de Derecho Ambiental* (Valparaíso: Ediciones Universitarias de Valparaíso, 2015), página 395.
[3]   El artículo 51 de la L. 19300/1994 establece que: *"Todo el que culposa o dolosamente cause daño ambiental responderá del mismo en conformidad a la presente ley. No obstante, las normas sobre responsabilidad por daño al medio ambiente contenidas en leyes especiales prevalecerán sobre las de la presente ley"*.
[4]   En virtud de la definición del artículo 2°, letra e), de la L. 19300/1994, el deterioro al medio ambiente califica como daño solo cuando es significativo. Sobre este punto, nos remitimos a Jorge Bermúdez Soto, *Fundamentos de Derecho Ambiental*, páginas 401-404.
[5]   Hernán Corral Talciani, *Lecciones de responsabilidad civil extracontractual* (Santiago: Thomson Reuters, 2013), 202.
[6]   Corral, *Lecciones*, 212.

primer lugar, la ley, en sentido lato[7], que puede imponer la realización de ciertos comportamientos o prohibir, limitar y restringir otros, con el fin de impedir la producción del daño. Al infringir las normas, el sujeto incurre en la que se define como "culpa infraccional"[8] o "culpa contra la legalidad"[9].

En el estatuto de responsabilidad de la L. 19300/1994 la contravención al marco normativo ambiental no se limita a ser uno de los criterios, entre otros, para apreciar la culpa, sino también gatilla la aplicación de una verdadera presunción de culpabilidad[10], en virtud de lo establecido en el artículo 52, inciso 1°, de la ley, que dispone lo siguiente:

> Se presume legalmente la responsabilidad del autor del daño ambiental, si existe infracción a las normas de calidad ambiental, a las normas de emisiones, a los planes de prevención o de descontaminación, a las regulaciones especiales para los casos de emergencia ambiental o a las normas sobre protección, preservación o conservación ambientales, establecidas en la presente ley o en otras disposiciones legales o reglamentaria.

Se trata de una presunción legal, por lo que admite prueba en contrario[11], pero alivia la carga probatoria al demandante pues este no tiene que investigar y acreditar el elemento subjetivo y puede limitarse a constatar el hecho antijurídico.

---

7   Como se precisa en doctrina, puede tratarse de una norma de carácter legal pero también de disposiciones o reglas establecidas por otras autoridades con potestad normativa, por ejemplo, las contenidas en un reglamento; en este sentido Enrique Barros Bourie, *Tratado de responsabilidad civil* (Santiago: Editorial Jurídica de Chile, 2006):104.
8   Barros, *Tratado*, 104.
9   Corral, *Lecciones*, 211
10 La formulación de la disposición es ambigua, pues menciona que se presume la responsabilidad; sin embargo, se entiende que la misma incluye exclusivamente una presunción de culpabilidad y que, por lo tanto, no exime de la prueba del nexo causal. En este sentido véase Jorge Bermúdez Soto, *Fundamentos de Derecho Ambiental*, página 397. Esta conclusión se ve reafirmada por la lectura del inciso segundo del artículo 52, en se dispone lo siguiente: *"con todo, sólo da lugar a la indemnización, en este evento, si se acreditare relación de causa a efecto entre la infracción y el daño producido"*.
11 Jorge Bermúdez Soto, Fundamentos de Derecho Ambiental. 2a edición (Valparaíso: Ediciones Universitarias de Valparaíso, 2015):396.

Ahora bien, como ya señalamos, la observancia de los deberes de cuidado establecidos por el legislador no agota el alcance de las conductas diligentes exigidas a una persona[12]. En efecto, el juez mantiene un margen para determinar los deberes de cuidado exigibles y, como consecuencia, apreciar la culpa del presunto responsable del daño ambiental, en virtud de los así llamados usos normativos[13] y de los criterios de determinación prudencial[14].

Un elemento que es relevante destacar, especialmente para las consideraciones que vamos a desarrollar más adelante, es la centralidad en el juicio sobre la culpabilidad de la previsibilidad de las consecuencias de una determinada conducta, como señalan también la doctrina[15] y la jurisprudencia. A título de ejemplo, en el caso relacionado con el Proyecto Cascada Chile, en el cual se denunciaba la afectación del patrimonio ambiental (un sitio de valor arqueológico)[16], se consideró culpable la conducta observada por la demandada:

> "en cuanto ha existido omisión de la diligencia o cuidado exigibles en la situación de hecho tratada, pues se hubiera existido ésta podría haberse evitado dañoso y no querido que se causó a los sitios de Bahía Ilque 1 y 2. En el mismo sentido, ha existido una falta de previsibilidad de las consecuencias de sus actos, pues la Empresa

---

[12] Enrique Barros Bourie, Tratado de responsabilidad civil. 2ª edición (Santiago: Editorial Jurídica de Chile, 2020):871.
[13] Los usos normativos consisten en prácticas, reglas de buena conducta, que se han desarrollado y generalizado en el tiempo en el ámbito de una práctica profesional o de un determinado rubro. Puede tratarse, por ejemplo, de directivas o reglas de buen comportamiento adoptadas por colegios profesionales, asociaciones gremiales, etc. Barros, Tratado, 109-112.
[14] Los criterios de apreciación prudencial no son taxativos y se encuentran desarrollados en la jurisprudencia y la doctrina. Nos referimos, por ejemplo, a la intensidad o gravedad del daño, la naturaleza de los bienes o intereses potencialmente afectados, la probabilidad de que un determinado riesgo se materialice en un daño. A título de ejemplo, si existe una alta probabilidad de que a partir de una determinada conducta resulte un daño, las personas debieran realizar dicha conducta con un estándar de diligencia más elevado; la misma conclusión se aplica si las afectaciones pueden resultar particularmente graves o irreversibles. Barros, Tratado, 112 ss.
[15] Corral, Lecciones, 210-211; Barros, Tratado, 95.
[16] 2° Juzgado de Letras de Puerto Montt. Rol 612-1999 del 19 de diciembre de 2002.

se encontraba en condiciones de haber podido o debido prever el resultado dañoso que se le imputa"[17].

Como destaca este fallo, "al ser informada la Empresa de tal hallazgo, debía tomar todas las precauciones y providencias necesarias para evitar los daños que se produjeron con su intervención posterior"[18]. En este sentido, podemos apreciar que el conocimiento de determinados hechos o cuando menos la posibilidad de conocerlos y de preverlos gatilla el deber de actuar de manera diligente, especialmente el de adoptar todos los resguardos debidos para evitar el evento dañino. En ese sentido, podemos reconocer que la determinación de la culpa implica una apreciación que se desarrolla en dos etapas con el fin de averiguar: en primer lugar, si el agente podía o debía conocer los resultados de determinadas acciones (u omisiones) y, en segundo lugar, si observó las medidas adecuadas para impedir que eventuales riesgos se materializaran en daños.

En fin, para que se configure responsabilidad por daño ambiental, es necesario que exista un vínculo causa-efecto entre la conducta del agente y el daño. Sobre este punto, cabe precisar que el sistema chileno de responsabilidad civil por los daños ambientales[19], a diferencia de otros ordenamientos jurídicos[20], no contempla una presunción de

---

[17]   2° Juzgado de Letras de Puerto Montt. Rol 612-1999, considerando 29°.

[18]   2° Juzgado de Letras de Puerto Montt. Rol 612-1999, considerando 29°.

[19]   En algunos estatutos especiales sí encontramos presunciones de causalidad. Nos referimos en particular al artículo 144, N° 5, del Decreto 2222 de 1978 [con fuerza de ley]. Sustituye Ley de Navegación. (Diario Oficial de mayo 31 de 1978). En esta disposición se establece que *"Se presume que el derrame o vertimiento de sustancias contaminantes del medio ambiente marino produce daño ecológico"*. Sin embargo, recordamos que, según lo afirmado por la Corte Suprema, este cuerpo normativo no impide la aplicación de la L. 19300/1994 y del estatuto general en materia de responsabilidad por daños ambientales en ella contenido, pues la Ley de Navegación no contempla una acción específica dirigida a la reparación de dichos daños. Véase al respecto Corte Suprema de Chile. CS Rol 37179-2015 del 28 de junio de 2016.

[20]   Nos referimos, por ejemplo, a lo establecido en el artículo 3, inciso 1°, letra a), de la Directiva 2004/35/CE del Parlamento Europeo y del Consejo, de 21 de abril de 2004, sobre responsabilidad medioambiental en relación con la prevención y reparación de daños medioambientales. (Diario Oficial de la Unión Europea de abril 30 de 2004).

causalidad[21]. En algunos casos jurisprudenciales, como el ya citado Proyecto Cascada en Bahía Ilque[22], se extiende la presunción del artículo 52 de la L. 19300/1994 al plano de la causalidad[23]; sin embargo, esto no nos parece del todo correcto, pues el inciso 2° de la misma disposición aclara que "*con todo, sólo habrá lugar a la indemnización en este evento, si se acreditare relación de causa a efecto entre la infracción y el daño producido*". La conclusión anterior encuentra su respaldo casi unánime en la doctrina, que acota la operatividad de la presunción del artículo 52 al terreno de la culpabilidad[24].

2. PRINCIPIOS AMBIENTALES Y RESPONSABILIDAD POR DAÑO AMBIENTAL

Desde otra perspectiva, cabe mencionar que, al ser un instrumento de gestión ambiental[25], la responsabilidad civil por daño ambiental

---

[21]   Si bien no es tema de este artículo, cabe recordar que en materia de responsabilidad civil general se discute en la jurisprudencia y en la doctrina sobre el alcance del artículo 2329 del Código Civil y, en particular modo, sobre la incorporación en esta disposición de una presunción de culpa y/o de causalidad; por razones de espacio, nos remitimos a Carolina Schiele y Josefina Tocornal, "Artículo 2329 del Código Civil. La interpretación de presunción por hechos propios existe en la jurisprudencia", *Revista Chilena de Derecho* 37, n.° 1 (2010): página consultada http://dx.doi.org/10.4067/S0718-34372010000100006.

[22]   2° Juzgado de Letras de Puerto Montt. Rol 612-1999 del 19 de diciembre de 2002, considerando 30°.

[23]   En el mismo sentido Segundo Tribunal Ambiental. Rol 14-2014 del 24 de agosto de 2016, considerando 150°.

[24]   Entre otros, Felipe Arévalo y Mario Mozó, "Alcance e interpretación de la Presunción del artículo 52 de la Ley N° 19300, a la luz de la jurisprudencia de los Tribunales Ambientales ¿Presunción de responsabilidad o de culpabilidad?", *Revista de Derecho Ambiental* 6 n.°9 (2018): 118-133, https://doi.org/10.5354/0719-4633.2018.50202; Iván Hunter Ampuero, "La culpa con la ley en la responsabilidad civil ambiental", *Revista de Derecho* 18 n.°2 (2005): 9-25, http://dx.doi.org/10.4067/S0718-0950200500020000.

[25]   Según la definición dada por Bermúdez, los instrumentos de gestión ambiental corresponden al "conjunto de medidas de variado orden (jurídicas; económicas; planificadoras, etc.) destinadas al logro de finalidades de protección ambiental"; véase Jorge Bermúdez Soto, "Principios e instrumentos de gestión ambiental introducidos por el reglamento ambiental para la acuicultura", *Revista Chilena de Derecho* 29, n.° 2 (2002): 430.

se inserta en el marco de los principios y normas que rigen esta disciplina jurídica y, junto con las demás medidas y herramientas, debiera apuntar a conseguir los objetivos que esta rama del derecho persigue. En particular modo, es relevante averiguar de qué forma la responsabilidad civil por daños al ambiente se relaciona con algunas de las ideas rectoras del derecho ambiental, a las cuales se remite parte de la jurisprudencia que analizaremos más adelante; nos referimos especialmente a los principios de prevención, precaución y quien contamina paga, que encuentran sus fundamentos tanto en el derecho internacional público[26], como en el derecho interno, chileno[27] y extranjero[28].

Muy en síntesis, el principio de prevención, como enunciado en el Mensaje presidencial N° 387324 que dio inicio a la tramitación de la L. 19300/1994[29], exige que se adopten medidas previas para evitar la producción de daños previsibles al medio ambiente, especialmente si dichos daños son de carácter irreversible[30]. Por su naturaleza, el principio de prevención encuentra su expresión más evidente en los sistemas de evaluación previa (sistema de evaluación de impacto am-

---

[26] Si bien no es un instrumento, por su naturaleza, vinculante, dada su relevancia es menester mencionar la Declaración de Río sobre el Medio Ambiente y el Desarrollo, Conferencia de las Naciones Unidas sobre el Medio Ambiente y el Desarrollo, 3-14 de junio de 1992.

[27] Véase, por ejemplo, Ley 20.920 de 2016, 1 de junio de 2016. Que establece marco para la gestión de residuos, la responsabilidad extendida del productor y fomento al reciclaje. (Diario Oficial de junio 1 de 2016). En doctrina, véase Jorge A. Femenías Salas, *La responsabilidad por daño ambiental* (Santiago: Ediciones Universidad Católica de Chile, 2017), 135 ss.; Cristián Banfi del Río, "Riesgo en la aplicación del principio precautorio en responsabilidad civil y ambiental", *Revista Chilena de Derecho* 46, n.° 3 (2019), 646, http://dx.doi.org/10.4067/S0718-34372019000300643.

[28] Entre otros, artículo 191, inciso 2°, Tratado de Funcionamiento de la Unión Europea de 2012 (versión consolidada). (Diario Oficial n.° C 326, de octubre 26 de 2012).

[29] Mensaje N° 387324, en Sesión 26. Legislatura 324. Mensaje de S.E. el Presidente de la República con el que inicia un proyecto de ley de bases del medio ambiente. Santiago, septiembre 14 de 1992, considerando V, N° 1). El documento se puede consultar en https://www.bcn.cl/historiadelaley/nc/historia-de-la-ley/6910/.

[30] En este sentido, Eduardo Astorga Jorquera, *Derecho Ambiental chileno* (Santiago: Thomson Reuters, 2017), 14.

biental[31] y evaluación ambiental estratégica[32]), en las autorizaciones ambientales[33] y en otras herramientas jurídicas, entre las cuales las obligaciones de informar o de notificar que se encuentran frecuentemente mencionadas en los instrumentos de carácter internacional, como en la Declaración de Río de 1992[34]. Ahora bien, la responsabilidad civil también puede desempeñar una función de prevención, pues la posibilidad de ser considerado civilmente responsable por un daño ambiental puede ser un incentivo suficiente o idóneo para que el agente adopte determinados resguardos al realizar las conductas que podrían derivar en pérdidas ambientales. En este sentido, aunque en medida menor que otros instrumentos de gestión ambiental y si bien su foco principal está en la reparación del daño[35], la responsabilidad civil podría lograr una finalidad preventiva o al menos disuadir de la comisión de daños ambientales[36]. Asimismo, el principio de prevención encuentra cabida en el sistema subjetivo de responsabilidad por daños ambientales que existe en Chile, pues, al entrelazarse con la noción de previsibilidad, permite al juez reconstruir el deber de cuidado cuyo eventual incumplimiento determina la culpabilidad, como señala parte de la doctrina[37].

Por otro lado, conforme al principio de precaución, las autoridades, con el fin de proteger el medio ambiente, están habilitadas para adoptar medidas cuando haya peligro de daño grave o daño irrever-

---

[31] Ahora regulado en los artículos 8 y ss. de la L. 19300/1994.

[32] Véanse artículos 7 *bis* y ss. de la L. 19300/1994.

[33] Blanca Lozano Cutanda, *Derecho Ambiental Administrativo* (Madrid: La Ley, 2010), 515 ss.

[34] Principios 17 y 18 de la Declaración de Río de 1992. En la doctrina chilena, véase el trabajo de Cristián Banfi del Río, "Riesgo", 646.

[35] Corral, *Lecciones*, 61. En el ámbito de la responsabilidad por daño ambiental la finalidad reparatoria se encuentra aún más marcada, como podemos deducir de la lectura de las disposiciones sobre el procedimiento por daño ambiental contenidas en la Ley 20600 de 2012. Que crea los Tribunales Ambientales. (Diario Oficial de junio 28 de 2012). En particular, véase el artículo 33, en el cual se afirma que "*En la demanda sólo se podrá pedir la declaración de haberse producido daño ambiental por culpa o dolo del demandado y la condena de éste a repararlo materialmente...*".

[36] Corral, *Lecciones*, 61.

[37] Jorge A. Femenías Salas, *La responsabilidad*, 134.

sible, aun en contexto de incertidumbre científica[38]. En comparación con el principio de prevención, la aplicación del principio precautorio en el campo de la responsabilidad civil por daños ambientales resulta menos evidente. Sin embargo, Femenías considera que podría encontrar aplicación al menos en tres ámbitos, esto es, "(i) la adopción de medida cautelares... (ii) la flexibilización de los criterios para la acreditación del vínculo causal..." y (iii) en la determinación de la culpabilidad del agente[39]. Se trataría, de todas maneras, de una postura no pacífica: Banfi, por ejemplo, advierte que "solo trastocando un elemento central del sistema de acciones preventivas y resarcitorias del CC, cual es el riesgo de daño cierto y previsible, aquel podría aportar al Principio Precautorio"[40]. Consideramos que este autor acierta al señalar que:

> Los problemas de vaguedad que exhibe el Principio Precautorio impiden traducirlo en una regla de conducta razonable exigible a quien crea riesgos científicamente inciertos. La incertidumbre afecta a la noción de precaución y es una barrera para demostrar el nexo causal entre la actividad riesgosa y el daño[41].

En fin, por su estrecha conexión con la responsabilidad por daño ambiental, no podemos no mencionar el principio quien contamina paga. Esta norma configura principalmente una regla de internalización de los costos sociales de una determinada actividad[42], pues apunta a corregir los problemas derivados de las externalidades negativas, esto es, los perjuicios o desventajas que un agente económico provoca como consecuencia del consumo de un bien o de la realización de una determinada actividad: los costos asociados a dichas externalidades, si no existiera un mecanismo de internalización en los distintos procesos de producción o de consumo, terminarían siendo soportados por

---

[38] Declaración de Rio, principio 15. Jorge A. Femenías Salas, *La responsabilidad*, 135 ss.

[39] Jorge A. Femenías Salas, *La responsabilidad*, 144-145.

[40] Banfi del Río, "Riesgo", 654. Véase el análisis en las páginas 655 ss.

[41] Banfi del Río, "Riesgo", 661.

[42] En este sentido, véase el Principio 16 de la ya citada Declaración de Río de 1992, en el cual se señala que "Las autoridades nacionales deberían procurar fomentar la *internalización de los costos ambientales* y el uso de instrumentos económicos, teniendo en cuenta el criterio de que el que contamina debería, en principio, cargar con los costos de la contaminación..." [énfasis de la autora].

la comunidad entera[43]. El principio quien contamina paga, conocido también como el de contaminador-pagador, si bien no acota su ámbito de aplicación a la responsabilidad civil por daños ambientales[44], puede extenderse también a este instrumento[45]. En este sentido, cabe recordar que el Mensaje presidencial anteriormente mencionado divide este principio en dos ideas: el principio quien contamina paga en sentido estricto, lo cual implica que los particulares deben incorporar a sus costos de producción todas las inversiones necesarias para evitar la contaminación, y el de responsabilidad, que busca la reparación material del daño causado al medio ambiente[46]. Precisamos que en este artículo nos referimos al principio quien contamina paga en su alcance más amplio, esto es en la interpretación que abarca ambos aspectos.

3. LA FORMULACIÓN GENÉRICA DEL ARTÍCULO 51

En fin, para ir concluyendo con la parte general, cabe recordar que la formulación del artículo 51, el cual se abre con la expresión "*todo el que...*", resulta bastante genérica y termina abarcando personas naturales, jurídicas, autoridades públicas, etc.[47], sin proporcionar criterios ulteriores para individualizar al responsable del daño ambiental, especialmente cuando podemos reconocer a autores materiales del daño, por un lado, y otros sujetos que pueden, en algunos casos, tener una relación con el lugar o la instalación donde se producen los deterioros ambientales, como se verifica en el caso del dueño de

---

[43]   Rafael Valenzuela Fuenzalida, "El que contamina paga", *Revista de la CEPAL* 45 (1994): 78; Corral Talciani, Hernán, "Daño ambiental y responsabilidad civil del empresario en la Ley de Bases del Medio Ambiente", *Revista Chilena de Derecho* 23 N° 23 (1996): 145.

[44]   Andrés Betancor Rodríguez, *Derecho Ambiental* (Madrid: La Ley, 2001), 171-172. En el derecho extranjero, véase Ley 26 de 2007, 23 de octubre de 2007. Responsabilidad medioambiental. (Boletín Oficial del Estado 255, de octubre 24 de 2007), en particular el Preámbulo y el artículo 1.

[45]   Para una remisión a este principio en la jurisprudencia, véase Caso C-378/08. Raffinerie Mediterranee (ERG) SpA, Polimeri Europa SpA y Syndial SpA contra Ministero dello Sviluppo economico y otros. 2010.

[46]   Mensaje N° 387324, considerando V, N° 2 y 4.

[47]   Bermúdez, *Fundamentos*, 395.

un terreno donde terceros, "ajenos" al propietario[48], provocan daños ambientales de distinta índole.

Recordamos, si bien brevemente, que en el derecho extranjero sí encontramos algunas directivas expresas para identificar con mayor precisión al responsable de dichos daños. Por ejemplo[49], en el régimen de responsabilidad por daños ambientales introducido por la Directiva 2004/35/CE se incorpora la figura del operador, es decir:

> "cualquier persona física o jurídica, privada o pública, que desempeñe o controle una actividad profesional o, cuando así lo disponga la legislación nacional, que ostente, por delegación, un poder económico determinante sobre el funcionamiento técnico de esa actividad, incluido el titular de un permiso o autorización para la misma, o la persona que registre o notifique tal actividad"[50].

Bajo esta noción, se hace responsable la persona, natural o jurídica, que posea un control sobre la actividad que genera el daño ambiental: este control puede ser de carácter económico o financiero, pues se trata de la persona (ej. casa matriz) que realiza las inversiones, aprueba los gastos, etc. y, de esa forma, puede intervenir, entre otras cosas, también sobre la *performance* ambiental de la instalación, o puede tratarse de un control más técnico, sobre el funcionamiento y el desarrollo diario de la actividad[51]. Puede tratarse también de un control de naturaleza más jurídica, pues una persona es la titular del acto administrativo (concesión, autorización, permiso, etc.) que habilita la realización de una actividad y, al fijar condiciones y exigencias, establece el marco dentro de la cual esta última se puede desarrollar. Todas estas figuras apuntan a la persona, que, finalmente, está en las condiciones de controlar y vigilar la actividad potencialmente dañina

---

[48] El carácter ajeno de los terceros es relevante para excluir la aplicación de las presunciones por el hecho ajeno establecidas en los artículos 2320 y 2322 del Código Civil.

[49] Encontramos un ejemplo más en el 42. *Comprehensive Environmental Response, Compensation, and Liability Act (Superfund)*, U.S. Code (1980) § 9607, que se refiere expresamente al "operator of a vessel or a facility".

[50] Artículo 2, párrafo 6, Directiva 2004/35/CE. Véase también el artículo 2, N° 10, de la L. 26/2007.

[51] José Antonio Mandiá Orosa, "Comentario sobre la Directiva 2004/35/CE del parlamento europeo y del consejo de 21 de abril de 2004, y su relación con la ley de responsabilidad medioambiental", *Actualidad Jurídica Ambiental*, n.° 114: 123.

y, por lo tanto, va a responder por los daños ambientales que de esa actividad pueden derivar.

4. LOS CRITERIOS JURISPRUDENCIALES

Hechas estas premisas, profundizaremos en la responsabilidad del dueño por daños ambientales provocados materialmente por terceros en un terreno de su propiedad, a la luz de los criterios utilizados por la jurisprudencia.

Al analizar las sentencias que se refieren a este tema, podríamos realizar una primera distinción entre los casos en que el dueño era una persona natural "común y corriente", y los que involucraban a una persona jurídica que desarrollaba una determinada actividad en virtud de una autorización administrativa, estaba sujeta a un preciso marco regulatorio o contra la cual la autoridad dictó una orden. Consideramos que estos últimos factores pueden ser significativos al momento de discernir si hubo un actuar culposo por parte del dueño y si podía eventualmente aplicarse la presunción de culpabilidad del artículo 52, inciso 1°, de la L. 19300/1994. Partiremos con este segundo grupo de sentencias, pero podemos anticipar desde ya que en ambos casos los tribunales aplican una responsabilidad por omisión.

4.1. *El dueño, persona jurídica, y los daños ambientales*

En un primer caso sometido a la atención de los tribunales chilenos, el daño ambiental denunciado consistía en una corta ilegal de alerces, perpetrada por taladores abusivos en el predio, ubicado en un sector cordillerano, de la demandada, la Forestal Sarao S.A.[52]. Como se lee en la sentencia[53], la pérdida ambiental no fue menor: tanto por la extensión del área afectada, pues se efectuaron talas en una superficie de 131 hectáreas, como por el número de ejemplares cortados,

---

[52]   Sobre el caso se pronunciaron: Primer Juzgado Civil de Puerto Montt. Rol 1966-2005 del 2 de diciembre de 2010; Corte de Apelaciones de Valdivia. Rol 573-2011 del 2 de febrero de 2012 y Corte Suprema de Chile. Rol 3579-3012 del 26 de junio de 2013.

[53]   Corte Suprema de Chile. Rol 3579-3012, considerando 11°.

que, según los tocones contabilizados por la Corporación Nacional Forestal (en adelante CONAF), ascendió a más de 2500 individuos de la especie alerce[54]. Además, la tala se había producido con mayor o menor intensidad durante varios años y había sido acompañada por la realización de obras visibles, cuales caminos de acceso y distintas construcciones (faenas, bodegas, aserradores portátiles y viviendas), dentro del mismo predio de propiedad de la empresa forestal. Los antecedentes de hecho antes mencionados son significativos, pues nos indican que la conducta dañina realizada por terceros no constituyó un episodio puntual, sino más bien una actividad prolongada en el tiempo, que dejó huellas evidentes en el predio de la empresa forestal. Asimismo, el tamaño de la afectación provocada resulta relevante, pues, además de cumplir con el requisito legal de la significancia del daño[55], nos permitiría concluir que, por su gravedad y extensión, una corta de tales dimensiones no podía fácilmente pasar por desapercibida. Por otra parte, quedó comprobado en el juicio el hecho que, al menos a partir de una cierta fecha, la empresa estaba al tanto de la tala ilegal, pues realizó un sobrevuelo sobre su propiedad detectando cortas de alerce de gran magnitud y presentó denuncias ante la misma CONAF.

En virtud de estos antecedentes, la Corte de Suprema condena a la Forestal Sarao por no haber cumplido, en calidad de propietaria del predio, con su deber de conservación de la especie forestal protegida[56]: se le imputa, por lo tanto, una omisión negligente[57]. Más en detalles, los sentenciadores, al confirmar la sentencia de la Corte de Apelaciones, señalan que:

> "La previsión que se exige en este caso es un actuar para evitar las consecuencias dañosas de la tala de las especies, impidiendo las

---

[54]   Véase Corte de Apelaciones de Valdivia. Rol 573-2011, considerando 2°.

[55]   Corte Suprema de Chile. Rol 3579-3012, considerando 21°.

[56]   Al respecto, cabe recordar que el Decreto Supremo N° 490 de 1976, del Ministerio de Agricultura, declaró monumento nacional a la especie forestal alerce y dispuso la prohibición de la corta de esta especie, salvo expresa autorización de la Corporación Nacional Forestal. Véase Decreto Supremo 490 de 1976, del Ministerio de Agricultura. Declara monumento nacional a la especie forestal alerce. (Diario Oficial de septiembre de 5 de 1977).

[57]   Corte Suprema de Chile. Rol 3579-3012, considerando 20°.

acciones de los autores materiales de ésta, y como consta de los hechos asentados en esta causa, no adoptó ninguna medida conducente a la protección de las referidas especies"[58].

Sobre el punto, el tribunal, con un razonamiento parecido a lo que vimos antes en el caso del Proyecto Cascada en Bahía Ilque, llega a la conclusión de que "al menos a partir de la fecha en que se efectuó el sobrevuelo el daño ambiental razonablemente pudo ser previsto"[59]. Según el fallo, en el caso concreto, el cuidado debido requerido debía medirse en función de la extensión del predio y de su "riqueza natural". Es interesante destacar que, de dicho deber de cuidado a cargo de la propietaria del predio, la Corte deduce una serie de obligaciones que Forestal Sarao no habría cumplido, tales cuales una "vigilancia efectiva" y la "adopción de medidas destinadas a impedir el tránsito de vehículos y desplazamiento de los productos de la tala", etc. No sería necesario, de acuerdo con los sentenciadores, revisar la vigencia de una norma legal o reglamentaria que expresamente impusiera al dueño del predio el deber de vigilar su propiedad.

En relación con el nexo de causalidad, que la demandada descartaba por considerar imputable el daño a sujetos terceros, la Corte Suprema concluye lacónicamente que "con una conducta vigilante de esta demandada, que estaba en su posibilidad ejecutar, es perfectamente esperable que el daño no se hubiera generado"[60], conclusión que fue objetada en el voto disidente[61].

Sin perjuicio de las acotaciones que se realizarán más adelante, las conclusiones de la sentencia nos parecen, en línea general, adecuadas, pues la extensión del área afectada por la corta de alerces, por un lado, y la duración y la naturaleza de los trabajos de los taladores, por el otro, hace difícil excluir el conocimiento de la actividad dañina que se estaba realizando en su predio.

Por otro lado, en virtud de las características peculiares del daño ambiental en este caso, nos parece prudente no extender ciertas con-

[58]   Corte Suprema de Chile. Rol 3579-3012, considerando 20°.
[59]   Corte Suprema de Chile. Rol 3579-3012, considerando 20°.
[60]   Corte Suprema de Chile. Rol 3579-3012, considerando 24°.
[61]   Ver N° 1 del voto en contra del Ministro señor Alfredo Pfeiffer y del Abogado Integrante señor Arturo Prado.

sideraciones de manera acrítica a otros contextos, sin una adecuada apreciación de los hechos de cada situación concreta.

Si bien el Decreto Supremo N° 490 del año 1976 del Ministerio de Agricultura declara inviolable, en su calidad de monumento nacional, a la especie forestal alerce y prohíbe su corta y destrucción, salvo autorización expresa, calificada y fundamentada de la Corporación Nacional Forestal, no surge, a partir de este acto una obligación (aún menos de rango legal) de conservación y de protección a cargo de los dueños de los predios en que se encuentran ejemplares de dicha especie. Podemos considerar, por lo tanto, que los dueños no son genéricamente llamados por la ley a defender el eventual patrimonio natural que existe en su propiedad, frente a posibles actividades perjudiciales realizadas por terceros. Llegamos a esta conclusión también al interpretar la L. 19300/1994, de Bases Generales del Medio Ambiente, especialmente de la lectura conjunta de los artículos 41 y 42. La primera disposición reconoce, en efecto, que "El uso y aprovechamiento de los recursos naturales renovables se efectuará asegurando su capacidad de regeneración y la diversidad biológica asociada a ellos, en especial de aquellas especies clasificadas según lo dispuesto en el artículo 37", mientras la segunda reconoce que la regulación de este "uso y aprovechamiento" compete al "organismo público encargado por la ley", conjuntamente con el cual el Ministerio del Medio Ambiente puede exigir "la presentación y cumplimiento de planes de manejo de los mismos, a fin de asegurar su conservación" de los recursos naturales en cuestión.

Por otra parte, tampoco la Convención para la Protección de la Flora, de la Fauna y de las Bellezas Escénicas Naturales de los Países de América Washington[62], de la cual deriva su fundamento la declaración como monumento natural de la especie alerce, contiene disposiciones que impongan deberes de vigilancia explícitos a cargo de los dueños de los predios en que se encuentren las especies declaradas monumentos naturales[63].

---

[62]   Convención para la Protección de la Flora, de la Fauna y de las Bellezas Escénicas Naturales de los Países de América, firmada en Washington, 12 de octubre de 1940.

[63]   Véase en particular el artículo V de la Convención de Washington de 1940. Esto no implica desconocer el carácter directamente aplicable de algunas de las nor-

Por lo tanto, sin perjuicio de otras situaciones eventualmente aplicables[64], en estos casos no podría operar la presunción de culpabilidad del artículo 52, inciso 1°, como del resto se reconoce en la misma sentencia de la Corte Suprema[65]. Esto no impide que se pueda apreciar una omisión negligente en virtud de los criterios de determinación prudencial, especialmente al considerar el valor del bien que podría verse afectado y la gravedad del daño inferido. Sin embargo, los deberes de vigilancia y cuidado de las especies protegidas no son generalizados y debieran ser identificados en atención a las especificidad del caso concreto, lo que implícitamente admite la misma sentencia de la Corte Suprema al afirmar que, para reconocer la culpabilidad del dueño, se debe comparar su actuar con el "patrón de conducta que habría tenido que observar razonablemente el propietario diligente de un predio rústico *de las características al que se refieren estos autos*" [énfasis de la Autora][66].

Por otra parte, en la sentencia se realizan algunas consideraciones para acreditar la conducta negligente de la empresa, que, en realidad, nos parecen más relacionadas con el nexo causal y de las cuales, sin embargo, podemos derivar algunas orientaciones sobre el estándar de diligencia requerido por el tribunal. Se afirma, en particular que "de haberse puesto más vigilancia en el predio y de haberse reaccionado con mayor decisión frente a las irrupciones de los terceros que actuaban en él, para depredar los alerces, se habrían podido proteger las especies que se talaron"[67]. Y se sigue señalando que resultaba:

"perfectamente plausible estimar, como lo hace el fallo, que con una acción más diligente de la propietaria, como es el establecimiento de una vigilancia efectiva, o la adopción de medidas desti-

mas contenidas en dicho tratado internacional, en particular modo la sobre la inviolabilidad de los monumentos naturales "*excepto para realizar investigaciones científicas debidamente autorizadas, o inspecciones gubernamentales*", artículo 1, N° 3.

64 Nos referimos, por ejemplo, a los casos en que el dueño está desarrollando un proyecto que cuenta con una Resolución de Calificación Ambiental o un Plan de Manejo aprobado por al CONAF y, en virtud de esos instrumentos, se ha comprometido a adoptar medidas específicas.
65 Corte Suprema de Chile. Rol 3579-3012, considerando 32°.
66 Corte Suprema de Chile. Rol 3579-3012, considerando 19°.
67 Corte Suprema de Chile. Rol 3579-3012, considerando 20°.

nadas a impedir el tránsito de vehículos y el desplazamiento de los productos de la tala, o el traslado o remoción del administrador y el cuidador del predio, el estropicio se habría evitado, pues, se habría así actuado preventivamente, frente a las primeras denuncias de tala ilegal"[68].

En definitiva, al reconocer que en el predio se estaba desarrollando una actividad dañina, el dueño tenía que adoptar mecanismos de vigilancia, impedir el acceso de terceros al predio y decretar el traslado o la remoción del administrador y del cuidador del predio. El factor temporal es relevante: una vez detectado el daño que terceros estaban provocando, Forestal Sarao tenía que reaccionar de manera diligente. La mera presentación de denuncias ante la autoridad competente, que dieron origen a los procedimientos penales contra los autores materiales de la tala de alerce, no fue considerada una medida adecuada, tampoco la contratación de un rondín. La dificultad de acceder al sector donde se verificaban los hechos no influyó, en el fallo de la mayoría, en la apreciación de la culpa, cuando menos no de forma favorable a la demandada, pues, entre líneas, se puede percibir un reproche por parte de los sentenciadores a Forestal Sarao por no haber visitado con mayor frecuencia el área afectada por las talas.

Lo que llama la atención de la sentencia reseñada es la reconstrucción por parte de la Corte Suprema de un conjunto de deberes positivos que, como ya señalamos, no encuentran un fundamento muy claro[69]: en atención a las sistematizaciones doctrinarias, podríamos eventualmente reconocer, en el caso concreto, un cuidado debido que surge de la relación entre el dueño y el terreno donde se encontraba un bien ambiental merecedor de protección privilegiada, lo que generaría una "expectativa especial de protección"[70], la cual, sin embargo, no sería extensible a la comunidad en general.

El fallo anterior es distinto de la sentencia que vamos a analizar más adelante, pues en este segundo caso existían deberes positivos

---

[68]   Corte Suprema de Chile. Rol 3579-3012, considerando 20°.

[69]   Sobre la necesidad de determinar las fuentes de los deberes de cuidado en relación con las omisiones, nos remitimos a Enrique Barros Bourie, *Tratado*, 132.

[70]   Barros, *Tratado*, 138.

de cuidado definidos por la ley. Nos referimos al pronunciamiento de la Corte Suprema sobre una demanda de reparación ambiental interpuesta por el Estado de Chile en contra de la Empresa de Ferrocarriles del Estado (en adelante EFE) y Molibdenos y Metales S.A. (en adelante Molymet S.A.): la primera es considerada responsable por el daño ambiental acreditado pues, en su calidad de dueña de un predio, permitió que Molymet S.A. utilizara el terreno como un lugar de acopio ilegal y de disposición final de las escorias de fundición por ella producidas. Las dos demandadas son, en fin, condenadas solidariamente a ejecutar un proyecto de saneamiento de suelo, al retiro total de los residuos y al traslado de éstos a un acopio autorizado[71].

En relación con la culpa, la sentencia de segundo grado había manifestado que, en virtud de las pruebas acreditadas en primera instancia:

> "Ferrocarriles del Estado no ha ejercido un debido control sobre el predio de que es dueña, al haber tolerado la disposición en su interior de toda clase de residuos, por no haber dado cumplimiento en forma ininterrumpida en el tiempo a sus obligaciones de mantener el inmueble perimetralmente cerrado y de velar por que dicho cierre permaneciera permanentemente incorrupto"[72].

Por otro lado, la sentencia de primer grado había considerado aplicable la presunción de culpabilidad de la L. 19300/1994[73], lo que la demandada objetaba; asimismo, en el recurso EFE denunciaba la imposición por la vía jurisprudencial de un régimen de responsabilidad objetiva, solo por ser la dueña de un predio donde terceros habían causado daños ambientales[74]. La Corte Suprema, al respecto, rechaza la argumentación de la recurrente al señalar que:

> "para las sentencias de primera y segunda instancia no es la titularidad del dominio la que causa el menoscabo ambiental, sino que el elemento central que configura su responsabilidad es su pasivi-

---

[71] Corte Suprema de Chile. Rol 15996-2013 del 1 de septiembre de 2014.
[72] Corte de Apelaciones de Santiago. Rol 3275-2012 del 4 de noviembre de 2013, considerando 16°.
[73] Vigésimo Noveno Juzgado Civil de Santiago. Rol 6454-2010 del 30 de marzo de 2012 , considerando 29°.
[74] Corte Suprema de Chile. Rol 15996-2013, considerando 1°.

dad con conocimiento de que terceros ocupaban su predio como un basural y lugar de acopio de sustancias contaminantes"[75].

En segundo lugar, en la sentencia se manifiesta que el eventual vicio sobre la aplicación de la presunción de culpabilidad del artículo 52 no tendría alguna influencia en el juicio, pues podía considerarse acreditada la omisión negligente de la dueña del predio.

Destacamos que, de forma parecida al fallo anterior, el tribunal aterriza la apreciación de la culpa al contexto concreto del caso y sostiene que, para determinar si se había cumplido con los deberes de cuidado y estándar de diligencia requeridos, se "habría tenido que observar razonablemente el propietario diligente de un predio que comprende una superficie aproximada de seis hectáreas próximo a un sector poblacional…, cercano a un canal de riego y sin cierre perimetral"[76].

Más en detalle, el tribunal reprocha a la demandada el hecho de no haber previsto que su sitio podría verse convertido en un basural y "de haber permitido de un modo permanente, incluso con conocimiento de las sanciones impuestas por la autoridad de salud, que el terreno fuera utilizado como vertedero"[77].

Ahora bien, creemos que en el caso concreto había antecedentes para afirmar positivamente la existencia de una infracción y, por lo tanto, también la posibilidad de aplicar la presunción de culpabilidad del artículo 52, inciso 1°: nos referimos al incumplimiento de un conjunto de disposiciones legales y reglamentarias, especialmente las vigentes en materia de urbanismo y construcciones[78], que también se pueden considerar parte de la normativa sobre "*protección, preserva-*

---

[75]   Corte Suprema de Chile. Rol 15996-2013, considerando 3°.

[76]   Corte Suprema de Chile. Rol 15996-2013, considerando 15°.

[77]   Corte Suprema de Chile. Rol 15996-2013, considerando 17°.

[78]   Véase también Corte Suprema de Chile. Rol 15996-2013, considerando 16°. Entre otras disposiciones, cabe mencionar el artículo 2.5.1 de la Ordenanza General de Urbanismo y Construcciones de 1992 en el cual se dispone que "*los sitios eriazos y las propiedades abandonadas con y sin edificación, ubicados en áreas urbanas, deberán tener cierros levantados en su frente hacia el espacio público, siendo responsabilidad de los propietarios mantenerlos en buen estado*"; Decreto Supremo 47 de 1992, del Ministerio de Vivienda y Urbanismo. Fija Nuevo Texto de la Ordenanza General de la Ley General de Urbanismo y Construcciones. (Diario Oficial 34270, de mayo de 19 de 1992).

ción o conservación ambiental"[79]. Asimismo, la Secretaría Ministerial Regional de Salud había ordenado expresamente a la Empresa de Ferrocarriles del Estado tanto el retiro y disposición en lugares autorizados de los residuos encontrados en su predio como la instalación de un cerco perimetral y la realización de medidas aptas para impedir el depósito de ulteriores residuos en el terreno de su propiedad[80]. Por otra parte, como en el caso anterior, estamos frente a una actividad dañina que perdura en el tiempo y que la dueña no podía ignorar, tanto por la visibilidad del daño que se estaba produciendo como por la intervención de la misma autoridad sanitaria. En ese sentido, el elemento subjetivo puede considerarse cabalmente configurado: como se ha señalado, a diferencia de la Forestal Sarao, la Empresa de Ferrocarriles del Estado incumplió con deberes positivos de conducta establecidos en la regulación o derivados de una orden administrativa, por lo que, en este caso, se puede constatar la configuración de una culpa infraccional e incluso la posibilidad de aplicar la presunción legal de la L. 19300/1994.

Por otra parte, con la finalidad de avanzar hacia la averiguación del nexo causal, nos tenemos que plantear la pregunta de si la adopción de una determinada conducta por parte de la demandada habría podido evitar el daño. Si analizamos este punto desde la perspectiva de la teoría del incremento del riesgo o del riesgo incremental[81], la omisión de los resguardos debidos, el estado de abandono del sitio y, en particular, la falta o la instalación inadecuada del cerco perimetral aumentaron la probabilidad de que terceros irrumpieran en el predio de EFE y depositaran los residuos mencionados. Sin embargo, como señala la doctrina, al tratarse de una omisión, la averiguación del nexo causal debiera ser particularmente acuciosa, para no incurrir en una causalidad de carácter genérico; es decir, "la responsabilidad supone que el accidente se haya producido *porque* quien estaba obligado a actuar no lo hizo" [82]. Este punto es relevante, sobre todo para analizar críticamente los fallos posteriores.

---

[79]   Bermúdez, *Fundamentos de Derecho Ambiental*, página 397.
[80]   Corte Suprema de Chile. Rol 15996-2013, considerando 7°.
[81]   Barros, *Tratado*, 425.
[82]   Barros, *Tratado*, 399.

4.2. El dueño, persona natural, y los daños ambientales derivados de una actividad riesgosa

Un segundo grupo de sentencias se refiere a situaciones en que se produjeron daños ambientales como resultado de actividades potencialmente peligrosas, realizadas en el inmueble a sabiendas y con el consentimiento, al menos inicial, de los propietarios.

Un primer fallo concierne la gestión de un vertedero en la Comuna de Quilicura. Los copropietarios del inmueble, en su calidad de comuneros de una sucesión, habían celebrado un contrato de arrendamiento con uno de los comuneros, en el cual expresamente se indicaba que los predios arrendados serían utilizados para recibir material de relleno de determinadas características, inocuas para el ambiente. Sin embargo, el arrendatario convirtió el predio en un vertedero ilegal, al recibir residuos que no correspondían al material indicado en el contrato y en la autorización sanitaria concedida y, más en general, al operar fuera del marco regulatorio aplicable[83]. A diferencia de las sentencias de primera instancia y del fallo de la Corte de Apelaciones que condenaron únicamente al arrendatario y autor material del daño ambiental, la Corte Suprema[84] reconoció también la responsabilidad de los copropietarios no autores materiales, al considerar que los mismos "faltaron a sus deberes de vigilancia y cuidado respecto de la actividad que autorizaron se llevara a cabo en el predio de su propiedad, incurriendo en una conducta omisiva descuidada y negligente"[85]. La Corte llega a esta conclusión después de comparar la conducta desplegada por los codemandados con la que "habría tenido que observar razonablemente el propietario diligente de un predio" arrendado con el propósito de depositar material inerte, actividad, según los sentenciadores, potencialmente perjudicial para el ambiente. En particular, se les reprocha a los demás comuneros la falta de fiscalización del actuar de su arrendatario[86]; en la sentencia sobre el recurso de ca-

---

[83] La actividad contaba con una autorización otorgada por la Secretaría Ministerial Regional de Salud, la cual, sin embargo, no fue respetada; ver considerando 4° sentencia sobre el recurso de casación.

[84] Corte Suprema de Chile. Rol 8594-2018 del 12 de diciembre de 2019.

[85] Corte Suprema de Chile. Rol 8594-2018, considerando 5°, sentencia de reemplazo.

[86] Corte Suprema de Chile. Rol 8594-2018, considerando 5°, sentencia de reemplazo.

sación se afirma que sería contrario al derecho aceptar que "la sola circunstancia de entregar en arriendo el inmueble determine que se desentiendan de los límites que le asisten en su carácter de propietario del inmueble"[87]. La Corte Suprema deriva este deber de vigilancia del artículo 19 N° 24 de la Constitución Política de Chile, especialmente de la función social de la propiedad[88], y, en virtud de lo anterior, señala que:

> "el propietario de un inmueble, no puede aducir tal calidad para realizar actividades ilegales que comprometan el medioambiente y generen daño ambiental, sin que el hecho de entregar en arrendamiento permita liberarlo del deber de velar porque aquello que él no puede realizar, tampoco sea efectuado por su inquilino"[89].

El hecho de ignorar el estado del inmueble fue, por lo tanto, considerado como una falta de la diligencia exigible[90]. Como en los casos anteriores, los sentenciadores hacen hincapié también en la duración de la actividad realizada por el arrendatario, cuyas irregularidades fueron constatadas por las autoridades fiscalizadoras ya en el año 2008[91] y no fueron resueltas, tanto que en posteriores fiscalizaciones (de julio de 2009 y de abril de 2010) los órganos competentes detectaron la permanente acumulación de residuos en el predio. Asimismo, en el fallo se considera especialmente la naturaleza de la actividad

---

[87]   Corte Suprema de Chile. Rol 8594-2018, considerando 14°, sentencia sobre el recurso de casación.

[88]   Corte Suprema de Chile. Rol 8594-2018, considerando 5°, sentencia de reemplazo: "el artículo 19 N° 24 consagra la función social de la propiedad, que comprende, entre otros, cuanto lo exijan los intereses generales de la Nación, la salubridad pública y la conservación del patrimonio ambiental, razón por la que los propietarios del inmueble no pueden aducir el contrato de arrendamiento para exonerarse de responsabilidad, como tampoco la ignorancia respecto de la actividad ilegal desarrollada, pues debieron, como se asentó, fiscalizar aquello".

[89]   Corte Suprema de Chile. Rol 8594-2018, considerando 14°, sentencia sobre el recurso de casación.

[90]   Corte Suprema de Chile. Rol 8594-2018, considerando 5°, sentencia de reemplazo.

[91]   Corte Suprema de Chile. Rol 8594-2018, considerando 4°, sentencia sobre el recurso de casación. En el juicio se acreditó que entre los años 2008 y 2010 se fiscalizó la actividad desarrollada en el predio arrendado y en esas instancias se constató diversas irregularidades en cuanto a la presencia de residuos distintos de aquellos autorizados. A raíz de esto, se anuló la autorización sanitaria, lo que no impidió la continuación de la actividad.

desarrollada y autorizada (por los demás comuneros), al tratarse de una conducta, según la Corte, potencialmente peligrosa para el medio ambiente.

Aunque no se mencione expresamente, entre las líneas de la sentencia se puede entender que, según los jueces, el cuidado debido del dueño donde se desarrollan actividades dañinas para el ambiente se intensifica. Queremos destacar, de todas maneras, que no resulta probado el conocimiento por parte de los demás propietarios de los resultados de las fiscalizaciones, de los procesos sumarios contra el comunero-autor material del daño y tampoco de la prohibición de funcionamiento impuesta por la autoridad, hecho que intervino en el mes de octubre del año 2008.

Cabe, en fin, destacar que en la sentencia se señala que los copropietarios, para cumplir con el nivel de diligencia exigible, habrían podido hacer uso de la facultad a ellos concedida por el artículo 1938 del Código Civil, es decir, poner término al contrato de arriendo, "cuestión que no realizaron porque producto de su omisión culpable, según ellos aducen, ni siquiera se enteraron del mal uso del inmueble"[92].

En la sentencia no se profundiza sobre el nexo de causalidad, que la Corte simplemente da por configurado al señalar que, con una mayor vigilancia por parte de los copropietarios, el daño no se habría producido[93]. Concluimos con señalar que el fallo, sin entrar en detalles, alude expresamente a los principios de derecho ambiental, en particular modo al principio contaminador-pagador y al de la "responsabilidad"[94].

Dichos principios, junto con el de prevención y de precaución, tienen un mayor desarrollo en un fallo posterior[95], que se pronunció sobre el daño ambiental resultante de la gestión irregular del proyecto denominado "Mono relleno para lodos no peligrosos", operado por

---

[92]   Corte Suprema de Chile. Rol 8594-2018, considerando 14°, sentencia sobre el recurso de casación.
[93]   Corte Suprema de Chile. Rol 8594-2018, considerando 9°, sentencia sobre el recurso de casación.
[94]   Corte Suprema de Chile. Rol 8594-2018, considerando 6°, sentencia sobre el recurso de casación.
[95]   Corte Suprema de Chile. Rol 31797-2018 del 20 de marzo de 2020.

uno de los tres copropietarios del predio. Las codemandadas, hermanas del titular del proyecto, estaban al tanto de la actividad que se iba
a desarrollar en el terreno, pues, como se menciona en la sentencia,
dieron expresamente su consentimiento en el marco del procedimiento de evaluación de impacto ambiental[96]. La Corte Suprema concluye
que las copropietarias incumplieron con su deber de cuidado, omisión que se le imputa a partir:

> "no sólo de las múltiples exigencias que el derecho común pone de
> cargo del propietario de un predio para evitar su ruina o el daño a
> intereses ajenos, sino, de manera especial, de los principios precau-
> torio y preventivo que impregnan al derecho ambiental"[97].

A mayor abundamiento, en el considerando 16° del fallo, los sentenciadores expresan que:

> "al estar en conocimiento, al menos, de la proyección de una ac-
> tividad económica que implicaba riesgos medio ambientales a ser
> ejecutada en suelo propio, no puede sino entenderse que a María
> de los Ángeles Yáñez Marmolejo y María Gabriela Yáñez Marmo-
> lejo les empecía el deber jurídico de vigilar el recto desempeño del
> proyectista y copropietario del inmueble, carga que no cumplieron
> de forma alguna. Tal omisión no puede sino ser calificada como
> culposa, puesto que, unida tal inacción a la ya asentada obligación
> jurídica de vigilancia, se satisface el concepto de este elemento sub-
> jetivo de imputación de responsabilidad"[98].

Como se puede advertir, la sentencia es bastante lapidaria: al estar en conocimiento de la proyección de la actividad económica que
podía causar daños ambientales, nacía un especial deber jurídico de
vigilar, cuya omisión fue considerada negligente, a la luz de los principios precautorios y preventivos. A diferencia de otras sentencias, no
se menciona qué tipo de medidas habrían podido adoptar las copropietarias para cumplir con dicho deber de vigilancia.

En fin, tampoco se profundiza en el nexo de causalidad, pues, en
la sentencia de remplazo, sin hacer distinción entre la conducta activa

---

[96] Corte Suprema de Chile. Rol 31797-2018, considerando 15°.
[97] Corte Suprema de Chile. Rol 31797-2018, considerando 15°.
[98] Corte Suprema de Chile. Rol 31797-2018, considerando 16°.

del autor material del daño y la omisión de las coproprietarias, se afirma de manera escueta que:

> "es innecesario mayor comentario en adición a lo dicho por el juez a quo, puesto que la conducta atribuida a los demandados es la única causa directa e inmediata del daño ambiental que se ha constatado, de manera tal que, de no mediar la desviación en la ejecución del proyecto de relleno de lodos, o de haberse cumplido con el deber de vigilancia exigible a las copropietarias del inmueble, el resultado lesivo se habría evitado"[99].

5. BREVES CONSIDERACIONES SOBRE LA OMISIÓN NEGLIGENTE DEL DEBER DE VIGILANCIA

En los casos anteriores la responsabilidad de los dueños se configura a raíz de una omisión culposa, esto es un incumplimiento negligente de los deberes de vigilancia sobre el predio y las actividades que en él se realizan. En los primeros casos, los propietarios (Forestal Sarao, EFE) estaban al tanto de los daños ambientales que se estaban produciendo; en los últimos, los dueños, personas naturales, ignoraban el estado en que se encontraba su predio.

Ahora bien, a partir de los fallos analizados podríamos realizar algunas breves consideraciones de síntesis; precisamos desde ya que nos vamos a concentrar especialmente en el tema de la culpa y del cuidado debido.

En primer lugar, podemos constatar que la jurisprudencia tiende a considerar como irrelevantes, para efectos liberatorios, las características propias del predio (extensión, accesibilidad restringida, etc.) o del área específica donde se produjeron los daños; se podría incluso afirmar que dichos factores pueden jugar un papel contra el dueño, pues le exigen un deber de vigilancia intensificado (ver el caso de la Forestal Sarao). Tampoco parece influir en las conclusiones de los sentenciadores de los últimos fallos el hecho de que el terreno estaba siendo legalmente ocupado por terceros, bajo distintos títulos (por ejemplo, un contrato de arriendo, que otorga al arrendatario el uso y

---

[99] Corte Suprema de Chile. Rol 31797-2018, considerando 9°.

el goce del bien[100]). En fin, en virtud de esta casuística, las condiciones particulares de los propietarios no autores materiales del daño no son tomadas en consideración: como pudimos ver, fueron consideradas responsables tanto personas jurídicas como naturales, independientemente del lugar en que tenían su sede o desarrollaban su vida, cercano o lejano[101] del entorno ambiental dañado, y del rubro al cual se dedicaban o de los conocimientos más o menos especializados que pudieran tener.

Este último punto, en particular, nos suscita algunas interrogantes, pues, si bien el análisis de la culpa debe realizarse en abstracto, esto es, comparando el actuar del agente con el que habría observado el buen padre de familia[102], en la apreciación de la misma sí el juez podría relativizar sus conclusiones en función de las características específicas y de los conocimientos propios de la categoría en que recae la persona: también la doctrina más autorizada[103] admite que el deber de cuidado y el grado de diligencia exigibles pueden ser distintos, dependiendo de si se trata de una persona que ejerce determinadas actividades riesgosas (este podría ser el caso de la Forestal Sarao, por ejemplo) o de una persona natural que corresponde al parámetro generalizado del hombre promedio. Nos surge la duda, sobre todo en los últimos casos, de si los copropietarios estaban realmente en condiciones y tenían las capacidades para prever y saber que la actividad desarrollada en su predio estaba generando daños ambientales, a mayor razón tratándose de una actividad que contaba con una autorización y que, por lo tanto, estaba sujeta a la fiscalización por parte de órganos estatales, control en el cual, razonablemente, un hombre prudente podría haber confiado.

Como se aprecia en el caso del Monorelleno, se les impone a las copropietarias un rol de garante, que las obliga a velar sobre el actuar del hermano-comunero, sin sondear si realmente tenían los conocimientos y los medios para cumplir con ese deber de vigilancia. Nos parece que el estándar de cuidado debido establecido en los fallos es tan elevado que se convierte en la imposibilidad del dueño de quedar

---

100   Artículo 1915, Código Civil.
101   Corte Suprema de Chile. Rol 31797-2018, considerando 17°.
102   Corral, *Lecciones*, 208.
103   Corral, *Lecciones*, 209.

exento de reproche. La conclusión a la cual podría llegar un dueño particularmente cauteloso es la de no arrendar o, más en general, de no aceptar que se use su predio para actividades con potenciales impactos en el ambiente. Si extendemos esta consideración a todo tipo de dueños y predios, el mismo Estado no debiera conceder, arrendar, prestar, etc. sus bienes para la realización de dichas actividades o, en caso de que quiera hacerlo, debiera contar con los recursos necesarios para monitorear periódicamente el desarrollo de dichas actividades, so pena de hacerse responsable por los daños causados por sus concesionarios, arrendatarios, etc.

Por otro lado, el mero hecho de estar en conocimiento del desarrollo de una potencial actividad peligrosa no siempre está acompañado por las herramientas necesarias para poder poner término a esa actividad y al daño ambiental que la misma está produciendo. En el caso del vertedero de Quilicura, por ejemplo, es cierto que los arrendadores podían terminar el contrato de arriendo en virtud de lo establecido en el artículo 1938 del Código civil, pero el ejercicio de esta facultad por parte de los dueños no garantizaba que la entrega del inmueble fuera inmediata[104] y que los propietarios, una vez reincorporados en el uso y goce de éste, tuvieran la posibilidad de impedir o reducir la propagación de los efectos de la conducta dañina. Una vez conocido el daño inferido al ambiente por terceros, tal vez el camino más recomendable sea interponer una acción de reparación ambiental contra los autores materiales.

Sin embargo, el punto más delicado y tal vez más vago del razonamiento de la Corte Suprema, en los últimos dos fallos, se refiere a la imposición a cargo de los dueños de un deber de vigilancia, por el solo hecho de consentir que una actividad ambientalmente riesgosa se realice en su predio. Como ya señalamos, la culpa por omisión (propiamente tal)[105] se configura a partir del incumplimiento de los deberes positivos de actuar los cuales, a su vez, encuentran su fundamento en

---

[104]   De hecho, el mismo Código civil prevé esta situación, véase el artículo 1949; en algunos casos la normativa fija algunos plazos prudenciales para la entrega del bien arrendado: véanse artículos 1976 y 1985, aplicables respectivamente al arriendo de casa, edificios y almacenes y al arriendo de predios rústicos.

[105]   Enrique Barros Bourie, *Tratado*, 132 ss.

la ley[106] o, de forma muy excepcional, en una relación especial entre el agente y la víctima, que en este caso es el medio ambiente[107].

La jurisprudencia reconoce la existencia de dichos deberes a la luz de la función social de la propiedad y, como se afirma en la última sentencia, de los principios de prevención y precaución.

Ahora bien, sin entrar en detalles sobre esta conexión entre el deber de vigilancia de los dueños y la función social de la propiedad, cabe destacar que esta última noción sí permite la imposición de limitaciones y, en términos generales, de obligaciones a los titulares del derecho de propiedad[108]; sin embargo, dichas limitaciones debieran encontrar su fundamento en una norma de rango legal[109], que sea suficientemente precisa y observe los demás requisitos para su constitucionalidad, *in primis* los de razonabilidad y de proporcionalidad[110]. En los fallos reseñados, más allá de la invocación de la disposición constitucional sobre de la función social de la propiedad, no se señala la norma, legal o incluso reglamentaria[111], que fundamentaría el deber de vigilancia de los dueños. Por lo tanto, sin adentrarnos más en este ámbito, nos parece cuando menos cuestionable la construcción jurisprudencial de una culpa por omisión sobre la base de una remisión genérica a la función social, cuando esta noción, por expreso mandato constitucional, requiere ser concretizada a través de normas más específicas y detalladas.

---

[106]   Enrique Barros Bourie, *Tratado*, 133.

[107]   Enrique Barros Bourie, *Tratado*, 138.

[108]   Constitución Política de Chile de 1980, artículo 19, N° 24.

[109]   Entre otras, Tribunal Constitucional de Chile. Rol 2299-12 del 29 de marzo de 2014, considerando 10°; Enrique Rajevic Mosler, "Limitaciones, reserva legal y contenido esencial de la propiedad privada", *Revista Chilena de Derecho*, 23, n.° 1 (1996): 83.

[110]   Ver, entre otros, Ximena Peralta Fierro e Isabel Yáñez Morales, Isabel, "La función social de la propiedad en la jurisprudencia del Tribunal Constitucional chileno". *Revista De Derecho Público*, n.° 91 (2019): 54; Enrique Rajevic Mosler, "*Limitaciones*", 41.

[111]   Se admite, bajo ciertas condiciones, la colaboración reglamentaria; en ese sentido, Tribunal Constitucional de Chile. Rol 2299-12 del 29 de marzo de 2014, considerando 10°.

6. PRINCIPIOS Y RESPONSABILIDAD DEL DUEÑO: ALGUNAS CONCLUSIONES

En fin, nos parece relevante destacar la referencia a los principios de prevención y de precaución, en los últimos dos fallos analizados.

Ya evidenciamos los reparos de parte de la doctrina civilista acerca de la posible aplicación del segundo principio en el sistema chileno de responsabilidad civil y, en particular, en el juicio sobre la culpa. Ahora bien, cabe precisar que, si bien existe un deber general de todas las personas de evitar la producción de daños ambientales, ciertos o inciertos, este deber no se configura de la misma forma para todos.

Uno de los autores citados por la misma Corte Suprema destaca al respecto que "la prevención es una obligación jurídica que pesa tanto sobre los titulares de actividades calificadas como ambientalmente peligrosas, como sobre *los sujetos responsables de cualquier actividad económica o profesional* [énfasis de la Autora]". Nos parece que la doctrina en este punto hace una correcta conexión entre el desarrollo de determinadas actividades y la responsabilidad sobre las mismas, como fuente del deber de prevención. Nuestra conclusión resulta confirmada por la frase siguiente, en que el mismo Autor señala que "todos los *operadores* [énfasis de la Autora] están constreñidos a adoptar medidas de prevención y de evitación de los daños ambientales ante una amenaza inminente o, una vez producidos, para evitar que se ocasionen nuevos daños"[112]. No se puede soslayar la referencia al concepto de operador, que, como ya se señalaba al principio de este escrito, asume una connotación precisa en el derecho europeo, al indicar al sujeto que tiene el control sobre la operación de una instalación o sobre una determinada actividad: a esa persona especialmente está dirigida la obligación de prevención de los daños que dicha actividad/instalación puede provocar, no a la comunidad en general.

En la misma línea, cabe señalar que, al imponer jurisprudencialmente un deber de cuidado excesivamente elevado y casi imposible de cumplir a cargo de los dueños, se puede perder la conexión entre la responsabilidad por daños ambientales y el principio de prevención. En efecto, si aquellos terminan respondiendo en todas las situaciones

---

[112] Betancor, Instituciones de derecho ambiental (Madrid: La Ley, 2001), 236.

en que se producen daños ambientales en su predio, independientemente de la posibilidad de prever el desarrollo de conductas perjudiciales, de cumplir con un supuesto deber de vigilancia (en el caso que
se estime existente) y de evitar los daños ambientales, su responsabilidad se convierte, *de facto*, en objetiva. Y, como señala la doctrina
al respecto, en este tipo de estatutos de responsabilidad, la función
preventiva "tiende a difuminarse"[113].

Por otra parte, una interpretación excesivamente amplia de la responsabilidad del dueño puede incluso ser contraria a los demás principios que están a la base del sistema de atribución de las cargas en
materia de daños ambientales, reales o potenciales.

En efecto, en todos los casos mencionados en este artículo la Corte Suprema estima aplicable el artículo 2317 del Código civil y, por
lo tanto, condena solidariamente a la reparación del daño ambiental
tanto a los autores materiales como al dueño o a los dueños del terreno en que se produce el deterioro o pérdida ambiental. En primer
lugar, cabe destacar que la aplicación de la regla mencionada en estos
contextos es discutida en la doctrina, pues no se configuraría la condición de la unidad de hecho que está a la base del artículo citado[114].

Asimismo, en relación con lo que más nos interesa en este artículo, señalamos que la responsabilidad solidaria puede incluso entrar
en conflicto con los principios de derecho ambiental, *in primis* con
el principio de quien contamina paga o de responsabilidad, según la
formulación del Mensaje presidencial, pues el dueño, sin ser el autor
material del daño y sin tener la responsabilidad de una determinada
instalación o actividad, podría ser llamado a responder por la totalidad del daño. En efecto, por razones de estrategia procesal, la demanda de reparación del daño podría ser interpuesta únicamente contra
los propietarios, dada la facilidad de encontrar al dueño *versus* las
complejas indagaciones que pueden ser necesarias, en determinadas
situaciones, para identificar a los autores materiales.

---

[113] Corral, *Lecciones*, página 62.
[114] Entre otros, Hernán Corral Talciani, "La responsabilidad solidaria de los coautores de un ilícito extracontractual", en *Lo público y lo privado. Estudios en
homenaje al profesor Enrique Barros Bourie*, ed. Adrián Schopf Olea y Juan
Marín González (Santiago: Thomson Reuters, 2017), 665.

En definitiva, al considerar responsables los dueños por la omisión de un presunto deber de vigilancia sobre el predio y al imponerles un régimen de responsabilidad solidaria se frustrarían las finalidades últimas del derecho ambiental y de los principios que gobiernan esta disciplina jurídica: esto es, que las personas responsables por el desarrollo de actividades perjudiciales para el ambiente sean las primeras en adoptar todas las medidas necesarias y exigibles para prevenir los daños ambientales y sean también las encargadas de mitigar y reparar dichos daños, cuando estos se producen a raíz de su conducta.

Bibliografía

Arévalo, Felipe y Mario Mozó, "Alcance e interpretación de la Presunción del artículo 52 de la Ley N° 19300, a la luz de la jurisprudencia de los Tribunales Ambientales ¿Presunción de responsabilidad o de culpabilidad?". *Revista de Derecho Ambiental* 6 n°9 (2018): 118-133, https://doi.org/10.5354/0719-4633.2018.50202.

Astorga Jorquera, Eduardo. Derecho Ambiental chileno. 5a edición. Santiago: Thomson Reuters, 2017.

Banfi del Río, Cristián. "Riesgo en la aplicación del principio precautorio en responsabilidad civil y ambiental". *Revista Chilena de Derecho* 46, n° 3 (2019): 643-667, http://dx.doi.org/10.4067/S0718-34372019000300643.

Barros Bourie, Enrique. Tratado de responsabilidad civil. 2a edición. Santiago: Editorial Jurídica de Chile, 2020.

Bermúdez Soto, Jorge, Fundamentos de Derecho Ambiental. 2a edición. Valparaíso: Ediciones Universitarias de Valparaíso, 2015.

Bermúdez Soto, Jorge. "Principios e instrumentos de gestión ambiental introducidos por el reglamento ambiental para la acuicultura", *Revista Chilena de Derecho* 29, n°2 (2002): 423-440.

Betancor Rodríguez, Andrés. Instituciones de Derecho Ambiental. Madrid: La Ley, 2001.

Corral Talciani, Hernán. "La responsabilidad solidaria de los coautores de un ilícito extracontractual". En Lo público y lo privado. Estudios en homenaje al profesor Enrique Barros Bourie. Editado por Adrián Schopf Olea y Juan Marín González, Santiago: Thomson Reuters, 2017: 657-696.

Corral Talciani, Hernán, Lecciones de responsabilidad civil extracontractual. Santiago: Thomson Reuters, 2013.

Corral Talciani, Hernán. "Daño ambiental y responsabilidad civil del empresario en la Ley de Bases del Medio Ambiente". *Revista Chilena de Derecho* 23 n°23 (1996): 143-177.

Femenías Salas, Jorge A. La responsabilidad por daño ambiental. Santiago: Ediciones Universidad Católica de Chile, 2017.

Hunter Ampuero, Iván. "La culpa con la ley en la responsabilidad civil ambiental", *Revista de Derecho* 18 n°2 (2005): 9-25, http://dx.doi.org/10.4067/S0718-0950200500020000.

Lozano Cutanda, Blanca. Derecho Ambiental Administrativo. Madrid: La Ley, 2010.

Mandiá Orosa, José Antonio, "Comentario sobre la Directiva 2004/35/CE del parlamento europeo y del consejo de 21 de abril de 2004, y su relación con la ley de responsabilidad medioambiental". *Actualidad Jurídica Ambiental*, n° 114(2004): 114-131.

Peralta Fierro, Ximena y Isabel Yáñez Morales, "La función social de la propiedad en la jurisprudencia del Tribunal Constitucional chileno". *Revista De Derecho Público* n.° 91 (2019): 35-60.

Rajevic Mosler, Enrique. "Limitaciones, reserva legal y contenido esencial de la propiedad privada". *Revista Chilena de Derecho*, 23 n° 1 (1996): 23-97.

Schiele, Carolina y Tocornal, Josefina. "Artículo 2329 del Código Civil. La interpretación de presunción por hechos propios existe en la jurisprudencia". *Revista Chilena de Derecho* 37 n° 1 (2010): 123-139, http://dx.doi.org/10.4067/S0718-34372010000100006.

Valenzuela Fuenzalida, Rafael, "El que contamina paga", *Revista de la CEPAL* 45 (1994): 77-88, https://repositorio.cepal.org/bitstream/handle/11362/11833/045077088.pdf?sequence=1.

Anexo de legislación

Constitución Política de Chile de 1980. Artículo 19, N° 24. https://cdn.digital.gob.cl/filer_public/ae/40/ae401a45-7e46-4ab7-b9d3-1f7cc5afa9d6/constitucion-politica-de-la-republica.pdf

Convención para la Protección de la Flora, de la Fauna y de las Bellezas Escénicas Naturales de los Países de América, firmada en Washington, 12 de octubre de 1940.

Declaración de Río sobre el Medio Ambiente y el Desarrollo, Conferencia de las Naciones Unidas sobre el Medio Ambiente y el Desarrollo, 3-14 de junio de 1992.

Decreto 1 de 2000 [con fuerza de ley]. Fíjase el siguiente texto refundido, coordinado y sistematizado del Código Civil. (Diario Oficial de mayo 30 de 2004).

Decreto Supremo 47 de 1992, del Ministerio de Vivienda y Urbanismo. Fija Nuevo Texto de la Ordenanza General de la Ley General de Urbanismo y Construcciones. (Diario Oficial de mayo de 19 de 1992).

Decreto Supremo 490 de 1976, del Ministerio de Agricultura. Declara monumento nacional a la especie forestal alerce. (Diario Oficial de septiembre de 5 de 1977).

Directiva 2004/35/CE del Parlamento Europeo y del Consejo, de 21 de abril de 2004, sobre responsabilidad medioambiental en relación con la prevención y reparación de daños medioambientales. (Diario Oficial de la Unión Europea de abril 30 de 2004).

Decreto 2222 de 1978 [con fuerza de ley]. Sustituye Ley de Navegación. (Diario Oficial de mayo 31 de 1978).

Ley 26 de 2007, 23 de octubre de 2007. Responsabilidad medioambiental. (Boletín Oficial del Estado 255, de octubre 24 de 2007).

Ley 19300 de 1994. Sobre Bases Generales del Medio Ambiente. (Diario oficial de marzo 9 de 1994).

Ley 20600 de 2012. Que crea los Tribunales Ambientales. (Diario Oficial de junio 28 de 2012).

Ley 20920 de 2016, 1 de junio de 2016. Que establece marco para la gestión de residuos, la responsabilidad extendida del productor y fomento al reciclaje. (Diario Oficial de junio 1 de 2016).

Mensaje N° 387324, en Sesión 26. Legislatura 324. Mensaje de S.E. el Presidente de la República con el que inicia un proyecto de ley de bases del medio ambiente. Santiago, septiembre 14 de 1992.

Tratado de Funcionamiento de la Unión Europea de 2012 (versión consolidada). (Diario Oficial n.° C 326, de octubre 26 de 2012).

United States Environmental Protection Agency, Summaryof the comprehensive Environmental Response, Compensation, and Liability Act (Superfund), 42 U.S.C. §9601 et seq. (1980)

Anexo de jurisprudencia

Caso C-378/08. Raffinerie Mediterranee (ERG) SpA, Polimeri Europa SpA y Syndial SpA contra Ministero dello Sviluppo economico y otros. 2010.

Corte de Apelaciones de Santiago. Rol 3275-2012 del 4 de noviembre de 2013.

Corte de Apelaciones de Valdivia. Rol 573-2011 del 2 de febrero de 2012.

Corte Suprema de Chile. Rol 31797-2018 del 20 de marzo de 2020.

Corte Suprema de Chile. Rol 8594-2018 del 12 de diciembre de 2019.

Corte Suprema de Chile. Rol 37179-2015 del 28 de junio de 2016.

Corte Suprema de Chile. Rol 15996-2013 del 1 de septiembre de 2014.

Corte Suprema de Chile. Rol 3579-3012 del 26 de junio de 2013.

Primer Juzgado Civil de Puerto Montt. Rol 1966-2005 del 2 de diciembre de 2010.

Segundo Juzgado de Letras de Puerto Montt. Rol 612-1999 del 19 de diciembre de 2002.

Segundo Tribunal Ambiental. Rol 14-2014 del 24 de agosto de 2016.

Tribunal Constitucional de Chile. Rol 2299-12 del 29 de marzo de 2014.

Vigésimo Noveno Juzgado Civil de Santiago. Rol 6454-2010 del 30 de marzo de 2012.

ELEMENTOS ESENCIALES DE LAS AGUAS COMO BIENES PÚBLICOS: OBJETO Y FINALIDADES DE SU RÉGIMEN ESPECIAL

Camila Boettiger Philipps[*]

INTRODUCCIÓN

La regulación del uso de las aguas terrestres parece estar en nuestro país, como la de otros recursos naturales, en permanente revisión y susceptible de modificarse. Luego de una tramitación de más de 10 años, a principios de 2022 ha entrado en vigencia una sustantiva reforma al Código de Aguas de 1981[1], configurando un nuevo régimen legal de los derechos de aprovechamiento[2]. A pesar de ese cambio, nuevas revisiones al mismo podrían venir de aprobarse la propuesta constitucional actualmente en discusión. Parece ser que se revivirá la discusión (que parecía haberse superado con la aprobación por unanimidad del boletín 7543-12, que devino en la Ley 21.435) de las diferentes visiones sobre la forma de regular el uso del agua, especialmente en la caracterización de los derechos que permiten su

---

[*] Doctora en Derecho, Magíster en Ciencia Jurídica y abogada de la Pontificia Universidad Católica de Chile. Profesora de Derecho Ambiental y Recursos Naturales, e investigadora del Centro de Derecho Regulatorio y Empresa de la Facultad de Derecho de la Universidad del Desarrollo. Correo: cboettiger@udd.cl

[1] Críticas al modelo del Código de Aguas de 1981 en relación con la reforma propuesta por el Ejecutivo en 2014 pueden verse en Costa, Ezio. "Diagnóstico para un cambio: Los dilemas de la regulación de las aguas en Chile", *Revista Chilena de Derecho* 43, N° 1 (2016):347; Jaeger, Pablo y Humberto Peña. "Del orden neoliberal al régimen de lo público en materia de aguas". En *Actas de Derecho de Aguas*, N° 5 (2015):93; Celume, Tatiana. "Pilares sobre los que se sustenta la reforma al Código de Aguas chileno". En *Actas de Derecho de Aguas*, N° 5 (2015): 39-49.

[2] Ley N° 21.435, Reforma el Código de Aguas; Diario Oficial 6 de abril de 2022.

utilización y el rol del Estado[3]. Por otro lado, los efectos de las modificaciones a este tipo de recursos se advierten después de largo tiempo.
Su regulación es compleja, multifuncional y sujeta a variables técnicas, que hacen más difícil la discusión política y la técnica legislativa
en la materia.

En la propuesta constitucional de este año, surgió además una
nueva nomenclatura para las aguas, la de "bienes comunes naturales", haciendo explícita la característica de la inapropiabilidad de
las mismas[4], lo que implicaría modificar la categoría jurídica que
han tenido en nuestro Derecho desde la Colonia, y con consecuencias que aún no es posible terminar de anticipar para su régimen
jurídico.

En este escenario, el presente trabajo tiene por objeto analizar la
base jurídica de la regulación de las aguas en nuestro país: su categori-
zación como bienes públicos. En primer lugar se constata, a través de
una revisión de las normas que se han referido a ellas, que este recurso
natural se ha mantenido en nuestra legislación en el ámbito público,
excluyendo la apropiabilidad privada directa sobre ellas.

En segundo lugar, se revisa el tratamiento de la categoría de bienes públicos en el Derecho Administrativo, para posteriormente usar
dichos conceptos de manera específica en el tratamiento de las aguas
como bienes públicos. Nuestra intención con la tercera parte es aportar a la base de la discusión sobre la regulación de las aguas terrestres,
con análisis y consideraciones sobre cuál debiera ser el objeto, fines
y características de la ordenación de este recurso natural y elemento
del ambiente.

---

[3]   En una visión distinta, criticando dicha propuesta, véase Vergara, Alejandro,
        *Crisis institucional del agua. Descripción del modelo jurídico, crítica a la bu-
        rocracia y necesidad de tribunales especiales* (Santiago, Ediciones UC, 2015):
        37-41 y Bauer, Carl. *Canto de Sirenas. El derecho de aguas chileno como mo-
        delo para reformas internacionales* (2ª ed., Santiago, Editorial El Desconcierto,
        2015): 296-303.
[4]   Véase Convención Constitucional, *Consolidado Normas Aprobadas Para La
        Propuesta Constitucional Por El Pleno De La Convención*, 14 de mayo de
        2022. https://www.chileconvencion.cl/wp-content/uploads/2022/05/PROPUES-
        TA-DE-BORRADOR-CONSTITUCIONAL-14.05.22.pdf

1. LA RECEPCIÓN JURÍDICA DE LAS AGUAS COMO BIENES PÚBLICOS EN CHILE

1.1. *Antecedentes históricos*

Desde épocas antiguas, el dominio y uso de las aguas ha sido parte de la regulación jurídica en el ámbito del Derecho Público[5]. En Roma, las aguas corrientes eran catalogadas como bienes comunes a todos (*res communes omnium*), dentro de la categoría de las cosas respecto de las cuales no hay comercio[6]. Y dentro de las cosas que estaban dentro del comercio, igualmente se les consideró como cosas públicas que pertenecían al pueblo romano (*res publicae*) los ríos de caudal permanente, que estaban protegidos por interdicto, especialmente para permitir la navegación[7]. En ambos casos, la titularidad colectiva de las aguas como bien común y público, tenía como efecto su libre uso (los ríos públicos podían ser objeto de uso y aprovechamiento o consumo[8]) y la protección de sus cauces[9].

---

[5]   Vergara, Alejandro. "Las aguas como bien público (no estatal) y lo privado en el derecho chileno: evolución legislativa y su proyecto de reforma", *Revista de Derecho Administrativo Económico*, 4 n°1 (2002): 65.

[6]   Topasio, Aldo, *Los bienes en el Derecho Romano* (Valparaíso, Universidad de Valparaíso, 1981): p. 15: *"El principio res communes omnium rige también para el agua "profluens" que es aquella en continuo movimiento y por tanto no aprehensible en dicho estado como unidad, mientras es ofrecida por la naturaleza al beneficio de todos."* En el mismo sentido D'Ors considera que el agua no era objeto de propiedad, sino que su consumo era común D'Ors, Álvaro. *Derecho Privado Romano* (10ª ed., Pamplona, Eunsa, 2004): 180.

[7]   Guzmán, Alejandro. *Derecho privado romano (*Santiago, Editorial Jurídica de Chile, 1996). 433-434 y 436. Un análisis específico de los interdictos que protegían los ríos públicos en el Derecho Romano puede verse en Lazo, Patricio. "El régimen jurídico de las aguas y la protección interdictal de los ríos públicos en el Derecho Romano", *Revista de Estudios Histórico Jurídicos*, N°21(199):65-73 y Terrazas, Juan David. "La tutela jurídica del agua en el Derecho Romano", *Revista Chilena de Derecho*, 39 N°2 (2012):374, 406-407. Este último autor considera que no eran las aguas las que podían ser públicas o privadas, ya que no podían ser consideradas cosas, sino sus cauces, los cursos de agua.

[8]   Lazo, "El régimen jurídico de las aguas...": 68 y 72.

[9]   Lazo, "El régimen jurídico de las aguas...": 66-67. Este autor es de la opinión que la condición de que los ríos y las aguas corrientes fueran públicos, nociones que considera equivalentes en sus efectos jurídicos, viene dado por el derecho de gentes.

En la época medieval, las aguas generalmente eran consideradas como parte de los bienes sobre los cuales el monarca podía dar su permiso o licencia para ser aprovechados privativamente, bajo el título de "regalías" o licencia real, además de su uso común por todos los habitantes[10]. Esta condición de bienes de realengo pasa a aplicarse en Chile como colonia española, cuyo uso en ciertas cantidades era entregado a los particulares mediante mercedes de agua o a las comunidades, situación en la que los Cabildos debían dar reglas para su uso[11].

En España, influencia directa en nuestra legislación[12], las aguas corrientes continentales fueron consideradas como públicas para su regulación en la Ley de Aguas de 1866[13], declaración que se repitió en el Código Civil de 1889 respecto de los ríos y torrentes[14]. Sólo en la Ley de Aguas de 1985 se incluyeron las aguas subterráneas en el dominio público hidráulico, las que antes podían ser de dominio privado[15]. En todo caso, se considera que el carácter público de las aguas ha sido característico del ordenamiento jurídico español[16].

1.2. Recepción en Chile

En nuestro país, las primeras normas nacionales que se referían al uso de las aguas dejaban entrever la herencia hispana de considerarlas

---

[10]   Vergara, Alejandro. *Derecho de Aguas* (Santiago, Editorial Jurídica de Chile, 1998) Tomo I:62.

[11]   Dougnac, Antonio y Barrientos, Javier. "El derecho de aguas a través de la jurisprudencia chilena de los siglos XVII y XVIII", *Revista de Estudios Histórico Jurídicos*, N°14 (1991):102-104.

[12]   Lira, Samuel. *El Derecho de Aguas ante la cátedra* (Santiago, Instituto Geográfico Militar, 1956): 13-34; Vergara, *Derecho de Aguas*, Tomo I: 191-236.

[13]   López, Fernando. *Sistema jurídico de los bienes públicos* (Madrid, Civitas, 2012): p. 31, señala que la categoría del dominio público se asumió por primera vez en España justamente para las aguas de los ríos y sus cauces en 1853 y posteriormente en la Ley de Aguas de 1866.

[14]   Cordero, Eduardo. "El estatuto jurídico de los bienes y su construcción desde la perspectiva constitucional", en *Anuario de la Facultad de Ciencias Jurídicas*, (s/n, Universidad de Antofagasta, 2001):43.

[15]   Pérez, Antonio. *El dominio público hídrico continental* (Granada, Editorial Comares, 2006): 22-27.

[16]   Martín-Retortillo, Sebastián. *Derecho de Aguas* (Madrid, Civitas, 1997):135-137.

de acceso público regulado. El Senado Consulto de 1819, al permitir a todo individuo la facultad de sacar acequias de regadío de los ríos y esteros, fue visto por un autor de la época como una confirmación de que el *"agua corriente es de dominio público, y los particulares tienen sobre ella solamente el derecho de uso"*[17].

La Ley de Municipalidades de 1854, en su artículo 118, se refirió a *"los ríos y demás corrientes de agua de uso común de los habitantes..."* dando a las Municipalidades la facultad de establecer reglas para su uso y otorgar *"...mercedes o permisos para sacar agua de un río o estero..."*, lo que se repitió en leyes posteriores[18], por lo que era la autoridad administrativa local la que tenía las potestades para regular su uso y acceso.

Formalmente, las aguas son declaradas bienes nacionales de uso público desde su mención en el Código Civil de 1857, que estableció en su artículo 595 que *"Los ríos y todas las aguas que corren por cauces naturales son bienes nacionales de uso público"*, pero mantuvo ciertas hipótesis de aguas de dominio privado[19]. Lo relevante es que la concepción de las aguas como cosa común, pasó al Código Civil a través de la categoría de bienes nacionales de uso público, lo que significaba que *"legalmente, el control del uso y la distribución de dicho recurso entre los habitantes de la nación era de responsabilidad del Estado"*[20].

El primer Código de Aguas repitió dicha regla, declarando como bienes públicos las aguas que corren por cauces naturales y las aguas de los lagos mayores, quedando bajo propiedad privada las aguas de vertientes que nacen, corren y mueren dentro de una misma heredad, y las aguas de los lagos menores, las que pertenecían a los propietarios riberanos[21].

---

[17]   Antonio García Reyes, Antonio. "Legislación de Aguas", *Gaceta de los Tribunales*, N° 251 (1847):1058; en el mismo sentido, Vergara, *Derecho de Aguas,* Tomo I: 132-133.

[18]   Artículo 102 Ley Sobre Organización y Atribuciones de las Municipalidades (1887); y artículo 26 N°2 Ley sobre Organización y Atribuciones de las Municipalidades (1891).

[19]   Ley 16.640 de Reforma agraria.28 julio 1967.

[20]   Stewart, Daniel. *El Derecho de Aguas en Chile: algunos aspectos de su historia y el caso del Valle de Illapel (*Santiago, Editorial Jurídica de Chile, 1970): 18.

[21]   Código De Aguas, Ley N°9.909, 28 de Mayo de 1951, artículos 10 y 11.

La declaración de todas las aguas como bienes nacionales de uso público, sin excepciones, se produjo en 1967 con la Ley N° 16.640 de Reforma Agraria, que modifica el artículo 595 del Código Civil y el Código de Aguas vigente a la época. Las aguas que eran de dominio particular se declararon de utilidad pública y fueron expropiadas para incorporarlas al dominio público; los que eran dueños de las aguas así afectadas podían seguir usándolas como titulares de un derecho de aprovechamiento sin necesidad de obtener una merced[22].

1.3. *Regulación actual de las aguas como bienes públicos*

La normativa vigente ha mantenido dicha calificación jurídica, especificándola. El artículo 5 del Código de Aguas (en adelante, "CA"), establece que "Las aguas, en cualquiera de sus estados, son bienes nacionales de uso público", en concordancia con el artículo 595 del Código Civil (en adelante, "Código Civil). Adicionalmente, recalca en su actual redacción que "En consecuencia, su dominio y uso corresponde a todos los habitantes de la nación."

Estas normas constituyen hasta hoy el punto de partida de la regulación legal de las aguas. La Constitución no se refiere explícitamente a la calidad de las aguas como bienes públicos, salvo por la reconducción que puede hacerse entre la distinción que hace el artículo 19 N° 23 entre los bienes respecto de los cuales existe apropiabilidad privada y las normas citadas, quedando las aguas dentro de los bienes públicos respecto de los cuales no existe tal posibilidad. Distinta es la regla que sí se establece para los derechos de los particulares sobre las aguas, sobre los que reconoce y protege la propiedad[23].

En esta evolución normativa podemos identificar antecedentes históricos que permiten constatar que, por la naturaleza y necesariedad del recurso hídrico en casi todas las actividades humanas, éste ha sido calificado ya desde el Derecho Romano como un bien de uso común y/o público, con claras atribuciones dadas a la autoridad para regular

---

[22] Artículo 95 Ley 16.640 de Reforma Agraria.
[23] Constitución Política de la República de Chile de 1980. Art. 19 N° 24 CPR inciso final: *"Los derechos de los particulares sobre las aguas, reconocidos o constituidos en conformidad a la ley, otorgarán a sus titulares la propiedad sobre ellos."*

su aprovechamiento[24]. Si bien se permitieron algunas hipótesis de derechos de propiedad privada sobre ciertas aguas (como los derechos de los riberanos de aguas menores) la regla general en nuestro ordenamiento ha sido reconocer en las aguas un bien de carácter público, cuya utilización debe estar abierta a todas las personas, la que es administrada por la autoridad. La mayor o menor potestad estatal para la regulación de los usos de las aguas en Chile ha variado a través del tiempo en los Códigos del ramo, pero su calidad de bienes nacionales de uso público se ha mantenido y extendido a lo largo de nuestra historia legislativa; el dominio público es la categoría jurídica que históricamente se ha usado para regular el uso de este recurso en nuestro Derecho.

2. JUSTIFICACIÓN Y ELEMENTOS DEL DOMINIO PÚBLICO: UNA CATEGORÍA ESPECIAL DE BIENES

2.1. Concepto y justificación del dominio público

Como han señalado varios autores[25], más que un concepto de dominio público lo que hay son varias teorías sobre su noción y de ellas derivan consecuencias distintas. Aunque se puedan citar antecedentes históricos del Derecho Romano y de la época medieval[26], y en ellos ciertas categorías o elementos que parecieran comunes o susceptibles de analogía[27], no podemos aplicar directamente dichas categorías a la

---

[24]   Vergara, *Derecho de Aguas*, Tomo I: 29.
[25]   Vergara, *Derecho De Aguas*, Tomo I:28; Montt, Santiago. *El dominio público. Estudio de su régimen especial de protección y utilización* (Santiago: LexisNexis, 2002):105; Bermúdez, Jorge. *Derecho Administrativo General* (2ª edición. Santiago, LegalPublishing, 2011): 555.
[26]   Para un detallado análisis de los antecedentes romanos y medievales previos a la era moderna, véase Parejo, Luciano. "Dominio público: un ensayo de reconstrucción de su teoría general". *Revista de Administración Pública*, N° 100-102 (1983):2383-2390 y Montt, *El dominio público...*: 25-104.
[27]   Vergara, Alejandro. "Naturaleza jurídica de los "bienes nacionales de uso público". *Ius Publicum*, N° 3 (1999): 77-78; Sainz, Fernando. "El dominio público: Una reflexión sobre su concepto y naturaleza: cincuenta años después de la fundación de la Revista de Administración Pública", *Revista de Administración Pública*, N° 150 (1999):480; Parejo, "Dominio público: un ensayo de reconstrucción...":2380, considera que la teorización del dominio público reciente aparece *"...poderosamente lastrada por elementos de arrastre histórico...".*

concepción del dominio público[28]. La doctrina del dominio público, de donde viene la nomenclatura utilizada en nuestra legislación, tiene su origen en la discusión de los juristas en Francia después de la Revolución de 1789[29], la que fue posteriormente recogida por autores españoles[30], los que han influido en el tratamiento que le ha dado la doctrina a este tema en nuestro país[31].

2.1.1. Teoría de la soberanía

La primera teoría del dominio público fue elaborada por el francés Víctor Proudhon, en oposición a la aplicación de las categorías de propiedad privada del Código Civil francés a esta titularidad del Estado[32]. Lo concibió como un conjunto de bienes sobre los que el Estado no tiene más que un derecho de administración y conservación, como representante de los intereses generales del cuerpo social[33]. Niega una propiedad estatal, y fundamenta el vínculo del Estado con estos bienes en un conjunto de potestades de vigilancia y policía, articuladas desde la perspectiva de la soberanía más que del dominio[34]. El factor primordial de distinción respecto de ellos sería su indisponibilidad

---

[28]   Vergara, Alejandro. "La teoría del dominio público: el estado actual de la cuestión". *Revista de Derecho Público* (Madrid) volumen I, N° 114 (1989):30, resalta esta posible confusión de conceptos creados en contextos distintos: *"...no es posible pensar que pudiesen tener igual explicación doctrinal las res publicae (o incluso ager publicus) de los romanos, los iura regalia medievales, que el moderno domaine public, por mencionar tres estadios histórico-jurídicos bien caracterizados."*

[29]   Marienhoff, Miguel. *Tratado del dominio público* (Buenos Aires: Tipográfica Editora Argentina, 1960):42 resalta que en Francia se sistematizó la doctrina del dominio público ajustándola a principios jurídicos.

[30]   López, *Sistema jurídico de los bienes públicos*: 38.

[31]   Véanse, por ejemplo, los autores en los que basan su análisis Vergara, "La teoría del dominio público..."; Cordero, "El estatuto jurídico de los bienes..." y Montt, *El dominio público.*

[32]   Esteve, José. *Lecciones de Derecho Administrativo* (Madrid: Marcial Pons, 2011):491.

[33]   Parejo, *"Dominio público: Ensayo..."*: 2394; Cordero, "El estatuto jurídico de los bienes...":38.

[34]   Sánchez, Miguel. "Los bienes públicos en general". En *Los Bienes Públicos: (régimen jurídico).* (Madrid: Tecnos, 1997): 25.

por parte del Estado, por estar en esta categoría bienes que tienen esta condición por naturaleza[35].

2.1.2. Teoría subjetiva o patrimonialista

Elaborada por el jurista francés Hariou, atribuye al Estado un verdadero dominio sobre estos bienes[36]. Una propiedad administrativa, diferente de la privada pero igualmente auténtica, cuyas diferencias serían sólo de grado, y en la cual sí se darían los elementos de la propiedad. La base de esta relación del Estado es la afectación de los bienes a un fin de utilidad o servicio público[37], que modula las facultades del dominio relativizándolas por esta afectación, y además aporta la funcionalidad de estos bienes a la satisfacción de intereses generales[38].

2.1.3. Teoría objetiva o funcionalista

Formulada por el español Villar Palasí, hizo ver la inadecuación del concepto de propiedad aplicada a estos bienes y la necesidad de su sustitución por el de potestad en la construcción del concepto de dominio público[39]. En síntesis, propone atender más a la función que cumplen en vez de a la materialidad de la cosa, negando la naturaleza jurídica del dominio público como un derecho de propiedad sobre cosas materiales[40], y conceptualizándolo como un título jurídico de intervención dentro de los márgenes del Derecho Público[41]. Lo característico en el dominio público es el poder público, no la propiedad; éste tiene por objeto su protección y regulación. De esta manera el Estado sobre estos bienes afectos especialmente a lo público tendría

---

[35]   Montt. El Dominio Público: 108-110.

[36]   Parejo, "Dominio público: Ensayo...": 2395.

[37]   Garrido, Fernando. Tratado de Derecho Administrativo (Madrid: Editorial Tecnos, 2005, Vol. II): 497; López, Sistema jurídico de los bienes públicos: 40.

[38]   Montt, *El dominio público*. 111-115. También explicada, entre otros, por Vergara, "Naturaleza jurídica de los bienes públicos": 80.

[39]   Morillo-Velarde, José. Dominio Público. (Madrid: Editorial Trivium, 1992): 69.

[40]   Montt, *El dominio público*: 116-118. Parejo, "Dominio público: Ensayo...": 2403 critica específicamente que la teoría patrimonialista impide la construcción de un *"Derecho de cosas estrictamente administrativo."*

[41]   Parejo, "Dominio público: Ensayo...": 2403; Vergara B. (1989) p. 49.

potestades[42], las que permiten a la Administración regular las conductas de quienes las utilicen, ordenándolas de acuerdo a los intereses
generales[43].

También se argumenta, para negar la visión patrimonial del dominio
público, la separación entre Estado y sociedad: dado que la Administración Pública no es un sujeto ordinario de derecho, no tiene realmente
derechos subjetivos. Dice que *"...el Estado no puede ser propiamente
titular de derechos fundamentales o libertades públicas..."*, por lo que
menos podría ser dueño de los bienes públicos o ejercer respecto de
ellos facultades de propiedad.[44]. Se cambia el énfasis desde las potestades públicas como base del dominio público, a los deberes constitucionales que esta categoría impone a la Administración, conceptualizando
la cosa pública como una relación jurídica[45], lo que para la Administración configura un deber constitucional de prestación pública en favor
de los particulares[46]. El carácter prestacional del dominio público no
impide que sea, simultáneamente, *"una técnica de atribución de títulos
causales de intervención del poder público administrativo"*[47].

2.2. La doctrina chilena frente a la teoría del dominio público

En Chile, aunque algunos autores adscribieron a la teoría subjetiva[48], la mayoría de la doctrina se inclina por la teoría funcionalista,

---

[42] Parejo, "Dominio público: Ensayo...": 2416; Vergara B. (1999a) p. 81.
[43] Montt, *El dominio público*: 118-119.
[44] Parejo, Luciano. "Reconstrucción de una teoría general del dominio público",
en *Anuario Facultad de Ciencias Jurídicas*, s/n (Antofagasta, Universidad de Antofagasta, 2011):15-17; si bien no descarta que podría existir propiedad sobre
ellos, lo que postula es que esa relación no es lo que realmente identifica la categoría, sino las potestades que tiene la Administración y que se relacionan con la
función pública de los bienes.
[45] Parejo, "Reconstrucción de una teoría...": 19.
[46] Según Moreu, Elisa. "Desmitificación, privatización y globalización de los bienes
públicos: del dominio público a las obligaciones de dominio público". *Revista
de Administración Pública*, N° 161 (2003):477, la afectación de ciertos bienes
y recursos a finalidades públicas, más que definirlos por la titularidad estatal,
representaría una garantía respecto de ellos.
[47] Parejo, "Dominio público: Ensayo...": 2316; *Reconstrucción de una teoría general del dominio*: 20.
[48] Merino, Ernesto. *Derecho Administrativo* (Santiago, Imprenta Universitaria,
1936):259, quien agrega los bienes municipales; Jara, Manuel. *Derecho Adminis-*

enfocándose no tanto en la titularidad sino en la afectación como pieza clave del dominio público; no como título de propiedad sino de potestad sobre ellos[49]. Vergara busca la explicación del vínculo del Estado con estos bienes en la forma actual que éste tiene para cumplir sus fines, las potestades administrativas[50]. Cree que se debe razonar jurídicamente sobre el contenido de la potestad del Estado sobre los bienes y sus límites, más que hacerlo desde los bienes mismos o su titular; no aplicar el concepto de propiedad, más propio del Derecho Civil, sino atender a la finalidad que cumple, la que si es pública le otorgará al bien tal carácter[51]. En suma, adhiere a la teoría funcionalista, vinculando la categoría a las funciones o potestades de la Administración[52], de manera que en el dominio público el Estado es un administrador que usa potestades como una forma de *"...buscar que esos bienes cumplan con la finalidad pública que justifica su inclusión en tal categoría..."*[53].

---

trativo (Santiago: Artes y Letras Impresores, 1943):177, lo consideraba una forma de propiedad administrativa; Reyes, Jorge. *Naturaleza Jurídica del Permiso y de la Concesión sobre Bienes Nacionales de Uso Público*, (Santiago: Editorial Jurídica de Chile, 1960): 35-36 adscribe expresamente a la *"doctrina de la propiedad pública"*. Atria, Fernando y Salgado, Constanza. *La propiedad, el dominio público y el régimen de aprovechamiento de aguas en Chile* (Santiago: Thomson Reuters, 2015):36-49 consideran que el Estado es el dueño de los bienes de dominio público por ser la personificación jurídica de la Nación, identificando ambos sujetos.

[49] Vergara, *"La teoría del dominio público..."*: 47-48:*"...la idea de afectación —primero ligada a la titularidad, para luego desvincularse de ella— se ha convertido en el gozne y principal instrumento de la teoría del dominio público..."* En el mismo sentido Rivera, Daniela. *Usos y derechos consuetudinarios de aguas. Su reconocimiento, subsistencia y ajuste* (Santiago: LegalPublishing, 2013):39-40 advierte que el concepto de dominio público aparece cada vez más funcionalizado, siendo lo que interesa no la titularidad del bien, sino su régimen de utilización, afectación o destino.

[50] Vergara, *"La teoría del dominio público..."*:31. Explica más adelante, p. 32, por qué no debe buscarse en la historia el concepto de dominio público, sino en la función del Estado respecto de los bienes que lo conforman: *"La única respuesta que podrá proporcionarnos la historia es que la explicación de la naturaleza jurídica del dominio público, o sea, este vínculo que el Estado se ha procurado con algunos bienes, ha de buscarse en las actuales tareas del Estado y en su forma de llevarlas a cabo."*

[51] Vergara, *"La teoría del dominio público..."*:35.

[52] Vergara, *"La teoría del dominio público..."*:55; *"Naturaleza jurídica de los..."*:81. En el mismo sentido, Saavedra, José Ignacio. "Las aguas como bien nacional de uso público". *Justicia Ambiental* N° 1 (2009):208-209.

[53] Vergara, *"La teoría del dominio público"*: 57.

Refiriéndose al carácter público de las aguas, también adhiere a esta posición Parada, considerando que el dominio público es un título competencial de tutela, supervigilancia e intervención de la autoridad administrativa respecto de bienes que no pueden ser objeto de propiedad, como las aguas, que por sus características físicas y necesariedad deben estar a disposición de todas las personas[54]. En la misma línea se pronuncia Rojas, al considerar esta categoría como una forma de imputación de potestades administrativas respecto de un conjunto de bienes afectos a una finalidad pública, las que son condicionadas a una función que se ejerce respecto de ellos[55].

Igualmente, en la posición funcional se plantea Celume, quien basa su concepción de dominio público negando un dominio estatal sobre los bienes que lo comprenden, considerando que su base es su finalidad, la satisfacción de un interés general para el cual es necesario un régimen jurídico especial[56]. Postula que lo medular del dominio público es la afectación, la destinación de dichos bienes, donde la titularidad estatal no es necesaria para justificar los fines que persigue, que no podrían cumplirse a través de la propiedad privada[57]. En la misma línea se plantea Riquelme, al considerar que los bienes de dominio público se adscriben ciertas potestades de la Administración en atención al vínculo de ellos al interés público y al bien común, por lo que son inapropiables[58].

En otros autores si bien no hay una manifestación expresa por una u otra teoría, sí se advierte un análisis de la institución más enfocado en su finalidad y alcance competencial de la Administración que en

---

[54] Parada, Guillermo. *El derecho de aprovechamiento de aguas. Aspectos dogmáticos y legales. Su posesión y adquisición por prescripción* (Santiago, La Ley, 2000): 101-102.

[55] Rojas, Christian. *La distribución de las aguas. Ordenación y servicio público en la administración hídrica y en las juntas de vigilancia* (Santiago, Thomson Reuters,2016):81-84.

[56] Celume, Tatiana. *Régimen público de las aguas* (Santiago, Abeledo Perrot-Thomson Reuters, 2013):144-145.

[57] Celume, *Régimen público de las aguas*:162 y 167.

[58] Riquelme, Carolina. "La regulación de los recursos hídricos como bienes nacionales de uso público: Eventuales efectos de su incorporación a la Constitución Política de la República". En *Actas de las VII Jornadas de Derecho Ambiental* (Santiago: Legal Publishing, 2014): 282-283.

su titularidad dominical. Silva Cimma consideraba que la naturaleza del derecho del Estado sobre los bienes públicos es sólo de *"tuición, guarda, y administración de dichos bienes"*, mientras que el dominio les corresponde a los habitantes de la República[59]. Cordero postula que el dominio público es el régimen jurídico aplicable a aquellos bienes que no pueden ser objeto de apropiación privada, y que *"se manifiesta en un conjunto de potestades públicas a favor de los órganos del Estado, las que van desde la actividad de mera conservación y vigilancia, al aprovechamiento o explotación directa o su concesión a terceros particulares, entre otras."*[60]

Zúñiga, por su parte, menciona igualmente como uno de los caracteres distintivos del dominio público (que lo hacen incompatible con la noción de propiedad privada), que éste se define porque la titularidad es atribuida usualmente a la Administración, pero apunta que la vinculación no corresponde a los parámetros de propiedad, sino que dichos bienes quedan en la esfera de organización y potestades inherentes a la Administración[61]: *"...el Estado debe ejercer la titularidad de los bienes públicos o defender el acceso a los bienes comunes, no como titular de bienes sino, porque cumple una función pública"*[62]. Bermúdez no se pronuncia expresamente por una de las teorías expuestas; pero en el concepto que da enfatiza la importancia de la afectación al uso general y su regulación por el Derecho Público, al decir que el dominio público *"está formado por los bienes que por obra de la naturaleza se encuentran destinados al uso directo del público o que por acto de autoridad, general o singular, han sido afectados a ese mismo fin, estando sometidos a un régimen de Derecho público"*[63].

Montt, después de analizar en detalle las teorías sobre el concepto de dominio público, advierte la falta de relevancia jurídica en cuanto a los efectos prácticos de estas doctrinas; hace notar que el dominio público es una relación que debe ser definida en términos e institucio-

---

[59] Silva Cimma, Enrique. *Derecho Administrativo chileno y comparado: Actos, contratos y bienes* (Santiago: Editorial Jurídica de Chile, volumen 5): 1995:273.
[60] Cordero, *"El estatuto jurídico de los bienes..."*: 52-53.
[61] Zúñiga, Francisco. "Constitución y dominio público (dominio público de minas y aguas terrestres)". *Ius et Praxis*, Año 11 N° 2 (2005):93.
[62] Zúñiga, *"Constitución y dominio público..."*:92.
[63] Bermúdez, *Derecho Administrativo General*: 553-554.

nes de Derecho Público y no en base al concepto de propiedad[64], ni utilizando las categorías del Código Civil, considera que debe superarse la interpretación tradicional del Código Civil e incluir en el concepto de dominio público, como institución doctrinaria del Derecho Administrativo recogida por el ordenamiento jurídico chileno, tanto los bienes afectos al uso público (que deben pertenecer a la Nación toda) como también los bienes afectos a los servicios públicos (bienes fiscales afectos esencialmente a los servicios públicos) [65]. Toma una posición ecléctica reconociendo sobre los bienes públicos un derecho de propiedad estatal en estado de latencia, considerando que la titularidad de la Nación opera jurídicamente a través de la titularidad de la Administración[66]; pero recoge de la teoría funcionalista-prestacional la particular relación jurídica que impone la función pública a la Administración, al concebir el dominio público como:

> "un título causal de intervención de la Administración, que no sólo le habilita el ejercicio de potestades exorbitantes de protección y utilización, sino que al mismo tiempo le impone un singular cúmulo de deberes prestacionales en relación a los fines de afectación..."[67].

2.3. Del dominio público a bienes públicos

En nuestro país, la influencia de las construcciones dogmáticas continentales sobre el vínculo entre el Estado y ciertos bienes ha sido bastante citada, pero con efectos limitados por la forma en que el Código Civil de 1857 plantea dicha relación. Si bien hay autores como Montt, que acogen la nomenclatura de "dominio público" y adoptan el desarrollo de esta teoría aplicándola a nuestra legislación para llegar a incluir los bienes afectos a un servicio público[68], hay otros que no admiten tan fácilmente su importación directa. Cordero afirma que la recepción de la institución del dominio público ha sido una

---

[64] Montt, *El dominio público*:128-129 y 132-133.
[65] Montt, *El dominio público*: 251-255 y 260-261,
[66] Montt, *El dominio público* 131 y 147.
[67] Montt, *El dominio público*: 256.
[68] Montt, *El dominio público...*: 254-255.

cuestión más bien "nominal", por la similitud que existe entre el régimen de los bienes nacionales de uso público, pero que su semejanza llega hasta su destinación a un uso común. Fundándose en antecedentes históricos sobre la concepción de Andrés Bello sobre la naturaleza de la relación del Estado y los bienes públicos, plantea que sobre los bienes públicos el Estado no tiene un derecho de propiedad, pero su *publicatio* los remite a un régimen exhorbitante en que la autoridad puede permitir el ejercicio de facultades o poderes para su aprovechamiento o uso, así como para su protección[69].

Advertimos que nuestra doctrina, en realidad más que discutir sobre la naturaleza del vínculo jurídico del Estado con los bienes de dominio público, resulta en forma casi unánime que la característica principal y distintiva de estos bienes es su finalidad de uso general: que están destinados a ser usados por todos los habitantes[70], o que son susceptibles de ser usados por todos[71]; por su destino común o público[72], o a la satisfacción de intereses generales[73]. Por esa razón, su régimen es de Derecho Público, para permitir este aprovechamiento común y público, distinto del régimen normal de aprovechamiento de los bienes privados[74].

---

[69] Cordero, Eduardo. *Dominio público, bienes públicos y bienes nacionales. Bases para la reconstrucción de una teoría de los bienes públicos* (Valencia: Tirant Lo Blanch, 2019):91-110 y 124-125.

[70] Arturo Alessandri, Arturo et al. *Tratado de Derecho Civil: Partes preliminar y general* (Santiago: Editorial Jurídica de Chile, 1998) T.II:102; Rozas, Fernando. *Los bienes* (Santiago: Editorial Jurídica Conosur, 1998):66.

[71] Bermúdez, *Derecho Administrativo General*: 554-555 explicita que el criterio diferenciador entre los bienes del dominio público y los que pertenecen al dominio privado del Estado, es su forma de utilización o afectación: *"De tal forma, que si los bienes son susceptibles de ser usados por todos (afectación al uso de todos los habitantes), ya sea por la propia naturaleza del bien o por decisión de la autoridad que lo permite, se estará en presencia de un bien nacional de uso público (bien de dominio público)."*

[72] Cordero, *"El estatuto jurídico de los bienes..."*: 53.

[73] Peñailillo, Daniel. *Los bienes. La propiedad y otros derechos reales* (Santiago: Editorial Jurídica de Chile, 2010):65; Celume, *Régimen público de las aguas*: 162.

[74] Cordero, *"El estatuto jurídico de los bienes..."*: 38, resalta que *"los bienes pueden ser objeto de aprovechamiento a través de dos regímenes distintos: uno de Derecho privado, basado en la institución de la propiedad, y otro de Derecho público y, por lo tanto, exorbitante al anterior, que se construye sobre la figura del Dominio público..."*

En la discusión del texto del artículo 19 N° 23 de la CPR también se enfatizó que la característica principal de los bienes nacionales de uso público es que por su naturaleza deben ser destinados al uso y goce de la Nación toda, lo que el legislador reconoce al incluirlos en esa categoría, no en virtud de una competencia totalmente discrecional, sino que obedece a la condición natural de esos bienes[75].

También la jurisprudencia constitucional se ha referido a la destinación pública como justificación principal de esta categoría de bienes, que por su naturaleza deben quedar reservados al uso público[76], de la que se sigue un régimen excepcional respecto del dominio privado[77]. En cuanto a las facultades que le competen al Estado respecto de ellos, el Tribunal Constitucional ha especificado que estos bienes son entregados para administración, entendida como tuición, conservación y cuidado, pero que las autoridades no pueden disponer de ellos[78].

En suma, podemos concluir que en Chile el régimen jurídico de dominio público no queda en la mera titularidad formal de estos bienes, sino que su regulación debe propender a que sean utilizados acorde con su naturaleza y la destinación pública a la que están afectos. En nuestra opinión, la justificación teórica que mejor se ajusta en nuestro Derecho a los bienes nacionales de uso público es la teoría funcionalista, ya que la distinción de estos bienes de los demás viene dada principalmente por la finalidad pública a la que están afectos, atribuyéndose su titularidad a la Nación y quedando la Administración con un rol de custodia y protección para que se cumpla dicha finalidad[79]. De esta manera, su regulación jurídica debe darse dentro del Derecho

---

[75]   Opiniones de los señores Guzmán, Silva Bascuñán, Ovalle y Rodríguez en Actas Oficiales de la CENC, *Sesión 202* República De Chile, Actas Oficiales de la Comisión Constituyente sesión 182ª, celebrada el1 4 de enero de 1976.

[76]   TC (2009) Rol 1215-08, c. 22.

[77]   TC (2009) Rol 1281-08, c. 30.

[78]   TC (2009) Rol 1281-08, c. 32.

[79]   En cuanto al rol del Estado respecto de estos bienes, un autor chileno del siglo XIX destacaba que: *"El deber principal de la administración en cuanto a los bienes nacionales de uso público, es velar por su conservación i mejora; impedir que el interés de particulares se sobreponga al jeneral estorbando o menoscabando el uso comun, todo con arreglo a las leyes i ordenanzas particulares que reglamentan el uso de esta especie de bienes."*[sic] Prado, Santiago. *Principios elementales de Derecho Administrativo chileno* (Santiago: Imprenta Nacional, 1859):250.

Público, en un régimen jurídico de excepción[80] que debe tener por objeto otorgarle a la Administración las potestades necesarias para ordenar y proteger el uso público que ellos tienen.

En ese sentido, coincidimos con Cordero en que una construcción dogmática que explique la naturaleza jurídica de la titularidad estatal sobre diversos tipos de bienes en nuestro país debería construirse a partir de la división que se realiza en el Código Civil y luego en el artículo 19 N°23 de la Constitución, siendo la denominación "bienes públicos" más adecuada y representativa de esa categoría en vez de la de "dominio público" foránea[81].

Esto es más evidente aún en los recursos naturales, los que por regla general se consideran de uso común, por lo que atribuirle al Estado un derecho de propiedad sobre ellos, por muy relativo o limitado que éste sea, no se ajusta con su naturaleza y sus fines. Estos recursos requieren por su naturaleza, esencialidad y escasez de un régimen especial que permita tanto su uso común como su mejor aprovechamiento y su con-

---

[80] Tan de excepción se considera en nuestro Derecho, que una interpretación armónica del artículo 19 N°23 de la CPR llevaría a exigir que la ley que declare los bienes como de dominio público debe ser de quórum calificado, si en el inciso segundo exige dicho quórum para que una ley establezca limitaciones o requisitos para la adquisición del dominio de algunos bienes, lo cual es menos que sacarlos de la apropiación privada y someterlos a las potestades de la Administración por su finalidad pública. Véase en ese sentido Vergara, "Las aguas como bien público...": 386 y Vergara, Alejandro. *"La summa divisio de bienes y recursos naturales en la constitución de 1980"*. Ius Publicum, N° 12 (2004):105-126; Montt, *El dominio público...*: 221 y Celume, *Régimen público de las aguas*: 96-97. En contra, están Riquelme, "La regulación de los recursos hídricos...": 287, y Atria y Salgado, *La propiedad, el dominio público...*: 33 y ss., quienes consideran que el inciso 1° del artículo 19 N° 23 se refiere a cierto tipo de bienes (comunes, nacionales o públicos), que requieren de sólo ley simple para entrar en esa categoría, mientras que el inciso 2° se refire a los bienes apropiables, por lo que únicamente respecto de ellos se justificaría la exigencia de una ley de quórum calificado para restringir su apropiabilidad. El TC en (2009) Rol 1281 c. 34, se refirió a este carácter excepcional del dominio público, pero sin exigir más que una ley común realice dicha declaración.

[81] Cordero, *Dominio público, bienes públicos y bienes nacionales*: 146-173. En el mismo sentido, Rojas, Christian. "Ámbito de operación del dominio público hídrico. Configuración tradicional e innovaciones, a partir de la Ley 21.064 de 2018". En *El Dominio Público. Actas de las XV Jornadas de Derecho Administrativo 2018* (Valencia, Tirant Lo Blanch, 2019): 379-384.

servación, por lo que la función del Estado respecto de ellos debe ser de ordenación de su uso, protección y conservación, lo que se ajusta más con un concepto de función pública que de titularidad o dominio.

3. ELEMENTOS DEL DOMINIO PÚBLICO

Sin perjuicio de no compartir la aplicación directa de la teoría del dominio público a nuestro sistema jurídico, para efectos de nuestro análisis creemos útil seguir el esquema propuesto por el español Ballbé, en el que sistematizó el dominio público sobre la base de notas o elementos esenciales del mismo[82] que diferentes autores aceptan como el contenido típico de esta categoría[83]. Su utilidad reside en identificar *"los puntos neurálgicos de la estructuración de la institución del dominio público*[84]*"*, como supuestos que permiten diferenciar esta categoría de bienes y su regulación. Los problemas o cuestiones jurídicas asociadas a los elementos esenciales del dominio público permiten describir y entender las particularidades de los bienes públicos como categoría.

3.1. Elemento subjetivo

Se refiere a que la titularidad de la cosa corresponde a un sujeto público, a un ente jurídico público y no a un particular[85]. Respecto a este requisito se ha discutido sobre quién es el sujeto titular del dominio público, si el Estado o la Nación. La teoría funcionalista se inclina por negar la titularidad estatal respecto de estos bienes, mientras los que siguen la teoría patrimonialista atribuyen al Estado la titularidad del dominio público.

---

[82]   Ballbé, Manuel. *Concepto del dominio público* (Barcelona: Bosch-Casa Editorial, 1945): 8.

[83]   Marienhoff, *Tratado del dominio público*: 50; Colom, Eloy. "Las cosas públicas y su régimen jurídico". *Justicia Administrativa*, N° Extraordinario (2006):40; Montt, *El dominio público*, 135; Zúñiga, "*Constitución y dominio público…*": 92; Garrido, *Tratado de Derecho Administrativo* Vol. II:500; López, *Sistema jurídico de los bienes públicos*:140.

[84]   Vergara, *Derecho de Aguas*: 40.

[85]   Ballbé, *Concepto del dominio público*: 9.

En nuestro sistema jurídico, en que tanto la Constitución en su artículo 19 N° 23 como la legislación común[86] declaran que los bienes nacionales de uso público *"pertenecen a la Nación toda"*, pareciera que el titular de estos bienes, por su afectación pública y uso general, es la Nación o el pueblo[87]. Se hace hincapié en que no puede haber una titularidad del Estado o sus órganos respecto de estos bienes, ya que son declarados como pertenecientes a toda la Nación[88]. La Nación, en quien reside la soberanía[89], es un concepto distinto del Estado y que puede considerarse más cercano al pueblo[90].

Esta diferencia, aunque según algunos pudiera superarse entendiendo que la titularidad de la Nación, como ente más político que jurídico, se expresa técnicamente en las titularidades y potestades de la Administración Pública[91], creemos sin embargo que tiene importancia respecto del uso que pueden darse a estos bienes y la forma en que la Administración actúa respecto de ellos[92], así como del deber de estas autoridades de dar cuenta y someterse a control en el ejercicio de los poderes que detenta sobre ellos[93]. Las facultades y competencias que ostenta la Administración a partir de la titularidad del dominio público tienen un componente jurídico real, se ejercen sobre bienes determinados que no son *res nullius*, pero no como una propiedad,

---

[86] Artículo 589 CC.

[87] Marienhoff, *Tratado del dominio público*: 66-67, considera al pueblo el titular de estos bienes cuyo uso común pertenece a todos los habitantes, como individualidad jurídica anterior al Estado.

[88] Celume, *Régimen público de las aguas*:159 sostiene que al no haber referencia al dominio estatal, o a alguna entidad administrativa, difícilmente puede pensarse que su titularidad corresponda al Estado, como sujeto político, ni al Fisco, como persona jurídica.

[89] Cea, José Luis. *Derecho Constitucional Chileno* (Santiago: Ediciones Universidad Católica de Chile, 2002, Tomo I): 211.

[90] Vergara, *"La summa divisio de bienes..."*:110.

[91] Morillo-Velarde, *Dominio público*: 114-115, seguido por Montt, *El dominio público*:141-143. En el mismo sentido Sainz, *"El dominio público: Una reflexión..."*: 488. En Chile, Atria y Salgado, *La propiedad, el dominio público...*: 37.

[92] Marienhoff, *Tratado del dominio público*:73, lo ejemplifica en el otorgamiento de usos especiales que el Estado puede otorgar sobre ellos, dado que el uso común se ejerce directamente por las personas.

[93] Reyes, Jorge. *Introducción al Derecho Administrativo general* (Santiago: Legal-Publishing, 2013): 66-67.

sino en virtud de una función[94]: esas facultades le han sido entregadas por el ordenamiento jurídico para el cumplimiento de un fin público. Interesa entonces el rol que debe cumplir la Administración en cumplimiento de esa función, las potestades que puede ejercer respecto de ellos, más que atribuirle un dominio que si es que existiera, estaría muy disminuido en sus facultades por esta destinación[95].

En una óptica funcional de la relación de dominio público entre la Administración y los bienes afectos a éste régimen, es posible identificar ciertas potestades típicas del mismo, las que siempre debe asumir el titular del dominio público: protección, ordenamiento, gestión, y utilización[96]. De esta manera, el titular del bien público en cuestión será aquella Administración Pública u órgano de la misma a quien el ordenamiento jurídico le ha entregado el conjunto más relevante de poderes sobre la respectiva categoría, para cumplir con el fin fijado como esencial al afectar tal conjunto de bienes a un interés general[97].

Ahora bien, es posible la concurrencia de potestades sobre un mismo bien de dominio público por parte de diferentes órganos de la Administración Pública, los cuales pueden tener su origen en la relación de dominio público o en otros títulos competenciales. Esto explica que en el caso de los recursos naturales por ejemplo, diferentes órganos del Estado tengan competencias sobre ellos; las potestades de la Administración se deben relacionar con las utilidades públicas que prestan estos bienes, entre los cuales puede estar, además de su uso común o privativo, la protección del medio ambiente[98].

---

[94] Bocksang, Gabriel. *El nacimiento del Derecho Administrativo patrio de Chile (1810-1860).* (Santiago: Thomson Reuters-La Ley, 2015): 489, nota 2250, hace notar que el dominio propiamente nacional no es un dominio de la Administración, sino de la Nación en que *"puede intervenir la Administración para reglar su ejercicio o alguna prerrogativa asociada a él."*

[95] Montt, *El dominio público…*:132 reconoce que una propiedad estatal en el caso de los bienes de dominio público natural, estaría "reducida a su mínima expresión."

[96] González, Julio. *La titularidad de los bienes del dominio público* (Madrid: Marcial Pons, 1998): 139.

[97] Montt, *El dominio público…*:144-146.

[98] López, *Sistema jurídico de los bienes públicos*:53 y 56.

3.2. Elemento objetivo

Es aquel que busca encontrar condiciones o requisitos en los bienes físicos para que puedan integrar el dominio público. Según Ballbé, "*la noción de dominio público es independiente de la cualidad material de las cosas...*"[99], por lo que cualquier bien podría incluirse en esta categoría si reúne las condiciones necesarias para cumplir la finalidad de la institución, por la naturaleza y definición de la misma[100]. En todo caso se ha señalado como límite al dominio público (que teóricamente podría abarcar cualquier cosa) la propiedad privada, especialmente en nuestro orden constitucional en que el artículo 19 N° 23 de la Constitución consagra el dominio público como una excepción a la libertad de adquirir toda clase de bienes[101].

Relacionada con este elemento es la clasificación que ha realizado la doctrina respecto de los bienes que son objeto del dominio público, entre bienes públicos naturales o necesarios, considerados como los presenta la naturaleza, y bienes públicos artificiales o accidentales, cuya creación o existencia depende de un hecho humano[102]. Sobre todo en España, la categoría del dominio público ha vuelto a ser analizada por dos grupos de bienes públicos, que marcan su evolución más reciente en relación con la regulación económica: los recursos naturales destinados al uso común (parte del dominio público natural) y las infraestructuras (que se identifican con el dominio público artificial)[103].

La principal diferencia sería el procedimiento de ingreso de dichos bienes, su afectación al dominio público[104]. En el caso de los bienes de dominio natural, se requeriría tanto un precepto general que establezca dicha condición para un conjunto o clase de bienes[105], y la circunstancia que el bien cumpla con las características físicas o naturales

99   Ballbé, *Concpeto del dominio público*:: 26.
100   Marienhoff, *Tratado del dominio público*: 87-88.
101   Montt, *El dominio público*:149; Celume, *Régimen público de las aguas*:92.
102   Marienhoff, *Tratado del dominio público*: 146; Silva Cimma, *Derecho Administrativo chileno*:274; Montt, *El dominio público*:151.
103   Esteve, *Lecciones de Derecho Administrativo*: 493; Moreu, "Desmitificación, privatización y globalización de los bienes públicos...: 437 y 469.
104   López, *Sistema jurídico de los bienes públicos*:41.
105   Mercè Darnaculleta, Recursos naturales y dominio público: el nuevo régimen del demanio natural. (Barcelona: Editorial Cedecs, 2000):189.

que les son propias, establecidas en la norma general para incluirlo en el dominio público[106]. Para los bienes de dominio artificial, estos integran el dominio público por actos concretos de afectación realizados por la Administración, en base a una normativa legal, ya que pueden haber otros bienes de similares características que estén en el comercio jurídico privado[107].

Los recursos naturales son, por regla general, parte del dominio público natural o necesario. Son bienes adscritos en bloque, en su género, a una utilidad pública; ejemplo clásico de los bienes que conforman el dominio público natural son las minas, las costas y las aguas[108]. Si bien se ha dicho que se abandonó el criterio de los "bienes de dominio público por naturaleza" y que el criterio determinante del dominio público es la afectación o destino público y no las características propias de los bienes[109], si se reconoce que *"...ciertos bienes de dominio público tienen una naturaleza más adecuada que otros para ser bienes demaniales (son los bienes que históricamente han sido calificados de bienes de uso común)...."*[110]. La existencia de esta distinción constata que la función natural o primaria de estos bienes es su utilización común, lo que determina su necesidad de un régimen especial distinto de la simple apropiación privada o su falta de titularidad.

3.3. Elemento teleológico o finalista

Consiste en la destinación de los bienes a un fin público[111]. Esta noción, demasiado amplia, podría incluir tanto los bienes nacionales como

---

[106] Cordero, "*El estatuto jurídico de...*": 53 postula como característica fundamental de los bienes públicos *"su sustrato físico que le confiere una aptitud determinada: su destino al uso común o público."*
[107] Montt, *El dominio público*:152-153.
[108] Guaita, Aurelio. *Derecho Administrativo: aguas, montes, minas* (Madrid: Civitas, 1984):24-26, agrega también los montes en el caso de España; estos bienes tendrían las características de ser un dominio público necesario y *"que la ley debe declarar así por su materia prima dada por la naturaleza".*
[109] Sainz, *El dominio público*:482; en el mismo sentido en nuestro país, Montt, *El dominio público*:151-152.
[110] Sainz, *El dominio público*:483.
[111] Colom, "Las cosas públicas...": 42.

los patrimoniales, puesto que todos los bienes de titularidad pública se hayan destinados al servicio de una finalidad pública, en general, a la consecución del bien común[112]. Para aclarar este elemento, se enfatiza la importancia de la afectación como criterio medular de determinación del dominio público[113], la destinación pública de los bienes que lo integran.

La afectación, que vincula un bien a un fin público o lo integra a esta categoría, puede tener por finalidad el efecto de dar a ciertos bienes una destinación a una función pública en términos directos e inmediatos, del bien por sí y no por su utilidad patrimonial[114]; o simplemente incluirlo en el régimen especial del dominio público por su utilidad. Así, se ha distinguido entre los bienes de dominio público por su destinación, entre aquellos que están afectos al uso público y los que quedan afectos al servicio público[115].

En principio, el uso público sería la utilización del bien público sin permiso especial, de manera directa, a disposición de todas las personas[116]. La afectación a un servicio público, por otro lado, depende del criterio amplio o restringido que se tenga de servicio público; pero aún con uno amplio, se dan criterios básicos de delimitación, como la especial vinculación del bien o destinación directa al servicio, y la esencialidad para el funcionamiento del mismo[117].

Esta distinción, si bien puede servir para una noción patrimonialista del dominio público como es la dominante en España, o en el caso de Montt para incluir los bienes de los servicios públicos en la cate-

---

[112]   Montt, *El dominio público*:154.

[113]   Garrido, *Tratado de Derecho Administrativo*. Vol. II: 497. En el mismo sentido, Morillo-Velarde, *Dominio público*:97-98 y Sánchez, Miguel. Derecho Administrativo: Parte general. (Madrid: Tecnos, 2012):759.

[114]   Ballbé *Concepto del dominio público:* 53; Morillo-Velarde, *Dominio público*:98.

[115]   Montt, *El dominio público*: 161-166; la misma distinción hace Sánchez, *Derecho Administrativo*:758. Colom, "Las cosas públicas...":42, opta por un criterio enumerativo (son bienes de dominio público los que la ley declara como tales), complementado con un criterio finalista genérico, en que son bienes de dominio público los destinados al uso general o al servicio público.

[116]   Ballbé, *Concepto del dominio público*:31 pone los ríos como ejemplo de los bienes públicos *"destinados al uso público, ejercido por los administrados de un modo directo e inmediato."* Marienhoff, *Tratado del dominio público*:109 comprende dentro de la finalidad el uso público directo e indirecto.

[117]   Montt, *El dominio público*:165.

goría de dominio público, no nos parece aplicable en nuestro sistema, donde los bienes del Estado afectos a estos servicios más bien serán bienes fiscales; por lo que en relación a este elemento nos inclinamos por una destinación de uso público, de utilización de la generalidad de los habitantes. Creemos que es su condición de abiertos al público[118], que su uso corresponda en forma general y continua a todos los habitantes de la República[119], lo que determina su carácter y debe servir de objetivo en su regulación.

3.4. Elemento normativo

Este elemento se refiere al sometimiento de los bienes del dominio público a un régimen de Derecho Público[120]. Como condición necesaria para su existencia, es enteramente distinto y exorbitante al del Derecho Privado[121]; se excluyen de ese ámbito para proteger la función pública asociada a ellos[122].

El principal efecto de este régimen es excluir estos bienes del comercio. La incomerciabilidad, característica de los bienes de dominio público, tiene como objetivo impedir todo tráfico jurídico privado sobre estos bienes, de manera de proteger tanto la titularidad como los fines de utilidad pública que éstos tienen. Esta protección (al quedar fuera del comercio[123]) opera frente al administrado, de manera que los particulares no puedan apropiarse de estos bienes por títulos civiles, y asegura que el único modo de constituir derechos sobre ellos sea conforme a normas de Derecho Administrativo[124]; y también frente a la Administración, impidiéndole devolver el bien al tráfico entre particulares[125].

---

[118] Vergara, "*La summa divisio de bienes y recursos...*":111.
[119] Zúñiga, "*Constitución y dominio público...*":94.
[120] Montt, *El dominio público*:171.
[121] Ballbé, *Concepto del dominio público*:55.
[122] Parejo, "Reconstrucción de una teoría general...":20.
[123] Sainz, *El dominio público*:503; Colom, "*Las cosas públicas...*":43.
[124] De la Cuétara, Miguel. *La actividad de la administración: Lecciones de Derecho Administrativo*. (Madrid: Tecnos,1983): 359.
[125] Montt, *El dominio público*: 172.

4. ELEMENTOS ESENCIALES DE LAS AGUAS COMO BIENES PÚBLICOS

De acuerdo a lo expuesto anteriormente, la categoría jurídica de bienes públicos se justifica en la naturaleza y función que éstos tienen en la vida en sociedad (su destinación común y necesidad de protección), por lo que el Derecho ha creado el dominio público como título específico de las potestades administrativas sobre las cosas que quedan excluidas del tráfico privado[126]. También hemos constatado que esto es plenamente aplicable a las aguas, por su condición de bienes de uso común o públicos que se ha mantenido inalterada en nuestro ordenamiento jurídico, como reconocimiento por parte del Derecho de las cualidades naturales y los intereses que confluyen en su aprovechamiento.

La aplicación de la categoría pública a las aguas tiene varias consecuencias importantes para el régimen jurídico especial que éstas requieren, y que pueden relacionarse con algunos de los elementos del dominio público vistos anteriormente.

4.1. Objeto del dominio público hídrico

De acuerdo con los artículos 5 del CA y 595 del CC, son bienes nacionales de uso público todas las aguas, en todos sus estados. Por su parte, el artículo 1 del CA circunscribe la aplicación de este cuerpo legal a las aguas terrestres, excluyendo las aguas marítimas. Estas normas permiten determinar el objeto del dominio público hídrico en nuestro país, el cual comprende todas las aguas continentales[127]. Esto corresponde al elemento objetivo del dominio público, a los bienes que éste comprende.

Una primera observación al respecto es que esta forma de identificación corresponde al que se ha denominado como dominio público natural o necesario. Su utilidad es que permite, a través de una

---

126   Morillo-Velarde, *Dominio público*: 127.
127   Arévalo, Gonzalo. "Principio de la unidad del cauce o de la corriente". En *Código de Aguas comentado. Doctrina y jurisprudencia.* Alejandro Vergara. (dir.), pp. 7-9 (Santiago, AbeledoPerrot, 2011):14.

norma general, integrar a esta categoría géneros o bloques de bienes en consideración a sus características físicas. Típicamente aplicado a los recursos naturales, es una forma de someterlos a una misma clasificación jurídica atendiendo a sus cualidades naturales. Se aplica entonces la categoría del dominio público a todo el género de aguas comprendidas en el espacio continental[128], en su estado y fuente natural[129].

Una segunda consecuencia es que al comprenderse el género de bienes identificable como tal, como las aguas, la regulación que se adopte a su respecto deberá tener en cuenta este recurso en su totalidad. En el caso de las aguas, éstas son un recurso natural renovable en un ciclo físico y dinámico, por lo que éste debe ser reconocido en la regulación que se ocupe de ellas. En nuestra legislación, el artículo 3 del CA se refiere al principio de la unidad de la corriente[130], por el cual se considera que las aguas, se presenten en forma superficial o subterránea, si afluyen a una misma cuenca u hoya hidrográfica, forman parte de una misma corriente[131]. Este principio considera el hecho que todas las aguas de una misma cuenca están conectadas en un sistema que permite su mantención y recuperación en períodos de abundancia y sequía[132].

---

[128] Así lo ha interpretado el Tribunal Constitucional, al analizar el concepto normativo de las aguas, considerando que todas ellas son bienes nacionales de uso público. Véase TC (2009) Rol 1281-08 c. 50 y c. 57.

[129] Celume, *Régimen público de las aguas*:138 hace notar que aunque las disposiciones citadas no lo digan expresamente, debe entenderse a las aguas corrientes o no extraídas, ya que en esa condición son susceptibles de uso común o privativo; pero una vez extraídas dejan de estar afectas a fines de interés general.

[130] Arévalo, Gonzalo. "Aspectos fundamentales de la legislación de aguas". *Revista de Derecho de Aguas volumen IX* (1998):21 y Arévalo, "Principio de la unidad del cauce o de la corriente":7.

[131] Artículo 3 CA: *"Las aguas que afluyen, continua o discontinuamente, superficial o subterráneamente, a una misma cuenca u hoya hidrográfica, son parte integrante de una misma corriente. La cuenca u hoya hidrográfica de un caudal de aguas la forman todos los afluentes, subafluentes, quebradas, esteros, lagos y lagunas que afluyen a ella, en forma continua o discontinua, superficial o subterráneamente."* En idénticos términos se refería a este principio el artículo 8 CA 1951, que se mantuvo textual también en el artículo 8 del Código de Aguas de 1969.

[132] Segura, Francisco. *Derecho de Aguas* (Santiago: LexisNexis, 2006): 26. Arévalo, *"Principio de la unidad del cauce o de la corriente"*:7, considera que en virtud de este principio se subordina el interés particular al general en el aprovechamiento de dicha corriente, *"en la que tienen unidad de intereses todos los beneficiarios*

Nuestra normativa especial[133] reconoce la unidad del recurso en su ciclo natural, el ciclo hidrológico[134], lo que tiene efectos jurídicos para su gestión y utilización[135].

Un tercer efecto que conlleva la inclusión de las aguas en el dominio público, es que dada la configuración física del recurso por la naturaleza, si bien el Derecho puede organizar sobre ella un régimen jurídico determinado en atención a diversas finalidades, al hacerlo debe reconocer que éstas vienen asimismo de dicha realidad. Es decir, deben tomarse en cuenta las características físicas del recurso y los problemas que puedan derivar de ellas para su aprovechamiento y protección, como recurso de aprovechamiento común[136]. Sea como recurso natural o componente medioambiental, esta realidad exige que la regulación de los bienes del dominio público natural sea más pormenorizada que la de los bienes artificiales, por su uso y disfrute colectivo y su relevancia económica, así como pueden requerir reglas específicas para su protección ambiental[137].

---

que la gozan." Según Tala, Alberto. *Derecho de Recursos Naturales. Ambiente, aguas, minas.* (Santiago: Ediciones Jurídicas La Ley, 1999):178-179, del concepto de cuenca hidrográfica que reconoce este principio deriva la idea que esta *"unidad física natural e indivisible"* puede ser desarrollada en beneficio de la comunidad sin consideración a divisiones políticas o administrativas.

[133] Este principio ha sido aplicado por la jurisprudencia en diversos fallos; véanse por ejemplo CS (2006) Aguas Antofagasta con DGA, c. 5° y CS (2006) Prieto Poklepovic con DGA, c. 10°.

[134] Rivera, Daniela. "Diagnóstico jurídico de las aguas subterráneas". *Ius et Praxis*, N° 2 (2015):232.

[135] Vergara, Alejandro. "El principio de la unidad de la corriente en el Derecho de Aguas", *Revista de Derecho de Aguas*, Vol. VIII (1997):46, menciona entre ellos: el otorgamiento de nuevos derechos, la distribución de las aguas entre los titulares de ellos, el seccionamiento de los ríos, la contaminación de las aguas, y el manejo integrado de cuencas.

[136] Entendemos por recurso de aprovechamiento común el concepto analizado en teoría política económica como "common pool resources" como un recurso natural valioso para el ser humano, con múltiples usos, de acceso abierto con dificultad de exclusión y sujeto a degradarse por su sobreuso. Véase Ostrom, Ellinor. *El gobierno de los comunes* (México: Fondo de Cultura Económica, 2ª edición, 2000): 18.

[137] Los recursos de aprovechamiento común presentan, en su gestión y uso, problemas de sobrexplotación, impactos negativos, y conflictos entre usuarios. Dominique Hervé. Justicia ambiental y recursos naturales. Valparaíso: Ediciones Universitarias Valparaíso, 2015: 161-167.

4.2. Finalidad de la intervención estatal en relación a las aguas

Los fines que justifican incluir las aguas en la categoría de los bienes nacionales de uso público configuran el elemento teleológico del dominio público hídrico. Como vimos, la noción de bienes públicos en Chile se construye más desde su finalidad que desde su titularidad; por lo que identificar los fines que persigue su declaración como bienes nacionales de uso público es fundamental para entender su regulación y las posibilidades de utilización que ésta pueda admitir.

La inclusión de las aguas en el ámbito público, las razones para sacarlas de la lógica de los bienes privados, se basan en la satisfacción de un interés público. El interés público envuelto en dichos bienes no es el del Estado, sino esencialmente que sean aprovechados por los particulares en forma individual o colectiva, pero a través de las regulaciones impuestas por el Estado[138]. Su uso, de acuerdo al artículo 589 del CC, pertenece a todos los habitantes de la Nación. Los intereses de la colectividad, considerados como intereses generales de la Nación, son factores que deben ser considerados al regular el otorgamiento y ejercicio de derechos para el aprovechamiento de aguas[139].

El nuevo artículo 5 del CA explicita las funciones de "interés público" asociadas a las aguas: resguardar *"el consumo humano y el saneamiento, la preservación ecosistémica, la disponibilidad de las aguas, la sustentabilidad acuífera y... promover un equilibrio entre eficiencia y seguridad en los usos productivos de las aguas."*

La primera finalidad que tiene la titularidad pública sobre las aguas es el de ordenar su aprovechamiento racional[140]; su conservación, esto es, una utilización racional que permita asegurar su permanencia y capacidad de regeneración como recurso natural renovable[141]. El aporte que un bien nacional de uso público brinde al bien

---

138 Vergara, *Naturaleza jurídica de los...*:78 y *Las aguas como bien público...*:66.

139 TC (2011) Rol 1578-09, c. 12.

140 Tala, *Derecho de Recursos Naturales*: 24-25. En el mismo sentido, Alberto Guzmán y Ernesto Ravera. *Estudio de las aguas en el derecho chileno* (Santiago: La Ley, 1993):78 y 79, y Segura, *Derecho de Aguas*:21.

141 Tomamos este concepto de conservación del artículo 2 letra b) de la Ley General de Bases del Medio Ambiente.

común dependerá, en todo caso, de la particular contribución que pueda prestar conforme a su naturaleza. Así, mientras la destinación de una calle es servir de paso público a quienes transitan por ella, el agua prestará un servicio al interés público en la medida que pueda ser utilizada para sus diversas finalidades, tanto en su uso común o general como en su uso privativo.

Esta ordenación del uso del recurso debe considerar los problemas que presenta el aprovechamiento de las aguas por diversas personas y para distintos usos, propios de un recurso de uso común[142]. En consecuencia, el Estado en este rol debe tomar las acciones necesarias para un mejor aprovechamiento de las aguas por parte de los integrantes de la Nación, y de conservación del recurso para asegurar dicho

---

[142]   Vergara, *Crisis institucional del agua*...:157 vincula la catalogación de las aguas como bienes nacionales de uso público al propósito de *"permitir el aprovechamiento ordenado de las aguas por los particulares"*. Hacemos la prevención que este autor más adelante (pp. 158-159) respecto a la naturaleza jurídica de las aguas, opina que en realidad éstas deberían considerarse como bienes comunes gestionados comunalmente por los usuarios, por la distribución del recurso que hacen los titulares de los derechos de aprovechamiento. Al respecto, si bien la teoría económica-institucional de los bienes comunes es muy útil para entender la regulación sobre las aguas y los derechos sobre ellos, a la que nos hemos referido anteriormente para observar los problemas que presenta la gestión de su aprovechamiento, ésta no alcanza a cambiar la categoría jurídica de las aguas como bienes nacionales. Más bien, la de bienes públicos es la categoría jurídica que mejor se adecúa a la naturaleza de recurso de aprovechamiento común, considerando que hay otros aspectos del uso de las aguas además de su distribución por los usuarios que competen a la regulación que debe darse respecto de ellas, en que el título jurídico de intervención es una finalidad pública o de interés general, como la protección ambiental del elemento y sus funciones ecosistémicas. Por lo tanto, creemos que su finalidad pública no se agota únicamente en el aprovechamiento de las aguas por los titulares de dichos derechos. Celume, *Régimen público de las aguas*:173 y 191, postula que la finalidad de la afectación pública de las aguas es el respeto por sus múltiples funciones y específicamente para usos extractivos, *"la asignación eficiente del recurso hídrico"*, o en usos de mayor valor, lo que se especifica en el régimen de los derechos de aprovechamiento. Por otro lado Atria y Salgado, *La propiedad, el dominio público*:66-67 y 75-83, si bien reconocen el uso racional como un fin de la publificación de las aguas, después postulan que un régimen de derechos de aprovechamiento protegidos por la propiedad privada, no respetaría la calificación de las aguas como bienes públicos, dejándolo sin contenido. No compartimos esta última opinión, que mira como opuestos los intereses públicos y privados respecto de las aguas.

uso[143]. Como muestra la experiencia y el análisis institucional, el uso de bienes comunes sin regulación termina agotando los recursos que son de todos, pero de nadie en particular, sobre todo cuando dicho bien se hace más escaso naturalmente o por su mayor demanda, como es el caso del agua[144].

Pero además del uso común y general propio de las aguas (como la navegación, la pesca, la recreación, etc.), su contribución como recurso natural, a su propio y específico uso, emana no sólo de su aporte al desarrollo económico a través de su utilización por las personas en sus actividades, sino también de su consideración como elemento crucial para la estabilidad de otros fines públicos constitucionalmente relevantes, como la protección del medio ambiente. La afectación de un bien de dominio público no se resuelve en una única finalidad, puede servir a más de un interés de orden general[145]; en el caso de las aguas, ésta no sería sólo su utilización, sino que cumplen otras funciones públicas relevantes que deben formar parte del elemento teleológico de su regulación. Sus diferentes usos y funciones, si bien pueden ser rivales y complejos de gestionar, no son necesariamente excluyentes; el cumplimiento de la función del agua como recurso, no implica que no pueda protegerse a su vez su función ambiental.

Esto nos lleva a considerar como la segunda finalidad que puede cumplirse respecto de las aguas a través del dominio público: su protección como elemento ambiental[146]. En este sentido, se ha estima-

---

[143] La jurisprudencia se ha referido a la calidad de bienes nacionales de uso público de las aguas y al rol del Estado respecto de ellas, *"por el que le corresponde su administración y fiscalización, velando para que esos bienes estén siempre destinados al uso común."* CS (2007) Agrícola Leyda con DGA, c. 16° y CS (2007) Viña Garcés Ltda. con DGA, c. 16. En el mismo sentido, CS (2006) Prieto Poklepovic con DGA, c. 12.

[144] Hardin, Garret. "The tragedy of the commons", *Science*, 162, 1968:1245 y Ostrom, *El gobierno de los bienes comunes*: 80-81.

[145] Celume, *Régimen público de las aguas*:195 reconoce que pueden agregarse otras consideraciones a la finalidad del dominio público, que puede ampliar o restringir el acceso a dichos bienes, variando las características de los derechos que se otorgan para ese efecto; entre ellas, las ecológicas.

[146] Jaeger y Peña, *"Del orden neoliberal al régimen de lo público..."*:91 postulan un uso común implícito de existencia del agua que incorpore su valoración cultural, ambiental y paisajística. Por otro lado Celume, *"Pilares sobre los que se sustenta..."*:45, a propósito de la propuesta de reforma al CA postula que ésta

do que el dominio público constituye una herramienta de protección ambiental útil para procurar la conservación de recursos naturales esenciales o necesarios[147]. La mayor apreciación de la protección ambiental ha significado una revalorización del dominio público natural[148]. Tanto la exigencia de utilización racional como la necesidad de protección de ciertos recursos que lo conforman, como las aguas, exigen medidas para su conservación, que el dominio público permite adoptar como título de intervención jurídica.

Otra razón para considerar la protección ambiental[149] como una finalidad que puede o más bien debe cumplirse a través del dominio público de las aguas, se relaciona con su calidad de elemento natural del ambiente. El fundamento de la ordenación o régimen especial de los bienes del dominio público natural está también marcado por su componente medioambiental, por la función ecológica que cumplen por su sola existencia y por ser esenciales para los procesos del ambiente natural[150]. De este modo, al recurso hídrico ya no sólo se le considera, como tradicionalmente lo ha sido, un *"bien estratégico y básico para la subsistencia del hombre"* sino también un elemento *"básico para la subsistencia del medio ambiente en el que el hombre se desenvuelve y tiene, por cierto, deber de conservar"*[151]. Más aún, la preservación de la naturaleza[152] es un deber del Estado de acuerdo al

---

      reconoce los usos "no extractivos" de las aguas, entre los cuales estaría el de conservación medioambiental.

[147]   Darnaculleta, *Recursos naturales y dominio público*:231-235; Betancor, Andrés. *Instituciones de Derecho Ambiental* (Madrid: La Ley, 2001): 609.

[148]   Moreu, *"Desmitificación, privatización y globalización..."*:437.

[149]   El artículo 2 letra q) de la Ley General de Bases del Medio Ambiente define protección del medio ambiente como "el conjunto de políticas, planes, programas, normas y acciones destinadas a mejorar el medio ambiente y prevenir y controlar su deterioro."

[150]   Darnaculleta, *Recursos naturales y dominio público...*:42; Esteve, *Lecciones de Derecho Administrativo*:502.

[151]   Segura, *Derecho de Aguas*:33-34.

[152]   La preservación de la naturaleza, de acuerdo al artículo 2 letra p) de la Ley General de Bases del Medio Ambiente, es "el conjunto de políticas, planes, programas normas y acciones destinadas a asegurar la mantención de las condiciones que hacen posible la evolución y el desarrollo de las especies y de los ecosistemas del país."

artículo 19 N°8 de la Constitución, y el agua es el elemento esencial en todas las formas de vida y ecosistemas naturales.

La afectación de los bienes públicos naturales resulta tener entonces una doble finalidad: primero, a un uso público que satisface necesidades colectivas primarias a través de su utilización (conservación), y una segunda consideración jurídica respecto de la función medioambiental que presenten (a través de la protección ambiental), por el que reciben también una destinación específica a necesidades ambientales (preservación). Este fin no excluye el principal, pero justifica su regulación o limitación[153]. Por esta razón los derechos que se otorguen para aprovechar privativamente las aguas pueden, y en realidad atendiendo a la condición natural de elemento ambiental de este recurso, deberían considerar en su ejercicio medidas tendientes a cumplir esta segunda finalidad, que pueden limitar el aprovechamiento del recurso en ciertas situaciones[154].

Se presenta aquí otra razón más para seguir la tesis objetiva de los bienes públicos; en el cumplimiento de estos objetivos tiene más importancia la relación funcional que de la supuesta titularidad que vincula al Estado con los bienes públicos. La concepción funcional respecto de los recursos naturales *"posee la virtualidad de atribuir al Estado la responsabilidad de su protección, así como concretas facultades de ordenación de su aprovechamiento."*[155] Respecto de ellos la acción de la autoridad debe estar orientada a permitir su utilización, pero dicho régimen también debe respetar la protección que requiere el bien por su naturaleza y funciones: en el caso de las aguas, como recurso natural y elemento del ambiente.

4.3. *Sometimiento a un régimen especial de Derecho Público*

La inclusión de las aguas en el dominio público tiene otro efecto especial respecto de ellas, que corresponde al elemento normativo del

---

[153] Darnaculleta, *Recursos naturales y dominio público…*:177-178.
[154] La jurisprudencia ha dicho expresamente que estos derechos pueden sujetarse a limitaciones y obligaciones por la conservación del patrimonio ambiental y la preservación de la naturaleza en CS (2012) CONAF con DGA, c. 14.
[155] Darnaculleta, *Recursos naturales y dominio…*: 134.

dominio público. Este se refiere al sometimiento de los bienes públicos a un régimen especial, de Derecho Público, diferenciado del resto de los bienes por su destinación[156]. Su inclusión en esta categoría jurídica tiene como consecuencia su regulación especial, propia de los recursos naturales de aprovechamiento común.

Las razones por las que los recursos naturales, y especialmente los de aprovechamiento común como las aguas, requieren un régimen de regulación especial, son de distinto tipo. Primero, porque ya se ha observado que si se dejan al libre acceso o uso sobrevendría su degradación o extinción por sobreexplotación (la "tragedia de los comunes" de Hardin)[157]. En segundo lugar, para asegurar el cumplimiento de la función de satisfacción del uso común o colectivo de estos recursos, o su especial valoración social[158]. Tercero, porque sería necesario considerar las características o cualidades físicas de estos bienes (en el caso de las aguas su ciclo natural unitario, la provisión variable del recurso que debe destinarse a diferentes usos[159]). Y finalmente y más reciente, por la importancia de componente ambiental que tienen estos recursos y que demandarían protección legal por esta función[160].

Es justamente en la regulación de las aguas donde se podrá apreciar la concreción de los fines públicos que deben guiar la función del Estado respecto de ellas. Las aguas son declaradas bienes públicos para cumplir un fin de interés general, que se especifica a través de la regulación que se dicte a su respecto. Las finalidades que deben cumplir los recursos hídricos explican la intensidad de la regulación a la que se someten por nuestro ordenamiento jurídico, y que se ma-

---

[156]   Rojas, Christian. "La distinción entre el agua como bien público y el derecho de aprovechamiento. Sus efectos en la competencia de las juntas de vigilancia de los ríos, y la de las asociaciones de canalistas y comunidades de aguas". En *Actas de Derecho de Aguas* Nº1 (Santiago: Thomson Reuters, 2011):13.

[157]   Recordemos que este autor proponía como solución la asignación de derechos de propiedad privada sobre este tipo de recursos, o la alternativa de mantenerlos dentro de la propiedad pública, donde el Estado asigne el derecho a acceder a estos recursos y usarlos, Hardin, "*The tragedy of the commons*", 1245.

[158]   Darnaculleta, *Recursos naturales y dominio*...:178.

[159]   Epstein, Richard. "Playing by different rules? Property rights in land and water", *Law and Economics Research Paper Series,* Working paper N° 10-56 (Lincoln Institute of Land Policy, 2010):10.

[160]   Darnaculleta, *Recursos naturales y dominio*...:116.

nifiesta en las normas por las que legislaciones especiales entregan a la Administración potestades públicas para contribuir a satisfacer los fines públicos que se adscriben a ellas.

La primera finalidad pública de las aguas, su utilización racional o conservación, puede relacionarse con la regulación que ordena su uso y aprovechamiento, el Derecho de Aguas. En general, esta disciplina se enfoca primordialmente en este aspecto del recurso; a partir de su condición de bienes públicos, se regulan los derechos de aprovechamiento que se otorgan a los particulares a través de una concesión, y su utilización a través de la distribución entre los usuarios[161].

Como disciplina, el Derecho de Aguas forma parte del Derecho Público por varias razones[162]. Primero, por la condición de bienes públicos que presentan las aguas en nuestro ordenamiento. Segundo, porque el contenido nuclear del Derecho de Aguas, la regulación de los derechos de aprovechamiento y su ejercicio, se encuentra en potestades públicas de la autoridad administrativa, en procedimientos administrativos reglados, a través de una relación jurídica pública. Y si bien una vez constituido el derecho de aprovechamiento éste integra el patrimonio de su titular y pueden aplicarse ciertas normas civiles, eso no cambia la naturaleza jurídica original del derecho que nace de una concesión o de la ley, y que es la única forma por la que los particulares pueden aprovechar privativamente las aguas.

La segunda finalidad que puede cumplir el dominio público respecto de las aguas, su protección ambiental, se manifiesta en otra

---

[161]   Vergara, Alejandro. "Sistema y autonomía del Derecho de Aguas". En *Actas de Derecho de Aguas* N°1 (Santiago: Thomson Reuters, 2011):68-69. Segura, *Derecho de Aguas*: 17 lo caracteriza como un derecho instrumental, en el sentido que *"su función es regular en concreto la utilización que ha de darse al recurso en atención a las características propias de la geografía, economía, desarrollo social y demás factores que determinen el uso de los recursos naturales."*

[162]   En este sentido, véase Lira, *El Derecho de Aguas*...:30; Vergara, *"Sistema y autonomía del Derecho..."*:67 y Rivera, *Usos y derechos consuetudinarios*...:16-17. Otros autores han considerado que en esta disciplina tiene parte del Derecho Público y del Derecho Privado, véase Vergara, Ciro. "Generalidades de Derecho de Aguas". En *Comentario al Código de Aguas*. (Santiago: Editorial Jurídica de Chile, 1960):22-23. Segura, *Derecho de Aguas*: 16, por otra parte, postula superar el carácter público o privado de la disciplina por el principio de supremacía constitucional.

rama del Derecho Público, el Derecho Ambiental[163]. Numerosas definiciones se han dado para conceptualizar esta disciplina, con elementos comunes que nos permiten dar la siguiente noción: principios, normas e instituciones[164] cuyo objetivo es la protección del ambiente, sus componentes y/o funciones de conductas humanas que puedan afectarlo[165], en cuanto sistema que permite la vida[166]. Esta disciplina tiene por objeto la protección del ambiente, sus elementos e interacciones, entre los cuales se encuentran, obviamente, las aguas[167]. En este aspecto el régimen jurídico se refiere a la protección del recurso como elemento del ambiente, a través de instrumentos como la evaluación de los impactos ambientales de su utilización, y la aplicación de medidas extraordinarias frente al agotamiento de los recursos naturales, como es el caso de las aguas[168].

En suma, el régimen jurídico de los recursos naturales de naturaleza pública se caracteriza por la aplicación de normas y principios

---

[163]   Bermúdez, Jorge. *Fundamentos de Derecho Ambiental*. (Valparaíso: Ediciones Universitarias de Valparaíso, 2ª edición, 2014):36, para quien el Derecho Ambiental es parte del Derecho Público, y específicamente del Derecho Administrativo, porque la finalidad de la protección ambiental se traduce en una actividad del Estado y su Administración.

[164]   Así, por ejemplo, Valenzuela, Rafael. "Derecho y ambiente", *Revista de Derecho* N° 3 (1979):193 entiende por Derecho Ambiental *"el conjunto de principios, normas y decisiones jurídicas desarrollados en torno al objetivo final de colocar la normatividad y la coactividad del derecho al servicio de la protección de los sistemas ambientales, considerados en cuanto tales, esto es, en cuanto unidades de funcionamiento constituidas por factores dinámicamente interrelacionados."*

[165]   Martín Mateo, Ramón. *Tratado de Derecho Ambiental* Volumen I y II. (Madrid: Editorial Trivium, 1991): 89: *"...el Derecho Ambiental índice sobre conductas individuales y sociales para prevenir y remediar las perturbaciones que alteran su equilibrio."*

[166]   Brañes, Raúl. *Manual de Derecho Ambiental mexicano*. (México: Fondo de Cultura Económica, 1994): 16 conceptualiza el Derecho Ambiental como el conjunto de normas jurídicas que están orientadas a la protección de la biósfera, en tanto escenario que hace posible la vida, específicamente, mediante la regulación de conductas humanas que (p. 27) *"...pueden influir de una manera relevante en los procesos de interacción que tienen lugar entre los sistemas de los organismos vivos y sus sistemas de ambiente..."*

[167]   Entre los ámbitos de esta disciplina están, justamente, la conservación de los recursos naturales y la protección de ecosistemas. Bermúdez, *Fundamentos de Derecho Ambiental*: 39.

[168]   Darnaculleta, *Recursos naturales y dominio público*: 218-219.

que pretenden asegurar su mantención y disponibilidad, a través de técnicas de protección de su integridad física, y un régimen de utilización que permite ordenar los usos que recaen sobre ellos. En el caso de las aguas, esta regulación especial forma parte del ámbito del Derecho Público, tanto por su condición de bienes públicos, como por las atribuciones que se otorgan a autoridades administrativas respecto de ellas para lograr su mejor utilización y protección; y especialmente por los fines públicos que están asociados a este recurso, como bien útil a las personas y elemento del ambiente.

4.4. Otorgamiento del uso privativo a través de una concesión administrativa o la ley

Otra de las consecuencias importantes del dominio público de las aguas es que quedan excluidas de la apropiación jurídica ordinaria, por lo que su utilización o cualquier derecho que se pretenda ejercer sobre ellas queda sujeto a la regulación especial que por esta condición requieren[169]. Las aguas como bienes no están sujetas al tráfico jurídico privado, lo que circunscribe sus relaciones jurídicas con los particulares a través de la intervención del Estado[170], sobre el que recae el deber de velar que las aguas sean aprovechadas de un modo que permita satisfacer el interés público asociado a ellas.

Las aguas como bienes públicos se encuentran adscritas al uso de todos los habitantes. En el *uso común y general* es donde se da directamente esta posibilidad, sin título especial habilitante, para aprovechar el recurso en actividades básicas y comunes: beber, lavar ropas y otros objetos, o abrevar animales[171]. También puede comprenderse en este uso general la navegación, usos recreacionales y turísticos en cursos de agua superficiales[172]. Lo que caracteriza a este uso, además de la po-

---

[169] Rojas, "*La distinción entre el agua como bien público…*:13.
[170] Saavedra, "*Las aguas como bien nacional de uso público*":208; Rojas, "*Ámbito de operación del dominio público hídrico*": 393.
[171] Estos ejemplos de uso común dan expresamente la Ley de Aguas de España en su artículo 50. Garrido, *Tratado de Derecho Administrativo*:557 y López, *Sistema jurídico de los bienes públicos*:152.
[172] Jaeger, Pablo. "Caudales ecológicos mínimos y proyectos hidroeléctricos". En *Derecho Ambiental en tiempos de reformas: Actas V Jornadas de Derecho Am-*

sibilidad de ser ejercido por cualquier persona, es que son actividades que no implican un uso intensivo o de una cantidad significativa del recurso. El uso común por regla general no es extractivo, o lo es en cantidades tan menores que no requiere un título especial por su mínima afectación al sistema del recurso, que prácticamente no impide el uso común que otros puedan ejercer sobre él[173]. El uso común o general, el que puede ser ejercido por cualquier persona de forma directa, queda abierto a todos con la limitación que no afecte otros usos[174].

Pero el uso público de las aguas no es solamente el uso común o general, sino que en realidad es el *uso privativo o exclusivo*, que constituye la ocupación o aprovechamiento de una porción de un bien público[175], el que permite un mayor aprovechamiento del recurso para las múltiples utilidades que éste puede prestar a las personas. Estos usos implican o requieren una extracción significativa de aguas de la fuente natural, son más intensivos y tienen mayores implicancias tanto en el sistema del recurso como para el aprovechamiento por otros usuarios. Los usos privativos significan una exclusión del mismo uso que otros podrían realizar; por eso requiere de una autorización especial, porque afectan la finalidad de ordenación del uso racional de las aguas.

Consideramos que este uso privativo también forma parte del uso público al que se encuentran adscritas las aguas como bienes públicos. El aprovechamiento del agua a través de derechos de particulares permite especificar esa utilidad pública del recurso al ser utilizada en alguno de los usos que este naturalmente sirve, sea para regadío, industria, energía, u otros. En tal orden de ideas, las potestades conferi-

---

biental (Santiago: Legal Publishing, 2010):220. En el mismo sentido, Rojas, "*Ámbito de operación del dominio público hídrico*":395-396.

[173] En Chile, Vergara, "*Generalidades de Derecho de Aguas*": 47, daba ejemplos similares de uso común (abrevar animales, navegar, producción de fuerza motriz, pesca, etc.) como usos de menor entidad de aguas que no requieren un título especial, ya que después de ellos éstas permanecen aptas para ser utilizadas por otro o para otros fines, porque la cuantía del volumen que se extrae es menor o aprovecha otras cualidades del agua en la fuente.

[174] Riquelme, "La regulación de los recursos hídricos...": 294-295 observa que el uso común puede verse afectado por la utilización privativa intensiva de las aguas, por lo que considera que éste uso debe igualmente regularse y protegerse por la Administración.

[175] Rojas, "*Ámbito de operación del dominio público hídrico*...": 397-398.

das a la autoridad administrativa reguladora en esta materia habilitan a ésta para orientar, antes que determinar, el accionar de los particulares que aprovechen jurídicamente las aguas, hacia la finalidad propia de su calidad de bien nacional de uso público[176]. El uso público que sirven las aguas es el de las personas que necesitan utilizarla, no del Estado, que está en una posición de administrador para ordenar su uso racional y su protección. Desde una perspectiva funcional del dominio público, el otorgamiento o reconocimiento de derechos privativos que permitan el uso de las aguas es la primera tarea que debe cumplir el Estado respecto de ellas, cumpliendo con la finalidad de la ordenación racional del uso del recurso.

En nuestro Derecho de Aguas existen usos legales menores que son permitidos directamente por la ley, que por su menor entidad no requieren un derecho de aprovechamiento, como es el caso del uso de las aguas pluviales, o el aprovechamiento de aguas subterráneas para bebida y uso doméstico[177]. Pero el uso privativo más intenso y estable se da a través de derechos especialmente regulados en un régimen específico, otorgados por la Administración en un sistema reglado que a través de una concesión administrativa[178], constituye[179] derechos que

---

[176] Vergara, "*Naturaleza jurídica de los bienes...*": 81. Específicamente respecto de las aguas, en La *summa divisio* de bienes el mismo autor observa que los bienes de dominio público por sus especiales características de uso y aprovechamiento no son clasificables bajo el concepto de propiedad, sino que más bien son "... *unas cosas destinadas a un determinado fin, al alcance pleno de los particulares, quienes podrán usarlos en forma común o exclusiva, según los casos, bajo la administración y gestión de los poderes públicos.*"

[177] El artículo 10 del CA permite el uso de las aguas que caen o se recogen en un predio particular, por su dueño, siempre que no caigan a cauces naturales de uso público y no se perjudiquen derechos de terceros; el artículo 56 del CA permite excavar pozos de aguas subterráneas sólo con el fin de usarlas en bebida y uso doméstico. Son usos legales limitados, que no configuran derechos de aprovechamiento.

[178] Los artículos 22 y 141 del CA hablan de que la autoridad "constituirá" el derecho de aprovechamiento. La Corte Suprema lo ha dicho expresamente: "*El otorgamiento de un derecho de aprovechamiento sobre aguas es jurídicamente una concesión por medio de la cual se crea en favor del interesado el derecho a ejercer una posesión exclusiva del que carecía con anterioridad sobre un bien público.*" CS (2014) Massoud y Cía. Ltda. con DGA, c. 5°.

[179] Debemos observar que si bien el otorgamiento de un derecho de aprovechamiento vía concesión es la regla general en nuestro sistema, también existen derechos de aprovechamiento que son reconocidos por la legislación, que tienen su origen

permiten extraer determinados caudales de agua para su utilización en actividades de distinto tipo.

Ahora bien, el aprovechamiento de las aguas a través del uso privativo también puede afectar la otra finalidad de su inclusión en el dominio público, su protección como elemento ambiental. Para cumplir también con ella, la ordenación del uso del recurso debe contemplar medidas o límites a su utilización, considerando sus características físicas y las funciones que cumple en el ambiente donde se ejerce el uso privativo. Esto implicará que los derechos que permitan aprovechar las aguas de manera más intensa, como son los derechos de aprovechamiento, puedan estar sujetos a restricciones en su ejercicio por esta razón. Los usos privativos no pueden impedir el uso general o comprometer la otra finalidad pública de protección de las aguas como elemento ambiental.

5. CONCLUSIONES

Recapitulando, concluimos que la calificación jurídica de las aguas como bienes públicos es la base de su regulación en el régimen especial que éstas requieren como recurso natural de aprovechamiento común. La titularidad pública, que es una de las posibilidades que se admite para este recurso en el Derecho, se presenta como la categoría jurídica que además de permitir su regulación para el aprovechamiento racional de las aguas, puede ser también una herramienta de protección ambiental.

Históricamente además, en nuestro ordenamiento las aguas nunca han sido dejadas totalmente a la libre apropiación privada, sino que la autoridad administrativa ha tenido siempre potestades de ordenación de su uso, en una evolución que ha ido avanzando hasta poner a todas las aguas bajo la tutela de entes de la Administración del Estado, como bienes nacionales de uso público.

---

en regímenes normativos anteriores o usos consuetudinarios que cumplen ciertos requisitos para su regularización. Véase Rivera, *Usos y derechos consuetudinarios de aguas*: 42-45.

Este dominio público lo hemos entendido desde un punto de vista funcional, como título de intervención por el cual el Estado tiene potestades sobre este recurso para efectos de cumplir con los intereses o fines públicos asociados a él. En el caso de las aguas, estas finalidades serían tanto su conservación o utilización racional para diversas actividades humanas, como también su protección y como elemento del ambiente y elemento esencial de los ecosistemas, lo que requiere su preservación en dicha función.

Es entonces a través de un régimen de Derecho Público que este recurso se ha sometido a una regulación especial en cuanto a su uso, aprovechamiento, y protección. Específicamente, dada la relación de tutela que debe tener el Estado sobre las aguas, su uso privativo se permite a través de la concesión de un derecho de aprovechamiento, cuya configuración o características dependerá del régimen legal que se adopte, con el objetivo que se satisfagan las finalidades públicas asociadas al uso del bien y su protección: su utilización racional y su función ambiental.

Finalmente, dada la evolución que está teniendo nuestro Derecho de Aguas, integrando cada vez más ambas finalidades de la regulación de las aguas, consideramos que el análisis de los cuatro elementos esenciales que las configuran como bienes públicos, presentado en este trabajo, puede aportar a generar e interpretar nuevas normativas o modificaciones que seguirán ajustando esta disciplina a la realidad en los años que vienen.

Bibliografía

Alessandri, Arturo, Manuel Somarriva y Antonio Vodanovic. *Tratado de Derecho Civil: Partes preliminar y general*, Tomos I y II. Santiago: Editorial Jurídica de Chile, 1998.

Arévalo, Gonzalo. "Aspectos fundamentales de la legislación de aguas". *Revista de Derecho de Aguas* volumen IX (1998): 15-29.

Arévalo, Gonzalo, "Principio de la unidad del cauce o de la corriente". En *Código de Aguas comentado. Doctrina y jurisprudencia.* Alejandro Vergara. (dir.) 7-9. Santiago, AbeledoPerrot, 2011.

Arévalo, Gonzalo: "Las aguas como bienes nacionales de uso público". En *Código de Aguas comentado. Doctrina y jurisprudencia.* Alejandro Vergara, A. (dir.) 14-17. Santiago, AbeledoPerrot, 2011.

Atria, Fernando y Constanza Salgado. *La propiedad, el dominio público y el régimen de aprovechamiento de aguas en Chile*. Santiago: Thomson Reuters, 2015.

Ballbé, Manuel. *Concepto del dominio público*. Barcelona: Bosch-Casa Editorial, 1945.

Bauer, Carl. *Canto de Sirenas. El derecho de aguas chileno como modelo para reformas internacionales*, 2ª edición. Santiago: El Desconcierto, 2015.

Betancor, Andrés. *Instituciones de Derecho Ambiental*. Madrid: La Ley, 2001.

Bermúdez, Jorge. *Derecho Administrativo General* 2ª edición. Santiago, LegalPublishing, 2011.

Bermúdez, Jorge. *Fundamentos de Derecho Ambiental* 2ª edición. Valparaíso: Ediciones Universitarias de Valparaíso, 2014.

Bocksang, Gabriel. *El nacimiento del Derecho Administrativo patrio de Chile (1810-1860)*. Santiago: Thomson Reuters-La Ley, 2015.

Brañes, Raúl. *Manual de Derecho Ambiental mexicano*. México: Fondo de Cultura Económica, 1994.

Cea, José Luis. *Derecho Constitucional Chileno,* Tomo I. Santiago: Ediciones Universidad Católica de Chile, 2002.

Celume, Tatiana. *Régimen público de las aguas*. Santiago, Abeledo Perrot-Thomson Reuters, 2013.

Celume, Tatiana, "Pilares sobre los que se sustenta la reforma al Código de Aguas chileno", en Alejandro VERGARA (dir.), en *Actas de Derecho de Aguas*, Nº 5 (2015): 39-50.

Colom, Eloy. "Las cosas públicas y su régimen jurídico". *Justicia Administrativa,* Nº Extraordinario (2006): 7-46.

Convención Constitucional, *Consolidado Normas Aprobadas Para La Propuesta Constitucional Por El Pleno De La Convención*, 14 de mayo de 2022. https://www.chileconvencion.cl/wp-content/uploads/2022/05/PROPUESTA-DE-BORRADOR-CONSTITUCIONAL-14.05.22.pdf

Cordero, Eduardo, "El estatuto jurídico de los bienes y su construcción desde la perspectiva constitucional", en *Anuario de la Facultad de Ciencias Jurídicas*, s/n, Universidad de Antofagasta, 2001:21-57.

Cordero, Eduardo. *Dominio público, bienes públicos y bienes nacionales. Bases para la reconstrucción de una teoría de los bienes públicos*. Valencia: Tirant Lo Blanch, 2019.

Costa, Ezio. "Diagnóstico para un cambio: Los dilemas de la regulación de las aguas en Chile". *Revista Chilena de Derecho* 43, Nº 1 (2016): 335-354.

D'Ors, Alvaro. *Derecho Privado Romano,* 10ª edición. Pamplona, Eunsa, 2004.

Darnaculleta, Mercè. *Recursos naturales y dominio público: el nuevo régimen del demanio natural.* Barcelona: Editorial Cedecs, 2000.

De La Cuétara, Miguel. *La actividad de la administración: lecciones de Derecho Administrativo.* Madrid: Tecnos,1983.

Dougnac, Antonio, y Javier, Barrientos. "El derecho de aguas a través de la jurisprudencia chilena de los siglos XVII y XVIII". *Revista de Estudios Histórico-Jurídicos*, N° 14 (1992): 101-136.

Epstein, Richard. "Playing by different rules? Property rights in land and water", *Law and Economics Research Paper Series*, Working paper N° 10-56, Lincoln Institute of Land Policy, 2010.

Esteve, José. *Lecciones de Derecho Administrativo.* Madrid: Marcial Pons, 2011.

García Reyes, Antonio. "Legislación de aguas", *Gaceta de los Tribunales*, N° 251 (1847): 1058-1060.

Garrido, Fernando. *Tratado de Derecho Administrativo.* Madrid: Editorial Tecnos, 2005.

González, Julio. *La titularidad de los bienes del dominio público* Madrid: Marcial Pons, 1998.

Guaita, Aurelio. *Derecho Administrativo: aguas, montes, minas.* Madrid: Civitas, 1984.

Guzmán, Alejandro. *Derecho privado romano.* Santiago: Editorial Jurídica de Chile, 1996.

Guzmán, Alberto y Ernesto Ravera. *Estudio de las aguas en el derecho chileno.* Santiago: La Ley, 1993.

Hardin, Garret. "The tragedy of the commons", *Science*, 162, 1968: p.1243-1248.

Hervé, Dominique. *Justicia ambiental y recursos naturales.* Valparaíso: Ediciones Universitarias de Valparaíso, 2015.

Jaeger, Pablo. "Caudales ecológicos mínimos y proyectos hidroeléctricos". En *Derecho Ambiental en tiempos de reformas: Actas V Jornadas de Derecho Ambiental*, 219-230. Santiago: Legal Publishing, 2010.

Jaeger, Pablo y Humberto Peña. "Del orden neoliberal al régimen de lo público en materia de aguas". En *Actas de Derecho de Aguas*, N° 5 (2015): 91-112.

Jara, Manuel. *Derecho Administrativo.* Santiago, Artes y Letras Impresores, 1943.

Lazo, Patricio. "El régimen jurídico de las aguas y la protección interdictal de los ríos públicos en el Derecho Romano". *Revista de Estudios Histórico-Jurídicos*, N° 21, (1999): 65-73.

Lira, Samuel. *El Derecho de Aguas ante la cátedra.* Santiago: Instituto Geográfico Militar, 1956.

López, Fernando. *Sistema jurídico de los bienes públicos*. Madrid: Civitas, 2012.

Marienhoff, Miguel. *Tratado del dominio público*. Buenos Aires: Tipográfica Editora Argentina, 1960.

Martín Mateo, Ramón. *Tratado de Derecho Ambiental* volumen I. Madrid: Editorial Trivium, 1991.

Martin-Retortillo, Sebastián. *Derecho de Aguas*. Madrid: Civitas, 1997.

Merino, Ernesto. *Derecho Administrativo*. Santiago, Imprenta Universitaria, 1936.

Montt Santiago. *El dominio público. Estudio de su régimen especial de protección y utilización*. Santiago: LexisNexis, 2002.

Moreu, Elisa. "Desmitificación, privatización y globalización de los bienes públicos: del dominio público a las obligaciones de dominio público". *Revista de Administración Pública*, N° 161 (2003): 435-477.

Morillo-Velarde José. *Dominio público*. Madrid: Editorial Trívium, 1992.

Ostrom, Elinor. *El gobierno de los bienes comunes*. México, Fondo de Cultura Económica, segunda edición, 2011.

Parada, Guillermo. *El derecho de aprovechamiento de aguas. Aspectos dogmáticos y legales. Su posesión y adquisición por prescripción*. Santiago, La Ley, 2000.

Parejo, Luciano. "Dominio público: un ensayo de reconstrucción de su teoría general". *Revista de Administración Pública*, N° 100-102 (1983): 2379-2422.

Parejo, Luciano (2001): "Reconstrucción de una teoría general del dominio público", en *Anuario Facultad de Ciencias Jurídicas*, s/n (Antofagasta, Universidad de Antofagasta): pp. 11-20.

Peñailillo, Daniel. *Los bienes. La propiedad y otros derechos reales*. Santiago: Editorial Jurídica de Chile, 2010.

Pérez Antonio. *El dominio público hídrico continental*. Granada: Editorial Comares, 2006.

Prado, Santiago. *Principios elementales de Derecho Administrativo chileno*. Santiago: Imprenta Nacional, 1859.

Reyes, Jorge, *Naturaleza Jurídica del Permiso y de la Concesión sobre Bienes Nacionales de Uso Público*. Santiago, Editorial Jurídica de Chile, 1960.

Reyes, Jorge. *Introducción al Derecho Administrativo general*. Santiago: LegalPublishing, 2013.

Riquelme, Carolina. "La regulación de los recursos hídricos como bienes nacionales de uso público: Eventuales efectos de su incorporación a la

Constitución Política de la República". En *Actas de las VII Jornadas de Derecho Ambiental*. Editado por Montenegro, S., Aranda, J., Insunza, X., Moraga, P. y Uriarte, A. 277-303. Santiago: Legal Publishing, 2014.

Rivera, Daniela. *Usos y derechos consuetudinarios de aguas: Su reconocimiento, subsistencia y ajuste.* Santiago: LegalPublishing, 2013

Rivera, Daniela. "Diagnóstico jurídico de las aguas subterráneas". *Ius et Praxis*, N° 2 (2015): 225-266.

Rojas, Christian. "La distinción entre el agua como bien público y el derecho de aprovechamiento. Sus efectos en la competencia de las juntas de vigilancia de los ríos, y la de las asociaciones de canalistas y comunidades de aguas". En *Actas de Derecho de Aguas N°1*. (dir) Alejandro Vergara 3-39. Santiago: Thomson Reuters, 2011.

Rojas, Christian. *La distribución de las aguas. Ordenación y servicio público en la administración hídrica y en las juntas de vigilancia.* Santiago, Thomson Reuters, 2016.

Rojas, Christian. "Ámbito de operación del dominio público hídrico. Configuración tradicional e innovaciones, a partir de la Ley 21.064 de 2018". En *El Dominio Público. Actas de las XV Jornadas de Derecho Administrativo 2018.* Jaime Arancibia y Patricio Ponce editores. Valencia, Tirant Lo Blanch, 2019.

Rozas, Fernando. *Los bienes.* Santiago: Editorial Jurídica Conosur, 1998.

Saavedra, José Ignacio. "Las aguas como bien nacional de uso público". *Justicia Ambiental* N° 1 (2009): pp. 203-266.

Sainz, Fernando. "El dominio público: Una reflexión sobre su concepto y naturaleza: cincuenta años después de la fundación de la Revista de Administración Pública", *Revista de Administración Pública*, N° 150 (1999): 477-513.

Sánchez, Miguel. *Derecho Administrativo: Parte general.* Madrid: Tecnos, 2012.

Sánchez, Miguel. "Los bienes públicos en general". En *Los bienes públicos: (régimen jurídico).* Miguel Sánchez (comp). Madrid: Tecnos, 1997.

Segura, Francisco. *Derecho de Aguas.* Santiago: LexisNexis, 2006.

Silva Cimma, Enrique. *Derecho Administrativo chileno y comparado: Actos, contratos y bienes* volumen 5. Santiago: Editorial Jurídica de Chile, 1995.

Stewart, Daniel. *El Derecho de Aguas en Chile: algunos aspectos de su historia y el caso del Valle de Illapel.* Santiago: Editorial Jurídica de Chile, 1970.

Tala, Alberto. *Derecho de Recursos Naturales. Ambiente, aguas, minas.* Santiago: Ediciones Jurídicas La Ley, 1999.

Terrazas, Juan David. "La tutela jurídica del agua en el Derecho Romano". *Revista Chilena de Derecho* volumen 39, N° 2 (2012): 371-409.

Topasio, Aldo. *Los bienes en el Derecho Romano*. Valparaíso: Universidad de Valparaíso, 1981.

Valenzuela, Rafael, "Derecho y ambiente", *Revista de Derecho* Pontificia Universidad Católica de Valparaíso, N° 3 (1979): 175-241.

Vergara, Alejandro. "La teoría del dominio público: el estado actual de la cuestión". *Revista de Derecho Público* (Madrid) volumen I, N° 114 (1989): 27-58.

Vergara, Alejandro. "El principio de la unidad de la corriente en el Derecho de Aguas". *Revista de Derecho de Aguas,* Vol. VIII (1997): 41-50.

Vergara, Alejandro. *Derecho de Aguas,* Tomos I y II. Santiago: Editorial Jurídica de Chile, 1998.

Vergara, Alejandro. "Naturaleza jurídica de los "bienes nacionales de uso público". *Ius Publicum,* N° 3 (1999): 73-83.

Vergara, Alejandro, "La *summa divisio* de bienes y recursos naturales en la constitución de 1980". En *20 años de la Constitución chilena: 1981-2001*. Editado por Enrique Navarro, 369-389. Santiago: Editorial Jurídica Conosur, 2001.

Vergara, Alejandro. "Las aguas como bien público (no estatal) y lo privado en el derecho chileno: evolución legislativa y su proyecto de reforma". *Revista de Derecho Administrativo Económico* volumen IV, N° 1 (2002): 63-79.

Vergara, Alejandro. "La *summa divisio* de bienes y recursos naturales en la constitución de 1980". *Ius Publicum,* N° 12 (2004): 105-126.

Vergara, Alejandro. "Sistema y autonomía del Derecho de Aguas". En *Actas de Derecho de Aguas* N°1. Compilado por Alejando Vergara, 57-78. Santiago: Thomson Reuters, 2011.

Vergara, Alejandro. *Crisis institucional del agua: Descripción del modelo jurídico, crítica a la burocracia y necesidad de tribunales especiales*. Santiago: Ediciones UC, 2015.

Vergara, Ciro. "Generalidades de Derecho de Aguas". En *Comentario al Código de Aguas*. Compilado por Alejandro Vergara 3-51. Santiago: Editorial Jurídica de Chile, 1960.

Zúñiga, Francisco. "Constitución y dominio público (dominio público de minas y aguas terrestres)". *Ius et Praxis*, Año 11 N° 2 (2005): 65-101.

Normas y jurisprudencia

Actas Oficiales de la Comisión de Estudio de la Nueva Constitución Política de la República de Chile (CENC): Tomo VI, Sesiones 182 a 214: *Sesión 202* (14 de abril de 1976).

Boletín 7543-12: Proyecto de reforma al Código de Aguas.

Corte Suprema. Aguas Antofagasta S.A. con DGA, Rol 5474-2004, 31 de julio de 2006.

Corte Suprema. Prieto Poklepovic con DGA, Rol 4370-2004, 25 de julio de 2006.

Corte Suprema. Agrícola Leyda Ltda. con DGA, Rol 1849-2006, 30 de abril de 2007.

Corte Suprema. Viña Garcés Silva Ltda. con DGA, Rol 1943-2006, 29 de marzo de 2007.

Corte Suprema. CONAF con DGA, Rol 5.691-2012, 18 de noviembre de 2012.

Corte Suprema. Massoud y Cía. Ltda. con DGA, Rol 1956-2013, 6 de marzo de 2014.

Corte Suprema. Cemento Polpaico S.A. con DGA, Rol 2.039-2003, 18 de diciembre de 2003.

Constitución Política de la República de Chile de 1980.

Ley S/N Proyecto De Lei Sobre Organización I Atribuciones De Las Municipalidades. Ministerio del interior 12 sep 18 Artículo 102.

Ley de 1856. Código Civil de La República de Chile. (Imprenta Nacional 1856).

Ley de 1887. Sobre organización y atribuciones de las Municipalidades. (Diario Oficial 3.120, de septiembre 12, de 1887).

Ley de 1891. Sobre organización y atribuciones de las Municipalidades. (Diario Oficial 4.111 de 24 de diciembre, de 1891).

Ley 9.909 de 1951. Código de Aguas. (Diario Oficial 27.351, de mayo 28 de 1951).

Ley 16.640 de 1967. Reforma Agraria (Diario oficial 26.804, de julio 28 de 1967).

Ley 19.300 de 1994. Ley de Bases Generales del Medio Ambiente (Diario Oficial, 9 de marzo de 1994).

Ley Nº 21.435 de 2022, Reforma el Código de Aguas (Diario Oficial, 6 de abril de 2022)

Real Decreto de 1889. Código Civil Español. (Gaceta de Madrid 206, de julio 25 de 1889)

Tribunal Constitucional. Rol 1215-08, 30 de abril de 2009.

Tribunal Constitucional. Rol 1281-08, 14 de agosto de 2009.

Tribunal Constitucional. Rol 1578-09, 2 de junio de 2011.

CONSTITUCIÓN
Y MEDIO AMBIENTE

Jessica Fuentes Olmos[*]

INTRODUCCIÓN

Los problemas medioambientales se han ido multiplicando a medida que se ejerce mayor presión sobre los recursos naturales, impulsada por el crecimiento de la población mundial y las actividades humanas que generan impactos, con alcance aún desconocido en muchos casos. Sin embargo, el conocimiento científico progresa aceleradamente y cada vez más da cuenta de los efectos perniciosos que surgen de causas antropogénicas, de modo tal que incluso se habla de una nueva era geológica denominada el Antropoceno, caracterizada por la fuerza del género humano para cambiar los ecosistemas del mundo[1]-[2]. Vivimos en un contexto de crisis climática donde ya se prevén cambios irreversibles, lo que ha llevado al mundo científico a promover medidas para evitar impactos que comprometan definitivamente el bienestar de las generaciones actuales y futuras. En dicho contexto, se ha criticado el modelo de desarrollo que ha llevado a esta situación[3]-[4] y que partía de una premisa errada: la naturaleza es

---

[*] Doctora en Derecho, Magíster y Abogada por la Pontificia Universidad Católica de Valparaíso; Profesora de Derecho Constitucional de la Escuela de Derecho de la Pontificia Universidad Católica de Valparaíso. Correo: fo.jessica@gmail.com
[1] El concepto de antropoceno fue acuñado por Paul Crutzen y Eugene Stoermer.
[2] Fernando Stenssoro, "¿Quién está destruyendo la vida en el planeta? La confrontación de los conceptos antropoceno y capitaloceno en el debate ambiental", *Universum* 3 n° 2 (2021): 663-667.
[3] En una variante de la idea de antropoceno que centra el origen del impacto humano sobre los ecosistemas a nivel global, el concepto de capitaloceno, acuñado por Jason W. Moore, lo centra en el inicio del capitalismo moderno.
[4] Estenssoro, "¿Quién está destruyendo la vida en el planeta?": 671.

fuente de recursos inagotables para el uso y la explotación humana, lo que asegura el desarrollo y bienestar de la población[5].

Así las cosas, muchos esfuerzos se han hecho desde la comunidad internacional para comprometer a los Estados a hacerse cargo de las externalidades de las actividades que atentan contra el medio ambiente, adoptando medidas que las eviten y las mitiguen, según corresponda. Esta preocupación surge con la primera declaración internacional proclamada en la década de los años setenta que, en algunos casos, promovieron la consagración, en algunos textos constitucionales, de disposiciones destinadas a reconocer derechos o imponer deberes a los Estados en relación al medio ambiente. Esta tendencia constitucional continúa desarrollándose en las décadas posteriores, siguiendo diversos modelos de compromiso, en general, enmarcados en el binomio derechos fundamentales-deberes estatales, esto es, el reconocimiento de un derecho a un ambiente adecuado con su contrapartida en los deberes de actuación para procurar la protección y cautela de dicho medio ambiente por parte del Estado. Sin embargo, tesis ecológicas y derechamente ecocéntricas vigentes en la actualidad promueven una nueva perspectiva basada en la relación derechos de la naturaleza-deberes humanos.

En este contexto, el reciente proceso constituyente que se verificó en Chile junto a las crecientes demandas ciudadanas de mayor cuidado del ambiente, originada en los diversos conflictos que se han constatado a lo largo de los años, plantea la necesidad de hacer una revisión del estado de la cuestión y el alcance que su constitucionalización debería tener en nuestro sistema.

Conforme con lo dicho, en este artículo se hará una breve referencia a los principales instrumentos con los que se inaugura la preocupación internacional por el medio ambiente, para continuar con una descripción de textos constitucionales de derecho comparado que dan

---

[5]   "...los países de economías emergentes, que llevan años procurando mejorar las condiciones de vida de sus habitantes, empiezan a evidenciar que muchos de sus avances han comprometido otros bienes esenciales para ese bienestar, la calidad del entorno, el acceso al agua, la conservación de la biodiversidad y la protección de sus paisajes naturales.". Liliana Galdámez Zelada, Medio Ambiente, Constitución y Tratados en Chile, en Boletín Mexicano de Derecho Comparado, nueva serie 50 n°148, enero-abril (2017): 114.

cuenta de la forma en que se ha abordado la protección medioambiental desde la perspectiva constitucional, para luego dar cuenta del contenido de la Constitución vigente y las discusiones que se han sostenido a su alero a la luz de la jurisprudencia, para concluir con una mirada crítica a la propuesta de la Convención Constitucional.

En el presente trabajo, y para efectos realizar referencias genéricas al derecho, objeto del presente trabajo, se aludirá al derecho a un medio ambiente *adecuado*; en cambio, en los casos en que se aluda a textos constitucionales o legales que lo consagran, se empleará la denominación que tal texto utilice.

1. INSTRUMENTOS INTERNACIONALES RELACIONADOS CON EL DERECHO A UN AMBIENTE ADECUADO

La Conferencia de Naciones Unidas para el Medio Humano realizada en Estocolmo en el año 1972 relevó por primera vez la preocupación por el medio ambiente y consagró una serie de principios, enfatizando la relación que debe existir entre el crecimiento económico, la contaminación del aire, el agua y los océanos y el bienestar humano[6]. Resultados de tal conferencia fueron la Declaración y el Plan de Acción de Estocolmo para el Medio Humano, así como la creación del Programa de las Naciones Unidas para el Medio Ambiente (PNUMA)[7]. La Declaración de Naciones Unidas sobre Medio Am-

---

[6]   ONU, *Conferencias sobre el medio humano*, 1972, https://www.un.org/es/conferences/environment/stockholm1972.

[7]   Comienza la Declaración proclamando: "*1. El hombre es a la vez obra y artífice del medio que lo rodea, el cual le da el sustento material y le brinda la oportunidad de desarrollarse intelectual, moral, social y espiritualmente. En la larga y tortuosa evolución de la raza humana en este planeta se ha llegado a una etapa en que, gracias a la rápida aceleración de la ciencia y la tecnología, el hombre ha adquirido el poder de transformar, de innumerables maneras y en una escala sin precedentes, cuanto lo rodea. Los dos aspectos del medio humano, el natural y el artificial, son esenciales para el bienestar del hombre y para el goce de los derechos humanos fundamentales, incluso el derecho a la vida misma. 2. La protección y mejoramiento del medio humano es una cuestión fundamental que afecta al bienestar de los pueblos y al desarrollo económico del mundo entero, un deseo urgente de los pueblos de todo el mundo y un deber de todos*

biente Humano es el primer instrumento internacional que propone principios que empezarán a conformar el núcleo axiológico y orientación teleológica del incipiente derecho ambiental[8]. Principios como el de responsabilidad, cooperación, desarrollo y respeto a la diversidad cultural encontrarán mayor desarrollo en los años venideros. Se ha criticado esta Declaración por el acento que coloca en el elemento humano sin reparar en la naturaleza como acreedora de respeto en sí misma, más allá de la relación hombre-naturaleza[9].

En la nueva conferencia conocida como la Cumbre de la Tierra, realizada en Río de Janeiro, en el año 1992, cambia el foco de atención en torno al potencial humano para provocar una catástrofe ambiental, trasladándose desde el peligro proveniente del posible conflicto nuclear tan temido en los años setenta, a los efectos del cambio climático[10]. Así, en esta Conferencia el énfasis estuvo en el reconocimiento de la interdependencia de los factores sociales, económicos y medioambientales, cuya integración es esencial para satisfacer las necesidades y mantener la vida en el planeta, reconociéndose que esto, a su vez, requería nuevas percepciones acerca de la forma de producir, consumir, vivir, trabajar y tomar decisiones. Estas ideas promovieron el debate entre los gobiernos y entre estos y sus ciudadanos sobre

---

los gobiernos." en UNEP, *Declaración de Estocolmo*, 1972, http://www.upv.es/contenidos/CAMUNISO/info/U0579218.pdf

[8]   Jordi Jaria-Manzano, "Los Principios de Derecho Ambiental: Concreciones, Insuficiencias y Reconstrucción", *Revista Ius et Praxis* 25 (2019): 406.

[9]   Desde una perspectiva crítica por el enfoque de esta Declaración, Bellver Capella señala: "[...] *Tres son los pilares sobre los que se asienta: 1.—El más urgente de los problemas ecológicos es el subdesarrollo de los países del Tercer Mundo, por lo que requerirán una atención prioritaria, centrada en proporcionarles los medios para un desarrollo acelerado [...] 2.—La naturaleza y sus recursos son considerados como simples medios para garantizar una vida digna (principio 1°) a las generaciones presentes y futuras. En ningún momento se proporciona a la naturaleza una consistencia propia, que la haga acreedora de un respeto por sí misma [...] 3.—Como puede suponerse de lo anterior, la Declaración de Estocolmo reconoce que 'de todas las cosas del mundo, los seres humanos son lo más valioso. Ellos son quienes promueven el progreso social, desarrollan la ciencia y la tecnología y, con su duro trabajo, transforman continuamente el medio humano' (núm. 1 del Preámbulo)*" Vicente Bellver Capella, *Ecología: de las razones a los derechos* (Granada, Comares, 1994), 192-193.

[10] Jaria-Manzano, *Los Principios*, 406.

cómo garantizar la sostenibilidad del desarrollo[11]. El objetivo del desarrollo sostenible aparecía como alcanzable, enfocándose la conferencia en la elaboración de un nuevo plan de acción internacional sobre cuestiones ambientales y de desarrollo[12]. Sus resultados fueron la Declaración de Río con sus 27 principios universales, la Convención Marco de las Naciones Unidas sobre el Cambio Climático (CMNUCC), el Convenio sobre la Diversidad Biológica, la Declaración sobre los principios de la ordenación, la conservación y el desarrollo sostenible de los bosques de todo tipo y el Programa 21.

Resulta destacable el concepto de desarrollo sostenible que se utiliza en esta Conferencia y que surgió cinco años antes en el informe Nuestro Futuro Común, publicado en marzo del año 1987, elaborado por la Comisión Mundial sobre Medio Ambiente y Desarrollo, presidida por Gro Harlem Brundtland. Dicho informe comienza con el reconocimiento del derecho humano fundamental al medio ambiente y se define el desarrollo sostenible como aquel que satisface las necesidades del presente sin poner en peligro la capacidad de las generaciones futuras de satisfacer sus propias necesidades[13].

Por su parte, el principio N° 1 de la Declaración de Río consagra indirectamente el derecho a vivir en un medio ambiente adecuado, al disponer: *"Los seres humanos constituyen el centro de las preocupaciones relacionadas con el desarrollo sostenible. Tienen derecho a una vida saludable y productiva en armonía con la naturaleza"*[14]. Por su parte, el principio N° 3 recoge el compromiso intergeneracional que debe considerarse al implementar la política de desarrollo; esto es, *"el derecho al desarrollo debe ejercerse en forma tal que responda equitativamente a las necesidades de desarrollo y ambientales de las*

---

[11]   https://www.un.org/es/conferences/environment/rio1992

[12]   https://www.un.org/es/conferences/environment/rio1992

[13]   *"3. Sustainable Development. 27. Humanity has the ability to make development sustainable to ensure that it meets the needs of the present without compromising the ability of future generations to meet their own needs."* UN, *Report of The World Commission on Environment and Development: our common future*, https://sustainabledevelopment.un.org/content/documents/5987our-common-future.pdf

[14]   ONU, *Declaración de Rio sobre el medio ambiente y desarrollo*, 1992, https://www.un.org/spanish/esa/sustdev/documents/declaracionrio.htm

generaciones presentes y futuras."[15] Asimismo, se incorporan los principios de participación ciudadana, de precaución, de responsabilidad, del que contamina debe pagar y el de cooperación, todos los cuales sientan las bases de lo que se conoce como derecho ambiental.

Veinte años después, en el año 2012 y nuevamente en Río de Janeiro, cristaliza el trabajo que se había realizado en el tiempo intermedio entre ambas conferencias, en que a partir de los Objetivos del Milenio adoptados el año 2000, se acuerda llevar adelante un proceso para desarrollar los Objetivos de Desarrollo Sostenible (ODS) los que son adoptados el año 2015 en una cumbre de líderes mundiales[16], y que contemplan metas a alcanzar al año 2030. Los ODS abarcan las diversas cuestiones implicadas en el desarrollo de las actuales comunidades existentes en todo el mundo: 1) fin de la pobreza; 2) hambre 0; 3) salud y bienestar; 4) educación de calidad; 5) igualdad de género; 6) agua limpia y saneamiento; 7) energía asequible y no contaminante; 8) trabajo decente y crecimiento económico; 9) industria, innovación e infraestructura; 10) reducción de las desigualdades; 11) ciudades y comunidades sostenible; 12) producción y consumo responsables; 13) acción por el clima; 14) vida submarina; 15) vida de ecosistemas terrestres; 16) paz, justicia e instituciones sólidas; 17) alianzas para lograr los objetivos.

El contenido del desarrollo sostenible ha penetrado en algunos textos constitucionales como la Constitución de Argentina en su artículo 41[17];

---

[15]   ONU, *Declaración de Rio…*

[16]   ONU, *Objetivos de desarrollo sustentable*, 2015, https://www.un.org/sustaina-bledevelopment/es/objetivos-de-desarrollo-sostenible/

[17]   *"Artículo 41.—Todos los habitantes gozan del derecho a un ambiente sano, equilibrado, apto para el desarrollo humano y para que las actividades productivas satisfagan las necesidades presentes sin comprometer las de las generaciones futuras; y tienen el deber de preservarlo. El daño ambiental generará prioritariamente la obligación de recomponer, según lo establezca la ley. Las autoridades proveerán a la protección de este derecho, a la utilización racional de los recursos naturales, a la preservación del patrimonio natural y cultural y de la diversidad biológica, y a la información y educación ambientales. Corresponde a la Nación dictar las normas que contengan los presupuestos mínimos de protección, y a las provincias, las necesarias para complementarlas, sin que aquéllas alteren las jurisdicciones locales. Se prohíbe el ingreso al territorio nacional de residuos actual o potencialmente peligrosos y de los radiactivos".* Congreso de

la de Polonia de 1997 en su artículo 5°[18], la de Suiza del año 1999 en su artículo 2°[19]; la de Bolivia de 2008 en su artículo 108 numeral 15[20] por mencionar algunas.

En el ámbito de pactos y tratados internacionales relativos a derechos humanos, y dada la época en que se dicta, solo de manera indirecta se puede vincular la Declaración Universal de Derechos Humanos del año 1948 al derecho a vivir en un medio ambiente adecuado, cuando señala, en su artículo 25 que *"Toda persona tiene derecho a un nivel de vida adecuado que le asegure, así como a su familia, la salud y el bienestar, y en especial la alimentación, el vestido, la vivienda, la asistencia médica y los servicios sociales necesarios"*.

Por su parte, el Pacto Internacional de Derechos Económicos, Sociales y Culturales, establece en su artículo 12: *"1. Los Estados Partes en el presente Pacto reconocen el derecho de toda persona al disfrute del más alto nivel posible de salud física y mental. 2. Entre las medidas que deberán adoptar los Estados Partes en el Pacto a fin de asegurar la plena efectividad de este derecho, figurarán las necesarias para: [...] b) El mejoramiento en todos sus aspectos de la higiene del trabajo y del medio ambiente [...]"*.

---

la Nación Argentina, *Constitución Argentina*, 1994, https://www.congreso.gob.ar/constitucionParte1Cap2.php

18   *"Article 5. The Republic of Poland shall safeguard the independence and integrity of its territory and ensure the freedoms and rights of persons and citizens, the security of the citizens, safeguard the national heritage and shall ensure the protection of the natural environment pursuant to the principles of sustainable development."* Republic of Poland, *The Constitution of the Republico of Poland*, 1997, https://wipolex.wipo.int/es/text/194980

19   *"Artículo 2. Objetivos 1. La Confederación Suiza protegerá la libertad y los derechos del pueblo y salvaguarda la independencia y la seguridad del país.2. Promoverá el bienestar común, el desarrollo sostenible, la cohesión interna y la diversidad cultural del país.3. Garantizar la mayor igualdad de oportunidades posible entre sus ciudadanos.4. Está comprometido con la preservación a largo plazo de los recursos naturales y con un orden internacional justo y pacífico."* Texto extraído de la página de la Biblioteca Nacional chilena proporcionado por la: Cancillería Federal de Suiza, *Constitución de Suiza*, 1999, https://www.bcn.cl/procesoconstituyente/comparadordeconstituciones/constitucion/che

20   Título III, artículo 108 numeral 15. El texto puede revisarse en la página del Ministerio de Defensa de Bolivia: Estado Plurinacional de Bolivia, *Constitución política del Estado Plurinacional de Bolivia*, 2009, https://www.mindef.gob.bo/mindef/sites/default/files/Consitucion_2009_Orig.pdf

En el ámbito regional, la Convención Americana de Derechos Humanos, en su Protocolo Adicional en materia de derechos económicos, sociales y culturales, Protocolo de San Salvador, establece en el artículo 11: *"Derecho a un medio ambiente sano. 1. Toda persona tiene derecho a vivir en un medio ambiente sano y a contar con servicios públicos básicos. 2. Los Estados partes promoverán la protección, preservación y mejoramiento del medio ambiente."*[21]. Dicho protocolo fue firmado por Chile el 6 de mayo de 2001, sin que a la fecha haya sido ratificado[22].

Como puede apreciarse, si bien se ha tomado conciencia de la crisis ambiental y de la dependencia que tiene el ser humano del medio ambiente para conseguir su bienestar y su plena realización, lo que ha fundado el reconocimiento de derechos humanos en la materia, los resultados de las tratativas internacionales para reorientar las directrices del desarrollo hacia uno sostenible han sido insuficientes, dado que el nivel de acuerdos adoptados para implementar políticas globales avanza muy lento en relación al ritmo de la crisis, como queda demostrado en la discusión relativa a la mitigación de los impactos del cambio climático[23]. De allí entonces que las medidas que se adopten a nivel nacional son clave a la hora de avanzar más decididamente en políticas e instrumentos destinados a hacer frente a los impactos al medio ambiente.

2. CONSTITUCIONALIZACIÓN
DEL DERECHO A UN AMBIENTE ADECUADO
EN EL DERECHO COMPARADO

A partir de la Conferencia de Estocolmo, la preocupación por el medio ambiente no quedó acotada al concierto internacional, sino

---

[21]   Departamento de Derecho Internacional, OEA, *Protocolo Adicional a la Convención Americana Sobre Derechos Humanos en Materia de Derechos Económicos, Sociales y Culturales "Protocolo De San Salvador"*, 1988, https://www.oas.org/juridico/spanish/Tratados/a-52.html

[22]   Departamento de Derecho Internacional, OEA, *A-52: Chile, firma Protocolo Adicional a la Convención Americana Sobre Derechos Humanos en Materia de Derechos Económicos, Sociales y Culturales "Protocolo De San Salvador"*, 2001 https://www.oas.org/juridico/spanish/firmas/a-52.html

[23]   Fernando Estenssoro, ¿Quién está destruyendo la vida en el planeta?, 663.

que se extendió a los textos constitucionales que tempranamente comienzan a prever disposiciones, tanto referidas a la imposición de deberes al Estado en favor del resguardo del medio ambiente, como a la consagración de un derecho fundamental atribuido a los sujetos integrantes de la comunidad. Sin perjuicio de ello, ha de mencionarse que en Estados Unidos hay un precedente en materia de protección medioambiental que es la dictación de la *Environmental Policy Act* en el año 1969, esto es, tres años antes de la mencionada Conferencia. Si bien el texto es de carácter legal, no constitucional, constituye un antecedente fundamental por introducir las cuestiones ambientales en la competencia de los tribunales federales de ese país y refuerza, entre otras cosas, la supervisión del Congreso sobre las actuaciones administrativas con efectos ambientales adversos[24].

En las Constituciones de Europa de posguerra no se incorporó el derecho a un medio ambiente adecuado, dado el estado de la cuestión a esa fecha, pero progresivamente se va incorporando al sistema mediante la jurisprudencia constitucional, por ejemplo, en Italia[25].

Por su parte, en los textos de finales del siglo XX sí aparece este derecho bajo diversas denominaciones: Portugal (1976); Grecia (1975); España (1978); reformas a la Constitución finlandesa (1980); Países Bajos (1983); Suecia (1994); Alemania (1994).

Actualmente la Constitución de Portugal señala en su artículo 66: *"Medio Ambiente y calidad de vida. Todos tendrán derecho a un medio ambiente humano, salubre y ecológicamente equilibrado y el deber de defenderlo"*, previéndose a continuación los deberes del Estado para actuar a través de sus órganos para asegurar este derecho, en el marco del desarrollo sostenible, y con la vinculación y participación de los ciudadanos[26].

---

[24] Jesús Jordano Fraga, *La protección del derecho a un medio ambiente adecuado* (Barcelona, Bosch, 1995), 50.

[25] Ya en la década de los años setenta, M.S. Giannini proponía un marco de lo que serían más tarde los elementos esenciales del derecho ambiental europeo, al considerar un concepto jurídico de ambiente como un bien público comprensivo de lo siguiente: protección y conservación, naturaleza, contaminación y ordenación del territorio. Gerardo Ruiz-Rico Ruiz, *"El derecho constitucional al medio ambiente"* (Valencia, Tirant Lo Blanch, 2000), 21-22.

[26] República de Portugal, Constitución de Portugal, 1976, https://www.bcn.cl/procesoconstituyente/comparadordeconstituciones/constitucion/prt

Por su parte, la Constitución española señala en su artículo 45:

> "1. Todos tienen el derecho a disfrutar de un medio ambiente adecuado para el desarrollo de la persona, así como el deber de conservarlo. 2. Los poderes públicos velarán por la utilización racional de todos los recursos naturales, con el fin de proteger y mejorar la calidad de la vida y defender y restaurar el medio ambiente, apoyándose en la indispensable solidaridad colectiva. 3. Para quienes violen lo dispuesto en el apartado anterior, en los términos que la ley fije se establecerán sanciones penales o, en su caso, administrativas, así como la obligación de reparar el daño causado."[27-28]

En esta disposición se consagra un esquema básico, preventivo, reconociendo implícitamente la planificación (utilización racional), y represivo (sanciones penales, administrativas y responsabilidad civil)[29].

En Alemania, mediante una reforma constitucional al artículo 20a se incorpora bajo el título *protección de los fundamentos naturales de la vida y de los animales*, lo siguiente:

> "El Estado protegerá, teniendo en cuenta también su responsabilidad con las generaciones futuras, dentro del marco del orden constitucional, los fundamentos naturales de la vida y los animales a través de la legislación y, de acuerdo con la ley y el Derecho, por medio de los poderes ejecutivo y judicial"[30].

Destaca en esta disposición la vinculación que realiza a todos los poderes estatales, de alguna manera reaccionando a lo que constituye la mayor dificultad del avance de las disposiciones medioambientales, por el fuerte condicionamiento a la voluntad del legislador. Destaca, asimismo, la amplitud para referirse al medio ambiente al utilizar la

---

[27] España, *Constitución española*, 1978, https://www.boe.es/eli/es/c/1978/12/27/(1)/con. Se ha criticado que si bien, en la disposición aparece consagrado un interés objetivo de rango constitucional, del cual se deducen obligaciones para los poderes públicos, hay dudas sobre la efectividad como derecho subjetivo y sobre la posibilidad de que los ciudadanos puedan reclamarlo con el solo apoyo de la disposición constitucional.

[28] Raúl Canosa Usera, *Constitución y medio ambiente* (Madrid, Dykinson, 2000), 44.

[29] Jesús Jordano Fraga, *La protección*, 54.

[30] República Federal de Alemania, *Ley fundamental de la República Federal de Alemania*, 2019, https://www.bundestag.de/resource/blob/658022/160ce346b-7f4d14f05fcbf8080a60fc0/flyer_ley_fundamental_pdf-data.pdf

frase *los fundamentos naturales de la vida y los animales*, lo que admite la evolución del derecho ambiental en dicho sistema[31].

Adicionalmente, en Francia se incorpora a la Declaración de los Derechos del Hombre y del Ciudadano, documento que contiene los derechos fundamentales reconocidos por la Constitución francesa, la Carta del Medio Ambiente de 2003, que señala en su artículo 1° que: *"Cada uno tiene el derecho de vivir en un medio ambiente equilibrado y respetuoso de la salud"*. A esto se agregan el deber de participar en la preservación y mejora del medio ambiente, contemplándose, asimismo, entre otros, los principios de prevención, precaución, acceso a la información ambiental, desarrollo sostenible y reparación[32].

A diferencia de Europa occidental, en el lado este el derecho al medio ambiente aparece tempranamente en las constituciones de Bulgaria (1971), Hungría (1972), Polonia (1976) y Unión de Repúblicas Socialistas Soviéticas (1977)[33], por mencionar algunas, aunque con concepciones dispares en torno a lo que incluye el medio ambiente.

En América Latina, previo a los años setenta en que se posiciona la cuestión medioambiental, el constitucionalismo incorpora los bienes naturales objetivándolos como recursos naturales. Tras la Conferencia de Estocolmo se fue generalizando, en cambio, el reconocimiento del derecho a un medio ambiente adecuado, objetivando la naturaleza como medio ambiente humano[34].

La Constitución de Panamá de 1972 fue la primera que consagró, en su artículo 110, el deber de protección del medio ambiente, al señalar: *"Artículo 110. Es deber fundamental del Estado velar por la conservación de las condiciones ecológicas, previniendo la contami-*

---

[31] Gerardo Ruiz-Rico Ruiz, *El derecho constitucional al medio ambiente* (Valencia, Tirant Lo Blanch, 2000), 36-37.

[32] Consejo Constitucional francés, Carta del medio ambiente, https://www.conseil-constitutionnel.fr/sites/default/files/as/root/bank_mm/espagnol/carta_del_medio_ambiente.pdf

[33] Vicente Bellver Capella, *Ecología: de las razones a los derechos* (Granada, Comares, 1994), 217.

[34] Gonzalo Sozzo, "La naturaleza como objeto constitucional: o ¿cómo constitucionalizar la relación con la Naturaleza según América del Sur", *Estudios Constitucionales*, número especial (2021-2022): 421. DOI: 10.4067/S0718-52002022000300418

nación del ambiente y el desequilibrio de los ecosistemas, en armonía con el desarrollo económico y social del país"[35].

Por su parte, la Constitución peruana consagró en el año 1979, dentro del régimen económico, en el Capítulo II, de los recursos naturales, en el artículo 123, el derecho a habitar en un ambiente saludable, ecológicamente equilibrado y adecuado para el desarrollo de la vida y la preservación del paisaje y la naturaleza[36]; y luego en 1993 lo incorporó dentro de los derechos fundamentales en el artículo 2° numeral 22: *"Artículo 2°. Toda persona tiene derecho: [...] 22. A la paz, a la tranquilidad, al disfrute del tiempo libre y al descanso, así como a gozar de un ambiente equilibrado y adecuado al desarrollo de su vida"[37]*

Como es sabido, Chile previó el derecho a vivir en un medio ambiente libre de contaminación en el numeral 18 del Acta Constitucional N° 3 del año 1976[38] y luego volvió a incorporarlo en el artículo 19 N° 8 de la Constitución del año 1980, cuyo contenido será revisado más adelante.

Por su parte, otras constituciones latinoamericanas que contemplan este derecho son la de Brasil (1988); Colombia (1991); Paraguay (1992); Argentina (1994); Costa Rica (1994); México (1999); Venezuela (1999), entre otras, en las que se contemplan, en general, el derecho a un medio ambiente sano (equilibrado, adecuado, etc.); el deber del Estado de proteger el ambiente en las variantes de conservación y preservación, y el deber de los ciudadanos de proteger el medio ambiente[39].

---

35   República de Panamá, *Asamblea Legispan: Constitución Política de la República de Panamá*, 1972, https://www.asamblea.gob.pa/APPS/LEGISPAN/PDF_NORMAS/1970/1972/1972_028_2256.pdf

36   República del Perú, *Constitución para la República del Perú*, 1979, https://www4.congreso.gob.pe/comisiones/1999/simplificacion/const/1979.htm

37   República del Perú, *Constitución Política del Perú: Preámbulo*, 1993, https://cdn.www.gob.pe/uploads/document/file/198518/Constitucion_Politica_del_Peru_1993.pdf

38   Decreto Ley 1552 de 1976 Acta Constitucional N° 3 De Los Derechos Y Deberes Constitucionales (Diario Oficial N° 29.558-A, de 13 de septiembre de 1976), https://www.bcn.cl/leychile/navegar?idNorma=6656

39   Gonzalo Sozzo, *La naturaleza*, 423.

Se ha afirmado que dichas constituciones se inscribirían en un nuevo período del constitucionalismo latinoamericano construido a partir de la idea del desarrollo sustentable, caracterizado por el reconocimiento de los derechos de los pueblos indígenas, el carácter colectivo de los derechos concebidos como de tercera generación basados en bienes colectivos en el sentido de uso común (lo que incluye los derechos al patrimonio cultural, al ambiente y de los consumidores) y la transtemporalidad al incorporar a las futuras generaciones, lo que refuerza deberes en relación al medio ambiente y a los recursos naturales. A esto se agrega una legitimación activa amplia (ONGs, las víctimas, el Estado, el Defensor del Pueblo, el Ministerio Público) para el ejercicio de las garantías que los protegen[40].

A modo de ejemplo, puede señalarse que la Constitución de Brasil protege, en su artículo 225, los procesos ecológicos esenciales, en una perspectiva ecocéntrica, la Constitución colombiana se refiere expresamente a la sustentabilidad en su artículo 80[41] y la Constitución de Argentina hacer referencia explícita a las generaciones futuras en su artículo 41. La tendencia de este constitucionalismo se intensifica con posterioridad a la Conferencia de Río de Janeiro de 1992.

Los casos más recientes de Bolivia (2008) y Ecuador (2008) resultan paradigmáticos puesto que no solo contemplan el derecho a un ambiente adecuado, así como deberes para el Estado para asegurar dicho derecho y el resguardo de la naturaleza, sino que se prevén disposiciones que se fundan en una distinta cosmovisión orientada al buen vivir, según la cual los valores materiales y espirituales tienen igual rango y en que la humanidad debe vivir armónicamente, en comunidad y en equilibrio con la naturaleza respetando la identidad de cada hombre y ser vivo[42]. De esta manera, dichas constituciones obedecen a un modelo decididamente biocéntrico pues reconocen el valor intrínseco de la naturaleza y todas las especies y formas de vida que la integran y a las que considera iguales. Constituyen, así, una ruptura con el Derecho Internacional Ambiental que, pese a reconocer el valor

---

[40]   Gonzalo Sozzo, *La naturaleza*, 429-430.
[41]   Gonzalo Sozzo, *La naturaleza*, 425.
[42]   Gonzalo Sozzo, *La naturaleza*, 433.

intrínseco de la naturaleza, siguió coexistiendo con posturas fuertemente antropocéntricas[43].

En efecto, en el caso boliviano, además de asegurar derechos individuales y colectivos, se asegura la conservación del medio ambiente en sus diversos elementos, los que resultan esenciales para los pueblos indígenas[44] e incluso se establece el deber de los bolivianos y bolivianas de proteger y defender los recursos naturales y contribuir a su uso sustentable, para preservar su uso para las futuras generaciones[45]; en el caso ecuatoriano, por su parte, se consagran directamente derechos para la naturaleza convirtiéndola así en un sujeto de derecho, vinculando el derecho de las personas a vivir en un medio ambiente sano y equilibrado con un buen vivir[46].

---

[43]   Gonzalo Sozzo, *La naturaleza*, 434.

[44]   La Constitución boliviana contiene 30 menciones al medio ambiente. Así dentro, del Capítulo Cuarto, referido a los Derechos de las Naciones y Pueblo Indígena Originario Campesinos, su artículo 30, numeral II. 10, reconoce el derecho *"A vivir en un medio ambiente sano, con manejo y aprovechamiento adecuado de los ecosistemas"*. Por su parte, el Capítulo Quinto se refiere a los Derechos Sociales y Económicos y en la Sección Primera contempla el Derecho al Medio Ambiente, que contiene dos artículos que indican: *"Artículo 33. Las personas tienen derecho a un medio ambiente saludable, protegido y equilibrado. El ejercicio de este derecho debe permitir a los individuos y colectividades de las presentes y futuras generaciones, además de otros seres vivos, desarrollarse de manera normal y permanente. Artículo 34. Cualquier persona, a título individual o en representación de una colectividad, está facultada para ejercitar las acciones legales en defensa del derecho al medio ambiente, sin perjuicio de la obligación de las instituciones públicas de actuar de oficio frente a los atentados contra el medio ambiente."* El texto completo de la Constitución puede revisarse en la página del Ministerio de Defensa de Bolivia, *Constitución Política del Estado de Plurinacional de Bolivia*, 2009, https://www.mindef.gob.bo/mindef/sites/default/files/Consitucion_2009_Orig.pdf

[45]   Ministerio de Defensa de Bolivia, *Constitución Política del Estado de Plurinacional de Bolivia: Título III, artículo 108 numeral 15.*

[46]   República del Ecuador, *Constitución de la República del Ecuador: "Artículo 14. Se reconoce el derecho de la población a vivir en un ambiente sano y ecológicamente equilibrado, que garantice la sostenibilidad y el buen vivir, sumak kawsay. Se declara de interés público la preservación del ambiente, la conservación de los ecosistemas, la biodiversidad y la integridad del patrimonio genético del país, la prevención del daño ambiental y la recuperación de los espacios naturales degradados. Artículo 15. El Estado promoverá, en el sector público y privado, el uso de tecnologías ambientalmente limpias y de energías alternativas no contaminantes y de bajo impacto. La soberanía energética no se alcanzará en detrimento de la*

3. NATURALEZA DEL DERECHO
A UN AMBIENTE ADECUADO

Desde su aparición, la doctrina ha afirmado al menos tres concepciones acerca del derecho al medio ambiente. Una primera que lo considera un derecho subjetivo y fundamental; una segunda que lo cataloga como un interés difuso (suscrita especialmente por los autores italianos ante la inexistencia en su Constitución de una disposición que reconozca este derecho); y la tercera que considera el medio ambiente como una finalidad del Estado por lo cual impone deberes

---

soberanía alimentaria, ni afectará el derecho al agua. Se prohíbe el desarrollo, producción, tenencia, comercialización, importación, transporte, almacenamiento y uso de armas químicas, biológicas y nucleares, de contaminantes orgánicos persistentes altamente tóxicos, agroquímicos internacionalmente prohibidos, y las tecnologías y agentes biológicos experimentales nocivos y organismos genéticamente modificados perjudiciales para la salud humana o que atenten contra la soberanía alimentaria o los ecosistemas, así como la introducción de residuos nucleares y desechos tóxicos al territorio nacional." "Derechos de la naturaleza. Artículo 71.—La naturaleza o Pacha Mama, donde se reproduce y realiza la vida, tiene derecho a que se respete integralmente su existencia y el mantenimiento y regeneración de sus ciclos vitales, estructura, funciones y procesos evolutivos. Toda persona, comunidad, pueblo o nacionalidad podrá exigir a la autoridad pública el cumplimiento de los derechos de la naturaleza. Para aplicar e interpretar estos derechos se observarán los principios establecidos en la Constitución, en lo que proceda. El Estado incentivará a las personas naturales y jurídicas, y a los colectivos, para que protejan la naturaleza, y promoverá el respeto a todos los elementos que forman un ecosistema. Art. 72.—La naturaleza tiene derecho a la restauración. Esta restauración será independiente de la obligación que tienen el Estado y las personas naturales o jurídicas de indemnizar a los individuos y colectivos que dependan de los sistemas naturales afectados. En los casos de impacto ambiental grave o permanente, incluidos los ocasionados por la explotación de los recursos naturales no renovables, el Estado establecerá los mecanismos más eficaces para alcanzar la restauración, y adoptará las medidas adecuadas para eliminar o mitigar las consecuencias ambientales nocivas. Art. 73.—El Estado aplicará medidas de precaución y restricción para las actividades que puedan conducir a la extinción de especies, la destrucción de ecosistemas o la alteración permanente de los ciclos naturales. Se prohíbe la introducción de organismos y material orgánico e inorgánico que puedan alterar de manera definitiva el patrimonio genético nacional. Art. 74.—Las personas, comunidades, pueblos y nacionalidades tendrán derecho a beneficiarse del ambiente y de las riquezas naturales que les permitan el buen vivir. Los servicios ambientales no serán susceptibles de apropiación; su producción, prestación, uso y aprovechamiento serán regulados por el Estado"

para los poderes públicos[47]. Sin embargo, puede sostenerse que la tesis más extendida y aceptada es aquella que indica que el derecho a un ambiente adecuado es un derecho de tercera generación, de carácter social y colectivo[48].

En efecto, si los derechos de primera generación eran los derechos de libertad (derechos civiles y políticos); los de segunda generación eran los de la igualdad (derechos económicos, sociales y culturales), los de tercera generación[49] son los derechos de solidaridad porque proceden de una concepción de la vida en comunidad y solo se pueden realizar por el esfuerzo común de todos los que participan en la vida social[50]. Su origen está en la existencia de unas preocupaciones planetarias que han adquirido el carácter de urgencia y que requieren la colaboración de todos los agentes sociales[51]. Los derechos sociales se basan en la idea de solidaridad porque van ligados íntimamente a deberes correlativos atribuidos a los propios titulares del derecho. Precisamente en el marco de dichas preocupaciones está el medio ambiente[52]. Eso explica el carácter expansivo del contenido del derecho

---

[47]   Raúl Canosa Usera, *Constitución*, 88.

[48]   Se vincula la idea de intereses colectivos con el surgimiento del Estado social en Europa, donde el interés general ya no es gestionado solo por el Estado sino que existiría una subdivisión (a la salud, al ambiente, etc) que son gestionados por la sociedad civil. Los intereses colectivos son observables en un marco de desestatalización, de la crisis representativa y de mayor potenciamiento de la autonomía de la sociedad civil, pasando los órganos jurisdiccionales a ocupar en muchos casos un espacio de satisfacción de los intereses de la sociedad que el legislativo ha abandonado. Así, en una sociedad de masas los conflictos pasan a afectar a grupos, colectivos, categorías o actividades, como los consumidores, a los que profesan una religión, a un grupo étnico, no afectando un interés particular ni uno público, sino derechamente un interés colectivo de quienes integran dicho grupo. Andrés Bordalí Salamanca, *Tutela Jurisdiccional del Medio Ambiente* (Santiago, Fallos del Mes, 2004), 54-58.

[49]   Estos derechos tienen su origen científico en la clasificación de los derechos humanos que hace Karel Vasak en su obra sobre el derecho internacional de los derechos del hombre del año 1972. Se reconocen como pertenecientes a este tipo de derechos el derecho al medio ambiente, el derecho al desarrollo, el derecho al patrimonio común de la humanidad y el derecho a la paz. Vicente Bellver Capella, *Ecología*, 272.

[50]   Vicente Bellver Capella, *Ecología*, 270.

[51]   Vicente Bellver Capella, *Ecología*, 273.

[52]   Vicente Bellver Capella, *Ecología*, 270.

a un medio ambiente adecuado, ya que no se trata de la libertad de cada cual, sino que su objeto es de carácter global que se proyecta a todos los seres humanos[53].

La solidaridad se expresa, además, no solo con los contemporáneos sino con las generaciones futuras, para evitar legarles un mundo deteriorado[54]. Así, este derecho se sitúa en la exigencia de un cierto nivel de calidad de vida, el que ya no está solo vinculado al desarrollo económico y social, sino a la adecuada situación del individuo en su entorno natural[55], lo que implica que la obligación de respetarlo y protegerlo radica no solo en el Estado sino en todos y, por tal motivo, en función de su protección se justifica la restricción de otros derechos[56].

Sin embargo, no puede desconocerse la circunstancia que los ordenamientos constitucionales también reconocen respecto de este derecho una titularidad individual, implicando así una doble titularidad, activa y pasiva del mismo. El titular es a la vez destinatario de las obligaciones que conlleva el resguardo del medio ambiente para evitar su degradación[57], esto es, su reconocimiento implica el deber de soportar sacrificios para el mejor ejercicio del derecho[58].

Por su parte, en cuanto se reconoce el derecho al medio ambiente adecuado como un derecho social, conforma un mínimo vital donde la libertad puede ejercerse plenamente. Esta clase de derechos requieren capacidad financiera del Estado para prestar los servicios en que consisten, pero como de ellos no se deducen pretensiones concretas directamente, como en el caso de los derechos de primera generación, requieren concreción legislativa. Aparecen entonces como mandatos de optimización que se irán cumpliendo gradualmente y que serán medidos conforme el grado de éxito que se alcance en la mejora de la calidad de vida de las personas. Así las cosas, la Constitución, en

---

[53]   Patricio Espinoza Lucero, "El derecho fundamental a vivir en un medio ambiente libre de contaminación como derecho social", *Revista de Derecho Público* 73 (1999): 185.

[54]   Gregorio Peces-Barba, *"Curso de derechos fundamentales (I). Teoría general"* (Madrid, Eudema S.A., 1991): 157.

[55]   Gregorio Peces-Barba, *Curso de derechos*, 159.

[56]   Patricio Espinoza Lucero, *El derecho fundamental*, 184.

[57]   Gerardo Ruiz-Rico Ruiz, *El derecho constitucional*, 79-80.

[58]   Raúl Canosa Usera, *Constitución*, 201.

principio, solo asegura la vinculación de los poderes públicos y genera un derecho subjetivo a la defensa frente a su inactividad[59].

Por su parte, para describir el carácter colectivo del derecho al medio ambiente adecuado debe determinarse cuando se está en presencia de un interés colectivo. Un criterio objetivo para identificar un interés colectivo estaría dado por el disfrute de un bien en común por varios sujetos, lo que implica que no es susceptible de apropiación y goce excluyente; un criterio subjetivo para identificar el interés colectivo estaría dado porque nadie es titular de él, lo importante es la pluralidad, sea que exista o no un ente que los represente. Se habla de interés colectivo cuando existe la representación y de interés difuso cuando ella no esté presente[60].

Si bien el interés colectivo es referible a la colectividad o al grupo, lo es también al individuo al que se protege ya no de forma aislada y como único titular de una posición jurídica excluyente, sino en cuanto miembro de la colectividad o grupo[61]. Así, la contaminación afecta a la comunidad expuesta a ella y a la persona individualmente considerada. Por eso la concepción del derecho subjetivo al ambiente adecuado no lleva a la exclusión de los intereses colectivos, especialmente por cuanto el goce compartido y no exclusivo del ambiente se manifiesta al momento de solicitar la tutela jurisdiccional. De hecho cuando una persona solicita y consigue la cesación de una actividad contaminante, no solo ella se verá beneficiada con el otorgamiento de la tutela, sino todos aquellos que estaban afectados por la contaminación[62]. Así es como los ordenamientos jurídicos progresivamente han ido permitiendo romper los esquemas tradicionales de la legitimación procesal, para garantizar a través de los tribunales, la efectividad de los contenidos protegidos. La exclusividad del interés directo en las pretensiones procesales ha sido enriquecido por la posibilidad de defender los intereses difusos, incluso de futuro titulares, por medio de asociaciones, corporaciones o grupos no solo que resulten afectados sino también que estén legalmente habilitados para su defensa y promoción[63].

---

[59]   Raúl Canosa Usera, *Constitución*, 94.
[60]   Andrés Bordalí Salamanca, *Tutela Jurisdiccional*, 61.
[61]   Andrés Bordalí Salamanca, *Tutela Jurisdiccional*, 79.
[62]   Andrés Bordalí Salamanca, *Tutela Jurisdiccional*, 85.
[63]   Gregorio Peces-Barba, *Curso de derechos*, 159-160.

4. REINTERPRETACIÓN DE LA RELACIÓN DEL SER HUMANO CON EL AMBIENTE

La toma de conciencia del impacto de la intervención humana en el medio ambiente y, particularmente la crisis ambiental desatada en las últimas décadas, ha dado lugar al surgimiento de diversos planteamientos que van desde el cuestionamiento a la forma como se estructuró la idea de desarrollo sostenible, entendiéndolo como una mera morigeración de las externalidades del capitalismo que no ataca eficazmente las causas del problema, hasta concepciones que entienden que debe reformularse la relación del ser humano con la naturaleza reconociendo a esta última como un sujeto de derechos. A continuación se expondrán algunos de estos planteamientos.

En Europa el Estado de Bienestar no reparó en la totalidad de las injusticias del Estado liberal. El sistema productivo concentra a la población en aglomeraciones urbanas, las organiza para una producción expansiva de energía, armas, sustancias químicas y excedentes alimentarios, ocupando el suelo sin atender al impacto sobre el agua, la flora y fauna ni al equilibrio ecológico. Para resultar competitivo en este sistema productivo, se transfiere solo una parte de los costos de producción al precio de venta[64]. Así las cosas, se comenzó a afirmar la adopción del principio ambiental como una base más de la organización estructural y jurídica del Estado constitucional, lo que llevaría a una interpretación en clave ecológica tanto del derecho, la democracia y el Estado social. Tal aserto, en todo caso, llevaría inequívocamente a posibles colisiones entre políticas sociales de progreso que no tuvieran en cuenta los costos ecológicos, por ser ello incompatible con la conservación del medio ambiente y los recursos naturales[65]. De este modo, tanto a nivel internacional como en el derecho comparado occidental se fortalecen las exigencias ambientales a las actividades productivas, así como el ejercicio de los derechos que aseguran el dis-

---

[64] Vicente Bellver Capella, *Ecología,* 246.
[65] Gerardo Ruiz-Rico Ruiz, *El derecho constitucional,* 65. Una organización estatal fundada sobre la dignidad universal de los seres humanos, dignidad que incluye el reconocimiento y respeto a la naturaleza, e incorpora entre sus valores superiores el de la solidaridad es el marco político jurídico adecuado para que los valores de libertad e igualdad puedan realmente alcanzarse. Vicente Bellver Capella, *Ecología,* 248.

frute del derecho al medio ambiente adecuado, mediante el acceso a la información ambiental, a la participación en la adopción de decisiones ambientales y a la tutela jurisdiccional.

Una posición más crítica al modelo económico social vigente en el mundo occidental sostiene que el desarrollo sostenible se ajusta a la ideología constitucional dominante y favorece la formulación de la cuestión ambiental en términos de derechos, escapando de planteamientos más radicales que tomen en consideración la crisis ambiental como crisis civilizatoria[66]. De acuerdo con el *ethos* burgués, los derechos y el desarrollo se vinculan íntimamente, de modo que el paradigma de los derechos conlleva la adopción de estrategias de desarrollo que prometen la progresiva mejora de las condiciones de vida de las personas[67], avanzando hacia un metabolismo social creciente e inequitativo, que compromete las políticas de protección, en un contexto de intercambio desigual. En este contexto, se producen tensiones evidentes que ponen de manifiesto el doble desafío que supone la crisis ambiental desde el punto de vista de la sostenibilidad, pero también de la equidad[68]. En este contexto, surge la necesidad de repartir equitativamente los recursos limitados que genera el funcionamiento del metabolismo social, así como los perjuicios que se generan en su uso. A ello responde el concepto de justicia ambiental, íntimamente ligado a la sostenibilidad[69].

Existen además posiciones que, en el contexto de la crisis ambiental, ya no ven el derecho a un medio ambiente adecuado como un derecho individual que contribuye al desarrollo humano, ni al social que asegura la calidad de vida de la comunidad, sino como un patrimonio universal, un bien jurídico a ser protegido más allá de las fronteras nacionales[70]-[71]. Desde la filosofía y la ecología hay vertien-

---

[66]   Jordi Jaria-Manzano, *Los Principios*, 413.
[67]   Jordi Jaria-Manzano, *Los Principios*, 414.
[68]   Jordi Jaria-Manzano, *Los Principios*, 415.
[69]   Jordi Jaria-Manzano, *Los Principios*, 417.
[70]   José Ignacio Vásquez Márquez, "Pasado y futuro del medio ambiente como derecho fundamental", *Revista de Derecho Público* 80 (primer semestre, 2014), 151.
[71]   *"El jurista Francois Ost propone un estatuto jurídico de patrimonio común de la humanidad, concibiendo a la naturaleza como bien común ambiental y rechazando su consideración como cosa, con su consiguiente su consiguiente apropiación y mercantilización. Por su parte, tendencias naturalistas proponen una comunidad*

tes que otorgan a la naturaleza una verdadera entidad o personalidad, con el reconocimiento de derechos en su favor[72]. Esta tendencia se da también en el mundo jurídico reconociendo un derecho de la naturaleza y ya no un derecho del hombre al medio ambiente adecuado, convirtiendo a aquella en un sujeto de derechos. Así las nuevas tendencias independizan la protección del medio ambiente de su vinculación al bienestar de los seres humanos. La consideración de la naturaleza como objeto de protección y sujeto de derechos al mismo tiempo escapa de las estructuras jurídicas tradicionales de regulación de relaciones interpersonales[73].

De esta forma, el derecho a un medio ambiente adecuado se contempla como un deber efectivo que obliga al Estado y a la comunidad, a respetarlo y especialmente a protegerlo y preservarlo, siendo su contenido esencial un deber jurídico impuesto a todos. En este contexto, del derecho como deber y responsabilidad surgen dos ideas en torno al desarrollo sustentable: la autolimitación como la no superación de la carga del planeta y la proyección a futuro en cuanto justicia intergeneracional. Esto lleva a una nueva gramática de deberes, la responsabilidad prospectiva hacia los otros y la naturaleza, un estatuto jurídico para los bienes comunes ambientales como bienes fundamentales y una mayor participación en los procesos de decisión pública ambiental, mediante derechos de información, participación y control[74]. Así, el derecho a un medio ambiente adecuado se traduce más bien en un deber de no contaminar o de descontaminar el medio ambiente que se impone al Estado y a los particulares por la vinculación directa a la Constitución[75].

Desde la perspectiva de la aplicación práctica, es en el contexto latinoamericano donde los tribunales superiores y constitucionales de Brasil, Argentina y Colombia han sostenido una posición jurídica en torno a la naturaleza, los derechos ambientales y el modelo de desa-

---

jurídica común en el entendido que animales y humanos pertenecen al mundo de la naturaleza." José Ignacio Vásquez Márquez, "*Pasado y futuro*", 153.

[72]   José Ignacio Vásquez Márquez, "*Pasado y futuro*", 152.
[73]   José Ignacio Vásquez Márquez, "*Pasado y futuro*", 153.
[74]   José Ignacio Vásquez Márquez, "*Pasado y futuro*", 161.
[75]   José Ignacio Vásquez Márquez, "*Pasado y futuro*", 161.

rrollo en el contexto de los modelos constitucionales levantados en tales Estados y ya comentados[76].

Así el Supremo Tribunal de Justicia de Brasil ha afirmado como principios el *indubio pro natura* en el sentido que las leyes ambientales deben interpretarse a favor de la naturaleza, el daño colectivo cuando se afectan ecosistemas, la inversión de la carga de la prueba por la aplicación del principio de precaución, la naturaleza *propter rem* de las obligaciones ambientales, la función ecológica de la propiedad y la imprescriptibilidad de las acciones por daño ambiental, entre otros[77]. Por su parte, la Corte Suprema de Justicia y el Consejo de Estado colombiano han afirmado la existencia de una constitución ecológica en la Constitución, la vigencia del principio precautorio, el reconocimiento de la protección ambiental como uno de los objetivos del estado social de derecho y la función ecológica de la propiedad, entre otras ideas[78]. Finalmente, la Corte Suprema de Justicia Nacional de Argentina ha afirmado que el ambiente es un derecho colectivo, que recae sobre un bien colectivo indivisible e inapropiable, donde tiene prioridad absoluta la prevención del daño por sobre la reparación, respecto del cual los jueces deben tener una conducta proactiva, así como una mayor coordinación entre las jurisdicciones nacional, provincial y municipal[79].

Por su parte, y como se dijo en el apartado referido a la recepción del derecho al medio ambiente adecuado en el derecho comparado, un ejemplo paradigmático de la consagración constitucional directa de derechos de la naturaleza está en la Constitución de Ecuador[80]. En el caso

---

76 Gonzalo Sozzo, *La naturaleza*, 431.
77 Gonzalo Sozzo, *La naturaleza*, 431.
78 Gonzalo Sozzo, *La naturaleza*, 431-432.
79 Gonzalo Sozzo, *La naturaleza*, 432.
80 *Artículo 71.—La naturaleza o Pacha Mama, donde se reproduce y realiza la vida, tiene derecho a que se respete integralmente su existencia y el mantenimiento y regeneración de sus ciclos vitales, estructura, funciones y procesos evolutivos. Toda persona, comunidad, pueblo o nacionalidad podrá exigir a la autoridad pública el cumplimiento de los derechos de la naturaleza. Para aplicar e interpretar estos derechos se observarán los principios establecidos en la Constitución, en lo que proceda. El Estado incentivará a las personas naturales y jurídicas, y a los colectivos, para que protejan la naturaleza, y promoverá el respeto a todos los elementos que forman un ecosistema. Art. 72.—La naturaleza tiene derecho a la restauración. Esta restauración será independiente de la obligación que tienen el Estado y las personas naturales o jurídicas de indemnizar a los*

boliviano, si bien se indica en el artículo 33 de la Constitución que el derecho al ambiente debe ser saludable no solo para la humanidad sino para otros seres vivos, es en la ley de derechos de la Madre Tierra N° 71 de 2010 donde se la define como sujeto colectivo de interés público[81]. Estos textos constitucionales coinciden en el rechazo al extractivismo, así como en la propiedad pública de los recursos naturales, la función socioambiental de la propiedad privada, la desmercantilización de la naturaleza (se permite la explotación de los recursos naturales, pero sin otorgar propiedad privada ni posibilidad de apropiación sobre ellos) y derechos colectivos de la ciudadanía al ambiente sano[82].

Finalmente, no obstante los caminos algo diferentes emprendidos por Ecuador y Bolivia, los modelos de Brasil, Argentina y Colombia también han comenzado a ser permeados con una mirada ecocéntrica, similar a tales Estados, a través de su jurisprudencia[83].

5. DERECHO AL AMBIENTE ADECUADO EN LA CONSTITUCIÓN DE 1980

Previo a tratar en específico el derecho a vivir en un medio ambiente libre de contaminación es importante destacar una serie de disposi-

---

individuos y colectivos que dependan de los sistemas naturales afectados. En los casos de impacto ambiental grave o permanente, incluidos los ocasionados por la explotación de los recursos naturales no renovables, el Estado establecerá los mecanismos más eficaces para alcanzar la restauración, y adoptará las medidas adecuadas para eliminar o mitigar las consecuencias ambientales nocivas. Art. 73.—El Estado aplicará medidas de precaución y restricción para las actividades que puedan conducir a la extinción de especies, la destrucción de ecosistemas o la alteración permanente de los ciclos naturales. Se prohíbe la introducción de organismos y material orgánico e inorgánico que puedan alterar de manera definitiva el patrimonio genético nacional. Art. 74.—Las personas, comunidades, pueblos y nacionalidades tendrán derecho a beneficiarse del ambiente y de las riquezas naturales que les permitan el buen vivir. Los servicios ambientales no serán susceptibles de apropiación; su producción, prestación, uso y aprovechamiento serán regulados por el Estado." Asamblea Nacional de Ecuador, Constitución 2008: Dejemos el pasado atrás, 2008, https://www.asambleanacional. gob.ec/sites/default/files/documents/old/constitucion_de_bolsillo.pdf

81 Gonzalo Sozzo, *La naturaleza*, 436.
82 Gonzalo Sozzo, *La naturaleza*, 436-437.
83 Gonzalo Sozzo, *La naturaleza*, 438.

ciones constitucionales que deben tenerse en consideración a la hora de tratar la protección del medio ambiente, particularmente si se tiene como referencia los instrumentos internacionales. En primer lugar, el artículo 1° inciso 4° de la Constitución señala que:

> "El Estado está al servicio de la persona humana y su finalidad es promover el bien común, para lo cual debe contribuir a crear las condiciones sociales que permitan a todos y a cada uno de los integrantes de la comunidad nacional su mayor realización espiritual y material posible".

Esa formulación amplia y cuya interpretación no puede afincarse solo a lo que quisieron sus redactores sino a lo que la comunidad política presente requiere, admite afirmar que actualmente forman parte de esas condiciones sociales, necesarias para el desarrollo de las personas, un medio ambiente adecuado[84], lo que importa que la protección del medio ambiente no solo está previsto como un derecho y un deber en el catálogo de derechos fundamentales del Capítulo II, sino también se alza como un principio no explicitado, pero que surge desde las Bases de la Institucionalidad. En efecto, el medio ambiente es el punto de partida de la existencia: dentro de él el ser humano se desarrolla y se vuelca sobre sus componentes naturales, artificiales y socioculturales para satisfacer sus necesidades[85].

El derecho a vivir en un medio ambiente libre de contaminación fue incorporado por primera vez en el Acta Constitucional N° 3, de 1976 de "Derechos y Deberes Constitucionales". Previó el deber del Estado de tutelar la preservación de la naturaleza y el derecho de vivir derecho en un medio ambiente libre de contaminación, sin otorgar en esa oportunidad la posibilidad de recurrir de protección.

A la fecha de elaboración de la Constitución ya existían textos constitucionales que contenían una referencia al derecho al medio ambiente adecuado, como la de Panamá de 1972, Grecia de 1975 y España de 1978[86]. Como ya se ha expuesto, a esa fecha la preocupación mundial por el medio ambiente lo plantea como sustantivo

---

[84]   Rodrigo Guzmán Rosen, *Derecho ambiental chileno* (Santiago, Planeta Sostenible, 2012), 42.

[85]   Rodrigo Guzmán Rosen, *Derecho ambiental chileno*, 63.

[86]   José Ignacio Vásquez Márquez, *Pasado y futuro*, 143.

para el desarrollo humano, llegando a constituir un valor universal de cuyas concreciones depende la subsistencia de las generaciones presentes y futuras[87].

Con la dictación de la Constitución de 1980 se reconoce en el artículo 19 N° 8 el derecho de vivir en un medio ambiente libre de contaminación, esta vez susceptible del recurso de protección, pero con características específicas a la acción de protección general aplicable al resto de los derechos fundamentales objeto de la misma. La Constitución contempló, además, el deber del Estado de velar porque dicho derecho fundamental no fuera afectado y de tutelar la preservación de la naturaleza. Por otra parte, se habilita al legislador para establecer restricciones específicas a otros derechos y libertades para proteger el medio ambiente, lo que se complementa previendo la conservación de patrimonio ambiental como uno de los elementos de la función social que constituye el parámetro para limitar la propiedad privada conforme al artículo 19 N° 24 del texto constitucional[88].

Como puede apreciarse, al menos desde el punto de vista normativo, el contenido de la Carta abarca los aspectos esenciales para imponer políticas, regulaciones, instrumentos y las medidas necesarias para conseguir un adecuado nivel de protección del medio ambiente. La pregunta que surge es acerca del alcance que dichas disposiciones constitucionales han tenido en el contexto de su interpretación y aplicación en la convivencia con otros derechos asegurados dentro del sistema constitucional como es el derecho de propiedad. Particularmente relevante aparece en tal caso la jurisprudencia, la que será revisada más adelante.

---

[87] José Ignacio Vásquez Márquez, *Pasado y futuro*, 147.

[88] Según Bermúdez estas disposiciones conforman la denominada Constitución ambiental, entendiendo por tal aquellas disposiciones constitucionales que expresa o implícitamente, por la vía del establecimiento de un derecho, de una limitación, o de un deber estatal, tienen por finalidad la protección ambiental. Jorge Bermúdez, *Fundamentos de derecho ambiental* (Valparaíso, Ediciones Universitarias, 2014): 113. Según Guzmán, este contenido de la Carta Fundamental reconoce y aborda el tema ambiental desde varias esquinas de la regulación ambiental, sentando las bases iniciales del desarrollo sustentable en dicho nivel. Rodrigo Guzmán Rosen, *Derecho ambiental*, 49.

De la enunciación del artículo 19 N° 8 de la Constitución se deriva el reconocimiento del derecho individual a vivir en un medio ambiente libre de contaminación, así como deberes para el Estado.

En cuanto al derecho individual se desprenden dos consecuencias: i. no se trata de una tutela que pueda invocarse por el interés general de contar con un medio ambiente libre de contaminación, sino que debe tratarse de sujetos titulares susceptibles de ser afectados[89]; ii. sólo puede ser invocado por personas naturales puesto que las personas jurídicas no tienen el derecho a vivir, aunque por aplicación de las reglas generales de la acción de protección igualmente una persona jurídica podría interponerlo a favor de las personas naturales afectadas.

Se critica el enfoque del derecho como uno individual por considerarse un derecho de carácter social, que busca la protección de la integridad del medio ambiente, donde el interés legítimo para velar por tal integridad recaería en toda la comunidad, debiendo preverse una acción de carácter popular[90]. Sin embargo, pese al avance de las cuestiones medioambientales en el mundo, el planteamiento de una acción constitucional popular por el carácter social del derecho pasa por alto el tenor literal de la actual disposición constitucional, sin perjuicio de la regulación legal de acciones por daño ambiental. En cualquier caso, como se verá, la propia jurisprudencia le ha atribuido a este derecho un carácter social en cuanto a su ejercicio a través de la acción de protección, por lo cual más que una acción popular, se reconoce un derecho del que todos los integrantes de la comunidad son titulares habilitando el ejercicio de la acción.

En cuanto al alcance del derecho a vivir en un medio ambiente libre de contaminación, el hecho de requerir una afectación y afirmar su calidad de derecho individual no es suficiente para excluir el resguardo de la naturaleza como algunos sostenían[91] porque, como se verá, el medio ambiente incluye todo tipo de elementos naturales y artificiales, por lo que es perfectamente plausible que se afecte el me-

---

[89]   Jorge Bermúdez Soto, *Fundamentos*, 115-116.
[90]   Gonzalo Aguilar Cavallo, "El derecho a vivir en un medio ambiente libre de contaminación: deficiencias y desafíos en un contexto de cambio constitucional", *Juris* 23 (2015): 14.
[91]   Eduardo Soto, "El derecho fundamental a vivir en un medio ambiente libre de contaminación: su contenido esencial", *Gaceta Jurídica*, n° 151 (1993): 24.

dio ambiente en cuanto derecho subjetivo, por el impacto por sobre niveles tolerables a la naturaleza, más allá del deber impuesto al Estado de proteger el medio ambiente. Distinto es indicar que en cuanto derecho individual requiere afectación del derecho de un individuo, porque la disposición literalmente la exige y, por su parte, la acción de protección ambiental se vea acotada al derecho a vivir en un medio ambiente libre de contaminación en el artículo 20 de la Constitución, el cual debe tener un titular.

Respecto de este punto hay quienes han discutido la vinculación de este derecho con el derecho a la vida porque le quitaría carácter o individualidad al derecho, así como resultar ajena a la denominación utilizada frecuentemente por el derecho internacional de los derechos humanos y el derecho internacional medioambiental donde se habla de medio ambiente saludable, de calidad o ecológicamente equilibrado, expresiones que por lo demás son utilizadas en términos similares en constituciones de derecho comparado[92]. A tales expresiones y su uso ya se ha hecho referencia en los acápites previos.

El medio que resulta protegido debe definirse en su contenido y alcance. Respecto del contenido la respuesta se encuentra en el artículo 2 letra ll) de la Ley de Bases Generales del Medio Ambiente N° 19.300, en adelante, LBGMA, que define el medio ambiente como:

> "el sistema global constituido por elementos naturales y artificiales de naturaleza física, química o biológica, socioculturales y sus interacciones, en permanente modificación por la acción humana o natural y que rige y condiciona la existencia y desarrollo de la vida en sus múltiples manifestaciones".

Conforme a la definición transcrita, el medio está compuesto de elementos naturales, artificiales y socioculturales, por ende, comprende no solo a la naturaleza sino también las obras del hombre.

Un punto complejo de determinar es la extensión del medio ambiente, hasta donde llega, para efectos de determinar el alcance del derecho a vivir en un medio ambiente libre de contaminación, puesto que la definición antes señalada habla de *"sistema global"*, lo que no da luces acerca del alcance.

---

[92] Gonzalo Aguilar Cavallo, *El derecho a vivir*, 12.

Bermúdez propone, considerando al efecto al titular del derecho:

> "Aquella porción de extensión variable del entorno o medio que se encuentra en forma adyacente al individuo al que denomina al "entorno adyacente", esto es, el lugar necesario para que el individuo se desarrolle, el espacio que éste necesita para poder desplegar sus capacidades, en definitiva, el entorno relacionado al individuo, necesario para alcanzar la mayor realización espiritual y material posible conforme lo señala el artículo 1 inciso 4° CPR"[93].

Si bien toda afectación al medio ambiente afecta el sistema global, para determinar si es amparable el derecho a vivir en un medio ambiente libre de contaminación debe estarse a que sea previsible y que exista una relación con la afectación que se produzca al entorno adyacente del individuo[94].

Por su parte, el derecho a vivir en un medio ambiente libre de contaminación, si bien se vincula con el derecho a la vida, este último no fija su alcance, ya que lo específico del derecho es la exigencia de ciertas condiciones calificadas del medio ("libre de contaminación") para el desarrollo de la existencia. En consecuencia, no es posible confundir el derecho a vivir en un medio ambiente libre de contaminación simplemente con las condiciones básicas ya aseguradas por otros derechos, como por ejemplo, el derecho a la vida o a la salud o a la integridad síquica o física, porque entonces el derecho a vivir en un medio ambiente libre de contaminación no tendría una especificidad propia que justificara su establecimiento.

Las condiciones que determinan que el medio ambiente está libre de contaminación en los términos constitucionales debe encontrarse en el artículo 2 letra m) de la LBGMA señala que es un medio ambiente libre de contaminación:

> "Aquel en el que los contaminantes se encuentran en concentraciones y períodos inferiores a aquéllos susceptibles de constituir un riesgo a la salud de las personas, a la calidad de vida de la población, a la preservación de la naturaleza o a la conservación del patrimonio ambiental".

---

[93] Jorge, Bermúdez Soto, *Fundamentos,* 123.
[94] Jorge, Bermúdez Soto, *Fundamentos,* 88.

Por su parte, el artículo 19 N° 8 segunda parte de la CPR señala que *"Es deber del Estado velar para que este derecho no sea afectado y tutelar la preservación de la naturaleza"*. El deber se instaura en términos amplios respecto del Estado y, por ende, constituye un requisito de actuación de los órganos estatales, cada uno en el ámbito de sus respectivas competencias. Esta disposición puede relacionarse con el artículo 5° inciso 2° en cuanto impone a los órganos del Estado respetar y promover los derechos esenciales que emanan de la naturaleza humana, tanto los previstos en la misma Carta como en tratados internacionales ratificados por Chile y que se encuentren vigentes. Así las cosas, esta segunda disposición ya impone al Estado el respeto y promoción de todos los derechos, incluido el contenido en el artículo 19 N° 8, lo que implica que el Estado no debe ejercer actos que pudieran atacarlo, pero por efecto del deber de velar porque el derecho no sea afectado se incluiría además la necesaria adopción de medidas para evitar los ataques de terceros[95].

Se exige al Estado velar porque el derecho a vivir en un medio ambiente libre de contaminación no sea afectado, de lo que se deduce que, en principio, el Estado no puede ejecutar actos que atenten contra dicho derecho y debe evitar y reprimir los que provengan de terceros. Sin embargo, debe considerarse que corresponde a la competencia estatal, en buena parte, la ejecución de los actos de los que depende la vigencia misma del derecho, lo que va más allá de una labor de abstención y represión.

De esta forma, corresponde al Estado crear institucionalidad y condiciones normativas, que aseguren que el derecho no se vea vulnerado, lo que implica la dictación de políticas, normas e instrumentos que prevengan impactos no deseados y no tolerados al medio ambiente, así como su implementación, vigilancia y sanción de su incumplimiento y desplegar todo tipo de acciones orientadas a la prevención, lo que incluye la educación ambiental. Así las cosas, de este deber de velar porque el derecho a vivir en un medio ambiente libre de contaminación no sea afectado puede desprenderse la labor preventiva del Estado en la materia, esto es, opera como un principio que actúa antes

---

[95]   Jorge Bermúdez Soto, *Fundamentos*, 178.

que se produzca la vulneración del derecho y, por ende, conlleva la consagración del principio preventivo[96].

En consecuencia, se desprende de lo dicho que el derecho a vivir en un medio ambiente libre de contaminación se consagra conjuntamente con el deber del Estado de velar porque este derecho no sea afectado y con el de tutelar la preservación de la naturaleza. De este modo, se prevé, por una parte, un derecho fundamental de carácter individual y, por otra, un derecho de aquellos considerados de carácter social por requerir una acción estatal para su concreción y más específicamente, la imposición de deberes de actuación[97]-[98]-[99]. En tal sentido, el deber del Estado se dirige a la remoción de obstáculos materiales o económicos que impiden a las personas concretar el ejercicio y el goce de un derecho de este tipo, como sería, por ejemplo, el otorgamiento de subsidios para invertir en tecnologías limpias[100].

Por otra parte, en el inciso segundo del artículo 19 N° 8 de la Constitución se habilita al legislador para establecer restricciones específicas a otros derechos y libertades para proteger el medio ambiente, como una enunciación general ya no asociada al derecho a vivir en un medio ambiente libre de contaminación sino al medio ambiente como objeto de proteccion desvinculado del individuo, de donde ema-

---

[96] Liliana Galdámez Zelada, *Medio Ambiente*, 125.
[97] José Ignacio Vásquez Márquez, *Pasado y futuro*, 149. Valga acá citar la discusión constitucional en torno a si los derechos sociales constituyen verdaderos derechos en cuanto consistan en prestaciones que requieren financiamiento y respecto de los cuales no existe, al menos en el actual sistema nacional, acción de protección para hacerlos exigibles. Sin embargo, la justiciabilidad de los derechos depende de decisiones políticas contenidas en el texto constitucional que perfectamente puede contemplar el amparo jurisdiccional; y en cuanto al financiamiento, todos los derechos requieren algún nivel de él para garantizarlos, como la tutela jurisdiccional o el sistema registral de la propiedad inmueble.
[98] Otros textos que tratan este punto: Jaime Bassa Mercado y Bruno Aste Leiva, "Mutación en los criterios jurisprudenciales de protección de los derechos a la salud y al trabajo en Chile", *Revista Chilena de Derecho* 42 n° 1 (2015): 231-232.
[99] Patricio Espinoza Lucero, *El derecho fundamental*, 172-173. Sin embargo, y como se ha afirmado en otra parte de este artículo, la diferencia de los derechos sociales con los clásicos derechos de libertad no viene dada tanto por el financiamiento, que sí lo requieren ambos en alguna medida, sino por la necesidad de su concreción legislativa.
[100] Patricio Espinoza Lucero, *El derecho fundamental*, 176.

naría, por ejemplo, la potestad para declarar áreas protegidas en que se restringe el ejercicio de determinado tipo de actividades económicas que provocan impactos no tolerables, independientemente que no existan personas que puedan invocar una afectación de su derecho a vivir en un medio ambiente libre de contaminación, por la idea del entorno adyacente referido previamente.

Dicha autorización está otorgada al legislador en términos discrecionales de forma que pueda apreciar la necesidad o no de la imposición de una restricción. Son características de esta disposición que se comenta: i. reserva legal, ya que solo la ley puede establecer restricciones, lo que implica contener los elementos esenciales de las mismas; ii. especificidad de la restricción indicando el contenido o alcance de la restricción; iii. determinación de los derechos o libertades a restringir lo que estará dado por especificidad de la restricción, sin que sea necesaria la explicitación del derecho o libertad; iv. el contenido esencial del derecho sometido a la restricción en virtud del artículo 19 N° 26 de la Constitución. El control del establecimiento de restricciones a otros derechos mediante la legislación está dado por medio del control que realiza el Tribunal Constitucional, sea de carácter preventivo o represivo (artículo 93 numerales 1, 3, 6 y 7). Conforme al art. 19 N° 24 de la Constitución:

> "Sólo la ley puede establecer el modo de adquirir la propiedad, de usar, gozar y disponer de ella y las limitaciones y obligaciones que deriven de su función social. Esta comprende todo cuanto exijan los intereses generales de la Nación, la seguridad nacional, la utilidad y la salubridad públicas y la conservación del patrimonio ambiental".

Por su parte, el artículo 2 letra b) de la LBGMA establece que la conservación del patrimonio ambiental es:

> "el uso y aprovechamiento racionales o la reparación, en su caso, de los componentes del medio ambiente, especialmente aquellos propios del país que sean únicos, escasos o representativos, con el objeto de asegurar su permanencia y su capacidad de regeneración".

Las limitaciones al derecho se refieren a una regulación abstracta que afectan la configuración del derecho mismo en cuanto haz de facultades a ser ejercidas dentro del ordenamiento jurídico y, en consecuencia, a todos sus actuales y potenciales titulares, no haciendo procedente indemnización alguna puesto que ella sólo procede en caso de una privación de la propiedad, conforme lo dispone el artículo 19 N° 24 inciso 3° de la Constitución. Sin embargo, se han suscitado diversos casos de aplicación de limitaciones a la propiedad en virtud de la función social, en su vertiente de conservación del patrimonio ambiental, donde se plantea el sacrificio especial de un individuo en pos del interés de la comunidad, lo que en ciertos casos de alcanzar niveles intolerables implicaría la infracción de la garantía de la igualdad ante las cargas públicas, pese a que también se plantea abordar esta cuestión por la vía de la ampliación del concepto de expropiación.

Tanto las restricciones como la limitación en virtud de la función social quedan sometidas al artículo 19 N° 26 de la Constitución, según la cual:

> "la seguridad de que los preceptos legales que por mandato de la Constitución regulen o complementen las garantías que ésta establece o que las limiten en los casos en que ella lo autoriza, no podrán afectar los derechos en su esencia, ni imponer condiciones, tributos o requisitos que impidan su libre ejercicio".

En cuanto a la colaboración reglamentaria que puede darse respecto de las limitaciones o restricciones que el legislador está habilitado para establecer, ha existido una evolución en la jurisprudencia del Tribunal Constitucional, partiendo de la concepción de la existencia, en nuestro sistema constitucional, de una estricta reserva legal de carácter absoluta en materia de derechos fundamentales[101], tesis superada por el nuevo entendimiento de la distribución de las competencias normativas entre el legislador y el Presidente de la República, la que nace de los artículos 63 y 32 N° 6 de la misma Constitución[102].

---

[101]   La jurisprudencia del Tribunal Constitucional acogió esta tesis hasta el año 1996. Ejemplos, STC roles N° 146 de 1992, N° 167 de 1993 (ambos sobre letreros camineros), 185 de 1994 (ley de bases del medio ambiente), N° 220 de 1995 (trasplante de órganos), N° 245 de 1996 (acceso a las playas públicas).

[102]   Si bien hay al menos un antecedente más tempranamente en las Sentencias del Tribunal Constitucional. STC rol 183 de 1994 (tarifas de peaje), a partir de 1997 se adopta más claramente esta posición. Cabe citar rol N° 253 de 1997 (Ordenanza de Urbanismo y Construcciones) y N° 254 de 1997 (sobre administración financiera del Estado y modificaciones presupuestarias de la ley de presupuestos). En una primera etapa, el Tribunal Constitucional sostuvo que es posible y lícito que el Poder Ejecutivo hiciera uso de su potestad reglamentaria

Finalmente, como ya se ha señalado, el derecho a vivir en un medio ambiente libre de contaminación fue incorporado en el Acta Constitucional Nº 3 de 1976 sin que se extendiera a tal derecho el recurso de protección creado en dicho cuerpo normativo, cuestión que cambia con la entrada en vigencia de la Constitución que lo contempla en materia ambiental, aunque con algunas limitaciones en relación al recurso de protección general: solo resultaba procedente por actos los que debían ser, al mismo tiempo, ilegales y arbitrarios. Esto es modificado con la reforma de 2005, haciendo procedente el recurso también respecto de omisiones y elimina también la exigencia de acreditar la arbitrariedad conjuntamente con la ilegalidad del acto u omisión denunciada. Sin embargo, la diferencia respecto del supuesto de procedencia se mantiene: en el recurso de protección general el acto u omisión debe privar, perturbar o amenazar el ejercicio legítimo del derecho, en tanto, en el recurso de protección ambiental solo procede en tanto se alegue que el derecho ha sido afectado, lo que se ha entendido como equivalente a que el derecho ha sido afectado, excluyéndose de esta forma la amenaza. Finalmente, la acción de protección ambiental requiere que el acto u omisión sea imputable a autoridad o persona determinada, lo cual, en casos de contaminación no siempre es posible ya que ella puede tener causas difusas.

---

de ejecución, *pormenorizando y particularizando, en los aspectos instrumentales*, la norma para hacer así posible el mandato legal (STC rol 325 de 2001 sobre restricción vehicular). En una segunda etapa, el Tribunal Constitucional sostiene que la Constitución diseña un régimen que *armoniza la potestad legislativa con la potestad reglamentaria* (STC rol Nº 370). En una tercera etapa el TC sostiene que la *actividad se regule por ley no excluye la colaboración reglamentaria* (STC rol Nº 480). Sostiene que el principio de legalidad no implica excluir la potestad reglamentaria fundamentalmente por la interpretación armónica de los artículos 63 y 32 Nº 6, por la naturaleza general y abstracta de la ley y la división de funciones. Esta colaboración del reglamento el TC la ha extendido a materia de propiedad, sanción penal, sanción administrativa, tributos y subvención educacional, entre otros. Carlos Carmona Santander, "Tres problemas de la potestad reglamentaria: legitimidad, intensidad y control", *Revista de derecho* 1 nº3 (Santiago, 2001): 36-43.

6. JURISPRUDENCIA DEL DERECHO A VIVIR EN UN MEDIO AMBIENTE LIBRE DE CONTAMINACIÓN

En el apartado anterior se dio cuenta del contenido del artículo 19 Nº 8 y el alcance que se le ha dado por parte de la doctrina nacional. En este apartado se expondrán las líneas jurisprudenciales que a nivel constitucional han sido sostenidas por el Tribunal Constitucional y la Corte Suprema. No se incorporan referencias a la jurisprudencia de los tribunales ambientales por centrar el análisis en la interpretación de las disposiciones constitucionales referidas al derecho a vivir en un medio ambiente libre de contaminación y no a los instrumentos creados a nivel subconstitucional.

Ante la inexistencia de una institucionalidad ambiental, durante la década de los ochenta el único instrumento disponible para los particulares para hacer frente a cuestiones medioambientales y, especialmente de contaminación, fue la acción de protección. Con la creación progresiva de órganos públicos con competencia ambiental esto no cambió porque no existía una acción contencioso-administrativa que permitiera controlar jurisdiccionalmente los actos emanados de dichos órganos, especialmente la resolución de calificación ambiental, manteniéndose la relevancia de la acción de protección para impugnar dicho tipo de actos. Recién con la creación de los tribunales ambientales por la ley 20.600 esta cuestión cambia con una nueva jurisdicción contencioso administrativa especializada en el ámbito ambiental.

En este contexto es importante destacar la alta conflictividad social que surge en torno a cuestiones medioambientales y que se manifiesta en acciones jurisdiccionales iniciadas por problemas derivados de la afectación del entorno, la pérdida de la biodiversidad, los paisajes, la flora y fauna, la contaminación ambiental que afecta la calidad de vida de las personas y la conflictividad asociada al agua[103]. A esto cabe agregar los problemas derivados de mecanismos inadecuados de acceso a los recursos naturales, los que han constituido la

---

[103]   Liliana Galdamez Zelada, "Constitución y Medio Ambiente: algunas ideas para el futuro", *Revista de Derecho Ambiental* nº 9 (enero-junio 2018): 80.

base del modelo de crecimiento vigente en el país[104]. Paradigmáticos resultan a estas alturas los proyectos productivos Trillium, Dominga, HidroAysén, Castilla[105], por nombrar solo algunos, que se enfrentaron a una fuerte oposición de la comunidad y ONGs que vieron en ellos un atentado al medio ambiente, con impactos intolerables por su magnitud o desconocimiento de su real alcance por la profundidad de la intervención.

A la fecha el Instituto de Derechos Humanos afirma que estarían activos 71 conflictos socioambientales, 33 estarían en estado de latencia y habrían 21 cerrados. A su vez, se precisa que esos conflictos atentan contra los derechos humanos. Entre los derechos humanos más frecuentemente afectados están: en un 85% el derecho a vivir en un medio ambiente libre de contaminación, en un 45% el derecho al agua, en un 44% el derecho a disfrutar de salud física y mental, en un 31% el derecho a la biodiversidad y en un 30% el derecho al territorio y a los recursos naturales[106]. De esta forma, la vigencia de conflictos socioambientales conlleva muchas veces la judicialización de mismos y la consecuente jurisprudencia, cuyo contenido se pasa a revisar.

---

[104]   *"el consumo de energía y materiales, las emisiones de gases de efecto invernadero y la generación de residuos continuaron su curso alcista de la mano del crecimiento económico. Entre los miembros de la OCDE, Chile tiene una de las economías más intensivas en el uso de recursos, lo que refleja el papel clave que desempeñan la extracción y la fundición de cobre, la agricultura, la silvicultura y la pesca. La contaminación atmosférica continúa elevada, sobre todo en las grandes zonas urbanas e industriales. Más del 95% de los residuos se descargan en vertederos. La escasez de agua y la contaminación constituyen temas preocupantes en las zonas donde se concentran la minería y la agricultura (las regiones del norte y del centro, respectivamente). Las distorsiones en la asignación y el comercio de derechos de aprovechamiento de aguas, y la falta de una gestión integral de los recursos hídricos traen aparejada la sobreexplotación de algunos acuíferos y exacerban los conflictos locales."* CEPAL/OCDE, *Evaluaciones del Desempeño Ambiental: Chile 2016* (Santiago, Naciones Unidas, 2016), 17.

[105]   Un comentario a dichos fallos puede encontrarse en Fernando Dougnac Rodríguez, "El resguardo jurisprudencial del derecho a vivir en un medio ambiente libre de contaminación. Comentario y análisis de algunos fallos recientes", *Justicia Ambiental*, IV (2012): 263-292.

[106]   Instituto Nacional de Derechos Humanos, INDH, *Mapa de conflictos socioambientales en Chile*, 2022, https://mapaconflictos.indh.cl/#/

Por su parte, también el Tribunal Constitucional ha debido conocer de cuestiones que inciden en el derecho a vivir en un medio ambiente libre de contaminación, ya sea por el control preventivo o por
la vía de inaplicabilidad, especialmente cuando se imponen o ejercen
limitaciones a otros derechos como la propiedad o el ejercicio de la
libertad económica, garantías con las que se confronta habitualmen-
te el derecho a vivir en un medio ambiente libre de contaminación,
los que serán abordados. Se aludirá a la jurisprudencia del Tribunal
Constitucional en cuanto a la determinación de la naturaleza del derecho a vivir en un medio ambiente libre de contaminación, las limitaciones a otros derechos y los deberes del Estado.

En materia de derechos de aprovechamiento de aguas, el Tribunal
Constitucional[107] ha afirmado que es posible limitar tales derechos
no solo por la función social de la propiedad sino también por el artículo 19 N° 8 en tanto establece el deber del Estado de velar porque
el derecho a vivir en un medio ambiente libre de contaminación no
sea afectado y, en tal virtud, se encuentra habilitado el legislador para
adoptar medidas que impidan el agotamiento de las aguas. Asimismo,
el Tribunal Constitucional estima adecuada la imposición de reglas
restrictivas y de cautela de los derechos de aprovechamiento de aguas
en virtud del deber estatal de cautelar la preservación de la naturaleza[108].

---

[107]   *"debe concluirse de manera nítida que el derecho de propiedad, en general y en
particular el derecho de propiedad sobre las aguas reconoce como límite su función social, en virtud de la cual se pueden establecer limitaciones específicas al
mismo. Es del caso recordar que la propia Carta Fundamental señala, en el numeral 8° de su artículo 19, que es deber del Estado velar por que el derecho al medio
ambiente libre de contaminación no sea afectado, en tanto que el numeral 24°
del mismo artículo entiende que la función social de la propiedad comprende la
preservación del patrimonio ambiental, dentro de la cual cabe la conservación de
los caudales de aguas, de lo cual deriva el deber del Estado de adoptar todas las
medidas para evitar su agotamiento, en conformidad además con el artículo 2°,
letra b), de la* Ley 19.300 de 1994, Aprueba Ley sobre Bases Generales del Medio
Ambiente (considerando 6°) D.O.0/03/1994. Sentencia del Tribunal Constitucional. STC rol 1309/2009, de 20 de abril de 2010. La inaplicabilidad se dirige contra
el artículo 309 del Código de Aguas en virtud del cual ha perdido parte de sus
derechos de aprovechamiento por vender parte de su predio.

[108]   *"...la* Ley 20.411, *Impide la constitución de derechos de aprovechamiento de
aguas en virtud del artículo 4° transitorio de la Ley 20.017 de 2005, en determinadas zonas o áreas, 2209, impuso reglas restrictivas y de cautela en el*

Por su parte, en materia de pesca, el Tribunal Constitucional ha reconocido las facultades del Estado para restringir el acceso a los recursos hidrobiológicos por motivos de conservación y aprovechamiento sustentable de los mismos, para preservar la actividad económica para las futuras generaciones[109]. Queda claro el enfoque en esta sentencia, en donde el resguardo de los recursos naturales no se da por la mantención de un bien jurídico protegido *per se* sino porque constituye el basamento de una actividad económica que debe perdurar en el tiempo.

En materia de concesiones mineras, el Tribunal Constitucional[110] considera que el deber de velar porque el derecho a vivir en un medio

---

otorgamiento de tales derechos... Esta actitud es coherente con el deber estatal de preservación de la naturaleza... resulta mejor protegido el bien común de todos y cada uno de los integrantes de la comunidad nacional, si tales reconocimientos de derechos se hacían ponderadamente" (considerando 24). Sentencia del Tribunal Constitucional STC rol 2693/2014, de 13 de octubre de 2015. La inaplicabilidad va dirigida contra diversas disposiciones del Código de Aguas en cuanto estableció el pago por no uso de los derechos de aprovechamiento de aguas.

[109] *"17.) Que, bien es verdad, entonces, que el Estado cuenta con potestades para ordenar y administrar la explotación de esa riqueza hidrobiológica, por manera que la ley ha podido modular esos requisitos limitados de ingreso a tal actividad, de la manera como se ha señalado. Ello, precisamente en aras a la conservación y aprovechamiento sustentable de los recursos pesqueros, amén de salvaguardar la actividad económica extractiva y preservarla para las futuras generaciones, dando así plena eficacia al derecho consagrado en el artículo 19, N° 21°, de la Carta Fundamental cuyo límite se encuentra, precisamente, en las normas legales que regulan la respectiva actividad económica"*. Sentencia del Tribunal Constitucional. STC rol 2386/2012, de 2 de enero de 2013. Requerimiento de la cuarta parte de miembros en ejercicio en el Senado dirigido contra el proyecto de ley que modifica, en el ámbito de la sustentabilidad de los recursos hidrobiológicos, acceso a la actividad pesquera industrial y artesanal y regulaciones para la investigación y fiscalización, la Ley General de Pesca y Acuicultura, contenida en la ley N° 18.892 y sus modificaciones.

[110] *"DÉCIMOTERCERO: Que en el ámbito reservado a la regulación legal de las concesiones mineras la Constitución impone, de modo directo, una obligación que recae sobre el titular de la concesión. Ella consiste en el 'deber de desarrollar la actividad necesaria para satisfacer el interés público que justifica su otorgamiento' (inciso séptimo del artículo 24° del artículo 19 constitucional). Esta obligación contiene un deber que puede denominarse material (que consiste en desarrollar una actividad) y un objetivo y estándar de cumplimiento de la misma (que es 'satisfacer el interés público que justifica su otorgamiento'). [...] Luego, dicho interés público ha de estar*

ambiente libre de contaminación constituye uno de los contenidos constitucionales a ser tenidos en cuenta a la hora de definir el contenido del interés público que debe satisfacer el concesionario minero. Así las cosas, se integra por una interpretación armónica de la Constitución, a las obligaciones del concesionario minero, cuestión de la mayor relevancia por cuanto ante dicha jurisdicción normalmente se plantea como cuestión el alcance que pueden tener las limitaciones que se imponen al derecho de propiedad y a la libertad para desarrollar actividades económicas, cuando ellas tienen un fundamento ambiental.

Con ocasión de la disposición que autoriza el retiro de una actividad productiva en el caso de emanaciones desagradables, ruidos, trepidaciones u otras molestias[111], el Tribunal Constitucional señala que se extiende el ámbito de protección de los vecinos del establecimiento industrial o local de almacenamiento. Considera que el interés público atendido con esta atribución municipal se dirige de modo directo a cumplir los mandatos del inciso cuarto del artículo 1° constitucional

---

al servicio de la persona humana y debe promover el bien común. Adicionalmente, forman parte del interés público del inciso séptimo del numeral 24° del artículo 19 otros deberes reconocidos por el inciso final del artículo 1° constitucional: la protección a la población y su familia, el fortalecimiento de ésta, la integración armónica de todos los sectores de la Nación y el derecho de las personas a participar con igualdad de oportunidades en la vida nacional (…) Asimismo, los órganos del Estado no podría sino justificar el otorgamiento de una concesión minera en plena armonía con todos los contenidos del artículo 19, los que, entre otros, incluyen el deber de velar por el respeto del derecho a vivir en un medio ambiente libre de contaminación (…) De todo lo anterior puede deducirse que el interés públicos que justifica el otorgamiento de la concesión minera no tiene un carácter unidimensional y que de modo ineludible debe integrar distintos principios y valores constitucionales. Por lo mismo, parece adecuado que el legislador disponga de un ámbito regulatorio que permita fijar o reconocer distintas actividades con aptitud para servir los fines que justifican el otorgamiento de una concesión minera". Sentencia del Tribunal Constitucional. STC rol 2678-2014, de 25 de junio de 2015. Esta sentencia se emite en una inaplicabilidad dirigida contra el artículo 7° de la ley orgánica constitucional N° 18.097 sobre concesiones mineras y el inciso 4° del artículo 15 del Código de Minería en la parte que indican que solo el dueño podrá permitir catar y cavar en terrenos arbolados o viñedos, o bien, plantados de vides o árboles frutales.

[111] Sentencia del Tribunal Constitucional. STC roles N° 2643/2014 y N° 2644/2014, ambos de 27 de enero de 2015. Las inaplicabilidades se dirigen contra el artículo 62 inciso segundo y 160 de la Ley General de Urbanismo y Construcciones, DFL N° 458, del Ministerio de Vivienda y Urbanismo, de 1975.

(deber del Estado de contribuir a crear las condiciones sociales para la mayor realización espiritual y material posible, así como del artículo 19, N° 1 (protección de la vida, integridad física y psíquica) y del artículo 19 N° 8, de la propia Ley Suprema (protección del derecho a vivir en un medio ambiente libre de contaminación) [112].

Por su parte, el Tribunal Constitucional sostuvo en la causa rol 2884[113] que el artículo 19 N° 8 de la Constitución contiene deberes estatales de naturaleza objetiva en cuanto protección del patrimonio ambiental chileno y, por otro lado, la garantía subjetiva de la no afectación del derecho a vivir en un medio ambiente libre de contaminación (considerando 8°). Así las cosas, afirma que:

> "dimana del artículo 19 N° 8 de la Constitución, que este es un derecho autónomo orientado a proteger el bien jurídico constitucional que configura el ambiente, de modo independiente de los derechos subjetivos que acreditan la afectación primaria o consecuencial del derecho, dígase derecho a la vida, a la integridad física o síquica, el derecho a la salud, el derecho de propiedad o el derecho a la libre iniciativa económica, entre otros"[114].

De este modo, el Tribunal Constitucional considera el medio ambiente como un bien jurídico protegido más allá del derecho indivi-

---

[112]   El Tribunal Constitucional afirma: "*La proporcionalidad de la carga, entonces, debe asociarse al peligro, daño o afectación sufrida por seres humanos. Por otro lado, la orden de retirarse del sector impone cesar la actividad productiva en el lugar y desplazarla a otro, sin afectar la propiedad del predio y sus edificaciones, y sin mermar la posibilidad de realizar otras actividades productivas [...] Como puede comprobarse, existe armonía entre la facultad de la autoridad administrativa —cuyo ejercicio ha de contar con el respaldo de informes técnicos—, los peligros o daños ocasionados a personas del vecindario y la carga impuesta al propietario, que no podrá continuar con su actividad productiva en el mismo lugar y podrá instalarla en otro lugar. No parece admisible, en especial considerando los deberes del Estado del artículo 1°, inciso cuarto, de la Carta Fundamental, y los que emanan del artículo 19, N°s 1° y 8° de la propia Constitución*, que una actividad productiva que genere algunas de las consecuencias listadas por el artículo 160, pueda continuar afectando o interfiriendo en la vida de los vecinos en los términos proscritos por el legislador". Considerando 82.

[113]   Sentencia del Tribunal Constitucional. STC rol 2884/2015, de 26 de julio de 2016. La inaplicabilidad se presenta respecto del artículo 51 de la ley 20.283 que incide en un juicio infraccional por tala no autorizada de bosque nativo.

[114]   Sentencia del Tribunal Constitucional. STC rol 2884/2015, 9°.

dual reconocido, siendo el medio ambiente objeto de protección en virtud de los deberes que se imponen al Estado.

Más recientemente, el Tribunal Constitucional[115] afirma el derecho a vivir en un medio ambiente libre de contaminación como un derecho fundamental de naturaleza individual y social a la vez, y además un deber de protección, en vistas a la necesidad de hacerlo efectivo[116]. Esta sentencia marca un hito en la consideración del contenido del artículo 19 N° 8 de la Constitución, por cuanto adopta una tesis interpretativa que supera la concepción restringida que había dado hasta ese momento a dicha disposición. Así, se afirma que se ha hecho recaer sobre el Estado, en forma específica, los deberes de protección, preservación y conservación ambientales, para lo cual se ha diseñado una institucionalidad ambiental con órganos administrativos reguladores y fiscalizadores[117], cuyo fundamento se encuentra, a su vez, en el deber de contribuir a crear las condiciones sociales que permitan a todos y cada uno de los integrantes de la comunidad nacional su mayor realización material y espiritual posible[118]. De esta manera se vincula la protección del medio ambiente al bien común del que emanan deberes concretos del Estado.

Además, indica el Tribunal Constitucional que el mandato constitucional del artículo 19 N° 8 ha sido desarrollado por el legislador de forma amplia configurando un verdadero orden público ambiental, esto es, un conjunto de principios, reglas e instituciones fundamentales que amparan y regulan el bien jurídico medioambiental y la naturaleza, sobre los cuales existe además un verdadero interés público general[119]. Colige del mandato de protección del medio ambiente, de preservación y conservación del patrimonio ambiental, los principios preventivo, precautorio y de responsabilidad, sin que sea necesario que ellos se encuentren explicitados en el texto sino que se deducen hermenéuticamente del sentido del deber de protección[120].

---

[115] Sentencia del Tribunal Constitucional. STC rol 9418-2020, de 15 de junio de 2021.
[116] Sentencia del Tribunal Constitucional. STC rol 9418-2020, 8°.
[117] Sentencia del Tribunal Constitucional. STC rol 9418-2020, 11°.
[118] Sentencia del Tribunal Constitucional. STC rol 9418-2020, 12°.
[119] Sentencia del Tribunal Constitucional. STC rol 9418-2020, 14°.
[120] *"VIGÉSIMO TERCERO.—Que de acuerdo a lo expresado, se puede colegir del propio mandato constitucional de protección del medioambiente, de su preservación y de la conservación del patrimonio ambiental, que es la propia Constitución la que tácitamente consagra o se basa en los principios preventivo y*

De esta manera entiende que pilares fundamentales del derecho ambiental, como son los principios preventivo, precautorio y de responsabilidad, arrancan directamente de la Constitución y reconoce que la protección alcanza al medio ambiente en sus diversos componentes y a los recursos naturales[121]. En cuanto a la jurisprudencia de la Corte Suprema, sabido es que la acción de protección ha funcionado en Chile como un verdadero contencioso administrativo de carácter general y la materia ambiental no ha estado ajena a ello, desde el momento que la Constitución lo hizo procedente, aunque con ciertas particularidades como se comentara más arriba. Así las cosas, por muchos años la acción de protección cumplió un rol importantísimo para controlar la legalidad del actuar de los órganos con competencia ambiental y fue la sede en que se ventilaron los conflictos ambientales planteados respecto de diversos tipos de proyectos productivos. Acá la gama de temas que se discuten es bastante más amplia que aquella que ha sido sometida al Tribunal Constitucional. En primer lugar, es del caso citar el fallo en el caso Trillium I donde la Corte Suprema plasma su entendimiento acerca del contenido del artículo 19 N° 8 de la Constitución, así como respecto del alcance de la acción de protección a su respecto. Señala la Corte:

> "13) Que, por último, respecto de la supuesta falta de legitimación activa de los recurrentes para interponer este recurso, alegada por los recurridos y la Empresa Forestal Trillium, cabe señalar que el derecho a vivir en un medio ambiente libre de contaminación es un derecho humano con rango constitucional, el que presenta un doble carácter: derecho subjetivo público y derecho colectivo público. El

---

precautorio, definidos anteriormente, además del de responsabilidad, pues, tras ese deber lo que se pretende evitar son daños y riesgos al medio ambiente así como a la vida y a la salud. No es necesario que los principios estén formal o expresamente señalados, sino, que ellos se deducen hermenéuticamente del sentido de tal deber de protección. Por lo demás, la propia legislación ambiental, expresión del mandato constitucional de protección ambiental, ha recogido tales principios, como consta en la parte de los fundamentos de la Ley N° 19.300, donde se señaló expresamente que uno de ellos era el principio preventivo, para cuyo efecto se establecen cuatro instrumentos: educación ambiental, sistema de evaluación de impacto ambiental, planes preventivos de contaminación y responsabilidad por daño ambiental. Por su parte, la ley de protección de la biodiversidad ha consagrado expresamente el principio precautorio;".

[121] Sentencia del Tribunal Constitucional. STC 9418-2020, 13°.

primer aspecto se caracteriza porque su ejercicio corresponde, como lo señala el articulo 19 de la Constitución Política a todas las personas, debiendo ser protegido y amparado por la autoridad a través de los recursos ordinarios y el recurso de protección. Y, en lo que dice relación con el segundo carácter del derecho en análisis, es decir, el derecho colectivo público, él está destinado a proteger y amparar derechos sociales de carácter colectivo, cuyo resguardo interesa a la comunidad toda, tanto en el plano local como en el nivel nacional, a todo el país, ello porque se comprometen las bases de la existencia como sociedad y nación, porque al dañarse o limitarse el medio ambiente y los recursos naturales, se limitan las posibilidades de vida y desarrollo no sólo de las actuales generaciones sino también de las futuras. En este sentido, su resguardo interesa a la colectividad por afectar a una pluralidad de sujetos que se encuentran en una misma situación de hecho, y cuya lesión, pese a ser portadora de un gran daño social, no les causa un daño significativo o apreciable claramente en su esfera individual. Por otra parte, el patrimonio ambiental, la preservación de la naturaleza de que habla la Constitución y que ella asegura y protege, es todo lo que naturalmente nos rodea y que permite el desarrollo de la vida y tanto se refiere a la atmósfera como a la tierra y sus aguas, a la flora y la fauna, todo lo cual conforma la naturaleza con sus sistemaa ecológicoa de equilibrio entre los organismos y el medio en que viven. Así, son titulares de este recurso, necesariamente, todas las personas naturales o jurídicas que habitan el Estado y que sufran una vulneración del derecho al medio ambiente libre de contaminación que asegura el articulo 19 N° 8 del texto fundamental."[122]

Como puede apreciarse la jurisprudencia de la Corte Suprema es bastante clara en entender que el derecho a vivir en un medio ambiente libre de contaminación es uno de carácter individual y social, entendiendo que en esta última dimensión es un derecho colectivo por cuanto interesa a toda la comunidad, pues el medio ambiente compromete las bases de la existencia de la sociedad y de él dependen las generaciones actuales y futuras. Extiende así el recurso a todas las personas que habitan el Estado.

---

[122] Sentencia de la Corte Suprema. rol 2732-1996, de 19 de marzo de 1997. El recurso de protección se interpone contra un proyecto forestal que se emplazaría en la región de Magallanes y que había sido aprobado por la CONAMA.

Respecto de los límites a la procedencia de la acción de protección, reitera la Corte Suprema el criterio amplio aplicado respecto del requisito de determinación de la autoridad o persona contra quien se dirige la acción de protección, porque ha entendido que basta que al menos se individualicen aquellos respecto de los cuales se presume o existen antecedentes que puedan estar causando la contaminación, en el supuesto que al menos esta última está acreditada[123]. De esta forma, no es óbice a la interposición de la acción que no se tenga completa certeza acerca de la incidencia del recurrido en el acto que causa la afectación, en la medida que exista la posibilidad que él participe de la misma y siempre que la afectación sea evidente[124].

---

[123]   "[...] *Si bien el artículo 20 inciso segundo de la Constitución Política de la República puntualiza que en el caso del Nº 8 del artículo 19 procederá la acción cuando el derecho a vivir en un medio ambiente libre de contaminación sea afectado por un acto u omisión ilegal imputable a una autoridad o persona determinada, lo cierto es que en la especie ese requisito se cumple a cabalidad, pues la acción se ha dirigido en contra de cuatro empresas que se individualizan y además se ha solicitado informe al Seremi de Salud de la Región del Maule y a la Superintendencia de Servicios Sanitarios. No obsta a tal conclusión la circunstancia de haber hecho presente la actora que no tenía la certeza de que sean efectivamente estas empresas las que contaminan, pues sólo podía presumirlo por el resultado de las pocas actuaciones desplegadas por la autoridad sanitaria. Lo que expone resulta lógico, toda vez que, incluso hoy, lo único cierto es que las aguas están contaminadas [...]*" (considerando 7). Sentencia de la Corte Suprema rol 7844-2013, de 26 de noviembre de 2013. En este caso se recurre por la periódica contaminación de que es objeto el Estero Carretón y el Estero Carretones, entre los meses de febrero a mayo de cada año, lo que se manifiesta en malos olores y cambios en el color del agua y genera un alto riesgo por cuanto dichas aguas son utilizadas en riego y bebedero de animales.

[124]   Se reconoce como algo propio del derecho al medio ambiente la necesidad de modular ciertos aspectos del derecho procesal para otorgar una efectiva tutela jurisdiccional. En efecto, tradicionalmente se reconoce legitimación activa al titular de un derecho subjetivo, pero cuando se trata del medio ambiente se abre paso a la fórmula de la legitimación colectiva, reconociendo a grupos y colectivos la facultad de interponer acciones judiciales para la defensa de intereses de inequívoca proyección colectiva, que pueden afectar incluso a generaciones futuras. En España la ley de responsabilidad medio ambiental de 2007 restringió esta legitimación colectiva a personas jurídicas que acrediten en sus estatutos la protección del medio ambiente en el ámbito territorial respectivo y que estén constituidas dos años antes del ejercicio de la acción. José Esteve Pardo, *Derecho al medio ambiente* (Madrid, Marcial Pons, 2014), 83.

Otro tema particularmente relevante es la omisión que es imputable a una autoridad. Así, se puede citar la sentencia de la Corte Suprema[125] que alude al incumplimiento de los deberes del Ministerio del Medio Ambiente en relación a generar y recopilar información técnica y científica precisa para evitar la contaminación[126]. A partir de esta falta de información define la Corte la necesidad de acudir a los principios preventivo y precautorio para determinar la medidas que debían ser adoptadas. Así es como impone la reducción de las emisiones, el incremento del nivel de las exigencias a quienes están causando la contaminación y la necesidad de un plan de emergencia[127].

Es destacable que en ejercicio de la acción de protección, por el deber de restablecer el imperio del derecho y ante la falta de información, sea la propia Corte la que defina las medidas que debe ser adoptadas, acudiendo a los principios propios del derecho ambiental como son el preventivo y el precautorio que, como más arriba se vio, el Tribunal Constitucional hoy estima derivados directamente del propio texto constitucional. Asimismo, destacan en los últimos años sentencias que se inscriben en una exigencia de mayor coordinación entre los órganos con competencia ambiental y la adopción de medidas para velar por la protección del medio ambiente en una concepción finalista, al margen de competencias específicas, asumiendo la Corte una actitud responsiva ante una regulación que le parece insuficiente[128].

[125] Sentencia de la Corte Suprema. rol 5588-2019, de 28 de mayo de 2019. La discusión se basa en la contaminación provocada por el Complejo Industrial Ventanas, lo que dio lugar a doce recursos de protección los que fueron acumulados y resueltos por la sentencia que se cita.
[126] Sentencia de la Corte Suprema. rol 5588-2019, 22°.
[127] Sentencia de la Corte Suprema. rol 5588-2019, 38°.
[128] Edesio Carrasco Quiroga, *El derecho a vivir en un medio ambiente libre de contaminación. Perspectivas, evolución y estándares jurisprudenciales* (Santiago, DER Ediciones, 2020): 170. Pueden citarse al efecto la Sentencia de la Corte Suprema. rol 34594-2017, de 22 de mayo de 2018, sobre el vertimiento en el mar de salmones de cultivo muertos por efectos de la marea roja que afectó a la región de Los Lagos en el año 2016; Sentencia de la Corte Suprema rol 15549-2017, de 9 de enero de 2018; Sentencia de la Corte Suprema. rol 21432-2019, de 24 de octubre de 2019, todas citadas por Carrasco Quiroga: 170-171.

Otro tema importante en la discusión medioambiental es la participación ciudadana. Así, la Corte Suprema[129] ha estimado que dado que no se tramitó la denuncia formulada a la municipalidad por vecinos contra una obra, por afectar el derecho de los recurrentes a vivir en un medio ambiente libre de contaminación, debía someterse el proyecto a participación ciudadana aún cuando el proyecto no fuera de aquellos que, conforme a la legislación ambiental, debía someterse.

Por su parte, acudiendo a la historia fidedigna de la ley 20.417, la Corte Suprema[130] concluye que debe entenderse que provocan cargas ambientales aquellos proyectos que generando beneficios sociales, produzcan externalidades negativas, como en el caso concreto de la sentencia que se comenta: emisiones de material particulado, ruidos y vibraciones. Así las cosas, tratándose de una actividad sometida a declaración de impacto ambiental en el Sistema de Evaluación de Impacto Ambiental que generará, en mayor o menor medida, un beneficio o utilidad social, es suficiente para que se hubiese dado la participación ciudadana.

Finalmente, acerca del rol del recurso de protección como contencioso general respecto del derecho a vivir en un medio ambiente libre de contaminación, la Corte Suprema ha empleado diversos criterios para controlar la legalidad de una resolución de calificación ambiental. La pregunta actual es acerca de la forma como se decantará un criterio que permita conciliar adecuadamente la coexistencia del recurso de protección y las vías abiertas actualmente ante los tribunales ambientales, generando los incentivos para racionalizar correctamente el control judicial de decisiones en el marco del sistema de evaluación de impacto ambiental[131], cuestión ajena al objetivo de este trabajo.

---

[129] Sentencia de la Corte Suprema. rol 15.499-2018, de 24 de diciembre de 2018. La acción se dirige contra la Dirección de Obras Municipales y el Director de Obras por no haber tramitado las denuncias formuladas por vecinos contra un proyecto inmobiliario en el balneario de Papudo por provocar contaminación acústica y otras formas de polución ambiental, así como la destrucción de las vías de evacuación y del acceso a los condominios.

[130] Sentencia de la Corte Suprema. rol 55.203-2016, de 16 de marzo de 2017. La acción se dirige contra la resolución que rechazó la participación ciudadana en una declaración de impacto ambiental de un proyecto minero.

[131] Edesio Carrasco Quiroga, "De Trillium a Central Los Cóndores: continuidad y cambio del recurso de protección ambiental en veinte años de jurisprudencia", *Revista Justicia Ambiental*, n° 9 (2017): 298.

7. PROPUESTA DE NUEVA CONSTITUCIÓN

En el reciente proceso constitucional se expresó el deseo de que se dicte una Constitución ecológica para Chile[132]. Siguiendo la tendencia de los países latinoamericanos mencionada más arriba, la propuesta de nueva Constitución respondía a tal predicamento y declaraba:

a) *Nueva concepción del Estado*: Chile como un Estado ecológico (numeral 101)[133]; se reconoce la interdependencia de las personas y los pueblos con la naturaleza, reconociendo a esta última derechos e imponiendo al Estado y la sociedad el deber de respetarlos y protegerlos. Asimismo, impone al Estado una administración ecológicamente responsable debiendo promover la educación ambiental y científica (numerales 107 y 297); se reconoce el principio del "buen vivir" en virtud del cual el Estado promueve una relación de equilibrio armónico entre las personas, la naturaleza y la sociedad (numeral 108);

b) *Los principios medioambientales*: responsabilidad ambiental (numeral 109), progresividad, preventivo, precautorio, justicia ambiental, solidaridad intergeneracional, acción climática justa (numeral 307); acceso a justicia ambiental (numeral 336); participación informada en temas ambientales (numeral 308);

c) *Derechos a un ambiente sano y ecológicamente equilibrado*: (numeral 335) y al aire limpio (numeral 337); habilitación al legislador para restringir otros derechos o libertades para proteger el medio ambiente y la naturaleza (numeral 301); acceso responsable a la naturaleza, obligaciones de propietarios aledaños y régimen de responsabilidad, entregadas a la ley (numeral 303);

---

[132]   Valentina Durán Medina, "*¿Hacia una Constitución ecológica?*", *Revista de Derecho Ambiental* n°15 (2021): 1-6; Gustavo Arellano Reyes y Federico Guarachi Zuvic, "Protección del medio ambiente en el contexto de una nueva constitución: recomendaciones en base a la experiencia comparada", *Estudios Constitucionales* 19 n°1 (2021): 98-102.

[133]   Las referencias se hacen al borrador de constitución aprobado al 14 de mayo de 2022. Los numerales corresponden al correlativo que se asignó al compilar los textos de las diversas comisiones y, por ende, no se trata del número de un artículo.

d) *Deberes del Estado*: Chile es un país oceánico y que corresponde al Estado la conservación, preservación y cuidado de los ecosistemas marinos y costeros continentales, insulares y antárticos (numerales 110 y 145); es deber del Estado proteger la función ecológica y social de la tierra (numeral 228); deberes del Estado en materia de crisis climática (numeral 296); gestión de residuos como función del Estado (numeral 304); protección de los animales y de la biodiversidad (numerales 305 y 306);

e) *En materia de derechos*: la propiedad tiene una función social y ecológica (numeral 255); la función ecológica se reconoce dentro del derecho a la ciudad (numeral 272) y como una de las finalidades de la educación para la formación de una conciencia ecológica (numeral 281); se prevé dentro del Sistema Nacional de Educación para promover la diversidad de saberes ecológicos (numeral 282); garantiza la educación ambiental (numeral 338); dentro del derecho a la alimentación adecuada se prevé el fomento a la producción agropecuaria ecológicamente sustentable (numeral 289);

f) *Régimen de bienes comunes y de otros recursos naturales*: declarando algunos bienes comunes como directamente inapropiables (agua y aire y los reconocidos como tales por el derecho internacional) y aquellos que la ley declare tales. Podrán otorgarse autorizaciones administrativas sobre bienes comunes inapropiables sin generar derechos de propiedad, sujetos a causales de caducidad, extinción y revocación con obligaciones de conservación fundadas en interés público, la protección de la naturaleza y el beneficio colectivo (numerales 299 a 302); estatuto constitucional de las aguas (numerales 309 a 323 aunque no todos están referidos a las aguas, incluye bosque nativos, suelos y áreas protegidas); estatuto constitucional de los recursos minerales (numerales 324 a 338 aunque no todos están referidos a los minerales).

Como puede apreciarse, había numerosas disposiciones referidas a diversos aspectos del cuidado del medio ambiente y de la naturaleza que imponían una nueva visión en torno a la relación de las personas con el medio ambiente. Independientemente de los problemas de redacción que lleva a reiteraciones y ciertas inconsistencias, las que habrían sido abordadas por la comisión de armonización, es importante destacar que al definir al Estado chileno como ecológico, se incorporaba dentro de sus fines el cuidado del medio ambiente y la naturaleza, lo que a su vez lleva a una redefinición de la relación de los seres humanos con esta última al establecer la necesidad de una convivencia armónica e imponiendo deberes de resguardo a los particulares.

Así las cosas, cualquier interpretación que a partir de dichas disposiciones pudiera hacerse ante la colisión del derecho a un ambiente sano y ecológicamente equilibrado con otros derechos, especialmente de corte económico, necesariamente debería ceder a favor del resguardo del medio ambiente y de la naturaleza. Así las cosas, se seguían claramente las tesis del nuevo constitucionalismo latinoamericano de corte ecologista, que parte de la crítica al modelo económico sustentado a la fecha, lo cual no es extraño si se considera que el constitucionalismo social no trata de conservar una situación social, económica o cultural estable, sino que aspira a transformar la realidad, lo que a veces exige violentar o modular otros intereses, por lo cual la Constitución ha de autorizar esa ponderación entre bienes jurídicos[134]. Si la democracia económica y social auspicia una cada vez mayor participación de todos en los beneficios de la producción de bienes con un mejor reparto de estos, la orientación ambiental cambia el sesgo de la economía y la dirige hacia la preservación de los bienes ambientales y al ahorro de los recursos[135].

En lo que se refiere a los principios en materia medioambiental, se plasmaron aquellos de mayor difusión en la aplicación de dicho ordenamiento.

El principio de progresividad o no regresión, propio de la doctrina de los derechos humanos y también consagrado en el proyecto de nueva constitución con ocasión del establecimiento de las reglas generales en materia de derechos fundamentales. Consiste en la prohibición de retroceso, permitiendo que el derecho proteja el ambiente de su progresiva regulación, de modo que su modificación, derogación e

---

[134]   Raúl Canosa Usera, *Constitución*, 32-33.
[135]   Raúl Canosa Usera, *Constitución*, 37.

interpretación siempre está dirigida a su resguardo y no para revertir o disminuir su tutela[136].

El principio preventivo consiste en incorporar medidas para aminorar o suprimir los efectos ambientales que pudieran derivarse de la actividad humana, antes de que la acción alteradora del medio en términos relevantes sea ejecutada. Opera imponiendo medidas que eviten el riesgo y sus efectos, ambos conocidos[137].

El principio precautorio o de cautela[138] por su parte opera frente a una amenaza potencial, donde debido a la incertidumbre o controversia científica no es posible hacer una predicción apropiada del impacto ambiental[139]. De esta manera, la funcionalidad del principio es la de fundar o habilitar una decisión de la autoridad, de excepción al régimen jurídico que, en principio, sería aplicable, en situaciones de incertidumbre[140]. Allí radica, precisamente, la controversia que envuelve a este principio: podría justificar la denegación de la autorización de una actividad o producto, pese a cumplir con todos los requisitos y trámites, en la medida que exista una alta incertidumbre acerca del riesgo potencial que ello envuelve; y más aún, podría fundar la paralización de una actividad o el retiro de un producto ya autorizados, sobre los que no se tenían antecedentes de su peligrosidad, pero que por recientes avances científicos se ha alertado de su peligrosidad, sin tener certeza acerca de su alcance[141].

La solidaridad intergeneracional parte de la base que los seres humanos pueden cambiar el entorno en forma irreversible como nunca antes, produciendo efectos perjudiciales para la solidez e integridad

---

[136]   Jorge, Bermudez Soto, *Fundamentos*, 58.
[137]   Rodrigo, Guzmán Rosen, *Derecho ambiental*, 43.
[138]   Se suele situar el origen de este principio en Alemania, en la década de los setenta en el siglo XX, en que se conocía como principio de cautela (*Vorsorgeprinzip*), muy conectado con la idea de prevención. De allí pasa al artículo 174 del Tratado Constitutivo de la Comunidad Europea que indica que la política de la Comunidad en el ámbito del medio ambiente se basará en los principios de cautela y de acción preventiva; luego, desde el área medioambiental pasa a la protección de la salud, donde tuvo una trascendental aplicación en el caso de las "vacas locas". José Esteve Pardo, *Derecho*, 57.
[139]   Bermudez Soto, Jorge, *Fundamentos*, 47.
[140]   José Esteve Pardo, *Derecho*, 58.
[141]   José Esteve Pardo, *Derecho*, 58.

del planeta afectando la herencia que le dejamos a futuras generaciones. Por tal motivo, las generaciones presentes somos beneficiarios del uso y goce de la tierra pero al mismo tiempo tenemos la responsabilidad de cuidar los recursos naturales para las futuras generaciones. La solidaridad intergeneracional plantea dos relaciones: la nuestra con las generaciones futuras de nuestra misma especie y nuestra relación con el sistema natural del que formamos parte[142].

La acción climática justa fue incorporada en la propuesta de nueva constitución a fin de plasmar las acciones estatales en materia de prevención, adaptación y mitigación de los riesgos, vulnerabilidades y efectos provocados por la crisis climática y ecológica.

El acceso a la información ambiental es fundamental para el ejercicio de las acciones jurisdiccionales y para la participación ciudadana, pero muchas veces la información es de difícil acceso porque no está públicamente disponible[143]. En el caso que la información ambiental que no esté en el marco de la evaluación ambiental a través del sistema, puede ocurrir que la información esté en poder de la autoridad en cuyo caso podrá operar la ley 20.285 sobre acceso a la información pública, pero allí podrá enfrentarse a las causales de denegación entre las que se encuentra, afectar derechos de las personas, reconociéndose los derechos de carácter económico o comercial como de aquellos que pueden impedir el acceso a la información. También la información puede encontrarse en manos de particulares interesados, muchas veces protegida por secreto industrial u otro tipo de reserva[144].

El derecho a participación informada en materias ambientales[145], supone el acceso a la información. Dicha participación puede darse en

---

[142]   Edith Brown Weiss, "Our rights and obligations to future generations for the environment", *The American Journal of International Law* 84 (1990): 198-199.

[143]   José Esteve Pardo, *Derecho*, 84.

[144]   A diferencia de lo que ocurre en Chile, en España las causales de denegatoria acotan la invocación de derechos de las personas para denegar la información a la confidencialidad de datos personales y la propiedad intelectual. José Esteve Pardo, *Derecho al medio ambiente*, 86.

[145]   Al superar la democracia el convencimiento de la exclusividad de participación a través de los parlamentos, se abre paso a la participación de terceros titulares de derechos que puedan verse afectados. Sin embargo, ello no daba satisfacción a las expectativas de otros sectores políticos, como el ecologismo. De allí que el ordenamiento jurídico comenzó en Europa a reconocer intereses sociales como

relación con procedimientos normativos, de planificación o de adopción de actos administrativos[146], siendo las consideraciones necesariamente diferentes en cada caso[147].

La justicia ambiental plantea que los riesgos y daños al medio ambiente, así como los usos no deseados del suelo, se encuentren inequitativamente distribuidos por razones de condición social, nacionalidad e incluso por el origen racial, lo que plantea un problema de justicia distributiva en torno a los riesgos y cargas ambientales, así como de los servicios ambientales[148]. La justicia ambiental consiste en la distribución equitativa de las cargas y beneficios ambientales entre todas las personas de la sociedad, considerando en dicha distribución

---

intereses difusos, siendo esta categoría una forma de legitimar la participación en la adopción de decisiones. La democracia tiene un valor práctico porque atrae la atención de la ciudadanía sobre los problemas que políticamente se consideran importantes y de esa manera produce ese efecto de dirección de los comportamientos humanos que la política persigue. La conciencia ecológica o ambiental tiene una repercusión política importante bien entrado el siglo XX, en sus últimas décadas. La preocupación ambiental sigue teniendo un importante empuje exterior, de la sociedad civil, tal como lo ejemplifica el hecho de que el fenómeno de las ONGs encontrara expresión precisamente en este ámbito, acompañado por las cuestiones relativas a los derechos humanos y más tarde de las relaciones norte-sur. De allí la importancia de exigirse a los Estados que faciliten la participación ciudadana en materia ambiental, regulando el acceso a los documentos, la información ambiental y el acceso a la justicia. Iñaki Lasagabaster Herrarte, "Participación y protección del Medio Ambiente", en *Estudios de Derecho Ambiental Europeo*, Agustín García Ureta (Navarra, Lete, 2005): 18-19. Precisamente a ello se refiere el Convenio de Aarhus o *Convenio sobre el acceso a la información, la participación del público en la toma de decisiones y el acceso a la justicia en materia de medio ambiente*, firmado en Dinamarca en 1998, elaborado por la Comisión Económica de Naciones Unidas para Europa y que entró en vigencia el 30 de octubre de 2001. Comisión Económica de Naciones Unidas para Europa, Convenio de Aarhus o Convenio sobre el acceso a la información, la participación del público en la toma de decisiones y el acceso a la justicia en materia de medio ambiente, 1998, https://www.oas.org/es/sla/ddi/docs/acceso_informacion_desarrollos_convenio_aahrus.pdf

[146] Al respecto puede mencionarse el artículo 69 de la ley 20.500 que asegura el derecho a participar en la gestión pública a nivel de sus políticas, planes, programas o acciones. Asimismo, las disposiciones referidas a la participación en materia del sistema de evaluación de impacto ambiental en la ley 19.300 que la habilita y facilita el acceso a la información en los procesos en trámite.

[147] Iñaki Lasagabaster Herrarte, "Participación y protección del Medio Ambiente", 15.

[148] Jorge Bermúdez Soto, *Fundamentos*, 54.

el reconocimiento de la situación comunitaria y de las capacidades de tales personas y su participación en la adopción de las decisiones que los afectan. asimismo, la decisión que se adopte debe garantizar la integridad ecosistémica de la zona afectada[149].

Por su parte, el derecho al acceso a la justicia ambiental implica la posibilidad de hacer valer jurisdiccionalmente una prerrogativa reconocida por el ordenamiento jurídico, lo cual requiere de procesos accesibles y ágiles que garanticen la obtención de una justicia pronta y expedita, en condiciones de igualdad para todas las personas[150]. Por lo tanto, se impone al Estado una serie de obligaciones, entre ellas, asegurar el acceso a la acción y recursos jurisdiccionales, para lo cual se requieren remover obstáculos normativos, económicos o sociales para asegurar el ejercicio de tales acciones y recursos. Por ende, en la óptica de la defensa del medio ambiente como un deber de todos definitivamente la legitimación activa debe propiciar el ejercicio colectivo de la acción jurisdiccional conforme con el contenido y la dimensión que adoptaría en la nueva Carta el derecho a un medio ambiente sano y ecológicamente equilibrado. Asimismo, el acceso a la justicia ambiental no se agotaría con la defensa del medio ambiente sino que incorporaría la de otros instrumentos como el acceso a la información ambiental y el derecho de participación.

El principio de responsabilidad ambiental surge ante los riesgos provocados por la acción humana, especialmente los provenientes del desarrollo tecnológico y la industria[151]. Tales riesgos, como se puede

---

[149]   Dominique Hervé Espejo, "Noción y elementos de justicia ambiental: directrices para su aplicación en la aplicación territorial y en la evaluación ambiental estratégica", *Revista de Derecho* 23 (1) (2010): 26.

[150]   Marisol Anglés Hernández, *"Algunas vías de acceso a la justicia ambiental"*, en *Cien ensayos para el Centenario*, Gerardo Esquivel, Francisco Ibarra Palafox, Pedro Salazar Ugarte, Tomo II (Ciudad de México, Biblioteca Jurídica Virtual, 2017): 1-19.

[151]   La creciente preocupación por el deterioro ambiental y la actividad de tutela y protección que se requiere de la Administración en este frente son una manifestación más de la sociedad del riesgo. El derecho medioambiental es, básicamente, regulación y gestión del riesgo. Se regulan, en definitiva, los riesgos que para el medio ambiente generan las actividades humanas. José Esteve Pardo, *Lecciones de derecho administrativo* (Madrid, Marcial Pons, 2013): 358. La gestión de riesgos no se plantea como objetivo el riesgo 0 porque ello no existe, sino de optar entre riesgos y llegar al riesgo permitido. José, Esteve Pardo, *"Derecho del medio am-*

comprender, están siempre precedidos por una decisión humana, sea pública o privada. Sin embargo, si bien esos riesgos son de interés del derecho, el conocimiento respecto de ellos proviene de la ciencia[152]. Frente a la insuficiencia del régimen general de responsabilidad para atender al daño ambiental que puede ser ocasionado, por la dificultad de probar dicho daño, el principio del que contamina paga o causador pagador permite adscribir los costos de las medidas de precaución, prevención, disminución y reparación del medio ambiente a su causador[153].

En cuanto al derecho a un ambiente sano y equilibrado, se mantiene la habilitación legislativa para restringir otros derechos y libertades, explayándose en los deberes del Estado para resguardar diversos componentes de la naturaleza.

A lo anterior debe agregarse la especificación que se hace con ocasión de diversos derechos acerca de la necesidad de asegurar una acción estatal con orientación ecológica en los más diversos ámbitos como la educación, la alimentación, la agricultura, etc. Asimismo, se plantea la imposición de deberes en relación al ambiente y la naturaleza, la que no se acota al Estado sino que se impone a los particulares, haciendo eco de aquellas teorías que se mencionaban más arriba en torno a la convicción de la existencia de un patrimonio universal respecto de cuyo cuidado todos somos destinatarios, en un contexto de crisis ante el cual todos debemos actuar.

Finalmente, las referencias al estatuto de recursos naturales que se declaran como bienes comunes, se hacen cargo de una serie de problemas surgidos en el tiempo en la tensión entre actividades productivas y ambiente y entre actividades productivas y formas de vida de ciertas comunidades: el acceso al agua para la subsistencia; acceso, uso y goce de la zona costera; explotación de bosques y contaminación de zonas pobladas, constitución de derechos de propiedad sobre derechos de uso y goce otorgados mediante concesión, entre otros.

---

biente como derecho de regulación y gestión de riesgos", en *Estudios de Derecho Ambiental Europeo*, Agustín García Ureta (Navarra, Lete, 2005): 57.

152   José, Esteve Pardo, *Derecho*, 48.
153   Jorge Bermúdez Soto, *Fundamentos*, 49.

De lo planteado en la propuesta de nueva constitución puede derivarse la crítica al modelo económico sustentado a la fecha y que es coherente con lo que se planteaba en el apartado referido a una nueva interpretación de la relación de las personas con el ambiente y la naturaleza, una reinterpretación de la idea de desarrollo pleno basado en una transformación o sustitución de los pilares sobre los cuales se ha asentado la estructura económica imperante.

8- CONCLUSIONES

En el presente trabajo se ha hecho una revisión de lo que hasta antes de la propuesta de nueva Constitución se presentaba como el contexto del resguardo del derecho a un ambiente adecuado en el derecho internacional, en el derecho comparado y en Chile. Puede afirmarse que la idea de desarrollo sustentable afirmada desde Naciones Unidas ha tenido una fuerte incidencia en la acción de los Estados para avanzar hacia marcos de protección.

Sin embargo, la crisis ambiental ha llevado a plantear con urgencia una acción más decidida y develó una realidad: el modelo de desarrollo vigente basado en la explotación de recursos naturales requiere una intervención estatal decidida que permita adoptar medidas tempranas para evitar impactos irreversibles. El bienestar de las comunidades es puesto en juego cada vez que se autoriza una actividad productiva y, por ello, es necesario que se cuente con la mayor información posible para adoptar las medidas que eviten los impactos y de no contar con la información, ante la incerteza, debe operar el principio de precaución que salvaguarde bienes del ambiente que pudiesen ser afectados. No bastan las promesas de desarrollo basadas en el empleo y los ingresos económicos, el bienestar se mide en el goce de bienes inmateriales como el goce del entorno, del paisaje, de las formas de vida

En dicho contexto la propuesta de nueva constitución planteó derechamente una nueva relación de las personas y el Estado con el ambiente y la naturaleza, proponiendo una serie de disposiciones dirigidas a reorientar, a favor de tales bienes jurídicos, las reglas sobre las cuales descansará el modelo económico y social e inaugurando una cultura de deberes impuestos a los particulares respecto de la naturaleza.

Bibliografía

Aguilar Cavallo, Gonzalo, "El derecho a vivir en un medio ambiente libre de contaminación: deficiencias y desafíos en un contexto de cambio constitucional", *Juris* 23 (2015): 9-39.

Anglés Hernández, Marisol, *"Algunas vías de acceso a la justicia ambiental"*, en *Cien ensayos para el Centenario*, Gerardo Esquivel, Francisco Ibarra Palafox, Pedro Salazar Ugarte, Tomo II. Ciudad de México, Biblioteca Jurídica Virtual, 2017: 1-19

Arellano Reyes, Gustavo y Federico Guarachi Zuvic, "Protección del medio ambiente en el contexto de una nueva constitución: recomendaciones en base a la experiencia comparada", *Estudios Constitucionales* 19 n°1 (2021): 66-110.

Asamblea Nacional de Ecuador, Constitución 2008: Dejemos el pasado atrás, 2008, https://www.asambleanacional.gob.ec/sites/default/files/documents/old/constitucion_de_bolsillo.pdf

Bassa Mercado, Jaime y Bruno Aste Leiva, "Mutación en los criterios jurisprudenciales de protección de los derechos a la salud y al trabajo en Chile", *Revista Chilena de Derecho* 42 n° 1 (2015): 215-244

Bellver Capella, Vicente, *Ecología: de las razones a los derechos*. Granada, Comares, 1994, 192-193.

Bermúdez Soto, Jorge, *Fundamentos de derecho ambiental*. Valparaíso, Ediciones Universitarias, 2014.

Bordalí Salamanca, Andrés. *Tutela Jurisdiccional del Medio Ambiente*. Santiago, Fallos del Mes, 2004, 54-58.

Brown Weiss, Edith, "Our rights and obligations to future generations for the environment", *The American Journal of International Law* 84 (1990): 198-199.

Cancillería Federal de Suiza, Constitución de Suiza, 1999, https://www.bcn.cl/procesoconstituyente/comparadordeconstituciones/constitucion/che

Canosa Usera, Raúl, *Constitución y medio ambiente*. Madrid, Dykinson, 2000, 44.

Carmona Santander, Carlos, "Tres problemas de la potestad reglamentaria: legitimidad, intensidad y control", *Revista de derecho* 1 n°3 (Santiago, 2001): 36-43,

Carrasco Quiroga, Edesio, "De Trillium a Central Los Cóndores: continuidad y cambio del recurso de protección ambiental en veinte años de jurisprudencia", *Revista Justicia Ambiental*, n° 9 (2017): 298.

Carrasco Quiroga, Edesio, *El derecho a vivir en un medio ambiente libre de contaminación. Perspectivas, evolución y estándares jurisprudenciales.* Santiago, DER Ediciones, 2020, 170

CEPAL/OCDE, *Evaluaciones del Desempeño Ambiental: Chile 2016.* Santiago, Naciones Unidas, 2016, 17.

Comisión Económica de Naciones Unidas para Europa, Convenio de Aarhus o Convenio sobre el acceso a la información, la participación del público en la toma de decisiones y el acceso a la justicia en materia de medio ambiente, 1998, https://www.oas.org/es/sla/ddi/docs/acceso_informacion_desarrollos_convenio_aahrus.pdf

Congreso de la Nación Argentina, Constitución Argentina, 1994, https://www.congreso.gob.ar/constitucionParte1Cap2.php

Consejo Constitucional francés, Carta del medio ambiente, https://www.conseil-constitutionnel.fr/sites/default/files/as/root/bank_mm/espagnol/carta_del_medio_ambiente.pdf

Decreto Ley 1552 de 1976 Acta Constitucional N° 3 De Los Derechos Y Deberes Constitucionales. Diario Oficial N° 29.558-A, de 13 de septiembre de 1976, https://www.bcn.cl/leychile/navegar?idNorma=6656

Departamento de Derecho Internacional, OEA, *A-52: Chile, firma Protocolo Adicional a la Convención Americana Sobre Derechos Humanos en Materia de Derechos Económicos, Sociales y Culturales "Protocolo De San Salvador"*, 2001 https://www.oas.org/juridico/spanish/firmas/a-52.html

Departamento de Derecho Internacional, OEA, *Protocolo Adicional a la Convención Americana Sobre Derechos Humanos en Materia de Derechos Económicos, Sociales y Culturales "Protocolo De San Salvador"*, 1988, https://www.oas.org/juridico/spanish/Tratados/a-52.html

Dougnac Rodríguez, Fernando, "El resguardo jurisprudencial del derecho a vivir en un medio ambiente libre de contaminación. Comentario y análisis de algunos fallos recientes", *Justicia Ambiental*, IV (2012): 257-292.

Durán Medina, Valentina, "*¿Hacia una Constitución ecológica?*", Revista de Derecho Ambiental n°15 (2021): 1-6

España, *Constitución española*, 1978, https://www.boe.es/eli/es/c/1978/12/27/

Espinoza Lucero, Patricio, "El derecho fundamental a vivir en un medio ambiente libre de contaminación como derecho social", Revista de Derecho Público 73 (1999): 171-192.

Esteve Pardo, José, *Derecho del medio ambiente como derecho de regulación y gestión de riesgos"* en Estudios de Derecho Ambiental Europeo, Agustín García Ureta coordinador (Navarra, Lete, 2005): 45-61.

Esteve Pardo, José, *Lecciones de derecho administrativo*. Madrid, Marcial Pons, 2013: 358.

Esteve Pardo, José, *Derecho al medio ambiente*. Madrid, Marcial Pons, 2014, 83.

Galdamez Zelada, Liliana, *Constitución y Medio Ambiente: algunas ideas para el futuro,* Revista de Derecho Ambiental, N° 9 (enero-junio 2018): 72-92.

Galdámez Zelada, Liliana, *Medio Ambiente, Constitución y Tratados en Chile*, en Boletín Mexicano de Derecho Comparado, nueva serie, año 50 n°148, enero-abril (2017): 72-92.

Guzmán Rosen, Rodrigo, *Derecho ambiental chileno*. Santiago, Planeta Sostenible, 2012, 42.

Hervé Espejo, Dominique, "Noción y elementos de justicia ambiental: directrices para su aplicación en la aplicación territorial y en la evaluación ambiental estratégica", *Revista de Derecho* 23 (1) (2010): 9-36.

Instituto Nacional de Derechos Humanos, INDH, *Mapa de conflictos socioambientales en Chile,* 2022, https://mapaconflictos.indh.cl/#/

Jaria-Manzano, Jordi, "Los Principios de Derecho Ambiental: Concreciones, Insuficiencias y Reconstrucción", *Revista Ius et Praxis* 25 (2019): 403-432.

Jordano Fraga, Jesús, *La protección del derecho a un medio ambiente adecuado*. Barcelona, Bosch, 1995, 50.

Lasagabaster Herrarte, Iñaki, "Participación y protección del Medio Ambiente", en *Estudios de Derecho Ambiental Europeo,* Agustín García Ureta. Navarra, Lete, 2005: 13-44

Ley 19.300 de 1994, Aprueba Ley sobre Bases Generales del Medio Ambiente (considerando 6°) D.O.0/03/1994

Ministerio de Defensa de Bolivia, *Constitución Política del Estado de Plurinacional de Bolivia: Título III, artículo 108 numeral 15.*

Ministerio de Defensa de Bolivia: Estado Plurinacional de Bolivia, *Constitución política del Estado Plurinacional de Bolivia,* 2009, https://www.mindef.gob.bo/mindef/sites/default/files/Consitucion_2009_Orig.pdf

ONU, *Conferencias sobre el medio humano,* 1972, https://www.un.org/es/conferences/environment/stockholm1972.

ONU, Declaración de Rio sobre el medio ambiente y desarrollo, 1992, https://www.un.org/spanish/esa/sustdev/documents/declaracionrio.htm

ONU, Objetivos de desarrollo sustentable, 2015, https://www.un.org/sustainabledevelopment/es/objetivos-de-desarrollo-sostenible/

Peces-Barba, Gregorio, *"Curso de derechos fundamentales (I). Teoría general"*. Madrid, Eudema S.A., 1991: 157.

República Federal de Alemania, *Ley fundamental de la República Federal de Alemania*, 2019, https://www.bundestag.de/resource/blob/658022/160ce-346b7f4d14f05fcbf8080a60fc0/flyer_ley_fundamental_pdf-data.pdf

República de Panamá, *Asamblea Legispan: Constitución Política de la República de Panamá*, 1972, https://www.asamblea.gob.pa/APPS/LEGISPAN/PDF_NORMAS/1970/1972/1972_028_2256.pdf

República de Portugal, Constitución de Portugal, 1976, https://www.bcn.cl/procesoconstituyente/comparadordeconstituciones/constitucion/prt

República del Ecuador, *Constitución de la República del Ecuador: "Artículo 14*

República del Perú, *Constitución para la República del Perú*, 1979, https://www4.congreso.gob.pe/comisiones/1999/simplificacion/const/1979.htm

República del Perú, *Constitución Política del Perú: Preámbulo*, 1993, https://cdn.www.gob.pe/uploads/document/file/198518/Constitucion_Politica_del_Peru_1993.pdf

República Federal de Alemania, *Ley fundamental de la República Federal de Alemania*, 2019, https://www.bundestag.de/resource/blob/658022/160ce-346b7f4d14f05fcbf8080a60fc0/flyer_ley_fundamental_pdf-data.pdf

Republic of Poland, *The Constitution of the Republico of Poland*, 1997, https://wipolex.wipo.int/es/text/194980

Ruiz-Rico Ruiz, Gerardo, "El derecho constitucional al medio ambiente". Valencia, Tirant Lo Blanch, 2000.

Soto Kloss, Eduardo, "El derecho fundamental a vivir en un medio ambiente libre de contaminación: su contenido esencial", *Gaceta Jurídica*, n° 151 (1993): 22-27.

Sozzo, Gonzalo, "La naturaleza como objeto constitucional: o ¿cómo constitucionalizar la relación con la Naturaleza según América del Sur", *Estudios Constitucionales*, número especial (2021-2022): 420-454. DOI: 10.4067/S0718-52002022000300418

Stenssoro, Fernando, "¿Quién está destruyendo la vida en el planeta? La confrontación de los conceptos antropoceno y capitaloceno en el debate ambiental", *Universum* 3 n° 2 (2021): 661-681.

UNEP, *Declaración de Estocolmo*, 1972, http://www.upv.es/contenidos/CAMUNISO/info/U0579218.pdf

Vásquez Márquez, José Ignacio, "Pasado y futuro del medio ambiente como derecho fundamental", *Revista de Derecho Público* 80 (primer semestre, 2014), 143-162.

Jurisprudencia citada

Sentencia de la Corte Suprema, Rol N° 2732-1996, de 19 de marzo de 1997.

Sentencia de la Corte Suprema, Rol N° 55.203-2016, de 16 de marzo de 2017.

Sentencia de la Corte Suprema, Rol N° 34594-2017, de 22 de mayo de 2018.

Sentencia de la Corte Suprema, Rol N° 5588-2019, de 28 de mayo de 2019.

Sentencia del Tribunal Constitucional, Rol N° 183 de 1994.

Sentencia del Tribunal Constitucional, Rol N° 1309 de 2009, de 20 de abril de 2010.

Sentencia del Tribunal Constitucional, Rol N° 2386 de 2012, de 2 de enero de 2013.

Sentencia del Tribunal Constitucional, Rol N° 2643 de 2014, de 27 de enero de 2015.

Sentencia del Tribunal Constitucional, Rol N° 2644 de 2014, de 27 de enero de 2015.

Sentencia del Tribunal Constitucional, Rol N° 2678 de 2014, de 25 de junio de 2015.

Sentencia del Tribunal Constitucional, Rol N° 2693 de 2014, de 13 de octubre de 2015.

Sentencia del Tribunal Constitucional, Rol N° 2884 de 2015, de 26 de julio de 2016.

Sentencia del Tribunal Constitucional, Rol N° 9418 de 2020, de 15 de junio de 2021.

LEONARDIA. UN NUEVO HABITAR. 7 CRITERIOS PROYECTUALES

A 500 años de la muerte de Leonardo Da Vinci[1]

Alejandro Serani
Josefina Antúnez
Trinidad Henríquez
Francisca Díaz
Sebastián Hernández

1. PROEMIO

Lo propio de los cuerpos es estar en un lugar, pero el cuerpo humano está habitado por un espíritu y, por eso, el estar del cuerpo humano en el mundo, es también un habitar.

Y como somos, por naturaleza, seres de cultura, nuestro habitar es siempre el vivir de una comunidad en un espacio.

Entenderemos por habitar un habérselas del ser humano con su entorno y con sus semejantes en orden a un buen vivir.

Cuando percibimos que nuestro vivir no es bueno, emerge a nuestra consciencia la nostalgia de un habitar pasado, que habría sido mejor.

Pero el camino del ser humano es hacia adelante, no hacia atrás. Proyectamos entonces, hacia el futuro, un vivir mejor desde un pasado y un presente.

Se experimenta en nuestros días, "un malestar en la cultura". Nos duele el deseo de un mejor habitar para un vivir mejor.

Este grupo de investigación ha querido hacerse cargo de esta insatisfacción y para ello se ha fijado en la figura inspiradora de Leonardo Da Vinci.

---

[1]   Embajada de Italia y el Instituto Italiano de Cultura. Proyecto de Investigación, Concurso de Investigación: Códice Pacífico 2019.

Hemos querido pensar, imaginar y proyectar una "Leonardia" donde habitar. Leonardia que no es para nosotros un lugar preciso, sino más bien, un modo humano de habitar.

Nuestro proyecto no ha sido la concepción ni el diseño de un espacio concreto y singular, sino el descubrimiento y proposición de un conjunto de criterios, posibles de ser concretados de diversos modos, en distintos tiempos y en múltiples lugares.

2. NO SOMOS LOS PRIMEROS... NI SEREMOS LOS ÚLTIMOS

Basta una mirada somera a la historia para darse cuenta de que, ya muchos otros, han hecho el ejercicio de pensar un lugar y un modo ideal de habitar.

Como una primera aproximación decidimos explorar en Platón, Tomás Moro, Campanella, Leonardo da Vinci y en nuestro país el Proyecto Amereida.

Aunque en la obra de Platón[2] (429-347 a.C.) aparecen mencionadas ciudades "ideales" como la Atlántida (Timeo) y Magnesia (Leyes), el proyecto de Platón acerca del habitar es, antes que nada, un proyecto político (República [mala traducción]).

Es sorprendente que Platón piensa la ciudad (polis) desde una reflexión sobre la justicia.

El origen de la ciudad se puede ver desde la necesidad de cooperación de talentos y vocaciones diversas (República) o también desde la existencia de una suerte de instinto social (Leyes). El discípulo de Platón, Aristóteles (384-322 a.C.)[3] (Política), amplía esta mirada afirmando que la ciudad se constituye en vistas del bien humano (tó kalon). Y ese bien, podríamos decir, se realiza en la justicia.

En esta misma línea, 8 siglos más tarde, Agustín de Hipona (354-430) avanza un paso afirmando que, más allá de la justicia, la ciudad se funda en el amor: "Dos amores construyeron dos ciudades: el amor

---

2   Platón. República. Buenos Aires: Editorial Universitaria, 1970.
3   Aristóteles. La Política (Santiago: Ercilla, 1980).

de Dios hasta el desprecio de uno mismo, la ciudad de Dios; el amor de uno mismo hasta el desprecio de Dios, la ciudad terrena". (Ciudad de Dios). Idea agustiniana que es retomada en nuestros días por Benedicto XVI: "La 'ciudad del hombre' no se promueve sólo con relaciones de derechos y deberes sino, antes y más aún, con relaciones de gratuidad, de misericordia y de comunión" *(Caritas in Veritate 6).*

Fig.1: Arquitectura ciudad abierta, en busca de una identidad propia del lugar. A través de la mimesis con el entorno y materiales de la zona[4]

Leonardo Da Vinci (1452-1519), más orientado a los condicionamientos concretos, se enfoca, entre otros aspectos, en dos temas de inmensa importancia actual: el agua y el transporte. En Florencia, por ejemplo, propone la desviación del río Arno, y en Milán se ocupa del conflicto que ya se vislumbra entre peatones y vehículos. En el río, para Leonardo, parecen converger la satisfacción de necesidades básicas (bebida e higiene), con aspectos de transporte y de ornato.

---

[4]   Figura 1: Miguel Eyquem: "En la Ciudad Abierta de Ritoque estamos descubriendo quiénes somos", 29 mayo 2019, https://www.plataformaarquitectura.cl/cl/916873/miguel-eyquem-en-la-ciudad-abierta-de-ritoque-estamos-descubriendo-quienes-somos

Desde una perspectiva más estructural Tomás Moro (1478-1535), casi contemporáneo de Leonardo, acuña la expresión "utopía" para referirse a un proyecto político ideal que atiende no sólo al trabajo útil, sino también al ocio necesario para la educación del espíritu[5].

Campanella (1568-1639) en su *"Civitas Solis"* (ciudad del sol), publicada en 1602[6], marca un hito con su ecléctica ciudad, en la hipotética isla de Taprobana, donde propone una ciudad híbrida que congrega elementos astrales, platónicos, místicos, con no pocos elementos de planificación tecnológica. Estos últimos elementos lo acercan al tecnocratismo racionalista moderno que anuncian la *"Brave New World"* de Huxley y los gobiernos totalitarios dirigidos por 'iluminados'.

En nuestro país surgieron dos desarrollos teóricos notables en la línea de lo que se ha llamado el "urbanismo utópico": el proyecto de ciudades lineales de Carvajal y el proyecto "Amereida" de la Escuela de Arquitectura de la Universidad Católica de Valparaíso.

Carlos Carvajal Miranda (1872-1950) propone unir conglomerados urbanos con ciudades lineales en las que siguiendo la propuesta línea lista de Soria concibe "para cada familia una casa, en cada casa una huerta y un jardín" en orden a vivir de modo "sano, alegre y perfecto". Para ello, las calles y avenidas debían permitir el crecimiento de árboles por el frontis y el establecimiento de huertos por detrás, donde pudiesen convivir ricos y pobres.

Amereida, liderado por el arquitecto Alberto Cruz (1917-2013) y el filósofo y poeta Godofredo Iommi (1917-2001) lleva a cabo un verdadero programa de investigación que condujo, entre otras realizaciones, a la ciudad abierta de Ritoque. Los integrantes de Amereida buscan asumir la identidad "nuestro-americana" diseñando a partir del clima, geografía, materiales y cultura; en orden a revalorizar la identidad concreta de cada lugar.

En esta misma línea destaca, también, el muy reciente "Plan para Chile", en tres tomos, de Raúl Irarrázabal; donde desarrolla una arquitectura orientada hacia la luz y sugiere el establecimiento y construcción de una nueva capital para Chile en las cercanías de Concepción[7].

[5]   Tomás Moro, Utopía (Santiago, Chile: Olimpo, 2001), 48.
[6]   Campanella, Tommaso. La ciudad del sol. (Editorial Abraxas, 2005).
[7]   Raúl Irarrázabal C., Plan para-Chile. (Santiago: Ediciones UC, 2017).

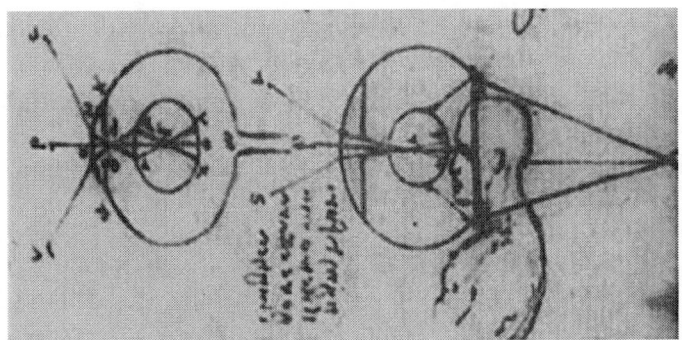

Fig. 2: "Somos, en buena medida, lo que son nuestros proyectos."
Boceto de Leonardo da Vinci en *Codex D,* folio 3[8].

PRIMERA INSTANCIA REFLEXIVA

Como seres corpóreos existimos en un lugar *(topos)*, con el que nos relacionamos y en el que convivimos (hogar, hábitat, tribu, aldea, polis). Es en esos lugares donde vivimos, crecemos y existimos. En ellos se configura nuestro arraigo, nuestra pertenencia, nuestra identidad.

Nuestro hogar, nuestra casa, nuestra tierra, nuestra patria fueron testigos de nuestro surgir a la humanidad, desde un estado primigenio concebido como inconsciencia o inocencia, y en el que se asume que existía protección, seguridad, cobijo.

La vida adulta ha traído, inevitablemente, el sumirnos en el riesgo, la inseguridad, el temor, pero también en la novedad, la expectativa, la alegría y el gozo. Como seres temporales que somos, parecemos vivir en un presente entre dos ausencias, la ausencia de un pasado que se idealiza y que se añora, y la ausencia de un futuro que se columbra y que se espera.

Paradojalmente, no podemos pensar el presente que se nos escapa permanentemente de entre las manos, más que en referencia a dos ausencias, lo que ya fue y lo que todavía no es. ["No nos bañamos dos veces en el mismo río." Heráclito de Efeso (540 a 480 a.C.)].

Visualizamos, entonces, un mejor habitar (*to kalós*), desde la valoración de lo conocido, pero perdido, en contraste con lo ignoto, pero posible.

---

[8]   Figura 2: Boceto de Leonardo da Vinci en Codex D, folio 3. 2 p.6 https://1library.co/document/wq2116ey-materiales-lentes-de-contacto-i.html

El proyectarse entonces forma parte de nuestra identidad. **Somos, en buena medida, lo que son nuestros proyectos.**

Aristóteles que estudió el ser y el devenir, sugiere estudiar todo proceso desde una cuádruple vertiente comprensiva: Su "qué" (formalidad), su "en qué" (materialidad), su "desde dónde" (eficiencia) y su "hacia dónde" o "para qué" (finalidad). Al pensar el habitar futuro, la casa común, el objeto de nuestras cavilaciones y esperanzas; cada ser humano enfatiza alguno de esos cuatro aspectos: su "qué", su "en qué", su "desde dónde" y su "para qué".

Pero ninguno de estos elementos tiene sentido de manera aislada, todo proceso es sinérgicamente "tetra-causal". Como decían, Athos, Portos, Aramis y D'Artagnan: **"Todos para uno y uno para todos".**

La primera pregunta es entonces: ¿"En qué" estamos hoy? ¿Cuál es el diagnóstico de nuestra situación actual?

Esa pregunta se la hicimos a Arne Naess, Hans Jonas, Van Rensselaer Potter, *Laudato SI'* y también a otros que no quedan aquí registrados.

3. "EN QUÉ" ESTAMOS

Fig. 3: Esquema análisis de desarrollo temporal antrópico
y decrecimiento de la raza humana[9]

Hans Jonas (1903-1993) dice que en nuestra época, por primera vez, el ser humano toma conciencia de que puede destruir su entorno. El descubrimiento de este nuevo poder, trae aparejado un "imperativo de res-

---

[9]   Figura 3: Esquema análisis de desarrollo temporal antrópico y decrecimiento de la raza humana (s.f.).

ponsabilidad", que nos impele a la búsqueda de una nueva ética para la edad tecnológica, que él ve comandada por el "principio de precaución".

Van Rensselaer Potter (1911-2001) plantea la necesidad de establecer un puente entre las ciencias naturales y las humanidades en orden a poder enfrentar el desafío de la sobrevivencia futura. Él está en el origen de una Bioética que desgraciadamente caerá en las garras de la visión procedural y del normativismo burocrático y relativista (opinión nuestra). Si su hija (la bioética) no prosperó en la dirección que él apuntaba, al menos su llamado sigue vigente.

El destacado filósofo noruego Arne Naess (1912-2009), fuertemente influenciado por la lectura del libro de la bióloga marina Rachel Carson (1907-1964), "Primavera silenciosa", desarrolla una Ecología con bases filosóficas profundas, sin caer en los extremos de visiones animalistas que después se reclamarán inspiradas en él. Aboga por un respeto de la naturaleza con fundamento racional, científico y filosófico.

"Somos el entorno que habitamos" Crítica un excesivo antropocentrismo: "Piensa como montaña". Conciencia expandida, conscientes del daño que causamos.

El papa Francisco (1936—) sorprende a la humanidad el 24 de mayo de 2015 con su Encíclica "Laudato 'si", en la cual expone con crudeza la situación de destrucción de ambientes naturales y humanos, vinculando estrechamente la suerte del ser humano a la de la naturaleza inanimada, en la senda de Francisco de Asís. La destrucción del ambiente no es sólo física, sino también moral, social y espiritual: "El ambiente humano y el ambiente natural se degradan juntos". Responsabiliza de esta situación,—siguiendo la obra de Romano Guardini—, a una visión tecnocrática y utilitarista del mundo y de las personas. Aboga por infundir de humanidad y de espiritualidad al modo que tenemos de habitar nuestra casa común, e invita a todos a participar en esta magna tarea y a orar por ella.

SEGUNDA INSTANCIA REFLEXIVA

Los minerales, las plantas, los seres vivos… por su dimensión material, son medidos por el tiempo físico como medida extrínseca.

"El tiempo —decía Aristóteles— es el número (medida) del movimiento según el antes y el después"; y como toda medida requiere un sujeto que ejecute la medición: "Sin mente no hay tiempo" (Física).

Lo primariamente real es el movimiento. El tiempo no es movimiento, pero deriva del movimiento; con la participación de una mente que mide y numera.

Los animales, además de ser medidos por el tiempo físico, tienen, también, tiempo psicológico. Por la vista y el tacto su existir transcurre en un espacio perceptual, al interior del cual se desenvuelve la conducta.

El espacio perceptivo o animal se encuentra delimitado por el alcance de los sentidos. Y los sentidos son conocimiento del presente.

Por el oído conocemos una realidad que no es simultánea, como la del espacio visuo-táctil, sino sucesiva como es el movimiento.

La imaginación perceptual retiene imágenes: —la imaginación visuo-táctil retiene imágenes espaciales, —la imaginación auditiva retiene melodías. Hay un espacio perceptivo (visuo-táctil) que es una suerte de conciencia del espacio físico y hay un espacio perceptivo (auditivo) que es una suerte de conciencia del movimiento físico.

La imaginación espacial es conciencia del espacio físico, la imaginación auditiva o melodía es una suerte de conciencia del movimiento.

La melodía se desarrolla en un espacio que es 'sucesivo' y que por lo tanto no es en rigor un espacio. Es más bien duración. La melodía "dura".

El lenguaje hablado es una suerte de música y por ello es una realidad "sucesiva". El lenguaje escrito también es, en cierto sentido, sucesivo. El libro, por ejemplo, está simultáneamente todo ahí, pero debe ser descifrado en un "movimiento" de lectura. Lectura que es sucesiva en un sentido experiencial o temporal. Pero al final la comprensión no es temporal. Se entiende "de una sola vez".

En el animal con inteligencia aparece un nuevo espacio, al que llamamos ahora "realidad actual", y una nueva duración, a la que llamamos "tiempo" o realidad sucesiva. Las categorías de la inteligencia son las del ser y del no-ser. Las de "ser-así" o "ser-de-otra-manera".

Por relación al movimiento lo que ya fue pero "no es", lo llamamos pasado. A lo que "es" actualmente le llamamos presente. A lo que no es, pero que "será", le llamamos futuro.

Sólo para un animal con inteligencia hay pasado, presente y futuro, y por eso los seres humanos no sólo son medidos por el tiempo físico y el tiempo psicológico, sino que vivimos además: "dentro del tiempo". Es por ello que el ser humano es esencialmente "pro-yectivo". **Cada ser humano es en buena medida sus proyectos.**

Dado que en este trabajo hemos asumido el desafío de "pro-yectar-nos". Hemos querido consultar a un grupo de personas conocedoras, experimentadas y sabias, a las que hemos llamado nuestros "Leonardos" de la era presente, para ver cómo ellos se pro-yectan por relación al habitar.

Nuestra hipótesis fue que sólo después de haber hecho este recorrido de consultar al pasado, de diagnosticar el presente, y de proyectarse al futuro (en compañía de nuestros "leonardos"), recién ahí estaríamos en condiciones de poder elaborar lo que hemos llamado "criterios" para el humano habitar.

4. ENTREVISTAS

Se realizaron 3 entrevistas personales y se revisaron otras tantas hechas a otras personas en la literatura.

El primero de nuestro "Leonardo contemporáneos" entrevistados fue **Raúl Irarrázabal Covarrubias**, "Arquitecto de La luz", autor de una de las obras más locas y geniales que en Chile "han visto la luz": "Plan para Chile 1, 2 y 3, Fundamentos de la ciudad y del campo ideales".

Transcribimos en forma libre algunas de las ideas que nos transmitió y que luego hemos aprovechado, también libremente en la elaboración de nuestros criterios.

La luz se conoce por los efectos. No conocemos su esencia, es un misterio. Nos da energía y hay que saber recibirla. Necesidad de una cultura sobre el cómo recibir la luz. Distintos tipos de luz en la casa. Sombras que descansan la luz. Sombras vegetales. Sombras graduadas. Leonardo da Vinci a habría apreciado mucho esto de Chile, piensa Raúl.

Las plazas son admirables porque en ellas se reúne la gente. Se encuentran. Un éxito sería que exista armonía con el medio ambiente. Estudió arquitectura y recorrió tres veces Chile. Un intento de colaborar con la creación. Proteger la capa de ozono. Considerar mucho los jardines y las terrazas. Continuar las obras de unos y otros. Buenas calles, buenas sombras y buenas plazas. Necesidad de estar con otros de saludar. Muy preocupado de la geometría.

Buscar orden a escala humana. Una hoja de un árbol tiene lo justo y nada le falta.

El cuerpo humano igual. Cuidar y respetar. Uno de los países con más agua. Problemas de la carretera hidráulica. A él le gusta. Familia ampliada y casas de patio.

La luz es lo que anima. Que la gente se conozca. El orden es lo más importante. Armonía. Santuario Santa Teresa un pueblo a base de árboles.

"Lo único perfecto es la misericordia". Tener a la naturaleza como ejemplo. Deberíamos plantar más árboles. Estoy contento porque he plantado árboles.

Necesidad de ser hospitalario, acogedor. Respeto. Hay mucha gente sola que necesitan saludarse. Chile ha sido bendecido por su variedad. Que los 18 millones puedan vivir bien. Chile tiene buenas Iglesias.

Conocemos poco a Chile. Cuidar el Océano y a sus recursos. Gracias a la corriente de Humboldt que templa tenemos buenas cosas tenemos buen clima. Proyecto de ciudad flotante en el Océano pacífico. La naturaleza es generosa. La armonía alegra. Estar atentos a la naturaleza. Nos sugiere: "Leonardia de los Andes".

Nuestra segunda "Leonarda" contemporánea, entrevistada, fue **Sandra Accatino Scagliotti,** Doctora en Filosofía con mención en Estética y Teoría del Arte y Licenciada en Artes Plásticas, Universidad de Chile, Profesora de la Universidad Alberto Hurtado.

Leonardo Da Vinci: "Hacer lo que la naturaleza hace en función del hombre". Dejar que la naturaleza haga lo que hace y ponerlo a nuestro servicio. No podemos someter a la naturaleza. Ver lo que la naturaleza ya hace. El agua "accesibilidad" y fuerza. El hombre como modelo del mundo (micro-cosmos).

Observar para comprender las fuerzas de la naturaleza y utilizarlas para que nos sean benéficas. Da Vinci considera la matemática como ordenadora y reguladora. Buscaba a Dios por la Naturaleza.

Da Vinci prioriza la vista sobre los demás sentidos y piensa en el dibujo como método de descubrimiento e invención. Toda la diversidad se construye a través de un orden. Utilizar el potencial de la naturaleza al servicio del orden".

Nuestra tercera "Leonarda" entrevistada fue **Elise Servajean,** Astrónoma. "Le tenemos miedo al cambio inmediato". Podemos salir desde nuestra zona de confort y cambiar. Las prioridades están mal enfocadas. Las decisiones deben ser con mejores fundamentos. En

Chile los científicos brillan por su ausencia en las comisiones que deben tomar decisiones. Concientizar. Hacer eficiente el uso de la luz. La luz hacia abajo en las calles para disminuir la contaminación lumínica de nuestros cielos. Reemplazar la luz artificial (azul) fría por luz cálida. La luz azul de los teléfonos celulares afecta al sistema nervioso.

Menos calefacción. Ejemplo de Alemania con su Arquitectura bioclimática. Exportar por exportar bota plata en exceso de transporte.

Necesitamos hablar y no hacer las cosas a escondidas (Ej, Costanera Norte y Trabajos en el lado sur del Cerro San Cristóbal. Pensamos las cosas a posteriori (El Transantiago, el puente Cau-cau). La diplomacia (para informar y hacer participar) es un trabajo delicado.

La luz de Chile atrae a los observadores. Que aprendamos de nuestros errores. "Parte de la solución es ser consciente"

Aprender de la vida de Leonardo que consumió excesivo tiempo pensando en máquinas de guerra. Cuidar la paz para que las cosas puedan desarrollarse.

Carmen Bambach: Experta en Leonardo Da Vinci. Agradece la buena educación recibida fue, según piensa, el mejor regalo que le dieron. Buscar el ritmo en el arte es fundamental, y hacer las cosas con amor.

Gastón Soublette entrevistado por **Cristián Warnken.**

Piensa que el modelo de civilización surgido de la revolución científica está llegando a saturación, a un callejón sin salida.

El paradigma cultural puramente tecnológico y económico "arrasó con la relación sagrada del hombre con las cosas".

"Hemos creado un mundo donde da lo mismo que Dios exista o no exista. Eso no puede durar mucho tiempo". A los grandes emprendedores no les interesa que los hombres tengan una relación sacra con la tierra y con los recursos, y que exista una relación espiritual entre los seres humanos. No les conviene, la solidaridad no es rentable...

Miguel Laborde entrevistado por **Cristián Warnken** historiador autodidacta, se ha especializado en historia urbana y arquitectónica. "No sabemos habitar nuestras ciudades". "Vivir es... buscar un lugar. Es deambular por el espacio y tratar de encontrar un rincón propio.... Y eso es consustancial al ser humano, es parte del dolor y del misterio de la vida...el tema del habitar, el tema de la ciudad, va mucho más allá de todo, es sinónimo de hacer la vida. Es una experiencia,... plena. Enfrentar el tema de la ciudad es enfrentar el tema de la vida".

"...se nos vino encima esta geografía y no hemos podido todavía posicionarnos. Y posicionarse es algo muy sutil... es muy distinto habitar un país de vinos...a habitar un país como China o Suecia. Es otra manera de caminar, es otra manera de estar en el planeta. Esta sutileza requiere generaciones, siglos de aprendizaje para situarse en la geografía. Claramente hemos estado en una escuela, de una poesía y de una cultura, que tiene los ojos puestos en el paisaje natural y no en el paisaje construido. La ciudad sigue siendo anónima".

"Eso de hacer ciudad no lo tomamos, es un fenómeno que nos resulta casi como un dato de la causa. Tenemos la cordillera, tenemos un océano y tenemos ciudades, pero de manera pasiva. Están ahí y están ahí no más..."

"Carvajal estaba realmente en ese momento haciendo un proyecto de ciudad que respondía a todo. Llegó a proponer una ciudad ruta de Santiago a Puerto Montt, articulada por el ferrocarril. Un poco también dándose cuenta de los fenómenos de transporte, de circulación de productos y de crecimiento orgánico de la población. Pero eso sucede a un nivel que no nos llega, no se materializa. ¡Eso era un proyecto de ciudad!"

"CW—¿Se puede intervenir realmente una ciudad, planificarla desde una voluntad, desde un proyecto, o las ciudades quizás están más cerca de una teoría del caos? ¿Cómo se da esa tensión entre lo "racionalizable" y aquello que es propio de la ciudad, que es el caos?

ML—Creo que esto es un poco como la democracia y el libre mercado, que son direcciones a las cuales se apunta en el entendido de que son una ficción, en torno a la cual, o hacia la cual uno trata de organizar la convivencia."

CW—¿Ha habido algún momento en la historia de Santiago en que se haya producido esa convergencia entre un proyecto, una idea, y ésta haya encarnado en la realidad?

ML—Yo creo que siempre estuvimos en el "casi". Siempre se habla de Vicuña Mackenna, pero lo de él fue un proyecto limitado, acotado. Fue darle forma a un casco casi señorial y aristocrático, no era la ciudad. Al margen de que él estuviera preocupado de viviendas populares, transporte, mercados higiénicos, cementerios y agua potable. Se preocupó de todo, pero como poética urbana no estaba pensando en la ciudad de todos, estaba pensando en la ciudad cristiana y noble.

El centenario casi fue. Con Carvajal estuvo a punto de aprobarse. Desgraciadamente Pedro Montt, que estaba muy entusiasmado, murió y no lo pudo llevar a cabo. Otra vez el "casi". Lo mismo va a pasar en los años treinta, cuando esto se asuma como una tarea de arquitectos, ingenieros y de urbanistas profesionales, hubo respaldo del gobierno y tuvimos urbanistas visitando La Moneda todas las semanas. Y hubo algo que después no va a haber nunca más: un Presidente preocupado de los proyectos de ciudad."

"Yo creo que hay que trabajar con eso, porque ya no es tiempo de estar creando un discurso nuevo. Hay que partir de ahí y hay proyectos muy buenos. El esfuerzo de abrir Antofagasta hacia el mar, Valdivia y Concepción hacia sus ríos; abrir Puerto Montt al mar, abrir Valparaíso al mar, de recuperar los cascos históricos y de ordenar el crecimiento de esas ciudades, me parece muy bien orientado. Desgraciadamente no hay prensa, no hay una discusión pública que vaya haciendo que la gente comparta esos proyectos".

5. CRITERIOS

"Todos para uno y uno para todos".

LUZ

Fig.4: La luz es un misterio, permite ver, pero ella misma no se muestra[10].

---

[10]   Figura 4: La luz es un misterio, permite ver, pero ella misma no se muestra (puesta de sol sobre las montañas y entremedio de los árboles), s.f.

La aprehensión de un espacio visuo-táctil se debe a ella. [Los ciegos deben tener otra aprehensión de su espacio perceptivo. Y al pensar un lugar donde habitar tenemos también que pensar en ellos].

Más allá de la percepción sensible nuestra idea del espacio pensado debe tener resonancias con la luz física. En ese orden de cosas la analogía más natural es la de la luz física con la luz de la inteligencia. La luz de la inteligencia es la que nos permite "ver" la realidad de las cosas, en el "espacio" multidimensional de la inteligibilidad.

Dice Leonardo que **"las cosas naturales son las que dejan las impresiones más definitivas"**. Y tiene razón porque lo natural es el patrón primero de lo real, y nuestra inteligencia está hecha para el ser[11].

El objeto de la vista no es la luz sino los colores. **Debemos dejar paso a la luz para que pueda nacer el color.** La luz artificial es un pobre remedo de la luz natural.

La luz natural engendra vida, da calor y fructifica en colores.

Las cosas reflejan la luz, pero las personas a través de la mirada proyectan su luz interior. La luz interior que no es física porque también un ciego puede ser una persona luminosa... y a veces más...

La luz produce vida y también la ordena a través de sus ciclos: día/noche, verano/invierno. No debemos meter mano en esos ciclos, debemos conocerlos, respetarlos y amarlos.

Entre la luz y los seres vivos se establece un diálogo.

Hay muchas y variadas intensidades de luz, y cada cosa cuenta con su propia luminosidad. No habría sombra sin luz, y también hay diversos tipos de sombra.

"Luz de luz" es uno de los nombres del Dios cristiano y Lucifer antes de su caída era "portador de luz". De portador de Luz pasa a ser "Príncipe de las tinieblas".

En este orden metafísico luz y ser se identifican. "Hágase la luz" [*Fiatlux*] es una expresión de la creación del mundo.

Acoger la luz es recibir el ser. El exceso de luz quema y enceguece. Debemos conocer la Luz para que podamos servirnos de ella de modo respetuoso e inteligente. Cf. Leonardo.

---

[11]   Vittorio Di Girólamo, Leonardo, Lui.[documental] Santiago, Chile: D D Producciones, 2008.

Luz y energía están asociadas. La luz como "capacidad de trabajo" es esencial para la vida de los grandes conglomerados urbanos.

Dejemos que nuestras ciudades y nuestras casas reciban la luz. Qué valor en la luz, que respetan la luz, y que se sirvan de ella de un modo inteligente y respetuoso. Que la luz de la inteligencia brille en nuestras ciudades, y que se encienda en ella es el fuego del amor.

AGUA

Fig.5: El agua es vida. El agua es vital. Sin agua no hay ciudad[12].

Pero el agua es más que satisfacción pura de una necesidad, que no es menor. El agua es también higiene y salud. El agua es también fuerza y capacidad de trabajo…y potencia de inundación y destrucción.

No nos cansamos de mirar el agua; "agua que no has de beber, déjala correr", reza el adagio. El agua física limpia nuestro cuerpo, y el agua contemplada refresca nuestra imaginación, purifica nuestras emociones, aclara nuestros pensamientos. Necesitamos mirar el agua correr. No debemos esconder el paso del agua por nuestras ciudades. La Atenas moderna que pavimentó el Ilissos, —donde Sócrates y Fedro conversaban—, está ahora en vías de desenterrarlo…

El agua ha sido también vía de transporte. Navegación utilitaria o navegación por placer… o el placer de navegar.

---

12   Figura 5: El agua es vida. El agua es vital. Sin agua no hay ciudad (río que fluye en medio de la civilización) s.f.

Leonardo se presentó al Duque de Milán como "maestro de aguas".

En definitiva, fuente de vida, de salud, de prosperidad, de placer y de belleza [El vestido imita los flujos del agua nos sugiere Da Vinci]

El mar… que poco miramos y qué poco conocemos nuestro mar…

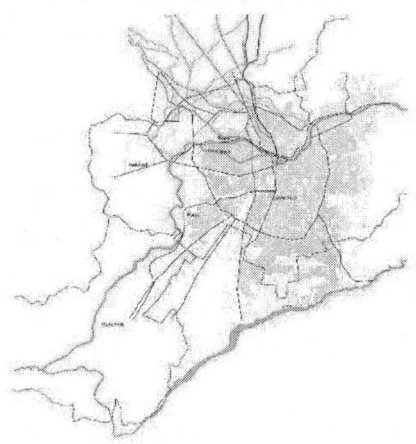

Fig.6: Mapa fluvial y vial de Santiago de Chile. Elaboración personal.[13]

CAMINABILIDAD

Fig.7: Distancias "de a pie" todo permanece conectado. La calle se transforma en "un espacio vibrante" y cada calle tiene su propio encanto[14].

---

[13]   Figura 6: Mapa fluvial y vial de Santiago de Chile. s.f.
[14]   Figura 7: Distancias "de a pie" todo permanece conectado. La calle se transforma en "un espacio vibrante" y cada calle tiene su propio encanto. (personas caminando en medio de la ciudad), s.f.

El ser humano es un animal bípedo. El cuadrúpedo mira hacia el suelo, el bípedo mira hacia adelante para contemplar. La bipedestación es el modo propio de desplazarse de un ser inteligente.

Pero caminar no es sólo mover las piernas. Caminar es nuestro modo connatural de desplazarnos. Es a esa velocidad como las cosas se ven mejor, se oyen mejor, se huelen, se tocan. También los que se ven impedidos de caminar pueden desplazarse a la velocidad del caminar.

Dos personas que se cruzan caminando se pueden saludar. Ni siquiera la bicicleta y el monopatín dan para eso. Es más fácil detenerse cuando uno camina. Caminando hay menos accidentes y más salud.

Caminar favorece el encuentro y las relaciones humanas que son la base y la finalidad del vivir. Si no se vive para eso ¿se vive para qué? Al caminar uno no solo ve, sino que también es visto, observan Da Vinci y Gaudí. Caminar es entonces un acto con profunda dimensión social.

El rico y el pobre se cruzan cuando caminan. El avión del rico no se cruza con la bicicleta del pobre.

Al caminar se perciben mejor los cambios de clima, de follaje, de colores.

El arte en la ciudad está pensado principalmente para los que caminan. Los que no caminan se lo pierden… y se pierden. El arte en la ciudad es un gozo y muchas veces un consuelo.

Todas las cosas importantes se hacen caminando. En un funeral, cuando los novios entran a la iglesia, en una fiesta, a una reunión de negocios, se ingresa caminando. El caminar permite mirarse y permite también evitarse para no invadir el espacio del otro.

El caminar es un espacio privilegiado para reflexionar. Se deja de atender a una cosa, se despeja la mente y se prepara uno para atender a la otra.

A distancias "de a pie" todo permanece conectado. La calle se transforma en "un espacio vibrante" y cada calle tiene su propio encanto: "había vida en la calle". Hay calles arboladas, adoquinadas, bulliciosas, silenciosas, alegres, tristes, deprimentes…

Leonardo había pensado que los desechos y lo utilitario debía realizarse en un nivel subterráneo. Hoy en día somos los seres humanos los que transitamos por debajo y lo utilitario funciona por arriba. Es como si andando en los túneles subterráneos, —como las ratas—, no quisiéramos mirar nuestra ciudad a la luz. Le hemos entregado la superficie a los que roen nuestras almas... Por eso a la menor posibilidad, los que pueden, abandonan la ciudad... en auto.

VEGETACIÓN

Fig. 8: "Somos el entorno que habitamos", Arne Naess (1912-2009)[15].

Los humanos somos vivientes heterótrofos y como tales dependemos del mundo vegetal, que tiene por tarea encapsular la luz en alimentos. Nuestra relación con lo vegetal es íntima.

Pero el mundo vegetal no sólo nos nutre. También nos protege, nos cobija, nos reconforta, nos admira, nos acompaña y nos provee de materiales. El mundo vegetal también tiene su ritmo, con el cual nos mide, nos regula y nos contiene.

De la interacción entre la luz y la vegetación surge la sombra. Existen tantos tipos de sombra como hay tipos de árboles. Pero además de árboles hay hierbas, hongos, helechos, arbustos, flores, hiedras y toda una infinidad de vegetales macroscópicos y microscópicos. Por lo pronto, la extensa cubierta oceánica de fitoplancton produce más oxígeno que todos los bosques terrestres reunidos.

---

[15]   Figura 8: "Somos el entorno que habitamos", Arne Naess (1912-2009). Un automóvil se desplaza en la avenida rodeada de una arbolada.

Los jardines, las plazas, los parques y bosques no son elementos "decorativos". El mundo vegetal, no es sólo una necesidad para el cuerpo. Nuestra interacción con él es para nosotros una necesidad psicológica y espiritual.

GEOGRAFÍA

Fig. 9: Geografía[16].

Todo habitar se da en un entorno físico que puede ser la llanura, el valle o la montaña, o la costa marina, y este habitar involucra diversas latitudes, el trópico, el desierto cálido, la zona templada o la pampa patagónica. El entorno en que se vive no es indiferente para la vida que en él se realice.

Cada entorno provee de materiales específicos con los cuales se interactúa y con los que se construye. Aprender a construir con los materiales que se tienen a la mano y que sintonizan con su entorno es prueba de sabiduría. El ser humano disfruta cuando comprueba que en su entorno se hacen cosas inteligentes, que estimulan a su vez a la propia inteligencia.

---

[16]   Figura 9: Geografía (Imágenes mezcladas de ríos, montañas y bosques).

Conocer la propia geografía y familiarizarse con ella permite vivir mejor.

IDENTIDAD

Fig. 10: Identidad[17].

Si es cierto que el agua, la luz, la vegetación, la geografía proveen al habitar su temperamento y su carácter, la identidad personal es, sin embargo, obra de libertad.

Hay ciudades con más o con menos personalidad, y otras con personalidades muy distintas. Las ciudades son fruto de la actividad libre de personas que han ido configurando sus ciudades al mismo tiempo que han ido creando sus costumbres, sus tradiciones, sus símbolos, sus ritos y sus instituciones. De ese modo sus construcciones reflejan sus costumbres y las favorecen. Hay ciudades de museos, de iglesias, de librerías, de bares, de restaurantes, de clubes, de playas o de cafés. Y no son lo mismo unas y otras.

Hay ciudades que concentran y otras que distraen. Unas que alegran y otras que entristecen. Cada habitar debe encontrar su propia personalidad. Las ciudades que se forjan por una superposición heteróclita de hitos y de ritos prestados, mal ensamblados entre sí. Cuesta encontrar en esos sitios cuál es su personalidad propia o su identidad. La existencia y la proliferación de espacios de encuentro, como

---

[17]   Figura 10: identidad (ciudad y ruralidad entremezcladas).

ágoras, teatros y plazas, favorece el surgir de una identidad y de una personalidad propia.

Lo contrario a esto son las ciudades que segregan, que generan guetos, por ejemplo, de ricos o de pobres, de extranjeros y de criollos.

ARMONÍA

En el orden filosófico la belleza es como la síntesis y plenitud de todos los trascendentales. Ser, Alteridad, Unidad, Verdad y Bondad, en síntesis armónica, realizan la Belleza.

Lo armónico es, lo proporcionado, es decir aquello donde se da la relación adecuada de cosas desiguales, unas cosas con otras. Donde se realiza la perfección, es decir, aquello donde no sobra ni falta nada. Donde se responde real y verdaderamente a los desafíos que exige la vida en común. Donde todo ello se ordena al máximo y bien de las personas.

Lo armónico supone saber instalar jerarquías y límites. Imponer orden, que no es otra cosa que ordenar lo múltiple a lo uno en función de sabios principios unificadores.

La armonía exige disposiciones favorables y firmes desde los sujetos que conforman la unidad. Sin racionalidad, sin benevolencia, sin confianza mutua no hay modo de generar lugares habitables que sean armónicos, que inviten a la armonía cuando no está y que la mantengan y la conforten cuando la tienen.

La armonía supone no sólo relaciones armónicas entre las personas sino también de las personas con su entorno físico y geográfico.

La armonía no es monótona y no excluye por lo tanto un habitar articulado, que no es lo mismo que un habitar fracturado. La existencia de sectores comerciales o sectores industriales no necesariamente segrega o disgrega, pero ciertamente que plantea una exigencia, desafío o dificultad de unidad que se hace necesario enfrentar.

6. UN EJERCICIO DE APLICACIÓN: "LEONARDIA DE LOS ANDES"

Fig. 11: Leonardia de los Andes[18].

Al comenzar nuestro periplo, en búsqueda de un mejor habitar, inspirados y animados por la figura de Leonardo Da Vinci, nos propusimos una meta altamente ambiciosa: Llegar a desarrollar un grupo acotado de criterios que fuesen aplicables, —en principio—, a todo habitar humano, en cualquier tiempo y en cualquier lugar.

Pero como una manera de poner a prueba la verosimilitud de nuestros criterios, nos propusimos también, desde el principio, el obligarnos a realizar propuestas concretas en un lugar concreto. Con toda naturalidad, apareció tempranamente que este lugar de verificación sería la ciudad de Santiago de Chile, en la que nosotros habitamos de modo principal.

El modo más práctico de llevar a cabo esto fue siguiendo cada uno de los criterios que en el acápite anterior hemos elencado y esquemáticamente desarrollado.

A esta ciudad, idealmente transformada la hemos llamado Leonardia de los Andes.

---

[18]   Figura 11: Leonardia de los Andes (imagen sobre puesta de los caminos, sobre paisaje natural bosques y montañas).

Leonardia de los Andes está situada en el centro de un país que es conocido por la calidad de su luz. Algunos vienen a buscar luz a Chile para mirar en la inmensidad de los espacios a la multitud de los astros. Otros vienen a Chile a buscar la luz para transformarla en energía. Otros vienen a Chile en búsqueda de la luz de un mejor porvenir.

Leonardia de los Andes y la luz

Los habitantes de esta ciudad hemos tomado conciencia que nuestra ciudad es algo gris. Hay un aire gris suspendido, casi permanentemente sobre nuestras cabezas que atenta contra el paso de la luz. En parte debido a ello, y en parte no, predomina en las murallas de nuestras casas un cierto tono gris. Quizá esto se debe a que hemos imitado murallas, casas y edificios de otros países que no tienen tanta luz. Si nos comparamos con otros países "nuestro americanos" (al decir de José Martí) nos encontramos con que nuestra vestimenta es también un poco gris.

Es cierto que ya no hay en nuestras calles y plazas suficientes mariposas. Hay que invitarlas a venir. Y también a las aves e insectos. Nos referimos por ejemplo a las loicas, jilgueros, picaflores, chiruguas, raras y codornices que colorean nuestros jardines, y también a las madres de la culebra y a las cuncunas.

Algunos arquitectos se han dado cuenta de esto y han hecho un Convento benedictino en la zona oriente de Santiago que es una oda a la luz. Algo parecido es posible encontrar en los Edificios de una Universidad inserta en las alturas de Peñalolén. Quizá debiese haber todos los años en Leonardia de los Andes un premio de arquitectura que galardone a quién rinde tributo a la luz. "Premio luz de arquitectura y urbanismo", se podría llamar.

Esta ciudad tiene todo para transformarse en un foco de arquitectura bioclimática que reduzca drásticamente el consumo de gas y de petróleo, que alimenta la nube gris sobre nuestras cabezas e inyecta aire gris por nuestros bronquios en dirección a los alvéolos pulmonares. Todo eso haría que nuestra sangre estuviese más roja gracias al aumento de oxígeno y la disminución del anhídrido carbónico y de la carboxi-hemoglobina. La hemoglobina y la clorofila de los vegetales son moléculas hermanas, y son dignas de ser estudiadas y valoradas. Una genera oxígeno a partir de la luz y la otra lo atrapa, lo transporta y lo entrega.

Sería bueno no construir muchos edificios altos porque ocultan la luz y no la dejan circular bien. Además, producen una sombra monótona, que no es como la que producen las hojas del Pimiento, del Espino, del Algarrobo, del Sauce o del Jacarandá.

Quizá así se resolvería un problema nuestro que es que tenemos mucha luz pero no vemos. No vemos las aves, los insectos, los animalitos, los árboles y las esculturas y casa hermosas que existen en nuestra ciudad.

Leonardia de los Andes y el agua

Leonardia está recorrida por una red de vasos arteriales, venosos y linfáticos que irrigan toda la ciudad. Tenemos un río principal con varios afluentes, algunos canales principales y un complejo entramado capilar de cursos de agua que la recorren en un recorrido significativo de kilómetros que al parecer todavía nadie ha intentado medir. (Ver ilustración). Algunos de esos canales datan del tiempo de los Incas, como el de la Pirámide que irriga el sector del antiguo cacique Huechuraba. Y otros como el canal del Carmen, que procede del Canal San Carlos, emerge por un sifón que cruza bajo el río Mapocho, perfora el Cerro San Cristóbal y genera un salto que da origen al nombre de un barrio al poniente del cerro. Esas aguas proceden del río Maipo y recorren más de 50 kilómetros atravesando Santiago en sentido nor-poniente.

Estos cursos de agua han sido meticulosamente invisibilizados en buena parte de sus recorridos. Con alta probabilidad los leonardianos de los andes comenzarán prontamente a redescubrir esta red capilar de aguas y velarán por ponerla en valor.

Sólo sobre el Mapocho existen del orden de 40 puentes, los que bien concebidos podrían transformarse en otros tantos miradores.

El río Mapocho y su cauce constituyen uno de los potenciales urbanísticos más grandes que tiene la ciudad, y nos encontramos sólo en los albores de su recuperación y puesta en relieve, para lo cual se han realizado ya grandes pasos. El mayor de ellos el impedir que siguiese siendo usado como cloaca a tajo abierto. La planta purificadora de aguas de Maipú vino a paliar en altísima medida esta deplorable situación.

El zanjón de la aguada es también otro de esos transcursos de agua con gran proyección.

Todas estas aguas proceden casi en su totalidad de los grandes glaciares que coronan la cordillera de los Andes en el entorno de la región metropolitana. Los leonardianos desconocen casi completamente sus glaciares, sus características, su extensión, sus nombres y su belleza. La destrucción de algunos de ellos los ha hecho tomar conciencia últimamente de la importancia, belleza y trascendencia de sus glaciares.

Leonardia de los Andes y el caminar

Si es claro que el caminar bajo tierra por galerías artificiales no es connatural al ser humano, el tren subterráneo de Leonardia ha favorecido el que muchas personas vuelvan a caminar. Con esto se disminuye además la emisión de aire gris en nuestra atmósfera.

En el país mueren 1500 personas al año en accidentes de tránsito, de las cuales un tercio son por atropello, esto es aproximadamente 2 personas al día. En Leonardia muere por accidente una persona al día. Si se camina más habrá menos necesidad de proyectiles tripulados con ruedas en las calles. Es bueno que los leonardianos propongan más y mejores soluciones para avanzar hacia una Leonardia caminable.

De los 40 puentes que hay sobre el río Mapocho sólo uno es exclusivamente peatonal y pasar por él es una experiencia deliciosa. Tanto que los enamorados lo han llenado de promesas de fidelidad, simbolizadas por candados. Leonardo propuso un puente en que los carros iban por abajo y los peatones por arriba. No es una mala proposición.

En Leonardia, la seguridad del peatón debe ser la primera prioridad. A Leonardo da Vinci le preocupaba el problema y por eso ideó una solución: que los carros circularan por abajo y los peatones por veredas en un piso superior. Al parecer, hasta el momento, sólo una ciudad en el mundo ha implementado esto, con buenos resultados.

Se espera prontamente que se desarrollen en nuestro planeta proyectiles con ruedas, no contaminantes y no tripulados que circulen por vías seguras para el peatón. Estos vehículos podrían ser de uso gratuito o de costo muy reducido lo que sería muy bueno para los que tienen menos recursos económicos. Se contribuiría así al bienestar y a la alegría de los ciudadanos. Con personas alegres todo funciona mejor y de modo más barato.

Leonardia de los Andes y la vegetación

Solo recientemente los leonardianos de los Andes están comenzando a tomar conciencia de la necesidad de diseñar jardines y parques más sintónicos con el entorno vegetal y climático de nuestro valle. Esto disminuirá el consumo de agua y permitirá que las aves autóctonas vuelvan a la ciudad ya que encontrarán las semillas que ellas necesitan para su alimentación. En las áreas vegetales no todo tiene que ser necesariamente verde. Se les podría llamar a ellos "jardines inteligentes", porque exigen de los que los diseñan el ejercicio de la capacidad de pensar. Se le ha puesto a algunos edificios el apelativo de inteligentes, lo que es un insulto a la inteligencia.

Las máquinas ejecutan acciones repetitivas y pre-programadas que es justamente lo opuesto a la actividad propia del ser inteligente, que es libre y responsable.

A los árboles se los asocia con la sabiduría, probablemente porque al igual que ellas son lentas para crecer. Además, son bellos y beneficiosos, al igual que la sabiduría. Los leonardianos somos característicamente arborícolas y nos sentimos bien bajo la sombra de los árboles. Sean *éstos exógenos como los sauces, álamos, plátanos, encinos o jacarandás, o sean* estos autóctonos como los maitenes, espinos, quillayes, peumos, canelos, litres, molles o bellotos. Hubo épocas en que casi se nos olvidó que existe una flora autóctona que aunque no crece tan rápido, entrega a la larga muchas más satisfacciones. No sólo a los seres humanos sino también a las aves e insectos que están acostumbrados a convivir con ellos.

También los leonardianos conocen cada vez más y disfrutan de las flores como los agapantos, los dedales de oro y las alstroemerias. Y en cuanto pueden las ponen en sus jardines o en sus ventanas. Insuperable es, por ejemplo, la belleza veraniega de la patagua florida.

Las plazas, plazoletas, antejardines son lugares de belleza, de reposo y de encuentro, y son muy apreciados por los leonardianos.

Leonardia de los Andes cuenta además con muchos cerros que se prestan para ser cuidados y disfrutados. El cerro Blanco, el cerro de Chena, el cerro de Renca, el cerro Calán, el cerro Alvarado, por ejemplo, y muchos otros, que se encuentran todavía muy desaprovechados. Pocas capitales en el mundo tienen ese privilegio. Nuestros hermanos bonaerenses, por ejemplo, nos envidian sanamente por ello.

Leonardia de los Andes y la geografía

Geográficamente Leonardia de los Andes es un lugar privilegiado. Toda Leonardia no es sino un anfiteatro que tiene por escenario principal la Cordillera de Los Andes, de ahí su nombre. En ella destaca por su imponente belleza el Cerro el Plomo. No en vano fue elegido este cerro como lugar de sacrificios humanos por nuestros ancestros. Para ellos el carácter sagrado de ese cerro era innegable.

Si es cierto que la contemplación de la belleza relativa conduce a vislumbrar lo que puede ser la belleza absoluta, mientras más bella es la belleza relativa, más alta es la idea que nos podemos hacer del absoluto.

Ocultar la contemplación de la Cordillera de los Andes debiese ser en Leonardia de los Andes un pecado, y favorecerla una virtud. "No se enciende una lámpara para ponerla bajo el celemín" dice la Sabiduría. Y si giramos nuestra mirada en 180° tendremos casi todas las tardes despejadas el espectáculo soberbio de los arreboles... cuya contemplación tampoco se debería estorbar.

La teluria del valle proveyó generosamente a sus primeros habitantes, la greda para sus adobes y tejas, la piedra redonda para sus fundaciones y muros, la madera para la carpintería de la techumbre, muebles, puertas y ventanas. Y eso fue lo que produjo los rasgos característicos de nuestra arquitectura tradicional. Hoy la arquitectura moderna intenta suplir a duras penas, —a fuerza de plástico y metal—, lo que nuestros abuelos hacían eficaz y acogedoramente con materiales a los que con razón se los denomina "nobles". Una arquitectura noble, sabia e inteligente, tiene todavía mucho espacio para beneficiarse de ellos.

El espectáculo soberbio que nos provee el valle leonardiano despierta en el espíritu el destello de la inmensidad inconmensurable del que nos creó y nos regala tan magnífica belleza.

Leonardia de los Andes y la identidad

La existencia en Leonardia nunca ha sido fácil, y eso se ha visto reflejado en su arquitectura y en el carácter de sus ciudadanos. Leonardia de los Andes se configura en función de los ataques que podía sufrir y que de hecho sufrió. De los terremotos y de las inundaciones.

Quizá la explicación del encierro al que tenemos confinado el Mapocho tenga que ver con su díscolo e impredecible comportamiento.

En Leonardia las cuatro estaciones están bien marcadas y la habitación debe permitir a sus habitantes poder soportar tanto los calores del verano como los fríos del invierno. El adobe y la teja se prestan bien para eso, pero los terremotos no tienen con ellos muchas contemplaciones.

La casa solariega que configuró el centro de Leonardia durante 3 o 4 siglos, parece haber sido una suerte de transposición y adaptación de la casa patronal campesina a la ciudad. La fachada continua, los patios interiores, y las 3 generaciones que solían convivir en ellas pueden haber contribuido al carácter sobrio, familiar e introvertido del leonardiano.

La vida en la Leonardia colonial estaba ritmada e interrumpida por una gran cantidad de fiestas religiosas y civiles, lo que explica nuestra afición a los feriados. El feriado es para el leonardiano tanto o más importante que el día laboral. Más que trabajar le interesa al leonardiano tener claro para qué se trabaja, y en ese orden de cosas, la familia suele ser lo primero.

Los leonardianos somos un pueblo curioso en Sudamérica. Suele acomplejarnos por ejemplos el no ser extrovertidos como los colombianos y venezolanos, el no tener el desplante de argentinos, uruguayos y brasileños, el no tener el gusto y la habilidad manual de peruanos y ecuatorianos. Nos solemos definir más por lo que no somos que por lo que somos. Nos consideramos 'fomes'.

Pero es eso mismo lo que los extranjeros aprecian en nosotros. Nuestro equilibrio. El que no seamos altaneros ni arrogantes. Que no somos incumplidores. Que no incurrimos en grandes excesos. Que bien o mal nuestras instituciones funcionan, y que no vivimos mal.

Leonardia de los Andes no hace alarde de grandes construcciones, pero no por eso las deja de tener: La Iglesia San Francisco, El palacio de La Moneda, El paseo del Santa Lucía, La Catedral, El Edificio Antiguo del Congreso, la casa Colorada, El Mercado Central y nuestras dos estaciones de tren. Nuestros escultores no son pocos ni malos Rebeca Matte, Tótila Albert, Lily Garafulic, Mario Irarrázabal no son Leonardo ni Miguel Ángel, pero cada uno de ellos es un titán. Nuestros poetas, nuestros pintores, nuestros científicos…

Leonardia de los Andes tiene de hecho más identidad de la que creemos tener. Y la tendremos mucho más el día que dejemos de quejarnos y de ignorarnos. El día que dejemos de remedar realizaciones exógenas que las insertamos en nuestra ciudad sin ton ni son. El día que conozcamos más nuestros parques, nuestros árboles, nuestra historia, nuestros arquitectos y sus realizaciones.

Leonardia de los Andes y la armonía

La armonía de un conglomerado de casas solariegas, de adobe, madera y teja, con la vida ritmada en sus patios interiores por el cambio de las estaciones, el sucederse de las generaciones, las frecuentes fiestas civiles y religiosas, y la permanente acechanza de terremotos e inundaciones, que marcó la vida de los leonardianos por más de tres siglos fue paulatinamente cediendo paso a una ciudad distinta y a un distinto modo de vivir.

La llegada cada vez más numerosa de extranjeros, la apertura al intercambio comercial y cultural, los viajes al extranjero y el deseo de imitación fueron transformando el modo de vivir y el modo de ordenar o desordenar la ciudad.

Pero la llegada de lo nuevo no borra lo anterior y la tensión entre lo nuevo y lo viejo (*nova et vetera*) va generando en todas partes de nuestra-américa una síntesis original armónica. Armonía que ya no procede de la simetría sino de una búsqueda, —muchas veces inconsciente—, de encontrar la difícil unidad entre practicidad, técnica, vida comunitaria y belleza.

La casi inexistencia en Leonardia de un identificable "casco antiguo" es signo de nuestra capacidad de acomodo ecléctico y de imitación. Pero ese modo ecléctico y acomodaticio, más allá de sus innegables limitaciones, ha terminado entre nosotros por ser un "modo" y no solo un "aco-modo". Se busca innovar "sin romper mucho", pero igual se rompe, pero se rompe también según una tradición.

La soberbia cordillera de los Andes aunque muchas veces ocultada igual se muestra, y nuestras aguas invisibilizadas y parapetadas igual ahí están. Y la luz, aunque filtrada por una capa variable de aire gris, igual traspasa esos obstáculos y sabe mostrarse y esplender. Y nuestras plazas, aunque escasas, igual están y los leonardianos acuden en multitud a la Quinta Normal, al Parque Forestal, al Cerro San Cristóbal y al Santa Lucía, al Parque Intercomunal, o a la Reserva natural de Río Clarillo o del Arrayán, cada vez que pueden y el esplendor de la luz lo provoca.

Finalmente, nuestra vida es más armónica de lo que creemos, aunque menos de lo que esperamos. Y si no fuese así no seríamos seres humanos, que es un tipo curioso de "animal pro-yectado". Vivimos en el presente, pero con nostalgia del pasado y en espera de un futuro mejor.

Entre dificultades y penurias Leonardia de los Andes va imperceptiblemente madurando. Se hace más consciente de sí misma, de su historia, de su entorno, de su gente, de su agua y de su luz.

7. EPÍLOGO

Casi medio año ha pasado desde que nos embarcamos en esta aventura de contornos imprecisos y de resultados impredecibles. Y debemos hacer un cierre en el momento mismo en que nos parece que no hacemos sino comenzar.

Una aventura entre poética, histórica, geográfica, cultural, arquitectónica, filosófica, botánica, ornitológica, psicológica, sociológica, antropológica y otras cosas más. Lo nuestro ha sido como aplicar un método a un sueño, con resultados mágicos. Sacando tiempo desde dónde no lo teníamos.

De modo más intuitivo que deliberado, y de forma bastante libre, hemos seguido los pasos de los métodos cualitativos en uso en las ciencias sociales. Que no son, por lo demás, sino la codificación, a veces árida o demasiado estrecha, de lo que la mente humana hace en su decurso natural. Los métodos, sin embargo, ayudan porque disciplinan nuestra natural tendencia a la dispersión.

El ánimo poético, filosófico y hasta lúdico que fue surgiendo, nos acerca en el espíritu a ese insólito proyecto chileno de "Amereida".

Nos queda en el alma la sensación de lo inconcluso, pero ¿no fue acaso Leonardo un permanente hacedor de obras inconclusas? Creemos firmemente en la fecundidad de pensamiento que desborda por todas partes los estrechos —aunque inevitables— límites de la concretud.

No sabíamos si íbamos a encontrar los criterios que buscábamos, ni el modo como se nos iban a aparecer. Pensábamos que podían ser

3 o 4 o también 72... Fue para nosotros un descubrimiento y una sorpresa cuando resultaron 7; no lo podíamos creer. Y aunque intentábamos aumentarlos o disminuirlos, ellos resistieron el embate porfiadamente. Nos sentimos en ese momento como poseídos por una fuerza superior. Recordamos a Sócrates en el Fedro que descubre que el amor (eros) es un tipo de manía (el cuarto tipo de las manías que él describe). Es decir, de "posesión desde lo alto". Podríamos decir que el "eros" del proyecto nos atrapó. Porque el eros —dice Platón— es un tipo de "*daimon*", intermedio entre los hombres y los dioses.

Bibliografía

Accatino, Sandra. "Leonardo Da Vinci, 500 años: Lecciones de la mirada". Universidad de los Andes, Santiago de Chile, 02 mayo de 2019.

Aristóteles. *La Política*. Santiago: Ercilla, 1980.

Cámara Chilena de la Construcción CChC, Reorganización Urbana: Desafíos para ciudades asequibles y equitativas. *8ª Conferencia Internacional de Ciudad*, 2019

Campanella, Tommaso. *La ciudad del sol*. Editorial Abraxas, 2005.

Campanella, Tommaso. "Tomasso Campanella". 13 agosto 2019. https://es.wikipedia.org/wiki/Tommaso_Campanella .

Correa, Javier y Victoria Jolly, Amereida: *La invención de un mar*. Ediciones Polígrafa, 2019.

Da Vinci, Leonardo. Fábulas. Gadir, 2011.

Di Girólamo, Vittorio, *Leonardo, Lui.*[documental] Santiago, Chile: D D Producciones, 2008.

Facultad de Arquitectura, Arte y Diseño, *Hacia ciudades caminables*. Seminaria Internacional. Santiago: Universidad Diego Portales, 2019

Irarrázabal C., Raúl. Plan para Chile. Santiago: Ediciones UC, 2017.

Isaacson, Walter, *Leonardo Da Vinci, la biografía*. Penguin Random House Grupo Editorial, 2018.

Jonas, Hans. The *"Imperative of Responsibility" In Search of an Ethics for the Technological Age*. University of Chicago Press, 1984.

Laborde, Miguel. "No sabemos habitar nuestras ciudades; Entrevista a Miguel Laborde por Cristián Warnken" 10 septiembre 2019, http://www.bifurcaciones.cl/002/Laborde.htm .

Mistral, Gabriela. *Recados contando a Chile*. Editorial del Pacífico, 1957.

Moro, Tomás. *Utopía*. Santiago, Chile: Olimpo, 2001, 48

Naess, Arne, *Ecología profunda autorrealización, introducción a la filosofía ecológica de Arne Naess*. Editorial Biblos, 2006.

Osorio, Sergio Nestor, "Van Rensselaer Potter: Una visión revolucionaria para la bioética". *Revista Latinoamericana de Bioética*, n° 8, 2005, 1-24.

Platón. *República*. Buenos Aires: Editorial Universitaria, 1970.

Rensselaer Potter, Van. *Bioethics: Bridge to the Future*. Prentice-Hall, 1971.

Papa Francisco, *Laudato SI': Carta encíclica sobre el cuidado de la casa común*. Palabra, 2015.

Soublette, Gastón. *Sabiduría chilena de tradición oral (refranes)*. Ediciones UC, 2009.

Soublette, Gastón. *Cartas públicas, ideas y reflexiones de Gastón Soublette*. El Mercurio, 2019.

Soublette, Gastón, Marisol Robles, Verónica Veloz, *Sabiduría chilena de tradición oral (cuentos)*. Ediciones UC, 2013.

Speck, Jeff. *Walkable City : How Downtown Can Save America, One Step at a Time*. Farrar, Straus & Giroux, 2012.

Suh, H. Anna. *Leonardo Da Vinci, Cuadernos*. Parragon, 2006.

Valentin, Antonina. *Léonard Da Vinci*. Gallimard ,1950.

Valera, Luca. "La bioética de Potter: la búsqueda de la sabiduría en el origen de la ética y la bioética ambiental". Revista internacional de bioética, deontología y ética médica 28 n°2 (2017), 393-411

Wilches Flórez, Ángela María. "La Propuesta Bioética de Van Rensselaer Potter, cuatro décadas después". *Opción*, 27 n°66 (2011), 70-84.

Zöllner, Frank, *Leonardo da Vinci, obra pictórica completa*. Madrid: Taschen, 2011.

Zöllner, Frank and Johannes Nathan, *Leonardo da Vinci, obra gráfica*. Madrid: Taschen, 2014.

Listado de Figuras (Material fotográfico)

Figura 4: La luz es un misterio, permite ver, pero ella misma no se muestra (puesta de sol sobre las montañas y entremedio de los árboles), s.f.

Figura 5: El agua es vida. El agua es vital. Sin agua no hay ciudad (rio que fluye en medio de la civilización) s.f.

Figura 6: Mapa fluvial y vial de Santiago de Chile s.f.

Figura 7: Distancias "de a pie" todo permanece conectado. La calle se transforma en "un espacio vibrante" y cada calle tiene su propio encanto. (personas caminando en medio de la ciudad), s.f.

Figura 8: Somos el entorno que habitamos", Arne Naess (1912-2009).(un automóvil se desplaza en la avenida rodeada de una arbolada)

Figura 9: Geografía (Imágenes mezcladas de ríos, montañas y bosques)

Figura 10: identidad (ciudad y ruralidad entremezcladas)

Figura 11: Leonardia de los Andes (imagen sobre puesta de los caminos, sobre paisaje natural bosques y montañas)

PLANIFICACIÓN TERRITORIAL EN LA "FALLIDA" NUEVA CONSTITUCIÓN Y LAS DIFERENCIAS CON LA REGULACIÓN CONSTITUCIONAL VIGENTE

Rodrigo Poyanco Bugueño[*]

INTRODUCCIÓN

Mientras la actual Constitución chilena no considera a la planificación territorial como cuestión constitucional, aunque establece numerosas reglas que le resultan aplicables y alude a la función social de la propiedad, la ya rechazada propuesta de nueva Constitución (NC) buscaba regular expresamente esta materia, señalando a las autoridades encargadas y sus competencias, estableciendo importantes reglas de fondo para regular la ordenación territorial y, en la práctica, alterando la relación entre la planificación del territorio y el derecho de propiedad. En este trabajo, trataremos las características generales de esa propuesta constitucional[1], y las eventuales consecuencias que la aprobación de tales disposiciones —en un futuro texto constitucional—, hubiese tenido para el ordenamiento del territorio.

---

[*] Profesor Asociado e Investigador de la Facultad de Derecho de la Universidad Finis Terrae, Chile, y doctor en Derecho por la Universidad de Santiago de Compostela, España. ORCID: https://orcid.org/0000-0001-7767-6760. Correo: rpoyanco@uft.cl

[1] Para ello, utilizaremos el texto oficial presentado el día 4 de julio de 2022 por la Convención Constitucional como versión definitiva.

1. LA PLANIFICACIÓN TERRITORIAL Y EL DERECHO URBANÍSTICO

1.1. El suelo como un bien escaso y la necesidad de regulación

Como señalan algunos autores, las diversas funciones que cumple el suelo en la producción agraria, las instalaciones industriales y comerciales, la vivienda y en general en la calidad de vida de la comunidad, han conducido a los legisladores a regular su uso y división, imponiendo así intensas restricciones a la propiedad. Es por esto por lo que, en un contexto de diversidad de usos sobre el territorio, de una eventual congestión y demanda del mismo para la satisfacción de múltiples necesidades, "el ordenamiento del territorio pareciera jugar un rol fundamental, en la medida que permite organizar y regular las diversas actividades de acuerdo a criterios y prioridades, definiendo *ex ante* los diversos usos y actividades permitidas, y disminuyendo con ello la conflictividad"[2]. De ahí la necesidad de ordenar el uso del territorio mediante reglas de Derecho.

1.2. El Derecho Urbanístico y la planificación territorial

La rama del Derecho que se refiere a esta materia es el Derecho Urbanístico que, de acuerdo con Fernández y Holmes, puede definirse como la rama del Derecho que estudia el conjunto de principios y normas que regulan tanto a la planificación de las ciudades, como el diseño de sus construcciones. Se trata de una rama del Derecho que tiene ligazón no sólo con el Derecho Público —en particular, agregamos nosotros, con el Derecho Administrativo[3] —, sino también con el Derecho Civil, y en particular el derecho de propiedad[4].

---

[2] Daniel Peñailillo Arévalo, *Los Bienes: La Propiedad y otros Derechos Reales*. 4ª ed. (Santiago de Chile: Editorial Jurídica de Chile, 2006),9. Véase también Alejandra Precht, Carola Salamanca y Sonia Reyes, *El ordenamiento territorial de Chile* (Santiago de Chile: Ediciones UC, 2016), 13.

[3] Sobre el "derecho urbanístico" como disciplina autónoma del derecho administrativo, véase Eduardo Cordero Quinzacara, "Naturaleza, contenido y principios del derecho urbanístico chileno", *Revista de derecho (Coquimbo)*, N° 22 (2015): 93-138, *passim*, citado en este trabajo.

[4] Por cierto, en la medida que nuestros ordenamientos jurídicos se complejizan, aparecen cada vez más regulaciones relacionadas con el ordenamiento del terri-

La expresión normativa más concreta del Derecho urbanístico, al menos desde el punto de vista de los derechos y obligaciones de los particulares, es la planificación territorial. Siguiendo a Peñailillo, entenderemos a la planificación territorial como el conjunto de decisiones, instrumentos y normas con las que el Estado regula el uso del suelo ubicado en el territorio nacional[5].

Sin embargo, ni el Derecho Urbanístico, ni la planificación territorial en general —sea urbana o rural —, se encuentran expresamente reguladas en nuestra Constitución vigente, la que tampoco alude al derecho a la vivienda o a una figura de reciente aparición e incluida en el borrador de NC, el "derecho a la ciudad"[6]. Esto no significa, sin embargo, que nuestra actual Constitución Política carezca de normas constitucionales que dicen directa relación con el derecho urbanístico o la planificación territorial. Dicha preceptiva otorga a la planificación territorial características específicas, que determinan que esta verdadera "función pública"[7] se desarrolle con límites claramente establecidos. Atendida la filosofía de nuestra actual Carta fundamental[8], se trata de que, sin descuidar la necesidad de ordenar el territorio

---

torio, como sucede, por ejemplo, con la legislación ambiental —así, por ejemplo, la Evaluación Ambiental Estratégica (EAE): introducida por la ley 20.417—; o la consulta indígena en la formulación de planes territoriales, cuando se cumplan los supuestos que señala el artículo 6. 1 del convenio 169 de la Organización Internacional del Trabajo. Se trata de regulaciones que inciden transversalmente en la formulación de algunos instrumentos de ordenamiento territorial. Véase al respecto Alejandra Precht, Salamanca y Sonia Reyes, *El ordenamiento territorial de Chile.* (Santiago de Chile: Ediciones UC, 2016), 26-27.

5   Otros autores se refieren de forma más amplia al "ordenamiento territorial". Así por ejemplo Cristián Henríquez et al., "La planificación territorial en Chile y el proceso de descentralización." En ¿Para qué descentralizar? Centralismo y políticas públicas en Chile: Análisis y Evaluación por Sectores, ed. Camilo Vial Cossani y José A. Hernández (Santiago de Chile: Universidad Autónoma de Chile, 2017), 182. Salvo indicación expresa en contrario, utilizaremos estas expresiones como sinónimas.

6   Véase en este trabajo, p. 36, *infra.*

7   Cordero, "Naturaleza, contenido y principios...", 118-19.

8   Sobre las tendencias doctrinarias más importantes de la Carta fundamental de 1980 —subsidiariedad del Estado, reconocimiento amplio de los derechos y libertades fundamentales de la persona, etc.—, véase Raúl Bertelsen Repetto, "Tendencias en el reconocimiento y protección constitucional de los derechos en Chile." *Revista Chilena de Derecho* 14, n° 1 (1987), 59.

para lograr el bien común, se respeten, al mismo tiempo, los derechos de los particulares que puedan verse afectados por la planificación territorial y la autonomía de la sociedad frente al Estado. Eso es lo que examinaremos a continuación.

2. LA CONSTITUCIÓN POLÍTICA DE 1980 Y LA PLANIFICACIÓN TERRITORIAL

Numerosas normas constitucionales de la Carta fundamental vigente resultan aplicables a la planificación territorial. Veamos algunas de las más importantes.

2.1. *Las finalidades del Estado: el art. 1° de la Constitución*

Nuestra actual Carta fundamental se caracteriza por la centralidad de la persona humana, incluso en términos literales[9]. Por eso, tal como recuerda Cordero, la Constitución establece directrices generales que guían la actuación del Estado en esta clase de materias, tales como la posición que tiene el Estado frente al ser humano (servicialidad), y el deber estatal de promoción del Bien Común y de integración armónica de todos los sectores de la Nación (artículo 1°)[10]. Se trata de deberes que, según el mencionado académico, impelen a la autoridad a actuar en aquellos casos en que la sociedad no tenga la capacidad de actuar, cuestión que sucede, precisamente, ante la urgencia de enfrentar de forma eficiente, eficaz y oportuna un crecimiento urbano cada vez más creciente, la necesidad de ordenar racionalmente las actividades

---

[9] Los tres primeros incisos del primer artículo de esta Constitución se dedican a la persona, a la familia y a los cuerpos intermedios de la sociedad, respectivamente. Por contraste, el primer artículo del borrador de la NC señala que "Chile *es un Estado* Social y democrático de Derecho. Es plurinacional, intercultural, regional y ecológico" (cursivas nuestras).

[10] Constitución Política de Chile (artículo 1°). Nos estamos refiriendo específicamente al inciso 4°: "El Estado está al servicio de la persona humana y su finalidad es promover el bien común, para lo cual debe contribuir a crear las condiciones sociales que permitan a todos y a cada uno de los integrantes de la comunidad nacional su mayor realización espiritual y material posible, con pleno respeto a los derechos y garantías que esta Constitución establece".

que se realicen sobre el suelo y la imposibilidad de que la sociedad, de forma espontánea, tenga capacidad de enfrentar estos problemas sin la necesidad de la intervención de los órganos públicos[11].

Agreguemos nosotros que, de esta forma, se cumple también la lógica subsidiaria de la Carta fundamental actualmente vigente (art. 1° inc. 3° de la Constitución)[12] .

2.2. La función social de la propiedad

2.2.1. La función social de la propiedad en la doctrina

Hoy en día el Derecho está muy lejos de una aproximación individualista al derecho de propiedad[13]. Peñailillo destaca como principios orientadores en la regulación contemporánea de este derecho, la *equidad en el reparto* y la *equidad en el aprovechamiento*. En relación a la primera, sostiene ese autor, "creados los bienes para servir al hombre, a todos los hombres, con ellos también debe realizarse aquel valor [...] de modo que todos tengamos acceso a ellos, al menos en lo más indispensable para una aceptable calidad de vida". En relación con el segundo de los principios, señala:

> [p]erteneciendo las cosas a dueños privados, éstos deben explotarlas, obtener de ellas beneficio, no simplemente detentarlos por ostentación de poder u otras consideraciones equivalentes, y esa explotación, aprovechando inicialmente al propietario, reporte

---

11   Cordero, "Naturaleza, contenido y principios...", 124-25.

12   A propósito del principio de subsidiariedad, implícito en el inc. 3° del art. 1° de la Constitución, se ha dicho que éste "implica alternativamente, en un sentido, que el Estado no tome a su cargo lo que pueden en buenas condiciones realizar las personas y tos entes colectivos y, a la inversa, la obligación del Estado de proveer a la satisfacción de las necesidades colectivas, en cuanto los particulares no estén en posibilidad de lograrla" Alejandro Silva Bascuñán y María Pía Silva Gallinato. *Tratado de derecho constitucional: La Constitución de 1980: Bases de la institucionalidad, nacionalidad y ciudadanía, justicia electoral.* 12 vols. 4 (Santiago: Editorial Jurídica de Chile, 1997), 51-52.

13   Una síntesis sobre la percepción histórica y sociológica de la importancia del derecho de propiedad en la historia puede verse en Lautaro Ríos Álvarez, "El urbanismo y los principios fundamentales del Derecho Urbanístico" (tesis de doctorado, Universidad Complutense de Madrid, 1985), 311

también beneficios a la comunidad". *Este último principio se ha sintetizado en la bien conocida expresión "función social de la propiedad*[14].

Por su parte, Ríos Álvarez estima que la función social de la propiedad es la capacidad o aptitud que los bienes poseen —según su naturaleza— para satisfacer necesidades propias de la comunidad. A estos requerimientos colectivos debe armonizarse —con carácter de subordinación— el ejercicio de las facultades del dominio (función individual). La función social de la propiedad privada se hace efectiva mediante la activación de ciertas nociones instrumentales, entre las que poseen determinación y carácter más generalizado las de "interés general", "interés o utilidad pública", "interés o utilidad social" e "interés o utilidad nacional". La satisfacción y el rango de estas distintas categorías de intereses públicos justifica la atribución de potestades que las Constituciones otorgan al legislador para imponer restricciones al derecho de propiedad privada o para fundar —en alguna de ellas— la expropiación de ciertos bienes o de determinada categoría de bienes[15].

Sin embargo, la función social de la propiedad no se opone necesariamente a su provecho individual. Como señala nuevamente Ríos, se trata, más bien, de una coordinación de intereses; pero, si ellos entran en conflicto, se concede primacía a la función social[16].

2.2.2. La función social en la Constitución de 1980

El derecho urbanístico constituye, desde luego, una de las manifestaciones más importantes de la función social de la propiedad[17], por lo que resulta de sumo interés entender cómo regula nuestra Consti-

---

[14] Peñailillo, *Los Bienes: La Propiedad...*, 42-43. Destacados nuestros.
[15] Ríos, "El urbanismo y los principios...", 330.
[16] Ríos, "El urbanismo y los principios...", 321-22.
[17] Peñailillo menciona como otras expresiones de la función social de la propiedad, aunque más propias del derecho civil, el derecho de uso inocuo, el derecho de acceso forzoso (o coactivo), y el principio del mal menor. Se trata de "aplicaciones concretas [de este principio] y, por cierto, contribuyen a conferir la verdadera dimensión del derecho de propiedad. Peñailillo, *Los Bienes: La Propiedad...*, 58-59.

tución esa categoría. La Constitución de 1980, que garantiza el derecho de propiedad en sus diversas especies sobre toda clase de bienes corporales e incorporales, reconoce la función social de la propiedad en la misma disposición en la que consagra este derecho, el nro. 24 de su art. 19[18] y la define taxativamente, cuando señala que comprende cuanto exijan "los intereses generales de la nación, la seguridad nacional, la utilidad[19] y salubridad públicas, y la conservación del patrimonio ambiental". Así, como recuerda Cordero, esa Carta fundamental reconoce —como lo ha sostenido también el Tribunal Constitucional—, la existencia de funciones o finalidades no individualistas que restringen una consideración puramente absolutista de la propiedad y de los derechos del propietario sobre la misma. Estas finalidades no individualistas se distinguirían bajo dos categorías diferenciadas en incisos distintos: unas derivan de la función social y dan lugar a limitaciones, mientras que las otras serían por razones de utilidad pública e interés nacional, dando lugar a las privaciones[20]. Así, la función social es el elemento primordial en la configuración del régimen de la propiedad, no solo por su expresa previsión constitucional, sino también por la exigencia que tiene el Estado en orden a garantizar el bien común[21].

---

[18] Específicamente, en su inciso segundo: "Sólo la ley puede establecer el modo de adquirir la propiedad, de usar, gozar y disponer de ella *y las limitaciones y obligaciones que deriven de su función social* [...]" (cursivas nuestras).

[19] Ríos señala que los conceptos de utilidad pública o interés general, como manifestaciones de la función social de la propiedad, se encuentran recogidos no sólo en nuestra Carta fundamental, sino también en la legislación positiva, en la Ley General de Urbanismo y Construcciones, la Ley Orgánica Constitucional de Municipalidades, y otros cuerpos legales Ríos, "El urbanismo y los principios...", 321-22. Véase también al respecto la sentencia rol 146 de nuestro Tribunal Constitucional, sintetizada en José Fernández Richard y Felipe Holmes. *Derecho urbanístico chileno* (Santiago de Chile: Editorial Jurídica de Chile, 2021), 27-29.

[20] Fernández y Holmes estiman que, por regla general, las limitaciones de dominio provenientes del Derecho Urbanístico se producirán en base a la "utilidad pública", ya que implican un beneficio colectivo referido al orden interior de la República. Sólo excepcionalmente algunas limitaciones provendrán de otras causas, como pueden ser la salubridad pública, o la conservación del patrimonio ambiental. Véase Fernández y Holmes, *Derecho urbanístico chileno*, 23-25.

[21] Cordero, "Naturaleza, contenido y principios...", 129-30. Véanse también los considerandos 22° y 25° de la sentencia roles 245-246 del Tribunal Constitucio-

2.3. Límites constitucionales a la planificación urbanística

2.3.1. Los derechos de las personas

Sin embargo, recordemos que la función de una Constitución no es estimular al poder político a ejercer sus facultades, sino limitarlas en beneficio de los derechos y libertades de las personas[22]. Una característica específica de la Constitución de 1980 es que subordina el Estado a la persona, lo cual redunda en una fuerte protección de los derechos individuales en contra de los eventuales abusos del primero. Desde luego, esto resulta particularmente importante en una materia como la planificación territorial, que afecta a numerosos derechos y garantías constitucionales[23]. La relación más importante entre Constitución y derecho urbanístico es, sin embargo, la que se produce por las limitaciones que este último implica para el derecho de propiedad, especialmente protegido por nuestra Carta fundamental, como veremos a continuación. Como advierte Cordero, al momento de enfrentar la regulación en el uso del suelo, primero el legislador y luego las autoridades administrativas, configuran diversos regímenes o estatutos de la propiedad del suelo en razón de su función social, estableciendo

---

nal, citados por el autor.

[22]   "El objetivo primario del Constitucionalismo es la limitación del poder por medio del Derecho, afirmando una esfera de derechos y libertades a favor de los ciudadanos". Pereira Menaut, Antonio-Carlos, *Teoría constitucional y otros escritos* (Santiago de Chile: LexisNexis, 2006), 5

[23]   Fernández y Holmes citan, entre otros, al art. 19 de la Constitución de 1980 en sus numerales 2 (igualdad ante la ley); 3 (la igual protección de la ley en el ejercicio de sus derechos); 8 (el derecho a vivir en un medio ambiente libre de contaminación); 16 (la libertad de trabajo y su protección); 20 (la igual repartición de los tributos en proporción a las rentas o en la progresión o forma que fije la ley; y la igual repartición de las demás cargas públicas); 21 (el derecho a desarrollar cualquiera actividad económica que no sea contraria a la moral; al orden público o a la seguridad nacional; respetando las normas legales que la regulen); 22 (la no discriminación arbitraria en el trato que deben dar el estado y sus organismos en materia económica); 24 (el derecho de propiedad en sus diversas especies sobre toda clase de bienes corporales o incorporales); y 26 (la seguridad de que los preceptos legales que por mandato de la constitución regulen o complementen las garantías que ésta establece o que las limiten en los casos en que ella lo autoriza; no podrán afectar los derechos en su esencia, ni imponer condiciones, tributos o requisitos que impidan su libre ejercicio).

derechos, obligaciones y cargas. A su vez, la ejecución de dichas determinaciones previstas en los instrumentos de planificación se puede expresar en meras limitaciones (normas sobre alturas, regulación de las fachadas y techumbres, etc.), o en verdaderas privaciones respecto de derechos ya adquiridos, como sería bajar las alturas de edificios ya construidos, prohibir un determinado uso del suelo respecto de establecimientos que operan en el sector, transformar inmuebles de propiedad privada en bienes nacionales de uso público (calles, avenidas, plazas, parques, etc.)[24]. Ha de considerarse también la facultad que tiene la autoridad de expropiar para hacer efectivas algunas de las normas de los planos reguladores, tales como avenidas y calles[25].

De ahí la importancia de concordar las facultades de la autoridad en materia de planificación territorial con el estatuto constitucional del derecho de propiedad pues, aun cuando el legislador cumple una función de regulación y de delimitación de dicho estatuto, en la que goza de un amplio margen de discrecionalidad, "esto no significa que pueda desfigurar ni deformar la esencia objetiva del derecho de propiedad, como la forma más intensa de titularidad sobre una cosa"[26]. Por eso es que, en relación con lo que nos interesa, el art. 19 nro. 24 de la Carta fundamental vigente establece que sólo el legislador puede establecer el modo de adquirir la propiedad, usar, gozar y disponer de ella, así como las limitaciones y obligaciones que deriven de su función social. Nadie puede, en caso alguno, ser privado de su propiedad, del bien sobre que recae o de alguno de los atributos o facultades esenciales del dominio[27], sino en virtud de ley general o es-

---

[24]   Cordero, "Naturaleza, contenido y principios...", 129-30.

[25]   Fernández y Holmes, *Derecho urbanístico chileno*, 195-97.

[26]   Cordero, "Naturaleza, contenido y principios...", 128-29.

[27]   Para Peñailillo, la expresión "atributos o facultades esenciales" de la propiedad debe ser aplicada con el contenido que la doctrina civil le atribuye, esto es, el uso, goce y disposición del objeto de dominio. Sin embargo, para efectos constitucionales, estima este autor, a ellas ha de agregarse: la reivindicabilidad, la facultad de administración y el que "formalmente es el más notorio y tipificante de sus caracteres", la exclusividad. Peñailillo, *Los Bienes: La Propiedad...*, 60. Por otro lado, considérese también la sentencia del 13 de noviembre de 1989, R, T. 86, sección 5ª, página 222 —citada por Fernández y Holmes —, de acuerdo a la cual la protección que la constitución otorga el derecho de propiedad es tan amplia que abarca no sólo las facultades que confiere el dominio, tales como el uso, el goce y la disposición, sino que también a sus atributos, para dar a

pecial[28] que autorice la expropiación por causa de utilidad pública o de
interés nacional, calificada por el legislador. Finalmente, el expropiado
podrá reclamar de la legalidad del acto expropiatorio ante los tribunales ordinarios y tendrá siempre derecho a indemnización por el daño
patrimonial efectivamente causado, la que se fijará de común acuerdo o
en sentencia dictada conforme a derecho por dichos tribunales (incisos
primero a tercero de la precitada norma)[29]. Como advierte Peñailillo:

> [J]unto a la *privación total* (expropiación, en su significado tradi-
> cional, en la que es extraída toda la cosa), la regla constitucional
> concibe también la *privación parcial* (que implica expropiación
> parcial); y no se trata de una privación parcial de la cosa, sino
> del *derecho* [...]. Esto significa que el constituyente concibe la ex-
> propiación de una *parte del derecho,* permaneciendo la cosa en
> el patrimonio del expropiado, pero con el derecho cercenado. En
> consecuencia, debe procederse como en toda expropiación, cum-
> pliéndose las exigencias que el texto dispone para ella; destacada-
> mente, por cierto, la indemnización [...]. [Así] pone el derecho a
> resguardo de atentados esenciales que adopten formas de restric-
> ciones manteniendo (formalmente) el dominio en el titular (y que,
> de penetrar, evitarían los reclamos, las diligencias y, sobre todo,
> la indemnización, a que da lugar —sin duda— la expropiación
> integral)[30].

El mismo autor resalta cómo la Constitución autoriza a la ley (y
sólo a la ley) para imponer *restricciones y deberes* —por cierto, aclara
este autor, sin indemnización (como que se imponen con base en la
función social)—, y para *privar* del dominio, integral (expropiación
en su sentido tradicional) o parcialmente (por privación de un atribu-

---

28 entender que cualquiera de ellos que se quebrante implica un atentado contra el
    dominio. Fernández y Holmes, *Derecho urbanístico chileno,* 30.
    Ríos señala que la función social de la propiedad, que también está regulada
    la constitución de 1980, se traduce en conceptos jurídicos que son recogidos
    en la ley General de Urbanismo y Construcciones, la Ley Orgánica Constitu-
    cional de Municipalidades, y otros cuerpos legales. Ríos, "El urbanismo y los
    principios...", 321-22. Véase también al respecto la sentencia rol 146 de nuestro
    Tribunal Constitucional, sintetizada por Fernández y Holmes entre las pp. 27 y
    29 de su obra aquí citada.
29 Constitución Política de Chile (artículo 19 nro. 24).
30 Peñailillo, *Los Bienes: La Propiedad...,* 45. Cursivas en el original.

to o facultad esencial), aquí mediante ley expropiatoria y, por tanto, con la consecuente indemnización. Además, la Constitución vuelve a asegurar que la ley no podrá afectar el derecho de propiedad en su esencia[31]. Por otro lado, la regla según la cual sólo la expropiación es la que puede, de forma constitucionalmente legítima, privar del dominio, o de un acuerdo, a su titular, no admite excepciones, de acuerdo con la frase "en caso alguno"[32].

2.3.2. Segundo límite constitucional: el principio de legalidad

Como señala Cordero, el principio de legalidad constituye uno de los pilares fundamentales de nuestro Derecho público, y en particular del Derecho administrativo, tal como lo prescriben los artículos 6º y 7º de la Constitución, así como el artículo 2º de la Ley Nº 18.575, Orgánica Constitucional de Bases Generales de la Administración. Por tal razón, se reconoce su plena aplicación en el ámbito del Derecho Urbanístico. Siguiendo al mismo autor, ese principio de legalidad encuentra manifestaciones, por ejemplo, en los órganos que conforman la denominada "Administración Urbanística", ya que solo pueden ser creados por ley, tal como lo establece el artículo 64 inc. 4º nº 2 de la Constitución. Así nos encontramos con las entidades que están llamadas a formular las políticas, planes y programas sobre la materia (Ministerio de Vivienda y Urbanismo y sus respectivas Secretarías Ministeriales Regionales); y aquellas que participan en el proceso de planificación urbana (Municipalidades y Gobiernos Regionales). El principio de legalidad también aparece en la atribución de potestades en materia urbanísticas: desde la atribución para fijar las políticas, planes y programas del sector (Ministerio de Vivienda y Urbanismo), a la de ejercer en la potestad de planificación e intervenir en su procedimiento (SEREMIS de Vivienda y Urbanismo, Municipalidades y Gobiernos Regionales). Todo lo anterior "no es sino corolario del principio de legalidad en su dimensión dinámica, esto es, como con-

---

[31]   Peñailillo, *Los Bienes: La Propiedad...*, 46.
[32]   Fernández y Holmes, *Derecho urbanístico chileno*, 195-97. Véase también la jurisprudencia citada por esos autores.

junto de potestades de actuación u obrar, tal como lo consagran la Constitución y la Ley n° 18.575"[33].

Sin embargo, el aspecto más interesante de aplicación de este principio lo constituye lo que Cordero denomina "el bloque de legalidad"[34] urbanístico —esto es, las normas que de forma concreta establecen los usos de suelo y otras materias del ordenamiento territorial[35]—, que en este campo debe interpretarse de manera especialmente amplia.

El principal cuerpo legal que regula la cuestión urbanística es la Ley General de Urbanismo y Construcciones (LGUC)[36]. Esta ley tiene por objeto, de acuerdo a su art. 1°, la regulación de la "planificación urbana", la "urbanización" y la "construcción", y contiene los principios, atribuciones, potestades, facultades, responsabilidades, derechos, sanciones y demás normas que rigen a los organismos, funcionarios, profesionales y particulares, en las acciones de planificación urbana, urbanización y construcción (art. 2°, inc. 2°).

La misma ley establece en su art. 2°, como "niveles de acción" de la referida legislación, otras dos fuentes de derecho urbanístico, subordinadas a la primera. Una de ellas es la Ordenanza General de Urbanismo y Construcciones u OGUC[37], que contiene las disposiciones reglamentarias de esa ley y que regula el procedimiento administrativo, el proceso de planificación urbana, urbanización y construcción, y los estándares técnicos de diseño y construcción. La segunda

---

[33] Cordero, "Naturaleza, contenido y principios...", 122-24. El autor extiende también la aplicación del principio de legalidad a las potestades de entidades como las Direcciones de Obras Municipales, y al tema de la autotutela administrativa en materia urbanística, ambas cuestiones que no trataremos en este trabajo.

[34] Cordero, "Naturaleza, contenido y principios...", 126-28, con desarrollo de los distintos niveles de la normativa urbanística existente en Chile.

[35] Siguiendo en buena medida una tendencia general en las legislaciones actuales, dice Peñailillo, la planificación: a) fija políticas (define objetivos sociales y económicos relativos al territorio); b) zonifica (fija zonas; es decir, divide una gran superficie —en base a la división administrativa del territorio— en zonas o sectores; y c) asigna uso a cada sector (residencial, actividades productivas, equipamiento, áreas verdes, etc.), en un grado que podemos llamar genérico. Peñailillo, Los Bienes: La Propiedad..., 49-50.

[36] Sancionada a través del Decreto con Fuerza de Ley n° 458 de 1975, 18 de diciembre de 1975. http://bcn.cl/2lwcp. Fecha de consulta: 27 de junio de 2022.

[37] Contenida en el Decreto Supremo n° 47, 16 de abril de 1992. http://bcn.cl/2f7a9. Fecha de consulta: 30 de junio de 2022.

está constituida por las *Normas Técnicas,* que contienen y definen las características técnicas de los proyectos, materiales y sistemas de construcción y urbanización, para el cumplimiento de los estándares exigidos en la Ordenanza General[38].

Sin embargo, la imposibilidad de las referidas normas de considerar todos los supuestos que presenta la realidad urbanística en nuestro país, y la intensa dinámica de las necesidades relacionadas con la regulación del territorio, hacen que una gran parte de la normativa aplicable a nuestra materia en Chile se encuentre en normas de carácter reglamentario, los denominados "instrumentos de planificación territorial" o IPT[39], que suelen centrarse en el territorio urbano[40] y cuyos ejemplos normativos más importantes se encuentran establecidos en el título II de la LGUC y son reglamentados en la OGUC. El título

---

[38]   A este conjunto de fuentes se deben agregar las *instrucciones* que debe dictar el Ministerio de Vivienda y Urbanismo, a través de la División de Desarrollo Urbano, para la aplicación de las disposiciones de la LGUC y de la OGUC, lo que hace mediante "circulares". Se trata de instrumentos de gran importancia práctica, de obligatorio cumplimiento en tanto respeten la Constitución y las leyes (véase al respecto dictamen 18447 de 2004, de la Contraloría General de la República, disponible en: https://www.contraloria.cl/pdfbuscador/dictamenes/018447N04/html) pero su naturaleza y alcance plantea algunas cuestiones que no podemos tratar aquí.

[39]   Sobre la necesidad de esta clase de normas, como complemento normativo de leyes y reglamentos en campos normativos en que prima "la naturaleza compleja y evolutiva de la materia o la importancia en ella de la ciencia y la técnica", véase Luciano Parejo Alfonso, *Lecciones de Derecho Administrativo: 5ª edición revisada y actualizada* (Valencia: Tirant lo Blanch, 2012), 296, citado por Cordero, "Naturaleza, contenido y principios...", 126-28, quien agrega que "[d]e esta forma, la legalidad urbanística está conformada por un conjunto de normas de naturaleza legal, reglamentaria y diversos instrumentos de planificación urbanística, considerando que la naturaleza de las materias que se regulan exigen un abanico más amplio de normas [...]".

[40]   Entre nosotros, la actividad de ordenamiento territorial se desarrolla fundamentalmente en el sector urbano pues, como sostienen Henríquez et al., Chile presenta una alta tasa de urbanización (sobre el 85% de la población). Henríquez et al., "La planificación territorial en Chile...", 183. Por otro lado, sobre la necesidad de que el "ordenamiento territorial" abarque también el territorio rural véase, p. ej., Precht, Salamanca y Reyes, *El ordenamiento territorial...*, 19-20; y Kay Bergamini y Alejandra Rasse, "Política Nacional de Desarrollo Rural: implementación, institucionalización y desafíos para Chile", *Temas de la Agenda Pública*, 17, nº 155 (2022),1-18

II de la citada LGUC comienza definiendo la planificación urbana[41] y diseñando su jerarquía: "[l]a planificación urbana se efectuará en tres niveles de acción, que corresponden a tres tipos de áreas: nacional, intercomunal y comunal" (art. 28, inciso primero).

La misma norma agrega, en su inciso segundo, que "[c]ada instrumento de planificación urbana tendrá un ámbito de competencia propio en atención al área geográfica que abarca y a las materias que puede regular, en el cual prevalecerá sobre los demás"[42]. Los instrumentos más importantes son el Plan Regulador Intercomunal y Metropolitano, el Plan Regulador Comunal, el Plan Seccional y el Límite Urbano[43]. Bajo este esquema, la aplicación de toda la normativa vinculada con la planificación del desarrollo urbano se hace efectiva a través de instrumentos de planificación de diferente escala territorial. La LGUC establece los niveles de planificación y otorga atribuciones para cada uno de ellos, radicadas en el mismo, sus Secretarías Regionales Ministeriales, los Gobiernos Regionales y los Municipios y los municipios[44].

---

[41]   Definida en la Ley General de Urbanismo y Construcciones (LGUC), la planificación urbana se entiende como: "el proceso que se efectúa para orientar y regular el desarrollo de los centros urbanos en función de una política nacional, regional y comunal de desarrollo social, económico, cultural y medioambiental, la que debe contemplar, en todos sus niveles, criterios de integración e inclusión social y urbana" (LGUC, art. 27, inciso 1°).

[42]   Dice el inc. 2° del art. 27 de la LGUC: "Los objetivos y metas que dicha política nacional establezca para el desarrollo urbano serán incorporados en la planificación urbana en todos sus niveles."

[43]   Precht, Salamanca y Reyes agregan un instrumento indicativo, el Plan Regional de Desarrollo Urbano, a cargo del Ministerio de Vivienda, aunque la OGUC no lo incluye dentro de los IPT. Nosotros lo hemos omitido, ya que como explican otros autores citados en este trabajo, se trata de instrumentos destinados a ser reemplazados por los PROT, mencionados más abajo.

[44]   Precht, Salamanca y Reyes, *El ordenamiento territorial...*, 29-32. Sobre la participación que corresponde actualmente a los Gobiernos Regionales en esta materia, respecto del Plan Regional de Ordenamiento Territorial y los Planes Reguladores Metropolitano e Intercomunal, Egon Montecinos, "Planificación territorial en Chile: Del modelo Top Down a los desafíos de articulación multinivel." *Revista de Ciencias Sociales (RCS)*, volumen 27, n° 2 (2021): 488, https://doi.org/10.31876/rcs.v27i2.35936. Otras presentaciones de esta materia, que aluden a los diferentes grados de la planificación urbana (nacional, regional, comunal, etc.) pueden encontrarse en Peñailillo, *Los Bienes: La Propiedad...*, 50; y Cordero, "Naturaleza, contenido y principios...", 109-10. Aunque estas últimas

A estos instrumentos, cabe agregar otros de carácter total o parcialmente indicativo que han surgido como resultado de la decisión de los últimos gobiernos de profundizar la regionalización o bien lograr un ordenamiento del territorio integral tanto a nivel nacional como regional[45]. Nos referimos especialmente a la Política Nacional de Desarrollo Urbano (PNDU), la Política Nacional de Ordenamiento Territorial (PNOT), la Política Regional de Ordenamiento Territorial (PROT) —destinada, tendencialmente, a reemplazar al Plan Regional de Desarrollo Urbano[46]— y la Política Nacional de Desarrollo Rural (PNRD)[47].

2.4. Fuera de los anteriores límites ¿configura la Constitución Política a la planificación territorial de una determinada manera?

Establecidos los principales límites constitucionales aplicables a la planificación territorial, y el entramado normativo que le otorga realidad jurídica, cabe preguntarse si la Carta fundamental actualmente vigente establece algún otro condicionamiento de fondo, o alguna orientación concreta a las políticas de ordenamiento territorial que debe aprobar la autoridad. Sabemos que los problemas políticos y so-

---

no consideran las recientes modificaciones legales en la materia, siguen siendo útiles para entender la lógica general del sistema.

[45]   En función de su naturaleza, es posible distinguir dos tipos de instrumentos de ordenamiento territorial: los de carácter normativo y los de carácter indicativo. Los primeros cuentan con fuerza legal (son vinculantes) y en ellos interviene directamente la fiscalización de la Contraloría General de la República (CGR). Tienen una aplicación en zonas urbanas y de extensión urbana. En cambio, la aplicación de los instrumentos indicativos no es obligatoria, aunque se considera que son muy importantes para la orientación del uso del suelo (Henríquez et al., "La planificación territorial en Chile...", 185). Véase también nota al pie nro. 78, infra.

[46]   Henríquez et al., "La planificación territorial en Chile...", 186.

[47]   Sobre la historia de creación de estos instrumentos, procedimiento de aprobación, objetivos y características principales, véase Bergamini y Rasse, "Política Nacional de Desarrollo Rural...", 4-5; Montecinos, "Planificación Territorial en Chile...", 487-89; y Marco Aurelio Márquez Poblete y Eva Veloso Pérez, "El Ordenamiento Territorial en Chile: Estado del Arte." *Revista EGGP*, n° 35 (2020): 158 y siguientes, https://revistaeggp.uchile.cl/index.php/REGP/article/view/61424.

ciales —también los relativos a la gestión del suelo— son multiformes y multicausales, y en muchos casos su solución trasciende el asunto concreto al que se refieren[48]. Por eso, para enfrentarlos es que existen las políticas públicas[49]; en nuestro caso, las políticas de ordenamiento territorial.

Desde luego, la inclusión o no de estas materias en una Constitución no es una cuestión de principio. Sin embargo, contra lo que podría parecer a primera vista, la falta de regulación constitucional de estas materias no carece de ventajas. Teniendo un importante componente jurídico, el ordenamiento territorial es también es una cuestión de políticas[50]. La lógica indica que las políticas de ordenamiento territorial, dado el carácter contingente de los problemas que abordan, debieran estar muy poco reguladas en una Carta fundamental, para evitar su rigidización[51]. Las decisiones de políticas urbanísticas —como las de cualquier otra política—, aunque terminen expresándose en normas jurídicas[52], deben contar con la suficiente plasticidad, al

---

[48]   Así, por ejemplo, Precht et al. advierten que la gestión del territorio se trata de una materia relevante no sólo por sus efectos inmediatos sobre la distribución de los usos de suelo, sino para la política de desarrollo sustentable y de adaptación al cambio climático. Precht, Salamanca y Reyes, *El ordenamiento* territorial, 9-10.

[49]   Sobre el concepto de políticas públicas, véase Andrew Heywood, *Introducción a la teoría política*. Ciencia política 32 (Valencia: Tirant lo Blanch, 2010), 97.

[50]   Para una mejor comprensión y gestión del territorio es necesaria una política, que al estar asociada a la adecuación de la estructura institucional y a los recursos (tanto financieros como humanos) pueda posibilitar una aplicación más efectiva de los diversos instrumentos existentes. Henríquez et al., "La planificación territorial en Chile...", 183.

[51]   Este problema ha aparecido en otros ordenamientos constitucionales, a propósito de otras materias. Así, ha sucedido, por ejemplo, en Portugal, con la constitucionalización no sólo del derecho a la salud sino también de las políticas para llevarlo a cabo —pues, por ejemplo, la Carta fundamental portuguesa consagra la existencia de un "servicio nacional de salud"—, lo que rigidiza cualquier intento de mejora o cambio por parte de las autoridades político-representativas. Véase Joaquim Gomes Canotilho, "Metodología "fuzzy" y "camaleones normativos" en la problemática actual de los derechos económicos, sociales y culturales", *Derechos y Libertades-Instituto Bartolomé de las Casas*, año III, n° 6 (1998): p. 48.

[52]   Gerard Leibholz, ("El Tribunal Constitucional de la República Federal Alemana y el problema de la apreciación judicial de la política", *Revista de Estudios Políticos (Nueva Época)*, n° 146 (1966): 92), señala que las controversias políticas puras, en contraposición a los litigios jurídicos sobre materias políticas, son con-

menos en su formulación y revisión, para atender los siempre cambiantes objetivos de bien común que pretenden alcanzarse con ellas[53], considerando todos los factores (técnicos, económicos, ideológicos, etc.) que influyen en esta clase de decisiones[54].

Es de la esencia de las políticas públicas formuladas en un gobierno democrático el considerar en su formulación diversos puntos de vista técnicos e ideológicos. Es esperable y hasta cierto punto necesario que, en materia política, existan distintos puntos de vista acerca de las decisiones fundamentales que debe adoptar una determinada sociedad[55]. Adicionalmente, puede haber discrepancias no solo acerca

---

flictos que no pueden ser resueltos por la mera aplicación de normas jurídicas, ya que en ellos se trata de una pugna, no por la aplicación del Derecho establecido, sino acerca de cuál debiera ser el contenido de ese Derecho, esto es, acerca de la creación del Derecho.

[53]   Henríquez et al. definen al ordenamiento territorial como un gran objetivo o fin social, caracterizado por un conjunto de acciones públicas orientadas a generar un (re) equilibrio territorial (especialmente entre regiones) y una organización del espacio según una concepción definida. Henríquez et al., "La planificación territorial en Chile...", 182. En el marco normativo chileno, la Subsecretaría de Desarrollo Regional y Administrativo, a partir de la Carta Europea de Ordenación del Territorio, define el ordenamiento territorial como "la expresión espacial de las políticas económicas, sociales, culturales y ecológicas de la sociedad [...] cuyo objetivo es un desarrollo equilibrado de las regiones y la organización física del espacio según un concepto rector". Véase Subsecretaría de Desarrollo Regional y Administrativo, *Plan regional de ordenamiento territorial: Contenido y Procedimientos* (Santiago de Chile: SUBDERE, 2011), 16

[54]   Algunos juristas han reflexionado sobre las diferencias entre la decisión jurídica y la decisión política, destacan cómo esta última tiene carácter finalista y busca ponderar entre intereses equivalentes que deben ser ponderados. Véase al respecto Ignacio de Otto y Pardo, "Derecho Constitucional. Sistema de Fuentes." En *Ignacio de Otto y Pardo: Obras completas*, editado por Ramón Punset, Francisco J. Bastida Freijedo y Joaquín Varela Suanzes (Oviedo, Madrid: Universidad de Oviedo, Centro de Estudios Políticos y Constitucionales, 2010), 1074-76; y Martín Kriele, *Introducción a la teoría del Estado: Fundamentos históricos de la legitimidad del Estado constitucional democrático* (Buenos Aires: Depalma, 1980), 304. Por otro lado, sobre la legítima incidencia de las ideologías en las decisiones de políticas sociales, véase Rodrigo Poyanco, "Los derechos sociales, la política y las políticas." En *Política, Derecho y Constitución*, ed. Alan Bronfman Vargas, Celso Cancela Outeda, José I. Martínez Estay y Marcela Peredo Rojas, (Valencia: Tirant lo Blanch, 2021), 733.

[55]   La pluralidad y parcialidad con que cada posición política es defendida dan cuerpo a la diversidad democrática propia de una democracia contemporánea.

de las decisiones fundamentales, sino también acerca de cómo llevar a cabo esas decisiones[56].

Desde este punto de vista, resulta positivo que una Constitución presente una cierta apertura para que distintas visiones ideológicas y tecnocráticas tengan la oportunidad de ofrecer una solución a los problemas de ordenamiento territorial desde sus específicos puntos de vista. En nuestra opinión, como hemos dicho antes, esto es precisamente lo que sucede con la Carta fundamental actualmente vigente. Salvo la obligación de respetar los límites constitucionales antes señalados, las políticas urbanísticas y territoriales no están predeterminadas en la Constitución Política, ni en cuanto a las autoridades que deben llevarla adelante, ni en cuanto a la normativa que debe regularlas, ni en cuanto a su contenido de fondo. Todas estas son cuestiones que deben ser resueltas por el legislador y las autoridades político-administrativas; flexibilidad que es precisamente lo que ha permitido las constantes innovaciones legislativas y reglamentarias características de la normativa territorial chilena. Las políticas territoriales, y la normativa que las expresa, admiten en consecuencia una legítima variabilidad en función de factores técnicos, presupuestarios, sociológicos, ideológicos y de otra naturaleza que puedan influir en esta clase de materias, lo cual es particularmente importante en una democracia constitucional regida por el principio de alternancia democrática.

En la práctica, el resultado de esta configuración constitucional —que combina las atribuciones de las autoridades en materia de ordenamiento territorial con una fuerte protección del derecho de propiedad, y el fortalecimiento de la sociedad a través del principio de subsidiariedad—, es que la actividad urbanística en Chile ha estado

---

Rodrigo Poyanco, "Derechos sociales y políticas públicas: El principio de progresividad." *Anuario de Derecho Constitucional Latinoamericano*, volumen XXIII, (2017): 329, http://www.kas.de/rspla/es/publications/51336/. Accedido el 23 de enero de 2018.

[56] En la definición de la SUBDERE antes referida (nota al pie nro. 54, supra), se señala que tanto los métodos como los instrumentos de planificación que se apliquen dependerán del conjunto de valores sociales, de orientaciones políticas nacionales y regionales, y de condiciones económicas y ambientales propias de los territorios, las cuales deben estar contenidas en las respectivas Estrategias de Desarrollo Regional. Véase al respecto Precht, Salamanca y Reyes, *El ordenamiento territorial...*, 19.

estrechamente asociada a la promoción privada. Como señala Cordero, mientras la determinación de las normas de uso y edificación sobre el suelo, es efectuada por órganos que forman parte de la Administración del Estado (que son los que, en el marco de una política urbana, dictan los instrumentos de planificación territorial correspondiente), el proceso de transformación del suelo para incorporarlo a la ciudad, mediante la creación de unidades de suelo edificables mediante el proceso de urbanización corresponde a los propietarios, en quienes descansa de forma prevalente la decisión de llevar adelante los procesos de urbanización y de transformación del suelo[57]. En el mismo sentido, Peñailillo afirma que, una vez aprobada la planificación del suelo, el uso específico (dentro del genérico impuesto) es determinado por el propietario (si el predio está ubicado en un sector productivo, el propietario define la actividad productiva específica a que lo destinará)[58]. Esto lleva al surgimiento de derechos adquiridos y expectativas legítimas de los particulares que urbanizan y edifican conforme a esas reglas de planificación territorial[59].

3. LA NUEVA CONSTITUCIÓN Y LA PLANIFICACIÓN TERRITORIAL

La fallida NC presentaba, en cambio, un panorama constitucional muy distinto del anterior, al consagrar la figura del Estado social y plurinacional[60], numerosos derechos prestacionales y titulares de de-

---

[57]   Cordero, "Naturaleza, contenido y principios...", 120-21. El mismo autor observa que en Chile, a diferencia de otros ordenamientos, no contamos con sistemas públicos que permitan la *ejecución sistemática del planeamiento*. En tal sentido, este proceso se lleva por regla general de forma *asistemática*, es decir, queda entregado a la voluntad de los propietarios del suelo, quienes deciden si aplican o no las normas contenidas en los instrumentos de planificación territorial y materialización el proceso de transformación de suelo para permitir la existencia de unidades edificables.

[58]   Peñailillo, *Los Bienes: La Propiedad...*, 49-50.

[59]   Sobre el tema, véase la misma obra de Cordero aquí referida, páginas 119 y 131-132. Consúltese también Jaime Arancibia, "Las autorizaciones administrativas: bases conceptuales y jurídicas" *ReDAE*, no. 32 (2020), passim, https://doi.org/10.7764/redae.32.1.

[60]   De acuerdo al art. 1º, nro.1 del texto de NC: "Chile es un Estado social y democrático de derecho. Es plurinacional, intercultural, regional y ecológico".

rechos distintos del ser humano, y establecer la división política del
país en autonomías territoriales de diverso grado. En este contexto,
la nueva Constitución introducía numerosas y minuciosas referencias
a la planificación territorial, o a materias que tienen una incidencia
directa en este ámbito.

3.1. *La planificación territorial como materia constitucional*

3.1.1. El art. 197: la planificación del territorio como deber del Estado

La norma que se refiere de forma más directa a la planificación territorial es el art. 197 de la NC[61], precepto que de inmediato establece
algunas diferencias con la regulación constitucional actualmente vigente. De acuerdo a esta norma, en su numeral 1, el Estado, a través
de la administración central, los gobiernos regionales y locales, tienen
el deber de ordenar y planificar el territorio. Como puede verse, es la
propia Constitución Política la que determina la distribución de las
competencias en materia de planificación territorial entre diferentes
niveles competenciales.

Esta norma debe coordinarse con la disposición vigésimosexta
transitoria, que establece la obligación del Parlamento y del Presidente de la República de aprobar una "ley marco de ordenamiento
territorial", en los plazos que allí se establecen[62], "de acuerdo con lo
establecido en el referido art. 197[63]. Se trataría de aquel tipo de leyes
que requieren el acuerdo de la "Cámara de las Regiones", órgano
que reemplazara al actual Senado del Congreso Nacional) (art. 268,
letra ñ).

---

[61]   A partir de ahora, salvo señalamiento expreso en contrario, todas las normas
       mencionadas son de la NC.
[62]   Para presentar el proyecto de ley marco, la NC otorga al Presidente de la Repú-
       blica un plazo de cuatro años a contar de la entrada en vigencia de esa Cons-
       titución. Para aprobarlo, al Poder Legislativo se otorga un plazo de dos años a
       contar de la presentación del referido proyecto.
[63]   La expresión "ley marco" sólo aparece una segunda vez en la NC, en el art. 185,
       a propósito del sistema tributario, para habilitar a las entidades territoriales a
       establecer tasas y contribuciones, dentro de dicha ley.

3.1.2. El ordenamiento y planificación urbanística como competencia de las entidades subnacionales

La NC se refería expresamente a las competencias territoriales de la Región Autónoma y la Comuna Autónoma. Respeto de la primera[64], el art. 220, letra i) de la NC le entregaba la competencia de "planificación, el ordenamiento territorial y el manejo integrado de cuencas". De acuerdo al art. 224, letra d), correspondía al Gobierno Regional el "preparar y presentar ante la asamblea regional el plan regional de ordenamiento territorial y los planes de desarrollo urbano de las áreas metropolitanas, en conformidad con el estatuto regional y la ley." Su aprobación correspondía a la "Asamblea Regional" (art. 226, letra m)[65].

En el caso de la "Comuna Autónoma" [66], el art. 202, letra n) señala como una de sus competencias "esenciales", la planificación del territorio mediante el plan regulador comunal acordado de forma participativa con la comunidad de su respectivo territorio[67].

---

[64] De acuerdo al art. 219 de la NC, la Región Autónoma "es la entidad política y territorial dotada de personalidad jurídica de derecho público y patrimonio propio que goza de autonomía para el desarrollo de los intereses regionales, la gestión de sus recursos económicos y el ejercicio de las atribuciones legislativas, reglamentarias, ejecutivas y fiscalizadoras a través de sus órganos en el ámbito de sus competencias, con arreglo a lo dispuesto en la Constitución y la ley".

[65] Aunque la NC no lo dice expresamente, creemos que la potestad general de la Asamblea Regional de "dictar las normas regionales que hagan aplicables las leyes de acuerdo regional" (art. 226 letra b) podría habilitar a la Región Autónoma a dictar una normativa de ejecución de la ley marco de ordenamiento territorial que debe aprobarse como consecuencia de la disposición vigesimosexta transitoria, que también tenga incidencia en la ordenación territorial al interior de la Región.

[66] De acuerdo al art. 201 de la NC, la comuna autónoma es la entidad política y territorial base del Estado regional, dotada de personalidad jurídica de derecho público y patrimonio propio, que goza de autonomía para el cumplimiento de sus fines y el ejercicio de sus competencias, con arreglo a lo dispuesto en la Constitución y la ley.

[67] La calificación de "esenciales" de estas competencias impide saber si respecto de ellas podría aplicarse la posibilidad de transferencia temporal de competencias desde la Comuna autónoma hacia la región autónoma o hacia la Administración central, sea para garantizar el respeto, protección y realización progresiva de los derechos sociales, sea en casos de imposibilidad de la comuna de asumir las competencias respectivas (art. 203). Puesto que la ordenación territorial está

Cabe observar que, en el caso de las "Autonomías territoriales indígenas" no hay normas que les atribuyan expresamente competencias en materia territorial y urbanística, pero se señalaba en cambio que la ley "deberá establecer las competencias exclusivas de las autonomías territoriales indígenas y las compartidas con las demás entidades territoriales [...]" (art. 235). Si bien no había normas que determinen de forma obligatoria la transferencia de competencias territoriales a estas autonomías, esta preceptiva tampoco parecía oponer obstáculos para que el futuro legislador de la NC determinase lo contrario, incluso convirtiendo esas competencias territoriales en exclusivas y excluyentes, como veremos más adelante[68].

Observemos, finalmente, que el numeral 4 del art. 197 menciona que la ordenación y planificación del territorio debe incluir "procesos de participación popular". De manera concordante, el art. 52, numeral 5 establecía que el Estado garantiza la participación de la comunidad en los procesos de planificación territorial y políticas habitacionales. Asimismo, promueve y apoya la gestión comunitaria del hábitat[69].

---

relacionada, entre otras, con materiales tales como el derecho a la vivienda o la conservación del medio ambiente —propias del ámbito de los derechos económicos, sociales y culturales —, parece plausible que el art. 203 también encuentre aplicación aquí. En cualquier, caso el art. 196, nro. 2, señala en general que "cuando así lo exija el interés general, el órgano de la administración central o regional podrá subrogar de manera transitoria a la entidad regional o local en el ejercicio de las competencias que no puedan ser asumidas por estas".

[68]   La NC también regula lo que denomina "Territorios especiales". Los dos mencionados expresamente por la NC son la Isla de Pascua ("Rapa Nui") y el archipiélago Juan Fernández (art. 236.1) y, al respecto, sólo señala que "se rigen por sus respectivos estatutos". Sin embargo, el proyecto de Carta fundamental da a entender también que pueden crearse nuevos "territorios especiales". En ellos, dice el proyecto, "la ley podrá establecer regímenes económicos y administrativos diferenciados, así como su duración, teniendo en consideración las características propias de estas entidades". Dependerá de estos regímenes, por tanto, si estos territorios contarán o no con competencias de planificación territorial. La aplicación del art. 196.2, en cambio (subrogación temporal de la Administración central o regional a entidades menores) encuentra el obstáculo de que la letra de la NC menciona como territorio susceptible de dicha subrogación sólo a las entidades "regionales" o "locales", en circunstancias que los "territorios especiales" son mencionados por la NC como algo distinto de esas entidades. Véase, p. ej., el art. 187 de la NC.

[69]   En este aspecto, nos encontramos ante una novedad relativa, pues, actualmente, la participación de la comunidad ya está contemplada a nivel legal, tanto en el proceso de formulación de los instrumentos de planificación territorial (así, por

3.1.3. Crítica a la normativa anterior

Como hemos dicho, salta a la vista que, regulada a nivel constitucional la distribución de las competencias de ordenación territorial entre la Administración Central y las entidades subnacionales —y aunque la distribución de competencias establecida en la NC replica, en términos generales lo que existe hoy; especialmente la triple división entre los niveles nacional, regional y comunal—, en principio, ya **no era** posible para el legislador alterar este cuadro de atribuciones. Se plantea por ello la interrogante acerca de que hubiese sucedido si, por razones de eficiencia u oportunidad, resultaba necesario cambiar a posteriori este cuadro competencial o ingresar en el proceso de formulación de los instrumentos de planificación territorial a otros órganos distintos de las respectivas autoridades territoriales en aspectos específicos (como sucede hoy con la SEREMI de Vivienda y Urbanismo, o la institucionalidad ambiental en los instrumentos preparados por Gobiernos Regionales y Municipios).

Por otro lado, en la superficie, la normativa de división de competencias en el ámbito territorial era aparentemente clara (el Estado central dicta una ley marco de ordenamiento territorial, y las autonomías regionales por su parte dictan su propia normativa sobre la materia, respetando a aquella ley). Además, debe considerarse la regla general establecida en el artículo 220, nro. 1, de acuerdo con la cual las competencias no expresamente conferidas a la región autónoma corresponden a la Administración central, sin perjuicio de las transferencias de competencias que regula la Constitución y la ley. Por su parte, el numeral 2 señala que las competencias de la región autóno-

---

ejemplo, el art. 28 *octies* de la Ley General de Urbanismo y Construcciones), como en el procedimiento de evaluación ambiental al que deben someterse algunos instrumentos de planificación territorial. Así sucede con la denominada "Evaluación Ambiental Estratégica" a la que, por disposición del art. 7 bis de la Ley 19.300 (D.O. 09.03.1994) sobre Bases Generales del Medio Ambiente y sus modificaciones, deben someterse los planes reguladores intercomunales. Véase también la circular DDU 430, de 14 de abril de 2020 (disponible en https://www.minvu.cl/wp-content/uploads/2019/06/DDU-430-entera.pdf, fecha de consulta 27 de junio de 2022). Sí es cierto, en cambio, que la NC innova al disponer la creación de un organismo específicamente encargado de promover la participación popular en los asuntos públicos regionales de carácter participativo y consultivo (art. 229).

ma podrán ejercerse "de manera concurrente y coordinada" con otros órganos del Estado.

El problema es que, al mismo tiempo, existían diferentes normas que intentan conciliar la necesaria coordinación entre el Estado central y las entidades subnacionales, con una pronunciada autonomía de estas últimas, lo que podría empujar aún más la barrera entre competencias nacionales y subnacionales, en favor de las segundas[70]. En ese sentido, el nro. 2 del art. 187 **señalaba** que las entidades territoriales autónomas (entre las que están la Región Autónoma, las autonomías territoriales indígenas y la Comuna autónoma):

> están dotadas de autonomía política, administrativa y financiera para la realización de sus fines e intereses. Tienen personalidad jurídica de derecho público, patrimonio propio y las potestades y competencias necesarias para gobernarse en atención al interés general de la república, de acuerdo con la Constitución y la ley, teniendo como límites los derechos humanos y de la naturaleza[71].

La "autonomía política", según como sea interpretada, podría significar, por tanto, un mandato de reconocer una mayor capacidad de autogobierno y dictación de políticas —entre ellas, las de planificación territorial— a las entidades subnacionales que aquellas que el Estado central esté dispuesto a otorgarles mediante la precitada Ley Marco de Ordenamiento Territorial. Por otro lado, como mandato general, el art. 196 nro. 1 señalaba que las competencias deberán radicarse

---

[70]   Algunos que revisaron el primer borrador de la NC fueron muy críticos con la falta de claridad en esta materia: "[e]n la propuesta de nueva Constitución, los artículos que hacen referencia a la planificación territorial entregan atribuciones de manera incoherente a distintos organismos, complejizando y sobre regulando esta materia…Tal como se observa en la propuesta de nueva Constitución, existen a lo menos nueve artículos que hacen referencia a la planificación territorial, entregando atribuciones de manera incoherente a distintos organismos y de esa forma complejizando y sobrerregulando esta materia […]. De esta forma, no queda claro cómo se coordinarán dichas instancias ni cuál estará por sobre la otra". Paula Henoch, "Planificación territorial y nueva Constitución: ¿quién será el responsable?", *Diario Financiero*, 31 may. 2022, accedido el 24 de junio de 2022, https://www.df.cl/opinion/columnistas/planificacion-territorial-y-nueva-constitucion-quien-sera-el-responsable

[71]   El art. 201 nro. 1 reitera esta regla general respecto de la comuna autónoma, cuando señala que ésta "cuenta con las potestades y competencias de autogobierno para satisfacer las necesidades de la comunidad local".

priorizando la entidad local sobre la regional y esta última sobre lo nacional, sin perjuicio de aquellas competencias que la propia Constitución o las leyes reserven a cada una de las entidades territoriales.

La tendencia al autonomismo de la NC resultaba particularmente preocupante en el caso de las autonomías territoriales indígenas, cuya regulación constitucional se caracteriza por el reconocimiento de atribuciones de índole cuasi-soberana. Recordemos, por ejemplo, que el preámbulo recientemente aprobado de la NC señalaba que el pueblo de Chile está "conformado por diversas naciones", y que, de acuerdo al art. 34, los pueblos y naciones indígenas y sus integrantes, en virtud de su libre determinación, tienen derecho, entre otras materias, a la autonomía; al autogobierno; al patrimonio; a la lengua; al reconocimiento y protección de sus tierras, territorios y recursos, en su dimensión material e inmaterial y al especial vínculo que mantienen con éstos. Esto abría la puerta a que, en nuestro campo —y supuesto que terminen teniendo competencias de planificación territorial—, las decisiones de política territorial que se adopten por las autoridades indígenas, en relación con alguno de los campos o materias mencionadas en la precitada norma —por ejemplo, planificar una zona con el declarado objeto de "proteger" un determinado territorio o recurso—, pudiesen incluso sobreponerse a la regulación del Estado central.

Finalmente, recordemos que el art. 268 letra ñ) señalaba que no sólo la normativa territorial y urbanística será materia de ley de acuerdo regional, sino también aquella que regula la "ejecución" de la primera. Esto implica que, a la larga, la actual Ordenanza General de Urbanismo y Construcciones, que ejecuta a la actual LGUC y que tiene rango reglamentario, debería ser reemplazada por una norma de rango legal[72].

---

[72]   Por ahora, la LGUC y la OGUC debieran seguir formalmente vigentes, al menos hasta la dictación de la Ley marco mandatada por la disposición transitoria vigesimosexta. Sin embargo, deben considerarse algunas cuestiones. La disposición transitoria segunda de la NC dispone que "toda la normativa vigente seguirá en vigor mientras no sea derogada, modificada o sustituida". Sin embargo, ello no impediría que, de conformidad con esta última disposición, esas normas puedan ser declaradas como contrarias a la Constitución por la Corte Constitucional, u objeto del mecanismo de "iniciativa de derogación de ley" contenido en el artículo 158 de la NC. Por otro lado, cabe observar que la disposición transitoria segunda de la NC también establece que: "a partir de la publicación de la Constitución, los jefes de servicio de los órganos del Estado deberán *adaptar su*

Sin perjuicio de ello, la lógica indica que debía subsistir, al menos, la posibilidad de que, tal como sucede ahora, la Administración central pueda dictar normas o actos administrativos que permitan la aplicación e interpretación de la legislación urbanística de nivel nacional a los numerosos y complejos problemas normativos y técnicos que suele presentar la realidad[73]. Sin embargo, si estos últimos son actos de carácter reglamentario, no quedaba claro si tendrán obligatoriedad para las entidades subnacionales reconocidas por la NC, atendida la acentuada autonomía que este proyecto de Constitución pretende reconocerles.

3.2. *La imposición de orientaciones de fondo a la política territorial y urbanística*

A diferencia de lo que señala la Constitución Política de 1980, el borrador de NC reiteraba en distintas oportunidades diversos principios o líneas de fondo que deben orientar las políticas del Estado; desde luego, también las territoriales. A nuestro juicio, estas líneas de fondo —aunque algunas de ellas cuentan con un evidente carácter programático — tienen el potencial, según como sean interpretadas, de impactar con mayor o menor grado de obligatoriedad en las atribuciones de las autoridades para realizar la planificación territorial y urbana, o en los derechos de los particulares sometidos a esa normativa:

— El Estado debe promover la cooperación, la integración armónica y el desarrollo adecuado y justo entre las diversas entidades territoriales (art. 7)[74];

---

normativa interna de conformidad con el principio de supremacía constitucional". La indeterminación y amplitud de la expresión "normativa interna", y la importancia de la normativa administrativa en materia territorial, podría abrir la puerta a que importantes aspectos de la legislación urbanística que sobreviva transitoriamente a la entrada en vigencia de la NC sea, de facto, derogada por normas de rango administrativo.

[73] Sobre la necesidad de esta clase de normativa en materia urbanística, véase nota al pie nro. 40, supra.

[74] El art. 230 del borrador dispone la creación de un "Consejo de Gobernaciones", presidido por el Presidente de la República y conformado por las gobernadoras y los gobernadores de cada región, que coordinará las relaciones entre la administración central y las entidades territoriales, velando por el bienestar social y

— Toda persona tiene derecho a habitar, producir, gozar y participar en ciudades y asentamientos humanos libres de violencia y en condiciones apropiadas para una vida digna (art. 52 nro. 2)[75].

— El deber del Estado de ordenar, planificar y gestionar los territorios, ciudades y asentamientos humanos; así como establecer reglas de uso y transformación del suelo, debe ejercerse "de acuerdo con el interés general, la equidad territorial, sostenibilidad y accesibilidad universal". (art. 52 nro. 3);

— El Estado "garantiza la protección y el acceso equitativo a servicios básicos, bienes y espacios públicos; la movilidad segura y sustentable; la conectividad y seguridad vial. Asimismo, promueve la integración socioespacial [...]" (art. 52. Nro. 4);

— El Estado "[...] promueve y apoya la gestión comunitaria del hábitat" (52 nro. 5);

— Es deber del Estado "adoptar acciones de prevención, adaptación, y mitigación de los riesgos, vulnerabilidades y efectos provocados por la crisis climática y ecológica" (art. 129 nro. 1);

— El Estado "protege la biodiversidad, debiendo preservar, conservar y restaurar el hábitat de las especies nativas silvestres en la cantidad y distribución adecuada para sostener la viabilidad de sus poblaciones y asegurar las condiciones para su supervivencia y no extinción" (art. 130).

— El Estado, a través de un sistema nacional de áreas protegidas, único, integral y de carácter técnico, "debe garantizar la preservación, restauración y conservación de espacios naturales [...]" (art. 132);

— Tratándose de los bienes comunes naturales[76] que sean inapropiables, el Estado debe preservarlos, conservarlos y, en su caso,

económico equilibrado de la república en su conjunto. Una de sus facultades es "d) Velar por la correcta aplicación de los principios de equidad, solidaridad y justicia territorial, y de los mecanismos de compensación económica interterritorial, en conformidad con la Constitución y la ley."

[75] Los numerales 2 a 5 del art. 52 están insertos dentro del "derecho a la ciudad". Trataremos al numeral 1 de este artículo de forma separada, a continuación.

[76] El art. 134, nro. 1, señala que "los bienes comunes naturales son elementos o componentes de la naturaleza sobre los cuales el Estado tiene un deber especial

restaurarlos. Debe, asimismo, administrarlos de forma democrática, solidaria, participativa y equitativa (art. 134, nro. 4);

— Respecto de aquellos bienes comunes naturales que se encuentren en el dominio privado, el deber de custodia del Estado
implica la facultad de regular su uso y goce, con las finalidades establecidas en el inciso primero (art. 134, nro. 4);

— El Estado debe impulsar medidas para conservar la atmósfera y
el cielo nocturno, según las necesidades territoriales (art. 135);

— El Estado protegerá la función ecológica y social de la tierra
(art. 138);

— El *maritorio*, como categoría distinta del territorio, y su protección: "[u]na ley establecerá la división administrativa del maritorio, su ordenación espacial, gestión integrada y los principios
básicos que deberán informar los cuerpos legales que materia-
licen su institucionalización, mediante un trato diferenciado,
autónomo y descentralizado, según corresponda, sobre la base
de la equidad y justicia territorial" (art. 139, nro. 3).

— El Estado promueve el desarrollo integral de los territorios
rurales y reconoce la ruralidad como una expresión territorial
donde las formas de vida y producción se desarrollan en torno a la relación directa de las personas y comunidades con la
tierra, el agua y el mar (art. 241 nro. 1).

Como puede apreciarse, muchas de estas normas parecen tener
una naturaleza más bien programática, desde que su implementación
requiere de decisiones de concretización que necesariamente deberán
llevarse a cabo mediante ley o normas administrativas. Sin embargo,
ello no impide advertir que muchas de estas directrices, al estar conte-

---

de custodia con el fin de asegurar los derechos de la naturaleza y el interés de las
generaciones presentes y futuras." El nro. 2 del mismo artículo señala que "Son
bienes comunes naturales el mar territorial y su fondo marino; las playas; las
aguas, glaciares y humedales; los campos geotérmicos; el aire y la atmósfera; la
alta montaña, las áreas protegidas y los bosques nativos; el subsuelo, y los demás que declaren la Constitución y la ley". Finalmente, el numeral 3 señala que,
entre esos bienes, son inapropiables el agua en todos sus estados, el aire, el mar
territorial y las playas, los reconocidos por el derecho internacional y los que la
Constitución o las leyes declaren como tales.

nidas en normas constitucionales[77], y de acuerdo al significado que se otorgue a su contenido, tenían el potencial de estrechar notablemente la capacidad de cualquier autoridad político-representativa, cualquiera sea su signo ideológico, para apartarse del modelo de ordenamiento territorial o urbanístico y de sociedad que parece estar plasmado en el borrador. La misma capacidad de estas normas para constituir al mismo tiempo no solo "objetivos", sino también "límites constitucionales", podía afectar a los derechos de las personas (al menos, a los derechos de primera generación tales como la propiedad, la libertad de emprendimiento y otros semejantes) en un sentido ablativo. En este segundo sentido, algunas de estas líneas de fondo eran potenciadas por los nuevos derechos que reconoce el borrador de NC —cuestión que veremos más adelante[78]— y por una menor protección del derecho de propiedad en comparación con la Constitución Política actualmente vigente, como veremos a continuación.

3.3. La deficiente protección del derecho de propiedad en la NC y aspectos que pueden contribuir a su debilitamiento

Como vimos anteriormente, el sistema de planificación territorial que hoy existe en Chile descansa fundamentalmente en la relación que existe entre las facultades de ordenamiento territorial que tiene la

---

[77]   Recordemos que, en la actualidad, numerosos instrumentos territoriales de carácter indicativo, que acogen numerosos objetivos de políticas sociales, ambientales, patrimoniales, etc, se encuentran contenidos en normas de carácter reglamentario, lo que facilita a los gobiernos de distinto signo su adaptación y mejoramiento continuo. Así, por ejemplo, el Plan Nacional de Desarrollo Rural (PNDR), contenido en el Decreto 19/20, del Ministerio del Interior y Seguridad Publica, promulgado el 5 de mayo de 2020; el Plan Nacional de Ordenamiento Territorial (PNOT), contenido en el Decreto 469/19, del mismo Ministerio, promulgado el 5 de julio de 2021; y la Política Nacional de Desarrollo Urbano (PNDU), contenida en el Decreto 78 de 2014 del Ministerio de Vivienda y Urbanismo, promulgado en 2013. Para más detalles y una comparativa entre estos instrumentos, véase Bergamini y Rasse, "Política Nacional de Desarrollo Rural...", 5-7. En particular, sobre la PNDU y sus objetivos, véase un resumen en Magdalena Cardemil Winkler, "El derecho a la ciudad." Serie Minutas 20-21, 7-8, https://obtienearchivo.bcn.cl/obtienearchivo?id=repositorio/10221/32190/1/N_20_21_Derecho_a_la_ciudad.pdf

[78]   Véase p. ej., infra, nota al pie nro. 82.

autoridad, y los derechos y facultades de los propietarios que ejecutan en sus propiedades la normativa respectiva, bajo el amparo de una fuerte protección constitucional del dominio. De ahí que una protección desmejorada del derecho de propiedad, o la aparición de nuevos derechos susceptibles de limitar las facultades de los dueños de inmuebles, hubiese tenido un impacto directo en el tenor que adquiriese la planificación territorial y urbanística bajo la NC, especialmente en lo relativo a los límites constitucionales que sujetaban las atribuciones de las autoridades encargadas de dicha planificación, o los derechos que se generen para los propietarios y habitantes de los territorios ya regulados urbanística o territorialmente, en base al ordenamiento constitucional actualmente vigente.

Desde este punto de vista, cabe observar que la protección del derecho de propiedad, contenida en el art. 78 del borrador de NC, presentaba algunas importantes diferencias con la regulación del mismo derecho, contenida en el nro. 24 del art. 19 de la Carta fundamental vigente. Entre ellas, destacan por ejemplo que, aun cuando se reconoce el derecho de propiedad "en todas sus especies y sobre toda clase de bienes", no se menciona expresamente a los bienes incorporales como cosas susceptibles de propiedad (cuestión particularmente importante en relación a los derechos que surgen, para los propietarios, de construir o urbanizar sus predios siguiendo las normas urbanísticas o territoriales fijadas por la autoridad); que se protege expresamente la propiedad, pero no los atributos de ésta o las "facultades esenciales" de este derecho[79]; que para determinar las limitaciones y obligaciones que pesan sobre este derecho, junto a la función social regulada en la

---

[79]   Es cierto que borrador de NC señala, en el nro. 3 del art. 1, que "la protección y garantía de los derechos humanos individuales y colectivos son el fundamento del Estado y orientan toda su actividad. Es deber del Estado generar las condiciones necesarias y proveer los bienes y servicios para asegurar el igual goce de los derechos y la integración de las personas en la vida política, económica, social y cultural para su pleno desarrollo"; y que el nro. 2 del art. 18 asegura, a su vez, que "[e]l pleno ejercicio de estos derechos es esencial para la vida digna de las personas y los pueblos, la democracia, la paz y el equilibrio de la naturaleza". Empero, no parece haber ninguna garantía que proteja *el contenido esencial de los derechos* contra el legislador, como sí ocurre con el numeral 26 del art. 19 de la actual Carta fundamental. La falta de esta garantía podría convertir a los dos primeros preceptos en programáticos.

constitución actual —que ya incorpora dentro de ella a "la conservación del patrimonio ambiental"—, el borrador agrega la "función ecológica" (importante, por cuanto se reconocen derechos autónomos a la naturaleza y a los animales); que ante el evento de expropiación, la Constitución Política ya no ordena pagar al expropiado una "indemnización por el daño patrimonial efectivamente causado", sino "el justo precio del bien expropiado". Finalmente, mientras la Constitución actual dispone que la toma de posesión material del bien expropiado tendrá lugar "previo pago del total de la indemnización", el borrador de NC señalaba sólo que "el pago deberá efectuarse de forma previa a la toma de posesión material del bien expropiado", lo que abre la posibilidad a que el pago, aunque sea anterior a la toma de posesión, no sea "total".

3.3.1. Derechos y bienes constitucionales que pueden competir con los derechos del ser humano

Ahora bien, sin perjuicio de las eventuales debilidades de esta regulación del dominio, en sí misma considerada, es menester considerar que, adicionalmente, el borrador de NC, a diferencia de la Carta fundamental ahora vigente —que se centra en la persona humana — establecía o protegía numerosos derechos y bienes constitucionales que entraban a competir con la protección otorgada al ser humano en general, y al derecho de propiedad o sus atributos esenciales en particular.

Así sucedia, por ejemplo, con los derechos de la naturaleza y los animales. Estos derechos se encuentran principalmente entre los art. 103 y 105 del borrador, pero también están dispersos en otras normas. El art. 103, en su nro. 1, establece que ""[l]a naturaleza tiene derecho a que se respete y proteja su existencia, a la regeneración, a la mantención y a la restauración de sus funciones y equilibrios dinámicos, que comprenden los ciclos naturales, los ecosistemas y la biodiversidad."

El nro. 2 establecía que "el Estado debe garantizar y promover los derechos de la naturaleza". Por otro lado, en relación con los animales, el art. 131 preceptuaba en su número 1 que los animales son sujetos de especial protección. El Estado los protegerá, reconociendo su sintiencia y el derecho a vivir una vida libre de maltrato.

El problema de esta normativa es que el art. 106 señalaba que "la ley podrá establecer restricciones al ejercicio de determinados derechos para proteger el medioambiente y la naturaleza". Esto implicaba, desde ya, que no es sólo la protección del medio ambiente (en relación con el buen vivir del ser humano) lo que podría justificar una regulación territorial o urbanística restrictiva, o limitaciones al derecho de propiedad —que es lo que, en términos generales, ya ocurre con la actual Carta fundamental[80]—, sino también la protección de la naturaleza *en sí misma considerada,* como sujeto de derechos autónomo[81]. Por otro lado, puesto que ninguna de las normas precitadas se limitaba al territorio rural, cabe concluir que ellas resultaban aplicables incluso al territorio urbano. Si a ello se agrega que la titularidad para ejercer los derechos de la naturaleza o medio ambiente es amplísima —pues el art. 119 nro. 8 establecía que "[t]ratándose de los derechos de la naturaleza y derechos ambientales, podrán ejercer esta acción tanto la Defensoría de la Naturaleza como cualquier persona o grupo"[82]—, cabe concluir que cualquiera que se arrogue la

---

[80]   Sí es cierto que una aproximación antropocéntrica al medio ambiente puede encontrarse, al menos, en el art. 104 de la NC ("toda persona tiene derecho a un ambiente sano y ecológicamente equilibrado") y en el art. 105 del mismo texto ("toda persona tiene derecho al aire limpio durante todo su ciclo de vida"). Sin embargo, una interpretación extrema de estos derechos también podría terminar perjudicando al propio hombre, al coartar el ejercicio de otros derechos igualmente legítimos.

[81]   La regulación contenida en el borrador de NC parece dar a entender que el concepto de naturaleza manejado en ese texto considera a ésta como una entidad con existencia independiente del hombre, y que por tanto debe ser protegida contra la acción del ser humano, con independencia de cualquier consecuencia que se provoque en el buen vivir de este último. Así se desprende, por ejemplo, del artículo 136 ("El Estado, como custodio de los humedales, bosques nativos y suelos, asegurará la integridad de estos ecosistemas, sus funciones, procesos y conectividad hídrica"); el artículo 137 ("El Estado garantiza la protección de los glaciares y del entorno glaciar, incluyendo los suelos congelados y sus funciones ecosistémicas"); el artículo 138 ("el Estado protegerá la función ecológica y social de la tierra"); y el artículo 139, numeral 2 ("es deber del Estado la conservación, la preservación y el cuidado de los ecosistemas marinos y costeros continentales, insulares y antártico, propiciando las diversas vocaciones y usos asociados a ellos, y asegurando, en todo caso, su preservación, conservación y restauración ecológica")

[82]   En general, el nro. 1 del art. 18 de la NC señala que las personas naturales "son titulares de derechos fundamentales. Los derechos podrán ser ejercidos y exigidos individual o colectivamente".

representación de estas entidades o bienes, podría haber utilizado el poder del Estado para influir, *ex ante* o *ex post*, en la formulación de la planificación territorial, o incluso, en los atributos del dominio del propietario de un determinado predio, o en sus derechos adquiridos en virtud de la propia planificación aprobada por la autoridad.

3.3.2. El problema de la plusvalía causada por la planificación territorial

Otra norma de alcances insospechados para la planificación urbana se encontraba en el art. 52 nro. 4, antes mencionado. Esta norma dispone que en su parte final que el Estado "participa en la plusvalía que genere su acción urbanística o regulatoria" (destacado nuestro). Esto abría una serie de posibles problemas, atendida su implicancia para el derecho de propiedad (¿qué se entiende por plusvalía? ¿quién debe pagar esa plusvalía al Estado? ¿a través de qué instrumento? ¿la plusvalía se calcula en base a condiciones de mercado, o en base a los avalúos fiscales? ¿cómo se reclama algún abuso en la fijación de ese valor? etc.).

Por otro lado, si esa plusvalía —entendiéndola como una valoración al alza de propiedades y barrios — se concreta, será no tanto a causa de la regulación urbanística, como de la acción y provecho que los particulares generen y obtengan a partir de la acción ordenadora pública. En esas condiciones, aquella norma de la NC ponía en cuestión derechos como la libertad de emprendimiento y otros relacionados con la libertad económica, y podía dar pie a la expropiación de las eventuales ganancias obtenidas por los particulares a partir de las normas urbanísticas, o la imposición de tasas o tributos que aseguren *ex ante* esa recaudación. Por otro lado ¿qué sucedía si la planificación territorial genera la *devaluación* de un determinado territorio o propiedad? ¿tenían los particulares el derecho de ser resarcidos por esa devaluación?

3.3.3. Bienes comunes e inapropiables

Otra norma que podía tener incidencia en la planificación territorial es el art. 134 de la NC, que se refería a los denominados "bienes comunes"[83]. Respecto de los que la norma considera "inapropiables" —el agua en todos sus estados, el aire, el mar territorial y las playas, los reconocidos por el derecho internacional y los que la Constitución o las leyes declaren como tales—, la NC disponía, en lo que interesa, que el Estado podrá otorgar autorizaciones administrativas para el uso de los bienes comunes naturales inapropiables, con las características que dispone la norma (numeral 4). Estas autorizaciones, ya sean individuales o colectivas, dispone ese precepto, *no generan derechos de propiedad*. Esto podía significar, por tanto, que la planificación territorial sobre estos bienes comunes o cualquier regulación al respecto tampoco podía generar derechos adquiridos o expectativas legítimas en estos bienes o zonas territoriales. Cabe la pregunta, entonces, sobre qué protección tenían entonces las actividades comerciales o productivas que se generen en estas zonas a partir de la regulación territorial respectiva, si es que ellas llegaban a permitirse[84].

3.3.4. Prohibición de la "especulación" en materia de suelo

El estatus del derecho de propiedad también podía verse debilitado por lo dispuesto en el nro. 5 del art. 51, relativo al derecho de vivienda. A propósito de la garantía de suelos necesarios para la provisión de vivienda digna y adecuada, la norma señalaba que la ley "establecerá mecanismos para impedir la especulación en materia de suelo y vivienda que vaya en desmedro del interés público, de conformidad a la ley". Cabe preguntarse si, a partir de esta norma —que, interpretada de forma extrema, podría poner en cuestión, nuevamente, la libertad de emprendimiento—, la legislación urbanística podía señalar zonas o sectores en los cuales, asumiendo de antemano la posibilidad de especulación, se es-

---

[83]   Véase nota al pie nro. 77, supra.

[84]   Interesantes estudios sobre la protección de los derechos adquiridos y las expectativas legítimas en esa clase de bienes, en el marco del ordenamiento jurídico actualmente vigente en Chile, así como la protección de la confianza legítima en el Derecho administrativo chileno actual, pueden encontrarse en: Jaime Arancibia y Patricio Ponce Correa, eds., *El dominio público: Actas de las XV Jornadas Nacionales de Derecho Administrativo* (Valencia: Tirant lo Blanch, 2018). Consúltese también: Phillips Letelier, Jaime, *La protección de expectativas en el derecho administrativo chileno: Una propuesta para la aplicación del principio de protección*. Monografías, (Valencia: Tirant lo Blanch, 2020).

tablezcan reglas que limiten o directamente eliminen las facultades de los dueños de los predios para sacar provecho de sus bienes o disponer de ellos.

3.3.5. La normativa indígena

Aunque las normas constitucionales no permitían saber si las autonomías territoriales indígenas tenían potestades de ordenación territorial o urbanística, existían normas constitucionales relativas a esas unidades subnacionales que tenían el potencial de influir sobre el uso o distribución del suelo o la planificación territorial. Así sucede, por ejemplo, con el Artículo 58 de la NC, que señala que "[l]a Constitución reconoce a los pueblos y naciones indígenas el uso tradicional de las aguas situadas en territorios indígenas o autonomías territoriales indígenas. Es deber del Estado garantizar su protección, integridad y abastecimiento". Esto podría haber tenido influencia directa en la zonificación de áreas territoriales que influyan en esa integridad y abastecimiento, aunque no estén dentro de la referida autonomía territorial. Una conclusión semejante podía extraerse de lo dispuesto por el Artículo 102, numeral 3, de la NC, que garantizaba a los pueblos y naciones indígenas *el acceso* a su patrimonio, incluyendo objetos de su cultura, restos humanos y *sitios culturalmente significativos para su desarrollo*, lo que también hubiese influido, evidentemente, en el estatus territorial o urbanístico de los territorios en que esos objetos, restos y sitios se encuentran[85].

Otra norma que hubiese tenido indudables efectos territoriales y urbanísticos es el art. 79, de acuerdo con el cual en su nro. 1) el Estado "reconoce y garantiza el derecho de los pueblos y naciones indígenas a sus tierras, territorios y recursos". De acuerdo con el numeral 2, la propiedad de las tierras indígenas goza de especial protección. El Es-

---

[85]   Inevitablemente, esta norma plantea dudas por su amplitud. Así, por ejemplo, la norma no tendría sentido dentro del territorio de la autonomía territorial indígena —ahí la nación o pueblo indígena ya tiene asegurado su acceso a esas zonas—, por lo que su sentido ha de referirse necesariamente a terrenos que están *fuera* de la autonomía indígena. Por otra parte, en el caso de los "sitios culturalmente significativos" ¿se requiere alguna antigüedad en el uso para considerar a un sitio en esas condiciones?

tado establecerá instrumentos jurídicos eficaces para su catastro, regularización, demarcación, titulación, reparación y restitución. El numeral 3 agrega que la *restitución* constituye un mecanismo preferente
de reparación, de utilidad pública e interés general (cursivas nuestras).

Evidentemente, el casi seguro efecto retroactivo de estas normas
(pues el numeral 3 de esta norma habla de "restitución" de los territorios a que se refiere su nro. 1) eliminaba la fuerza jurídica de la
normación territorial y de la propiedad individual, o cualquier otro
derecho adquirido o legítima expectativa que esté basada en la planificación territorial de las personas no indígenas que habiten en los
sectores que terminen sujetos a estos mecanismos de reparación o
restitución[86].

4. EL "DERECHO A LA CIUDAD"

Hemos dejado para el final una de las más importantes innovaciones del borrador de la NC, el derecho a la ciudad y al territorio. Según
el art. 52 *es un derecho colectivo* orientado al bien común y se basa en
el ejercicio pleno de los derechos humanos en el territorio, en su gestión democrática y en la función social y ecológica de la propiedad [87].

Aunque esta propuesta parecía relativamente novedosa, lo cierto
es que los especialistas del derecho urbanístico ya se preocupaban,
desde antiguo, de los problemas jurídicos causados por las aglome-

---

[86]   Otra norma que se refiere al reconocimiento y protección de las tierras, territorios y
         recursos de los pueblos y naciones indígenas es el art. 34 de la NC. Cabe considerar,
         además, que tanto este artículo como el art. 18 nro. 2 del mismo texto reconocen a
         los pueblos y naciones indígenas no sólo derechos individuales, sino también dere-
         chos "colectivos", lo que podría implicar una titularidad ampliada de los mismos
         —también, desde luego, en materias relativas a restitución de tierras, y las demás
         mencionadas en este apartado—, sin que esté claro si esta titularidad ampliada re-
         querirá la formalización de algún tipo de personería por quienes se presenten como
         representantes de esos pueblos y naciones. (PONER LHAKA HONHAT)

[87]   Antecedentes de la inclusión de este derecho en el texto de la NC pueden encon-
         trarse en algunas propuestas presentadas a la Convención Constituyente por al-
         gunos convencionales, o por grupos de ciudadanos. Así, por ejemplo, véanse las
         iniciativas convencionales de Matías Orellana, "Derecho a la Ciudad.docx." y la
         de Plataforma Digital de Participación Popular. 2022. "El Derecho a la Ciudad
         (iniciativa popular de norma), citadas más adelante.

raciones urbanas propias de nuestra civilización contemporánea. De acuerdo con Fernández y Holmes, en su obra clásica en materia de derecho urbanístico, nuestra actual civilización:

> (...) se fundamenta en el extraordinario crecimiento de las ciudades, junto con el desarrollo socioeconómico y cultural de sus habitantes, lo que conlleva asimismo enfrentar desafíos de gran importancia [...] para el jurista es un tema de alto interés las relaciones que se producen entre la ciudad y el derecho. En efecto, la ciudad, además de ser el centro físico, social y económico donde se generan la mayor parte de las relaciones jurídicas del hombre, constituye en sí misma una fuente de problemas jurídicos que deben ser abordados[88].

Lo novedoso de este derecho, por tanto, debe buscarse en otra parte. Desde este punto de vista, y en una visión general, lo primero que se desprende del análisis de numerosos autores nacionales y extranjeros que se refieren a esta materia, es que el "derecho a la ciudad" aparece mucho más como un reclamo de orden ideológico[89], que como una construcción propiamente jurídica, dadas las numerosas y heterogéneas reivindicaciones que engloba[90]; las que, por otra parte,

---

[88]   Fernández y Holmes, *Derecho urbanístico chileno*, 12-13.

[89]   "Bajo el actual modelo de desarrollo urbano, *en el que prevalece una lógica neoliberal que beneficia principalmente a los intereses económicos por encima de los valores sociales*, estamos asistiendo a varios procesos interrelacionados que tienen en común el resultado de incrementar las desigualdades y la exclusión... El Derecho a la Ciudad cambia el enfoque de nuestras ciudades *de ser campos de juego para el capital y el beneficio*, a ser entidades sociales, políticas y económicas vivas. Al reclamar los espacios urbanos como lugares colectivos para las personas, por las personas, se busca evitar la marginación, criminalización y expulsión de grandes sectores de la población de nuestras ciudades". Global Platform for the Right to the City, "¿Qué es el Derecho a la Ciudad? – Right to the city", www.right2city.org . Véase también Fernando Carrión y Manuel Dammert-Guardia, *Derecho a la ciudad: Una evocación de las transformaciones urbanas en América Latina*, (Buenos Aires: CLACSO, 2019), 29-30, con un relato de la influencia de pensadores de inspiración marxista como Henry Lefebvre, David Harvey o Peter Marcuse, en el surgimiento de este derecho.

[90]   La visión ideológica parece haber primado también entre los redactores del borrador de NC en examen. Obsérvese, por ejemplo, lo que señala una de las propuestas de incorporación del derecho a la ciudad a dicho documento: "La plataforma de Ciudad Constituyente nos ha convocado a 'pensar en lo común como proyección de la revuelta, [que] otorga la posibilidad de liberar los espa-

exceden con mucho lo meramente territorial o urbanístico. Como señala Fernandes "…aunque la naturaleza del Derecho a la Ciudad se ha ido debatiendo cada vez más —y varios de sus componentes han ido adquiriendo una mayor coherencia a lo largo de los años—, sigue siendo fundamentalmente una noción sociopolítica"[91].

Por ello, dicho autor reclama la necesidad de darle una formulación jurídica. Esto no ha impedido que el "derecho a la ciudad" haya tenido un reconocimiento en diversos instrumentos y documentos a nivel comparado e internacional —algunos con importante valor normativo en México[92], Brasil[93], Ecuador[93] y en conferencias y organismos internacionales[94].

---

cios físicos, sociales e institucionales de los encasillamientos que terminan subordinados al binomio Estado o empresa privada' […]". Matías Orellana et al., "Derecho a la Ciudad" (iniciativa constituyente, 2022), 1-2, https://www.chileconvencion.cl/wp-content/uploads/2022/02/688-Iniciativa-Convencional-Constituyente-del-cc-Matias-Orellana-sobre-derecho-a-la-ciudad-120001-02.pdf.

[91] Edesio Fernandes, "La Ciudad como un Bien Común.", 5, https://www.right2city.org/wp-content/uploads/2021/11/Right-to-the-City-Bien-Comun_ES-2.pdf

[92] A nivel programático, el Derecho a la Ciudad ha sido reconocido en la "Carta de la Ciudad de México por el Derecho a la Ciudad" (2010), firmada por el gobierno de la ciudad y diversas organizaciones sociales ("[e]l Derecho a la Ciudad es interdependiente de todos los derechos humanos internacionalmente reconocidos, concebidos integralmente, e incluye, por tanto, todos los derechos civiles, políticos, económicos, sociales, culturales y ambientales reglamentados en los tratados internacionales de derechos humanos" Comité Promotor de la Carta de la Ciudad de México por el Derecho a la Ciudad, "Carta de la Ciudad de México por el Derecho a la Ciudad.", 15, https://www.right2city.org/wp-content/uploads/2021/04/CARTA_CIUDAD_2011-muestra.pdf). A nivel normativo, en cambio, la constitución de la ciudad de México, promulgada en febrero de 2017, se refiere a esta materia en su art. 12.1: "1. La Ciudad de México garantiza el derecho a la ciudad que consiste en el uso y el usufructo pleno y equitativo de la ciudad, fundado en principios de justicia social, democracia, participación, igualdad, sustentabilidad, de respeto a la diversidad cultural, a la naturaleza y al medio ambiente". Véase Carrión y Dammert-Guardia, *Derecho a la ciudad…*, 13-16; y Orellana et al. "Derecho a la ciudad", 3.

[93] En Brasil algunos autores identifican reconocimientos parciales del derecho a la ciudad en los artículos 182 y 183 de la Constitución brasileña, referidos a la función social de la ciudad y la función de la propiedad Esos artículos fueron regulados a través de una ley federal brasileña, la 10.257 de 2001, comúnmente denominada como el "Estatuto de la Ciudad de Brasil" (2001), que" establece normas de orden público e interés social que regulan el uso de la propiedad urbana en beneficio del bien colectivo, de la seguridad y bienestar de los ciu-

De esta manera, el derecho a la ciudad termina siendo, en realidad, una especie de paraguas que cubre un heterogéneo conjunto de reivindicaciones cuyo único punto de contacto parece ser el que se refieren a cuestiones que acontecen en la vida urbana[96]. Desde luego, algunas de esas reivindicaciones están relacionadas con el derecho a la vivienda y la planificación territorial[97], pero también encontramos el combate

---

dadanos y del equilibrio ambiental". Véase Secretaría Nacional de Programas Urbanos-Ministerio de las Ciudades de Brasil. 2022. "El Estatuto de la Ciudad de Brasil: Un comentario." https://www.citiesalliance.org/sites/default/files/CA_Images/CityStatute_Spanish_Foreword_TOC.pdf..

[94] La Constitución de Ecuador de 2008 dispone, en su artículo 31 que: "[l]as personas tienen derecho al disfrute pleno de la ciudad y de sus espacios públicos, bajo los principios de sustentabilidad, justicia social, respeto a las diferentes culturas urbanas y equilibrio entre lo urbano y lo rural. El ejercicio del derecho a la ciudad se basa en la gestión democrática de ésta, en la función social y ambiental de la propiedad y de la ciudad, y en el ejercicio pleno de la ciudadanía.". Véase también Carrión y Dammert-Guardia, *Derecho a la ciudad...*, 15; y Orellana et al. "Derecho a la ciudad", 2.

[95] El derecho a la ciudad también fue incluido en la "nueva agenda urbana" (NUA) promulgada por Naciones Unidas el año 2016, que no tiene valor vinculante y que busca establecer los lineamientos de política pública y comprensión de lo urbano y las ciudades a nivel mundial en un período de 20 años. Este documento redacta el derecho a la ciudad de la siguiente manera: "11. Compartimos el ideal de una ciudad para todos, refiriéndonos a la igualdad en el uso y el disfrute de las ciudades y los asentamientos humanos y buscando promover la inclusividad y garantizar que todos los habitantes, tanto de las generaciones presentes como futuras, sin discriminación de ningún tipo, puedan crear ciudades y asentamientos humanos justos, seguros, sanos, accesibles, asequibles, resilientes y sostenibles y habitar en ellos, a fin de promover la prosperidad y la calidad de vida para todos [...]".. Véase Naciones Unidas, "The New Urban Agenda", aprobada en la Conferencia de las Naciones Unidas en Quito, Ecuador, el 20 de octubre de 2016, 5, https://habitat3.org/wp-content/uploads/NUA-Spanish.pdf. Véase también Carrión y Dammert-Guardia, *Derecho a la ciudad...*, 16-17.

[96] Véase también una síntesis de las reivindicaciones que componen el derecho a la ciudad en Cardemil, "El derecho a la ciudad", 5-6.

[97] En una entrevista, un convencional constituyente señalaba que el derecho a la ciudad debe ser estudiado y planteado de una manera correcta. "Su desarrollo, expansión y crecimiento, debe ser planificado y, con responsabilidad, por parte del Estado dar la importancia a la vida en el espacio público. También, es necesario que se analicen las características de la conformación en las comunidades, para mitigar la segregación social y los impactos al medio ambiente". Véase "El derecho a la ciudad como un mandato constitucional", *Diario Constitucional*, 15 dic. 2021, accedido el 16 de junio de 2022, https://www.diarioconstitucional.cl/2021/12/15/el-derecho-a-la-ciudad-como-un-mandato-constitucional/.

a la discriminación —incluyendo la discriminación por razones se-
xuales o culturales[98]—; la locomoción colectiva o movilización al interior de la ciudad[99]; la participación política[100]; el acceso equitativo
a prestaciones relacionadas con derechos sociales[101]; la implantación
de una economía diversa e inclusiva[102], etc.

Por esto, la heterogeneidad de esas reivindicaciones hace difícil
prever cuáles hubiesen sido los efectos reales de este derecho sobre la
planificación territorial. Lo único cierto es que los aspectos prestacionales o programáticos que puedan desprenderse de estas reivindicaciones dependerán, al final del día, de políticas públicas cuya eficacia

---

[98] Se ha propuesto como uno de los objetivos del derecho a la ciudad el logro de
"una ciudad/asentamiento humano libre de discriminación por motivos de género, edad, estado de salud, ingresos, nacionalidad, origen étnico, condición migra-
toria u orientación política, religiosa o sexual. Una ciudad/ asentamiento humano
que abarque las minorías y la diversidad étnica, racial, sexual y cultural [...]".
Global Platform for the Right to the City, "¿Qué es el derecho a la ciudad?"

[99] Algunos se refieren al derecho a la "movilidad segura, justa y sustentable". Joaquín Riffo, "Ciudad Constituyente: "el derecho a la ciudad se plantea como algo
académico, pero afecta todo lo cotidiano"." *Interferencia*, 26 ene. 2022, accedido el 20 de junio de 2022, https://interferencia.cl/articulos/ciudad-constituyen-
te-el-derecho-la-ciudad-se-plantea-como-algo-academico-pero-afecta-todo. .

[100] "Una ciudad/asentamiento humano con una mayor participación política en la
definición, ejecución, seguimiento y formulación de presupuestos de las políticas
urbanas y la ordenación del territorio con el fin de reforzar la transparencia, la
eficacia y la inclusión de la diversidad de les habitantes y de sus organizaciones.
El Derecho a la Ciudad implica responsabilidades en todos los ámbitos de gobierno y ciudadanos para ejercer, reclamar, defender y promover la gobernanza
equitativa y la función social de todos los asentamientos humanos dentro de un
hábitat de Derechos Humanos" (sic).

[101] "Una ciudad/asentamiento humano que cumpla sus funciones sociales, es decir,
que garantice el acceso equitativo y asequible de todes a la vivienda, los bienes,
los servicios y las oportunidades urbanas [...] que dé prioridad al interés público
y social definido colectivamente, garantice un uso justo y ambientalmente equilibrado de los espacios urbanos y rurales, y reconozca y apoye la Producción Social del Hábitat". *Global Platform for the Right to the City*, "¿Qué es el derecho
a la ciudad?"

[102] Una ciudad/asentamiento humano con economías diversas e inclusivas que salvaguarde y asegure el acceso a medios de vida seguros y trabajo decente para
todes les habitantes, dé cabida a otras economías [...] reconozca el cuidado doméstico y el trabajo comunitario desarrollado en gran medida por las mujeres, y
garantice el pleno desarrollo de las mujeres y las niñas. *Global Platform for the
Right to the City*, "¿Qué es el derecho a la ciudad?"

no puede ser determinada de antemano por el texto constitucional. En cambio, aquellas reivindicaciones que impliquen límites a los derechos clásicos o individuales —por ejemplo, los mandatos de prohibición de determinadas actividades económicas, en nombre del medio ambiente, de la función social de la propiedad, o de la preferencia por sistemas económicos alternativos—, podrían haberse aplicado de forma mucho más directa e inmediata a través de las normas de planificación territorial. A ello, cabe agregar que el carácter "colectivo" de estos derechos implicaba, ciertamente, una ampliación de la legitimación activa para exigirlos.

Por otro lado, el "derecho a la ciudad" podría haber implicado serios cuestionamientos al dominio y a las facultades del propietario; al menos tal como las entendemos bajo el régimen constitucional actualmente vigente. Así se desprende, por ejemplo, de algunas disposiciones contenidas en la "Carta Mundial por el Derecho a la Ciudad", antes mencionada[103]. Veamos algunas de ellas (Art. II):

— 2.2. Los espacios y bienes públicos y *privados* de la ciudad y de los ciudadanos deben ser utilizados priorizando el interés social, cultural y ambiental;

— 2.3 Las ciudades deben promulgar la legislación adecuada y establecer mecanismos y sanciones destinados a garantizar el pleno aprovechamiento del suelo urbano y de los inmuebles públicos y *privados no edificados, no utilizados, subutilizados o no ocupados*, para el cumplimiento de la función social de la propiedad;

— 2.4 En la formulación e implementación de las políticas urbanas debe prevalecer el interés social y cultural colectivo *por encima del derecho individual de propiedad y los intereses especulativos*;

— 2.5. Las ciudades *deben inhibir la especulación inmobiliaria mediante la adopción de normas urbanas para una justa distribución de las cargas y los beneficios generados por el*

---

[103] Compárense estas ideas con las propuestas de normas introducidas al proceso constituyente. Véase, por ejemplo, Javiera Martínez, "El Derecho a la Ciudad (iniciativa popular de norma, 2022)", https://plataforma.chileconvencion.cl/m/iniciativa_popular/detalle?id=21782, *passim*.

proceso de urbanización y la adecuación de los instrumentos de política económica, tributaria y financiera y de los gastos públicos a los objetivos del desarrollo urbano, equitativo y sustentable. Las rentas extraordinarias (plusvalías) generadas por la inversión pública, —actualmente capturadas por empresas inmobiliarias y particulares—, deben gestionarse en favor de programas sociales que garanticen el derecho a la vivienda y a una vida digna a los sectores que habitan en condiciones precarias y en situación de riesgo[104].

5. CONCLUSIONES

Mientras la Constitución chilena vigente no considera como parte de su regulación constitucional a la planificación territorial o urbanística, al tiempo que otorga una fuerte protección al derecho de propiedad, el borrador de NC proponía a nivel constitucional no sólo el deber de planificar, sino que también las autoridades que deben hacerlo y sus competencias, así como el rango de las normas que deben regular este ámbito. Asimismo, consagraba principios constitucionales, y defendía bienes jurídicos y entidades no humanas cuya protección debilitaba la protección a los derechos y libertades de los ciudadanos sujetos a la planificación territorial, con un especial acento en el derecho de propiedad, cuyo régimen específico también aparecía debilitado. A través del derecho a la ciudad, a su vez, la planificación territorial se convertía en uno más de otros instrumentos destinados a lograr una serie de reivindicaciones sociales y económicas que exceden con mucho a la mera regulación del uso del suelo.

En conjunto, todo lo anterior podría haber rigidizado notablemente la regulación jurídica del ordenamiento territorial tal como la conocemos ahora, al mismo tiempo que parecía desequilibrar, en favor del poder político, la relación que debe existir entre las potestades urbanísticas y la protección del derecho de dominio y otros derechos individuales. Se trataba de un giro copernicano de la regulación constitucional en esta mate-

---

[104] "Carta Mundial por el Derecho a la Ciudad", *Paz y Conflictos*, no. 5 (2012): 184-96.   https://www.ugr.es/~revpaz/documentacion/rpc_n5_2012_doc1.pdf. Accedido el 1 de junio de 2022. Los destacados son nuestros.

ria, de consecuencias insospechadas, que ciertamente hubiese eliminado el modelo de planificación territorial actual, que depende de la actividad de los dueños de los predios y la protección de sus derechos para llevar a la práctica las normas de urbanización establecidas por las autoridades.

Bibliografía

Artículos, libros y otros

Arancibia, Jaime, "Las autorizaciones administrativas: bases conceptuales y jurídicas" ReDAE, n° 32 (2020), passim, https://doi.org/10.7764/redae.32.1.

Arancibia, Jaime y Patricio Ponce Correa (eds.), El dominio público: Actas de las XV Jornadas Nacionales de Derecho Administrativo, Valencia: Tirant lo Blanch, 2018

Bergamini Kay y Alejandra Rasse, "Política Nacional de Desarrollo Rural: implementación, institucionalización y desafíos para Chile", Temas de la Agenda Pública, 17, n° 155 (2022): 1-18

Bertelsen Repetto, Raúl, "Tendencias en el reconocimiento y protección constitucional de los derechos en Chile." Revista Chilena de Derecho, 14, n°1 (1987): 49-62.

Cardemil Winkler, Magdalena. El derecho a la ciudad. Serie Minutas 20-21. 2021. https://obtienearchivo.bcn.cl/obtienearchivo?id=repositorio/10221/32190/1/N_20_21_Derecho_a_la_ciudad.pdf.

Carrión, Fernando y Manuel Dammert-Guardia, eds., Derecho a la ciudad: Una evocación de las transformaciones urbanas en América Latina. Buenos Aires: CLACSO, 2019.

"Carta Mundial por el Derecho a la Ciudad", Paz y Conflictos, n° 5 (2012): 184-96. https://www.ugr.es/~revpaz/documentacion/rpc_n5_2012_doc1.pdf.

Comité Promotor de la Carta de la Ciudad de México por el Derecho a la Ciudad. Carta de la Ciudad de México por el Derecho a la Ciudad. 2011. Accedido el 29 de junio de 2022. https://www.right2city.org/wp-content/uploads/2021/04/CARTA_CIUDAD_2011-muestra.pdf.

Cordero Quinzacara, Eduardo, "Naturaleza, contenido y principios del derecho urbanístico chileno." Revista de derecho (Coquimbo), n° 22 (2015): 93-138. http://www.scielo.cl/scielo.php?script=sci_arttext&pid=S0718-97532015000200004&nrm=iso.

"El derecho a la ciudad como un mandato constitucional", *Diario Constitucional*, 15 dic 2021, https://www.diarioconstitucional.cl/2021/12/15/el-derecho-a-la-ciudad-como-un-mandato-constitucional/.

Fernandes, Edesio, *La Ciudad como un Bien Común* 2021, https://www.right2city.org/wp-content/uploads/2021/11/Right-to-the-City-Bien-Comun_ES-2.pdf.

Fernández Richard, José y Felipe Holmes. *Derecho urbanístico Chileno*. Tercera edición actualizada. Santiago de Chile: Editorial Jurídica de Chile, 2021. Reimpresión.

Global Platform for the Right to the City, "Qué es el Derecho a la Ciudad-Right to the city." Accedido el 3 de junio de 2022, www.right2city.org

Gomes Canotilho, Joaquim, "Metodología "fuzzy" y "camaleones normativos" en la problemática actual de los derechos económicos, sociales y culturales", Derechos y Libertades-Instituto Bartolomé de las Casas, III, n° 6 (1998), 48.

Henoch, Paula. 2022. *"Planificación territorial y nueva Constitución: ¿quién será el responsable?" Diario Financiero*, 31 de mayo de 2022. Accedido el 24 de junio de 2022. https://www.df.cl/opinion/columnistas/planificacion-territorial-y-nueva-constitucion-quien-sera-el-responsable.

Henríquez, Cristian, Manuel Fuenzalida, Federico Arenas y Francisco Maturana. "La planificación territorial en Chile y el proceso de descentralización." En ¿Para qué descentralizar? Centralismo y políticas públicas en Chile: Análisis y Evaluación por Sectores, editado por Camilo Vial Cossani y José A. Hernández Bonivento, 181-208. Santiago de Chile: Universidad Autónoma de Chile, 2017.

Heywood, Andrew.. *Introducción a la teoría política*. Ciencia política 32. Valencia: Tirant lo Blanch, 2010.

Kriele, Martín. *Introducción a la teoría del Estado: Fundamentos históricos de la legitimidad del Estado constitucional democrático*. Buenos Aires: Depalma, 1980

Leibholz, Gerhard. "El Tribunal Constitucional de la República Federal Alemana y el problema de la apreciación judicial de la política." *Revista de Estudios Políticos (Nueva Época)*, n°146 (1966): 89-100.

Márquez Poblete, Marco Aurelio y Eva Veloso Pérez. "El Ordenamiento Territorial en Chile: Estado del Arte." *Revista* EGGP, n° 35 (2020): 139-179. https://revistaeggp.uchile.cl/index.php/REGP/article/view/61424.

Martínez, Javiera, "El Derecho a la Ciudad (iniciativa popular de norma): Iniciativa N° 21.782 de la agrupación 'Ciudad Constituyente'", accedido el 20 de junio de 2022. https://plataforma.chileconvencion.cl/m/iniciativa_popular/detalle?id=21782.

Montecinos, Egon. "Planificación territorial en Chile: Del modelo Top Down a los desafíos de articulación multinivel." *RCS*, volumen 27, n°2 (2021), 484-500. https://doi.org/10.31876/rcs.v27i2.35936.

Orellana, Matías, Benito Baranda, Mariela Serey y y otros 13 convencionales constituyentes. 2022. "Derecho a la Ciudad.docx." Iniciativa de norma convencional constituyente. Accedido el 20 de junio de 2022. https://www.chileconvencion.cl/wp-content/uploads/2022/02/688-Iniciativa-Convencional-Constituyente-del-cc-Matias-Orellana-sobre-derecho-a-la-ciudad-120001-02.pdf.

Otto y Pardo, Ignacio de. "Derecho Constitucional. Sistema de Fuentes." En *Ignacio de Otto y Pardo: Obras completas*, editado por Ramón Punset, Francisco J. Bastida Freijedo y Joaquín Varela Suanzes, 803-1068. Oviedo, Madrid: Universidad de Oviedo; Centro de Estudios Políticos y Constitucionales, 2010.

Parejo Alfonso, Luciano. *Lecciones de Derecho Administrativo 5ª ed. revisada y actualizada.* Valencia: Tirant lo Blanch, 2012

Peñailillo Arévalo, Daniel. *Los Bienes: La Propiedad y otros Derechos Reales.* 4ª ed. Santiago de Chile: Editorial Jurídica de Chile, 2006

Pereira Menaut, Antonio-Carlos. *Teoría constitucional y otros escritos.* Santiago de Chile: LexisNexis, 2006.

Phillips Letelier, Jaime, *La protección de expectativas en el derecho administrativo chileno: Una propuesta para la aplicación del principio de protección.* Monografías, Valencia: Tirant lo Blanch, 2020

Poyanco Bugueño, Rodrigo Andrés, "Derechos sociales y políticas públicas: El principio de progresividad." *Anuario de Derecho Constitucional Latinoamericano*, volumen XXIII (2017): 327-47. http://www.kas.de/rspla/es/publications/51336/.

Poyanco Bugueño, Rodrigo Andrés. "Los derechos sociales, la política y las políticas." En *Política, Derecho y Constitución*, editado por Alan Bronfman Vargas, Celso Cancela Outeda, José I. Martínez Estay y Marcela Peredo Rojas, 725-48. Valencia: Tirant lo Blanch, 2021

Precht, Alejandra, Carola Salamanca y Sonia Reyes. *El ordenamiento territorial de Chile.* Santiago de Chile: Ediciones UC, 2016.

Riffo, Joaquín. 2022. "Ciudad Constituyente: 'el derecho a la ciudad se plantea como algo académico pero afecta todo lo cotidiano'" *Interferencia*, 26 Ene. de 2022, Accedid el 20 de junio de 2022. https://interferencia.cl/articulos/ciudad-constituyente-el-derecho-la-ciudad-se-plantea-como-algo-academico-pero-afecta-todo.

Ríos Álvarez, Lautaro. "El urbanismo y los principios fundamentales del Derecho Urbanistico." Tesis de doctorado, Universidad Complutense de Madrid, 1985. https://eprints.ucm.es/id/eprint/54405/1/5327077047.pdf.

Silva Bascuñán, Alejandro y María Pía Silva Gallinato. *Tratado de derecho constitucional: La Constitución de 1980: Bases de la institucionalidad, nacionalidad y ciudadanía, justicia electoral.* 12 vols. 4. Santiago de Chile: Editorial Jurídica de Chile, 1997.

Subsecretaría de Desarrollo Regional y Administrativo. *Plan regional de ordenamiento territorial: Contenido y Procedimientos.* Santiago de Chile: SUBDERE, 2011

The New Urban Agenda-Habitat III. 2016. Quito. Aprobada en la Conferencia de las Naciones Unidas sobre la Vivienda y el Desarrollo Urbano Sostenible (Hábitat III) celebrada en Quito, Ecuador, el 20 de octubre de 2016. Accedido el 3 de junio de 2022. https://habitat3.org/wp-content/uploads/NUA-Spanish.pdf.

Legislación

Circular DDU 430, de 14 de abril de 2020, Planificación; Plan regulador intercomunal o metropolitano, https://www.minvu.cl/wp-content/uploads/2019/06/DDU-430-entera.pdf,

Constitución Política de la República de Chile (Diario Oficial del 22 de septiembre de 2005). Accedida el 20 de junio de 2022. Disponible en: http://bcn.cl/2f6sk

Decreto con Fuerza de Ley 458 de 1975. Aprueba nueva Ley General de Urbanismo y Construcciones. (Diario Oficial del 13 de abril de 1976). Accedida el 20 de junio de 2022. Disponible en: http://bcn.cl/32lu4

Decreto 47 de 1992, del Ministerio de Vivienda y Urbanismo. Fija nuevo texto de la Ordenanza General de la Ley General de Urbanismo y Construcciones (Diario Oficial de 5 de junio de 1992). Accedida el 20 de junio de 2022. Disponible en: http://bcn.cl/30el9

Dictamen 18447 de 2004, de la Contraloría General de la República. https://www.contraloria.cl/pdfbuscador/dictamenes/018447N04/html

Ley General de Urbanismo y Construcciones LGUC, 2010. art. 27, inciso 1°. chrome-extension://efaidnbmnnnibpcajpcglclefindmkaj/https://ieu9.files.wordpress.com/2010/06/ley-general-de-urbanismo-y-construcciones-chile.pdf

Ley 19300, de 09 marzo 1994, Aprueba Ley Sobre Bases Generales Del Medio Ambiente. Ministerio Secretaría General De La Presidencia http://bcn.cl/2ygpt

Texto de NC aprobado por la Convención Constitucional, presentado oficialmente el 4 de julio de 2022: https://es.scribd.com/document/581044589/Texto-Definitivo-CPR-2022-Tapas#download

NATURALEZA JURÍDICA DE LA DECLARACIÓN EN CONSTRUCCIÓN

Francisco Irarrázaval Armendáriz[*]

INTRODUCCIÓN

En los tiempos que corren, el mundo ya es del todo consciente de los daños que significa la crisis del cambio climático para nuestro presente y futuro, así como la necesidad urgente de desprenderse a la mayor velocidad posible del uso de combustibles fósiles para abastecer la demanda eléctrica.

Nuestro país juega un importante rol en esta materia puesto que tiene la meta de alcanzar y mantener la neutralidad de emisiones de gases de efecto invernadero al año 2050[1], lo que trae consigo la urgente necesidad de reemplazar el carbón por otro tipo de tecnologías limpias que permitan hacer frente, y de manera sustentable, a una demanda sostenidamente creciente de energía.

Si a ese contexto, le sumamos la grave sequía que llevamos arrastrando en Chile por varios años, la gran cantidad de energía que será necesaria para el desarrollo de la electromovilidad y el enorme potencial que se avizora para el desarrollo, explotación y exportación de grandes volúmenes de hidrógeno verde al resto del mundo, no cabe duda que tenemos frente a nosotros el gran desafío de aumentar rápidamente la participación de energías renovables en nuestro segmento

---

[*] Master Of Law (Ll.M), University Of California, Los Ángeles (UCLA); Abogado, Universidad de los Andes; Profesor de Derecho Eléctrico, Universidad de los Andes y Universidad Finis Terrae. Correo: firarrazavala@gmail.com

[1] Senado, Chile, Cambio climático: carbono neutralidad al 2050 y piden agilizar los reglamentos, 12 octubre 2021, https://www.senado.cl/cambio-climatico-comprometen-la-carbono-neutralidad-al-2050-y-piden

de generación como también la habilitación de nuevas instalaciones de transmisión que permitan trasladar estas energías limpias a lo largo y ancho del país en los próximos años.

Ante esa necesidad latente es que se hace necesario evaluar si las técnicas de autorizaciones que rigen al día de hoy en materia eléctrica son las más adecuadas para favorecer e incentivar el desarrollo de nuevas plantas renovables, o bien considerar si se hace necesario incorporar ajustes o cambios en aquellos instrumentos que, por mala ejecución reglamentaria, han permitido una progresiva desnaturalización de ciertas autorizaciones pasando a convertirse muchas veces en verdaderos obstáculos para la puesta en servicio de nuevas instalaciones eléctricas.

El propósito de este trabajo será analizar una de las autorizaciones más relevantes en materia eléctrica, a saber, la denominada declaración en construcción, la cual es otorgada por mandato legal por la Comisión Nacional de Energía, y cuya importancia radica en que sin ella no es posible dar inicio a la operación de nuevas instalaciones, sean centrales de generación o instalación de transmisión, dentro del sistema eléctrico.

Precisamente en atención a su importancia, es que un correcto análisis del sentido, alcance y finalidad de esta autorización puede resultar útil de modo de destrabar el ingreso y operación de nuevas instalaciones en nuestra matriz energética.

Para lo anterior, comenzaremos analizando brevemente el régimen de autorizaciones eléctricas desde la perspectiva del Derecho Administrativo y la normativa eléctrica vigente, para luego entrar en un análisis más profundo sobre la declaración en construcción desde su concepción legal hasta la implementación que esta institución ha tenido en algunos cuerpos reglamentarios.

1. RÉGIMEN DE AUTORIZACIONES BAJO EL DERECHO ADMINISTRATIVO GENERAL

Aún cuando en Chile no existe bajo el Derecho Administrativo un tratamiento ordenado y sistematizado del régimen de autorizaciones, lo cierto es que se trata de una de las manifestaciones más concretas y recurrentes que tiene esta rama del Derecho para con los administrados.

Tal como lo señala el autor español Laguna de Paz, en todo momento y lugar se encuentran manifestaciones de este instrumento de actuación pública, cuya importancia no ha dejado de crecer en el tiempo. Lo anterior se puede identificar fácilmente en el control del ejercicio de actividades privadas, en determinados aprovechamientos de dominio público y, por cierto, en el ejercicio de competencias administrativas[2].

Así, dentro de las distintas actividades que realiza el Estado, nos encontramos con actos administrativos de policía, empresariales, tributarios, prestacionales y de organización interna. Particularmente, los actos de policía son aquellos que controlan el ejercicio de actividades sujetas a libre iniciativa, velando por el cumplimiento de las normas legales, los cuales suelen imponer obligaciones de dar, hacer o no hacer, con el fin de verificar su compatibilidad con el interés general, bien sea para prevenir daños, o bien para asegurar interacciones eficientes en relaciones que presentan determinados riesgos de lesión o costos de transacción considerablemente altos[3].

Tal como lo ha señalado el Tribunal Constitucional en fallo de 16 de noviembre de 2010, el Estado realiza distintas intervenciones, que van desde la prohibición completa de una actividad determinada cuando esta es totalmente contraria a los intereses colectivos; pasando por otras intervenciones menos intensas en que se condiciona el ejercicio de ciertas actividades a ciertas autorizaciones previas cuando existe un riesgo potencial al interés público; hasta llegar a actividades donde no existe realmente un interés público comprometido, pero el Estado desea tener cierta información en vista de distintas finalidades, en cuyo caso sirve para tales fines el registro que lleva consigo la autoridad.[4]

---

[2] José Carlos Laguna de Paz, *La autorización administrativa*. (Madrid, Civitas, 2006), 31.

[3] Jaime Arancibia Mattar, "Las autorizaciones administrativas: Bases conceptuales y jurídicas". Revista de Derecho Administrativo Económico. 32 (2020): pp. 6.

[4] M. Mardones Osorio, & N. Cannoni Mandujano, "Caducidad de la resolución de calificación ambiental y reglamento del SEIA". *Revista Chilena De Derecho*, 43 nª2 (2016): pp. 573.

De esta manera, la técnica autorizatoria bajo el derecho administrativo general busca que se realicen las distintas actividades, pero sujetas al cumplimiento de determinados requisitos o condicionantes que son impuestos por el Estado mediante obligaciones, cargas y/o deberes.

Aquella intervención que realiza el legislador mediante la imposición de obligaciones, cargas y/o deberes en determinadas actividades las hace con el propósito de cautelar el interés público comprometido, entendiendo por tal la protección de los derechos públicos subjetivos, o bien el de asegurar que determinadas interacciones humanas se ejerzan de la manera más eficiente posible.

Atendida la existencia de determinadas obligaciones, cargas y/o deberes para realizar ciertas, actividades, los administrados deberán obtener un acto administrativo que certifique o de por cumplidos aquellas exigencias que establece el legislador para realizar la actividad.

En palabras del profesor Jaime Arancibia, "la autorización consiste en un acto administrativo que legaliza el ejercicio de un derecho para aquel titular que cumple las *conditio iuris* exigidas, mientras las cumpla o por el tiempo que el legislador disponga"[5].

De lo expuesto podemos identificar como elementos esenciales de todo acto autorizatorio: (i) la titularidad privada de un derecho cuyo ejercicio esté sujeto a un modo o carga autorizatoria; (ii) el cumplimiento de los requisitos habilitantes para la obtención de la autorización; (iii) la verificación fundada del cumplimiento de las condiciones para otorgar la autorización; y (iv) los requisitos para poder realizar la actividad solo pueden impuestos por el legislador de conformidad a los artículos 19 N°21, N°26 y 7 inciso 2 de la Constitución[6].

Aún cuando la técnica autorizatoria suele ser un mecanismo adecuado para proteger el interés general, es necesario fijar sus límites, de modo tal que no se convierta en una traba para la iniciativa privada de los particulares, ni tampoco genere cargas y costos excesivos para la Administración. Así, entonces, el control preventivo que realiza la autorización será legitimo en la medida que constituya una actuación necesaria y proporcionada en función del interés general.

---

5   Arancibia, "Las autorizaciones administrativas...", p. 7.
6   Arancibia, "Las autorizaciones administrativas...", 7.

Asimismo, al tratarse las autorizaciones de actos administrativos, es necesario que se dé estricto cumplimiento a la finalidad que el propio legislador ha querido otorgarles a estos instrumentos. El control preventivo que busca realizar la Administración Pública debe ser el interés público específico que contiene la norma, por tanto un acto administrativo no podría imponer requisitos que no se entiendan comprendidos dentro de un deber legal ya que tal desviación viciaría el acto de nulidad.

Este último punto es de sumo relevante ya que, como se ha señalado, nuestro derecho no ofrece un régimen ordenado y sistematizado de las autorizaciones, siendo además una práctica frecuente que las normas legales remitan gran parte de su contenido a la potestad reglamentaria. Lo anterior presenta el constante riesgo de que por la vía reglamentaria, se impongan requisitos que vayan más allá de lo mandatado por la norma legal, afectando con ello la esencia de los derechos de los titulares y repercutiendo directamente en el avance y desarrollo de actividades consideradas como esenciales para el funcionamiento humano, como es el acceso seguro, confiable, continuo y sustentable del suministro eléctrico.

2. FUNCIONAMIENTO DEL SISTEMA ELÉCTRICO Y SU RELACIÓN CON LAS AUTORIZACIONES

Desde el año 1980 hasta la fecha, nuestra legislación eléctrica ha tenido como principal objetivo dotar de la mayor eficiencia posible al sector eléctrico[7]. Así, desde esa fecha la normativa eléctrica chilena ha estructurado un mercado eléctrico siguiendo un modelo de prestación de servicios a través de empresas privadas que operan tanto en mercados competitivos, como en segmentos no competitivos sometidos a una continua regulación de precios y, por cierto, calidad de suministro.

Bajo esta visión, se han determinado ciertos segmentos o ámbitos de actividad en donde se privilegia la libertad de emprendimiento y el establecimiento libre de los precios cuando las condiciones naturales

---

[7]   Ministerio de Energía, Gobierno de Chile, Energía 2050: política energética de Chile, 2016, https://energia.gob.cl/sites/default/files/energia_2050_-_politica_energetica_de_chile.pdf

de los mercados así lo permiten, mientras en otros, donde se presentan características de monopolios naturales, se aplican regulaciones tendientes a simular condiciones de precios y calidad similares a los que se obtendrían en condiciones de competencia. Es en razón de lo anterior que la intensidad de la intervención regulatoria del Estado en los distintos segmentos, sea mediante la planificación, regulación o fiscalización, va a variar dependiendo del sector o segmento eléctrico involucrado.

En forma resumida, el profesor Alejando Vergara nos recuerda cuáles han sido los principales objetivos desde los inicios de la Ley General de Servicios Eléctricos (en adelante "LGSE") aprobada en 1982[8], a saber:

a)   Establecer un conjunto de reglas del juego lo más claras y objetivas posible, que constituyan el marco adecuado para la instalación y funcionamiento de empresas eléctricas;

b)   Otorgar al Estado instrumentos de control, de regulación, normas necesarias y suficientes para un funcionamiento racional del sector; y,

c)   *Desburocratizar, "eliminando controles y regulaciones excesivas que entraben innecesariamente el funcionamiento y desarrollo del sector."*[9]-[10]

Tanto la LGSE, como el Decreto Supremo N° 327[11], dictado por el Ministerio de Minería el año 1997 (en adelante el "Reglamento LGSE"), distinguen y norman tres tipos de actividades a través de las cuales se desarrolla y opera el sistema eléctrico chileno: generación, transmisión y distribución. Una breve descripción de cada uno de los segmentos del sistema eléctrico junto con sus principales características se puede apreciar a continuación:

---

[8]   Comisión Nacional de Energía, Ley General de Servicio Eléctricos y sus modificaciones, s.f., https://www.cne.cl/normativas/electrica/sector-electrico/

[9]   Comisión Nacional de Energía, El sector energía en Chile, CNE, 1989: 336. El destacado es nuestro.

[10] Decreto con Fuerza de Ley N° 4/20.018, que fija el texto refundido, coordinado y sistematizado del Decreto con Fuerza de Ley No 1, de Minería, de 1982, Ley General de Servicios Eléctricos.

[11] Decreto Supremo N° 327 de 1998, del Ministerio de Minería, Fija Reglamento de la Ley General de Servicios Eléctricos. 10 de septiembre de 1998

a) Segmento de Generación: La actividad de generación debe ser comprendida como aquel proceso tecnológico destinado a transformar las fuentes energéticas primarias en energía eléctrica transportable y utilizable en los distintos centros de consumo. Este segmento se compone por el conjunto de empresas eléctricas propietarias de centrales generadoras de electricidad. Se caracteriza principalmente por desarrollarse en un mercado competitivo, donde no existen economías de escala y en el cual los precios tienden a reflejar el costo marginal de producción.

No existen barreras legales para la entrada de nuevos actores, ni se identifican monopolios naturales. Sin perjuicio de lo anterior, existe una clara y necesaria intervención por parte del Estado al exigir la interconexión de las instalaciones de las centrales productoras al sistema eléctrico, bajo ciertos requisitos de seguridad establecidos en la propia ley, y respecto de la cual su operación debe ser coordinada por el Coordinador Eléctrico Nacional (en adelante "Coordinador"), con el objeto de garantizar el correcto ingreso y funcionamiento del sistema eléctrico, en condiciones de eficiencia y seguridad.

Asimismo, para alcanzar la puesta en servicio de las nuevas centrales de generación, la LGSE exige la obtención de una autorización respecto de la cual ahondaremos más adelante en este trabajo y que recibe el nombre de declaración en construcción.

b) Segmento de Transmisión: Conceptualmente, la transmisión consiste en la evacuación y transporte de energía eléctrica a través de líneas o conductores físicos de alta tensión, desde las centrales generadoras pasando por terrenos públicos y privados, hasta las subestaciones de transformación que reducen el voltaje de la corriente eléctrica.

Desde el punto de vista de la infraestructura, el sistema de transmisión comprende el conjunto de líneas y subestaciones eléctricas que forman parte de un sistema eléctrico en un nivel de tensión nominal superior al que se disponga en la respectiva norma técnica que determine la Comisión Nacional de Energía (en adelante "CNE"), y cuya operación debe ser también coordinada por el Coordinador según lo dispone los artículos 72 y siguientes de la LGSE.

Es propio del sistema de transmisión la existencia de significativas economías de escala y la indivisibilidad en la inversión, existiendo, por tanto, tendencias a su operación como monopolio. Por este motivo, la legislación eléctrica lo define como un servicio público dentro del segmento regulado en el sistema.

La planificación de las expansiones del sistema de transmisión es centralizada por la CNE, la cual es posteriormente ejecutada mediante un proceso de licitación por el Coordinador, donde se adjudica el derecho de construcción y operación de tales obras.

En el segmento de transmisión existe un régimen de acceso abierto, establecido expresamente en el artículo 7 de la LGSE, aplicable a los propietarios, arrendatarios, usufructuarios operadores y, en general, a quienes tengan derechos sobre las instalaciones de transmisión, quienes quedan sujetos a la obligación de permitir el tránsito de la energía de aquellos interesados en transportarla a través de estas instalaciones.

De acuerdo a las modificaciones introducidas en la LGSE mediante la Ley N° 20.936 del año 2016[12], en cada sistema eléctrico se distinguen los siguientes sistemas de transmisión:

A)   Sistema de transmisión Nacional;

B)   Sistema de transmisión Zonal;

C)   Sistema de transmisión Adicional;

D)   Sistema para polos de Desarrollo; y

E)   Sistema de transmisión Internacional.

Tanto el sistema de transmisión Nacional y Zonal están sujetos al régimen de acceso abierto, pudiendo de esta forma ser utilizados por terceros bajo condiciones técnicas y económicas que no resulten discriminatorias para los usuarios, con independencia de la capacidad técnica disponible que posean. Distinto en el caso del sistema de transmisión Dedicado, el cual también se encuentra sujeto a las reglas de acceso abierto, pero sujeto a la existencia de capacidad técnica disponible que tenga la línea o subestación requerida, conforme lo dispone el artículo 80° de la LGSE.

El derecho de interconexión al sistema de transmisión por aplicación del régimen de acceso abierto se lleva a cabo mediante la presentación de solicitudes de autorización de conexión y solicitudes de uso de capacidad

---

[12]   Ley N° 20.936 del año 2016, que "Establece un nuevo sistema de transmisión eléctrica y crea un organismo coordinador independiente del Sistema Eléctrico Nacional", Ministerio de Energía, 20-jul-2016.

técnica disponible que son presentadas por los titulares interesados al propio Coordinador, el cual, junto con otorgar estas autorizaciones, debe regular las obras que sean necesarias para la conexión, la modalidad de la conexión (si está sujeta a plazo, condición o de carácter indefinida), la estimación general de costos de conexión, plazos para la obtención de la declaración en construcción, entrega de garantías, entre otros.

Al igual que en generación, dentro de este segmento de transmisión también nos encontramos con la obligatoriedad de obtener la declaración en construcción como requisito para la puesta en servicio de nuevas instalaciones que deseen ingresar al sistema eléctrico.

c) Segmento de Distribución: El segmento de distribución es la última etapa del sistema eléctrico, en virtud de la cual los usuarios o clientes finales ubicados en determinadas zonas geográficas son abastecidos de energía transportada desde las instalaciones, líneas y transformadores que operan en tensión nominal igual o inferior a 23 kVh.

La distribución de energía eléctrica, al tratarse de un evidente monopolio natural, junto con el carácter de servicio de primera necesidad que tiene la energía para el desarrollo de la sociedad, llevó al legislador a adoptar una regulación más estricta e intensa, otorgándole la naturaleza de servicio público conforme al artículo 7 de la LGSE, con todos los principios jurídicos que esta misma norma le impone, y al mismo tiempo, exigiendo a quienes desearen desarrollar esta actividad la sujeción al régimen de concesión eléctrica como título habilitante. Ello, con la debida obligación de servicio y exclusividad del mismo dentro de su zona de concesión, como claramente lo dispone el artículo 125[13] de la LGSE[14].

Al igual que en el segmento de transmisión donde existe el régimen de acceso abierto, en distribución también nos encontramos con la

[13]   Artículo 125°.—*En su zona de concesión, las empresas distribuidoras de servicio público estarán obligadas a dar servicio a quien lo solicite, sea que el usuario esté ubicado en la zona de concesión, o bien se conecte a las instalaciones de la empresa mediante líneas propias o de terceros, bajo las condiciones estipuladas en el artículo 126. La obligación de dar suministro se entiende en la misma tensión de la línea sujeta a concesión a la cual se conecte el usuario.* Comisión Nacional de Energía, Fija Reglameto de la Ley General de Servicio Eléctricos Decreto supremo n°327. Ministerio de Minería (Diario oficial 10 septiembre de 1998).
[14]   Irarrazaval, Desafíos regulatorios de la energía distribuida en Chile, 142.

posibilidad de que terceros puedan hacer uso de las redes de distribución para el desarrollo y operación de centrales eléctricas de pequeña escala. Tal es el caso de los pequeños medios de generación distribuida (en adelante "PMGD"), los cuales mediante un procedimiento reglado seguido frente a las empresas distribuidoras, pueden obtener autorización para conectar sus centrales de generación de hasta 9.000 kilowatts a la red de distribución e inyectar a ésta la electricidad generada mediante un sistema de autodespacho, acogiéndose a un régimen de precio estabilizado que establece la CNE periódicamente.

Con todo, y luego de haber analizado brevemente los tres segmentos del sistema eléctrico, podemos identificar aquellas autorizaciones de mayor relevancia en cada uno de ellos.

En primer lugar vemos que la denominada concesión eléctrica será esencial dentro del segmento de distribución y, a su vez, extremadamente útil en el segmento de transmisión para facilitar el derecho sobre terrenos públicos o privados mediante la imposición de servidumbres legales que habiliten oportunamente la construcción de nuevas instalaciones.

Por otra parte las autorizaciones de conexión y solicitud de uso de capacidad técnica otorgadas por el Coordinador son necesarias para que los proyectos de generación puedan interconectarse y evacuar su energía al sistema de transmisión. Asimismo, en el segmento de distribución las autorizaciones de conexión, que también son denominados Informes de Criterios de Conexión o ICC, serán determinantes para permitir interconexión de los PMGDs a su red.

Finalmente la denominada declaración en construcción se convierte en una autorización esencial en el segmento de generación y transmisión, ya que sin ella no es posible la puesta en servicio de todas las centrales de generación e instalaciones de transmisión que ingresen al sistema eléctrico. Precisamente, respecto a la declaración en construcción es aquello a que nos abocaremos a continuación.

3. DECLARACIÓN EN CONSTRUCCIÓN: NATURALEZA JURÍDICA Y MARCO NORMATIVO APLICABLE

Como ya se ha enunciado en este trabajo, la declaración en construcción es una de las autorizaciones de mayor relevancia que ha incorporado nuestra normativa eléctrica puesto que su obtención ha sido fijada por el legislador como requisito o condicionante para la entrada en operación de nuevas centrales de generación y/o instalaciones de transmisión.

Esta autorización se materializa mediante un control previo que efectúa la autoridad, la cual cumple con todas las características propias de las técnicas de autorización. En ella constata el cumplimiento de todas las exigencias previstas por el legislador y que son complementadas por diferentes normas reglamentarias.

La declaración en construcción se incorpora en nuestro ordenamiento jurídico mediante la entrada en vigencia de la Ley N° 20.936 (en adelante "Ley de Transmisión")[15], que modificó la LGSE el año 2016, estableciendo, entre otras materias, un nuevo sistema de transmisión eléctrica y creando un organismo coordinador independiente del sistema eléctrico nacional, que vino a reemplazar los antiguos Centros de Despacho Económicos de Carga, y modificar en gran medida el funcionamiento del sector eléctrico del país.

El marco regulatorio de la declaración en construcción está integrado no solo por las normas de carácter sectorial eléctrico sino también por la legislación administrativa general. Así, le son aplicables las normas de la Ley N° 18.575, Orgánica Constitucional de Bases Generales de la Administración, y la Ley N° 19.880, sobre bases de los procedimientos que rigen los actos de los órganos de la Administración del Estado, la cual como sabemos opera con un carácter supletorio.

A su vez, y en cuanto acto administrativo, resultan también aplicables los conceptos, categorías y elementos que la doctrina y jurisprudencia ha elaborado para su compresión y análisis. Por tal razón, es posible estudiar esta autorización conforme a las clasificaciones que se hacen de los actos administrativos, los elementos que lo componen y los eventuales vicios o irregularidades que afectan su validez. En tal sentido, la declaración en construcción se clasifica dentro de las diversas clases y categorías de actos administrativos que formula la doctrina. Así, podemos considerar los siguientes criterios:

---

[15] Ley N° 20.936 del año 2016, Establece un nuevo Sistema De Transmisión Eléctrica...

a) Desde la perspectiva sustancial o de su contenido, la declaración en construcción es un acto administrativo, que se materializa mediante resoluciones que emite la CNE en la cual se contiene una declaración de conocimiento que manifiesta su decisión de permitir la entrada en operación de nuevas instalaciones de generación o transmisión al sistema eléctrico.

A través de la declaración en construcción, la CNE tiene la capacidad de crear una situación jurídica respecto de los destinatarios, permitiéndole la realización de actos que previamente estaban prohibidos y generando en su patrimonio un nuevo derecho consistente en participar en el sistema y mercado eléctrico a través de las nuevas instalaciones eléctricas que han sido construidas;

b) En cuanto a su modalidad de ejercicio o margen de apreciación que tiene la autoridad, la declaración en construcción debe ser calificado como un acto administrativo reglado, atendido que todos sus elementos (autoridad, oportunidad, procedimiento, contenido, fin y forma) están previstos por la ley, particularmente en el artículo 72-17 de la LGSE.

Al tratarse de una potestad autorizatoria reglada la autoridad se encuentra obligada a otorgar la declaración en construcción en caso de verificarse las condiciones exigidas por la ley, de no hacerlo incurriría en una omisión antijurídica o privación indirecta del derecho preexistente que garantiza nuestra Constitución.

De esta manera, en relación con el precepto legal que establece los requisitos, la jurisprudencia contralora ha declarado que "al ser una norma que introduce limitaciones al ejercicio de un derecho, y por tanto excepcional, ha de aplicarse restrictivamente".[16]

Las autorizaciones administrativas no pueden ser utilizadas, al margen de la ley, como un medio para impedir o dificultar determinadas actividades o evitar futuras consecuencias dañosas para la Administración.[17]

---

[16] Arancibia, "Las autorizaciones administrativas...", 8

[17] Laguna De Paz, La autorización administrativa, 59

Así, la CNE, como entidad competente, tiene que analizar las solicitudes y resolver sobre la base de un silogismo que debiese resultar muy simple: si cumple con las condiciones previstas por la ley, la autoridad debe necesariamente otorgar la autorización;

c) Es un acto de efectos favorables. Se entiende por actos favorables aquellos que mejoran o ensanchan la posición jurídica del destinatario al reconocerle un derecho, una facultad, un plus de titularidad o de actuación, eximiéndolo de una limitación, produciendo así un resultado ventajoso para él[18]. En este caso, mediante el otorgamiento de la declaración en construcción para un proyecto de generación o transmisión determinado, se habilita a su titular para ingresar y luego participar en el sistema eléctrico sujetándose por cierto a las posteriores instrucciones que dicte el Coordinador en cumplimiento de sus funciones legales y procedimientos internos propios;

d) Desde el punto de vista procedimental, constituye un acto administrativo de carácter terminal, que contiene un pronunciamiento de la Administración Pública —particularmente la CNE— la cual adopta la forma jurídica de una resolución respecto a la posibilidad de que nuevas instalaciones eléctricas puedan ingresar a participar en el mercado eléctrico;

e) Es una autorización de operación pues tiene por objeto una conducta determinada, cesando los efectos de la autorización una vez ejecutada, no existiendo una relación estable entre autorizado y la Administración. Sin perjuicio de lo anterior, una vez realizada la actividad, esto es, en régimen de operación, la autoridad deberá a mantener vigilando su desarrollo.

f) La declaración en construcción es una autorización declarativa. La resolución que emite la CNE otorgando la declaración en construcción declara de manera vinculante el derecho a desarrollar la actividad, sin olvidar que junto a ello la autorización significa el deber de llevarlo a cabo.

---

[18]   Mardones y Cannoni, Caducidad de la resolución de calificación ambiental. 579.

4. ANÁLISIS DE NORMA QUE CONSAGRA LA DECLARACIÓN EN CONSTRUCCIÓN

De acuerdo al artículo 72-17 de la LGSE, es posible apreciar la existencia de aquellos elementos que son considerados como esenciales en una relación jurídico-administrativa, estos son: (i) el elemento subjetivo, (ii) el objeto; (iii) el contenido; y (iv) la causa.

El elemento subjetivo lo podemos ver en el primer inciso del artículo el cual señala *"los propietarios u operadores de nuevas instalaciones de generación y transmisión que se interconecten al sistema eléctrico deben previamente presentar una solicitud a la CNE para que éstas sean declaradas en construcción"*[19]. De esta manera la norma determina cuales son las partes en la relación: la CNE como representante de la Administración Pública, y los titulares de los nuevos proyectos a ser incorporados al sistema eléctrico, por parte de los administrados.

El objeto de esta autorización se expresa también de manera clara al señalar que sólo se otorgara a "aquellas instalaciones que cuenten con, al menos, los permisos sectoriales, órdenes de compra, cronograma de obras y demás requisitos que establezca el reglamento, *que permitan acreditar fehacientemente la factibilidad de la construcción de dichas instalaciones"*.

El contenido apunta a la obligación ya expresada de entregar la información que permita acreditar la real existencia y desarrollo de tales proyectos. A su vez, incorpora el deber por parte del titular de mantener informada a la CNE del avance del mismo y del cumplimiento del cronograma de obras presentado. En este mismo sentido, la norma incorpora como sanción el dejar sin efecto esta autorización si el titular no da debido y oportuno cumplimiento a los hitos o avances establecidos en el cronograma de obras presentado sin causa justificada, o bien si se llevan a cabo cambios significativos en el proyecto que impliquen exigir una nueva declaración en construcción.

Por último, la causa o motivación no está expresamente incluida en el artículo 72-17, sin embargo se puede extraer de la historia de

---

[19]   Ley N° 20.936 del año 2016, Establece Un Nuevo Sistema De Transmisión... art 72-17

la ley que se refiere al deber de informar a la autoridad eléctrica pertinente la existencia del inicio en la construcción de proyectos tanto de generación como transmisión que fueren a desarrollarse dentro del territorio nacional, y por consiguiente significaren un crecimiento de la infraestructura eléctrica del país.

5. FUNDAMENTOS DE LA DECLARACIÓN EN CONSTRUCCIÓN. NECESIDAD Y PROPORCIONALIDAD

Tal como ya se ha señalado en este trabajo, toda autorización se justifica como un mecanismo de control preventivo en aquellas actividades que pueden representar un riesgo para el interés general o bien el orden público.

Es así, entonces, que las autorizaciones tienen como principal objetivo comprobar o asegurarse que el ejercicio del derecho es compatible con el interés general. Pues bien, en parte el propósito de este trabajo es preguntarse por las razones que ameritan sujetar la puesta en servicio de nuevas instalaciones eléctricas a la obtención de una autorización, que como ya hemos señalado anteriormente en nuestra normativa eléctrica recibe el nombre de declaración en construcción.

Lo anterior tiene especial relevancia ya que como sabemos nuestro ordenamiento jurídico eléctrico contempla la figura del Coordinador quien, entre otras funciones, debe velar por la seguridad del sistema eléctrico, y ello necesariamente conlleva el tener un acabado conocimiento del funcionamiento de todas las instalaciones en operación, y aquellas en vías de estarlo, pero también, y tal vez mas importante para objeto de este trabajo, el de realizar y asegurarse mediante distintas pruebas y procedimientos internos, que todas aquellas nuevas instalaciones ingresarán de forma eficiente y segura al sistema eléctrico.

En términos generales y como primera aproximación al carácter de necesarias que deben tener las autorizaciones, vale tener presente lo señalado por el Tribunal de Justicia de la Unión Europea, el cual ha declarado que *"el procedimiento de la autorización previa solo es necesario si se considera que el control a posteriori es demasiado tardío para que su eficacia real quede garantizada y para permitirle alcanzar el objetivo perseguido"*.[20]

El propio Tribunal ha señalado que el instrumento autorizatorio es innecesario cuando *"duplica los controles efectuados en el marco de otros procedimientos"*[21].

Asimismo, el instrumento autorizatorio junto con ser necesario para la finalidad que persigue, debe ser también proporcionado y respetuoso de la esencia de aquel derecho que ha sido restringido o condicionado. Así lo exige claramente el artículo 19 N° 26 de nuestra Constitución, que prohíbe al legislador establecer condiciones, tributos o requisitos que afecten los derechos en su esencia o impidan su libre ejercicio.

Será también desproporcionada a su finalidad una autorización si se condiciona el ejercicio de una actividad en circunstancias que el objetivo público podría ser alcanzado a través de técnicas menos restrictivas, tales como comunicaciones, notificaciones o declaraciones juradas. Por último, otro tipo de desproporción puede surgir, a modo de ejemplo, cuando el grado de apreciación para autorizar no guarda relación con el nivel de riesgo que presenta la actividad.

A la luz de lo anterior, cabe entonces detenernos en la declaración en construcción de modo de intentar dilucidar si el objeto y finalidad propuesto por el legislador se cumple de manera satisfactoria y en congruencia con nuestra normativa constitucional.

Como primera idea tenemos que señalar que la Ley de Transmisión publicada en julio del año 2016, la cual incorpora la autorización de la declaración en construcción no entrega antecedentes o discusiones sobre esta autorización que permitan ahondar en la real necesidad que vio el Poder Ejecutivo al proponer esta técnica. Tal vez el único antecedente que se puede encontrar dentro de la historia de la ley fue la intervención aportada por el Ministro de Energía de la época, el cual señaló que su propósito de incluir a la declaración en construcción como requisito previo para la puesta en servicio de nuevas instalaciones eléctricas era el de proveer de información a la autoridad sobre la existencia de nuevos proyectos tanto de generación

---

[20]   Arancibia (2020) pp. 9.
[21]   Arancibia (2020) pp. 10.

como transmisión que fueren a desarrollarse dentro del territorio nacional, y que por tanto significaren un crecimiento de la infraestructura eléctrica de nuestro país.

Vemos, entonces, que la intención del legislador al incorporar la figura de la declaración en construcción fue la de mantener constantemente informada a la autoridad de todas aquellas nuevas instalaciones que en generación y transmisión fueren a ser incorporadas en la matriz eléctrica chilena. Asimismo, de modo de asegurar el cumplimiento de esta obligación de información por parte de los particulares es que condicionó la entrada en operación de estas nuevas instalaciones a la obtención de esta autorización.

Pues bien, para obtener la declaración en construcción el actual artículo 72-17 de la LGSE hace referencia a la documentación que debe ser entregada a la autoridad, como es el caso de permisos sectoriales, órdenes de compra de los equipos, cronograma de las obras, y luego hace una remisión a normas de carácter reglamentario para que puedan solicitar documentación adicional que permita acreditar la fehaciencia de la construcción de las nuevas instalaciones.

Al respecto, la primera norma reglamentaria en acoger esta remisión fue la Resolución Exenta N° 659 dictada por el Ministerio de Energía junto con la Comisión Nacional de Energía, norma que fue publicada en el Diario Oficial con fecha 16 de septiembre del año 2016 y la cual fijó plazos, requisitos y condiciones para declarar en construcción nuevas instalaciones de generación y transmisión que fueren a interconectarse al Sistema Eléctrico en los términos establecidos en el artículo 72-17 de la Ley General de Servicios. Así, las principales exigencias de entrega de información para las instalaciones de generación fueron las de indicar el nombre del proyecto, su potencia bruta, tecnología y etapas relevantes de construcción. Por su parte, en el caso de las instalaciones de transmisión también debía indicarse el nombre del proyecto, su potencia, tecnología y características de consumo.

Adicionalmente, y tanto para las instalaciones de generación como transmisión debía aportarse la siguiente documentación: a) Resolución de Calificación Ambiental favorable, en los casos que los proyectos deban someterse al sistema de evaluación de impacto ambiental; b) Permiso de construcción aprobado por la Dirección de Obras Municipal que corresponda para el proyecto, en caso de ser procedente; c) Órdenes de compra del correspondiente equipamiento eléctrico o electromagnético para la generación, transporte o transformación de electricidad y los documentos de recepción y aceptación de cada orden de compra por el respectivo proveedor; d) Información relativa a los costos de inversión del respectivo proyecto, según el formato que establezca la CNE al efecto; e) Título habilitante para usar el o los terrenos en el cual se ubicará o construirá las instalaciones del proyecto; f) Información técnica adicional, cuando las consideraciones propias de las instalaciones o proyectos que soliciten su declaración en construcción lo ameriten, según el formato que establezca la CNE al efecto, y g) Declaración jurada sobre la veracidad y autenticidad de los antecedentes que respaldan la solicitud de declaración en construcción del respectivo proyecto de generación y/o transmisión, según el formato que al efecto establezca la CNE.

Posteriormente, con fecha 7 de abril de 2017 se publicó en el Diario Oficial la resolución N° 154 dictada por el Ministerio de Energía y la Comisión Nacional de Energía, la cual estableció los términos y condiciones de aplicación del régimen de acceso abierto. Al respecto esta norma condiciona la vigencia de autorización de conexión que emita el Coordinador a la obtención de la declaración en construcción.[22] Asimismo, establece un plazo de 12 meses para la obtención de la declaración en construcción desde que se emita la autorización de conexión.

Otra norma que también utiliza la declaración en construcción es el Reglamento de la Coordinación y Operación del Sistema Eléctrico

---

[22] Señala el artículo 11 lo siguiente: "*El informe de autorización de conexión definitivo emitido por el Coordinador contendrá las condiciones técnicas, requisitos, etapas y plazos conforme a los cuales se deberán llevar a cabo las obras asociadas a la conexión. El informe contendrá, asimismo, las causales bajo las cuales el Coordinador podrá dejar sin efecto la autorización de conexión otorgada, por el no cumplimiento de las condiciones, requisitos, etapas o plazos establecidos. Dentro de las causales cuyo incumplimiento dejará sin efecto la autorización de conexión otorgada se deberá contener la obtención de la respectiva declaración en construcción, en conformidad a lo establecido en el artículo 72°-17 de la Ley, la cual deberá verificarse dentro del plazo de 12 meses contados desde la notificación del informe de autorización de conexión definitivo emitido por el Coordinador*". (lo subrayado es nuestro).

Nacional publicado en el Diario Oficial con fecha 20 de diciembre de 2019.[23] Luego, con fecha 8 de octubre de 2020 fue publicado el Decreto Supremo N° 88 (en adelante "DS 88") o también conocido como Reglamento para Medios de Generación de Pequeña Escala donde junto con incluirse requisitos adicionales para la obtención de la declaración en construcción, la autoridad se aleja de la finalidad o propósito indicado por el legislador para la declaración en construcción, y utiliza esta autorización como un mecanismo de control o freno a situaciones de fraccionamientos de proyectos que por sus reales características no podrían ser calificados como PMGD. Asimis-

---

[23]   En este reglamento se incorporaron como información adicional a ser entregada la siguiente: (i) antecedentes que acrediten la constitución de la persona jurídica de que se trate, su vigencia y el representante legal de la misma; (ii) Nombre del proyecto y sus principales características, según el tipo de instalación de que se trate; (iii) Cronograma, en el que se especifique, al menos, la fecha de inicio de construcción del proyecto en terreno, la fecha en que se alcanzará el 50% de avance de la obra y la fecha estimada de interconexión y entrada en operación; (iv) Autorización de conexión a los sistemas de transmisión otorgada por el Coordinador, o autorización de uso de la capacidad técnica disponible en los sistemas de transmisión dedicada, según corresponda y de acuerdo a lo señalado en la Ley; (v) Resolución de Calificación Ambiental favorable vigente, emitida por la autoridad ambiental competente, tratándose de proyectos susceptibles de causar impacto ambiental y que deban someterse al sistema de evaluación de impacto ambiental, conforme a lo dispuesto en el artículo 10 de la Ley N° 19.300, sobre Bases Generales del Medio Ambiente y en el artículo 3 del Decreto Supremo N° 40, de 2012, del Ministerio del Medio Ambiente, que aprueba el reglamento del sistema de evaluación de impacto ambiental, o el que lo reemplace;(vi) Informe Favorable para la Construcción otorgado por la autoridad competente, en caso de ser procedente; (vii) Órdenes de compra del equipamiento eléctrico, electromagnético o electromecánico principal respecto del cual se solicita la declaración en construcción, junto con los documentos de recepción y aceptación por parte del respectivo proveedor y/o, contrato de ingeniería, adquisición y construcción del proyecto, donde se indiquen montos e hitos de pago, junto con comprobantes de pago realizados a la fecha de la solicitud de declaración en construcción; (viii) Título habilitante para usar el o los terrenos en los cuales se ubicarán o construirán las instalaciones del proyecto, sea en calidad de propietario, usufructuario, arrendatario, concesionario o titular de servidumbres, o el contrato de promesa relativo a la tenencia, uso, goce o disposición del terreno que lo habilite para desarrollar el proyecto; (ix) Información relativa a los costos de inversión del respectivo proyecto, según el formato que establezca la Comisión al efecto; y (x) Declaración jurada sobre la veracidad y autenticidad de los antecedentes que respaldan la solicitud de declaración en construcción del respectivo proyecto, según el formato que establezca la Comisión al efecto.

mo, utiliza la declaración en construcción como un requisito a ser cumplido en determinado plazo a fin de que ciertos proyectos fueren elegibles dentro del régimen transitorio contemplado en el mismo DS 88 para fines de mantener el precio estabilizado bajo la estructura del Decreto Supremo N° 244.

Adicionalmente, en los últimos procesos de licitación pública para el suministro de clientes regulados, la CNE ha incluido dentro de las bases de licitación y en los respectivos contratos de suministro adjudicados, la obligación de que los nuevos proyectos de generación comprometidos por las empresas licitantes, obtengan la declaración en construcción en determinados plazos asociados a hitos de construcción. El incumplimiento de estos plazos acarrea multas, eventuales cobros de garantías e incluso la posibilidad de término del contrato adjudicado.

De lo expuesto, vemos que esta técnica autorizatoria ha ido variando su objeto en la medida que se han ido dictando diversas normas y han ido apareciendo diversas necesidades por parte del órgano regulador.

Aquella exigencia que originalmente fue incluida por el legislador en la Ley de Transmisión como un deber de proporcionar información a la autoridad eléctrica sobre la existencia y desarrollo de nuevos proyectos eléctricos, se ha ido entonces progresivamente transformando en una herramienta condicionante para obtener objetivos de diversa y distinta naturaleza. Lo anterior debe ser necesariamente analizado atendido que se trata de una autorización esencial en materia eléctrica puesto que sin ella, como ya se ha dicho, no es posible el ingreso o puesta en servicio de nuevos proyectos.

Así es como, entonces, surge la interrogante de cuanta atención se le debe dar al propósito y finalidad que el legislador le ha entregado a las autorizaciones. Lo anterior tiene especial relevancia desde el punto de vista jurídico y económico, puesto que una errónea aplicación por parte de la autoridad administrativa, sea mediante la dictación de normas reglamentarias o por medio de la ejecución de estas, puede ocasionar una vulneración directa a nuestro ordenamiento constitucional, pero también, y tal vez en una dimensión más concreta, puede impactar fuerte y negativamente en el desarrollo, progreso y avance de industrias y servicios que son muy sensibles y necesarias, para el correcto desarrollo de la sociedad, como es precisamente el caso del sector eléctrico.

Consideramos, entonces, que una utilización errada de las técnicas autorizatorias puede generar incerteza jurídica, discriminación arbitraria y desviación del fin propuesto por el legislador, lo que sin duda repercutirá en una afectación directa al orden público económico y el derecho de los titulares a desarrollar una actividad económica licita, tal como lo establece el artículo 19 N° 21 de la Constitución.

5.1. Principales dificultades

Como ya se ha enunciado en este trabajo, la declaración en construcción ha sido utilizada por el regulador chileno para distintos propósitos. Algunos con directa relación al objeto o finalidad propuesta por el legislador y otros han ido poco a poco alejándose de esta finalidad, generando así lo que podríamos entender como una progresiva desnaturalización de esta técnica autorizatoria.

Así, entonces, si el legislador incorporó la declaración en construcción con el propósito de que la autoridad sectorial tuviera acceso oportuno a la información de nuevas instalaciones eléctricas que en generación y transmisión fueran incorporándose al sistema eléctrico, de a poco esta finalidad fue apuntando a otras materias. Tal vez, el mejor ejemplo que ilustra este punto podría ser la nueva regulación aplicable a los PMGD.

5.2. Origen y desarrollo de los PMGD en Chile

Uno de los grandes propósitos que tuvo la Ley N° 19.940, también conocido como Ley Corta N° 1 del año 2004, fue la de incrementar la oferta energética fomentado el establecimiento y operación de pequeños medios de generación con la posibilidad de que estos se ubicarán cerca de las zonas de mayor consumo eléctrico. Para lo anterior, el legislador incorporó la obligación a todas las empresas distribuidoras de permitir la conexión a sus instalaciones y redes de distribución a centrales de generación cuyos excedentes de potencia no fueren superiores a 9.000 kilowatts.

Con posterioridad a la dictación de la Ley Corta N° 1, el Ministerio de Economía Fomento y Construcción dictó el año 2005 el Decreto Supremo N° 244 (en adelante, el "DS 244"), el cual contenía

la primera versión del reglamento para medios de generación no convencionales y pequeños medios de generación. Esta primera versión
fue posteriormente modificada el año 2015 por el Decreto Supremo
N° 101, manteniendo la misma estructura y regulación original, con
algunas modificaciones en el proceso para la conexión y operación de
estos PMGD al sistema eléctrico de distribución.

A diferencia de la marcada tendencia en generación eléctrica que
existía hasta hace pocos años atrás donde el foco de desarrollo e inversión estaba puesto en centrales de gran tamaño, ubicadas principalmente en lugares alejados de los centros de consumo, la incursión
de los PMGD en la normativa chilena permitió contar con unidades
de generación de menor tamaño, muchas veces con mejor recepción
por parte de las comunidades aledañas, y a su vez consiguió disminuir
en cierta medida los problemas de congestión en la transmisión eléctrica, junto con darle una mayor confiablidad, estabilidad, resiliencia
y eficiencia a la red de distribución.

Asimismo, el regulador entendió que dada la menor capacidad de
generación que tendrían los PMGDs les resultaría difícil asegurar la
contratación y venta de energía mediante contratos de suministro,
por lo que incorporó la posibilidad de que estos se acogieran a un
régimen donde la energía inyectada al sistema fuese pagada a un precio estabilizado correspondiente al precio nudo de corto plazo fijado
semestralmente por la CNE.

Así, dentro de los grandes beneficios que ofrecía la regulación
aplicable a los PMGD, y que en cierta medida explican el creciente
interés en este tipo de proyectos, se encuentran: (i) El acceso abierto
de centrales de baja escala a la red de distribución; (ii) El derecho a
acogerse al régimen de precio estabilizado para le venta de la energía;
(iii) La facultad que tienen los PMGD de inyectar la energía generada
a la red de manera automática, también conocido como el autodespacho; y (iv) La exención de pagos de peajes en cierta infraestructura
de transmisión.

Las ventajas antes expuestas, sumado a una implícita aceptación y
buena acogida social por proyectos de generación menos invasivos y
donde suelen involucrarse energías renovables como la solar o eólica,
es lo que principalmente explicó el notorio y acelerado interés por
desarrollar y financiar proyectos PMGD.

Este mismo interés por desarrollar proyectos de esta naturaleza fue mostrando a la industria que la regulación contenida en el DS 244 tenía algunas falencias que podían ser perfeccionadas mediante una nueva normativa. Así fue entonces como con fecha 8 de octubre del año 2020 fue publicado en el Diario Oficial el DS 88, que incorporó una nueva regulación para medios de generación de pequeña escala.

El objetivo principal de este nuevo Reglamento fue el de establecer una nueva metodología de cálculo para el mecanismo de estabilización de precios así como el de mejorar el procedimiento de interconexión a las redes de distribución.

6. NUEVO REGLAMENTO PMGD Y SU RELACIÓN CON LA DECLARACIÓN EN CONSTRUCCIÓN

Bajo el DS 88 se conservó el derecho de los proyectos PMGD de acogerse al régimen de precio estabilizado, sin embargo se modificó el mecanismo de estabilización pasando a una metodología por bloques horarios, y no en base a un único precio como se contemplaba bajo el DS 244.

Pues bien, atendida la importancia que para este tipo de proyectos significa el régimen de precio estabilizado en vista a sus inversiones y financiamientos otorgados a largo plazo, es que el DS 88 incluyó reglas de transitoriedad de la norma, de modo tal que aquellas centrales que se encontraban operando a la fecha de la nueva regulación, o bien tuvieren avances significativos en su desarrollo, pudiesen continuar vendiendo su energía bajo un único precio estabilizado, esto es, sin bloques horarios, por un periodo máximo de 165 meses contados desde la publicación del DS 88. En particular este régimen de transitoriedad les sería aplicable a aquellos proyectos que, a la fecha de publicación del DS 88 se encontraren en algunas de las siguientes situaciones:

a) Aquellos proyectos PMGD que cumplieren con los siguientes requisitos copulativos: (i) hubieren obtenido su Informe de Criterio de Conexión a más tardar al séptimo mes contado desde la publicación del DS 88; y (ii) hubieren obtenido su declaración en construcción a más tardar al décimo octavo mes contado desde la publicación del DS 88;

b) Aquellos Pequeños Medios de Generación (en adelante "PMG") o PMGD que cumplieren los siguientes requisitos copulativos: (i) Obtención de un estudio de impacto ambiental, declaración de impacto ambiental o carta de pertinencia, que hubiere sido ingresada al Servicio Evaluación Ambiental a más tardar al séptimo mes contado desde la publicación del DS 88; y (ii) hubieren obtenido su declaración en construcción a más tardar al décimo octavo mes contado desde la publicación del DS 88.

Con esta regla de transitoriedad, tenemos una primera muestra de cómo el DS 88 utiliza la declaración en construcción ya no como un técnica autorizatoria para conocer la existencia y desarrollo de nuevos proyectos de generación en el país, sino más bien como un condicionante con un plazo aparejado para que el proyecto sea calificado dentro del régimen transitorio. En la práctica esto significó que a pesar de tratarse de una autorización que no contempla plazo alguno para su obtención conforme lo dicta la ley, en la práctica comenzó a tener este plazo de 18 meses desde publicado el DS 88.

Otro aspecto muy relevante bajo el DS 88 fue la incorporación de una prohibición de fraccionamiento a los proyectos que fueran presentados como PMGD, entendiendo como tal la ejecución de dos o más proyectos, que para efectos normativos, debieren ser considerados como uno solo o cuando el proyecto fuere realizado en dos o más etapas.

Para hacer efectiva esta prohibición, el nuevo DS 88 le impuso a la CNE la obligación de no otorgar la declaración en construcción a aquellos proyectos que incurrieren en fraccionamiento. En vista de los anterior, bajo el nuevo DS 88 todo proyecto PMGD que solicite la declaración en construcción para comenzar a operar e inyectar energía al sistema, debe previamente cumplir exitosamente con la evaluación que haga la CNE respecto a si su proyecto puede ser entendido como fraccionado. Para efectuar tal análisis, la CNE debe revisar, caso a caso, si el proyecto en su concepción fue proyectado de manera aislada, es decir, no como parte de un portafolio de proyectos (o etapas) agrupables bajo ciertos criterios definidos.

Complementa el DS 88 que para efectos del análisis de eventuales fraccionamientos, la CNE debe tener en consideración la estructura de propiedad y la cercanía geográfica de los proyectos, así como la tramitación de permisos sectoriales, ubicación de los proyectos, su titularidad y su punto de conexión.

Con esto, vemos que la declaración en construcción deja de tener una característica de autorización reglada, donde la autoridad debe simplemente verificar el cumplimiento de los requisitos contemplados en la norma, teniendo siempre presente la finalidad de este, y pasa a tener características de un permiso más bien discrecional por parte de la autoridad, pues se incluyen requisitos, finalidades y procedimientos no contemplados por el legislador.

Esto con la agravante, como sabemos, que la declaración en construcción es una autorización de carácter esencial para cualquier proyecto eléctrico de generación o transmisión puesto que su entrada en funcionamiento pende de la obtención de este permiso.

De lo expuesto se hace notar que la declaración en construcción adoptó un claro protagonismo en esta norma reglamentaria, ya fuere como un mecanismo de control para evitar fraccionamientos de proyectos, o como instrumento para verificar la aptitud de los proyectos de acogerse al atractivo régimen transitorio de la norma.

Al revisar esta normativa surge al menos la interrogante si esta técnica autorizatoria ha sido bien empleada, y en particular si su utilización se mantiene acorde a la finalidad propuesta por el legislador.

Lo que bajo una primera lectura de la norma pareciera una exigencia de carácter simple de informar y dar aviso a la autoridad sobre la construcción fehaciente de proyectos, se ha convertido en un instrumento de control de distintas finalidades, las cuales a su vez no ha sido incorporadas por el legislador, sino que a través de la potestad reglamentaria.

A nuestro modo de ver no corresponde que por la vía reglamentaria se entreguen atribuciones a la autoridad ni a esta autorización distintas a la que han sido otorgado la ley. Menos si esto conlleva una serie de problemas prácticos de fiscalización, y peor aún si esto puede impactar negativamente en el desarrollo y fomento de proyectos que son del todo beneficiosos para una matriz eléctrica más segura, limpia y eficiente.

Como ya se ha señalado en este trabajo, pero valga aquí la pena en enfatizar, los requisitos para poder realizar la actividad solo pueden impuestos por el legislador conforme a los artículo 19 N° 21, N° 26 y 7 inciso 2 de la Constitución. Por tanto, un acto administrativo, como es el caso de un reglamento, no puede imponer requisitos que no se entiendan comprendidos dentro de un deber legal.

Aún cuando es cierto que en materia eléctrica es común encontrarse con remisiones de la ley a normas reglamentarias, lo cierto es que la imposición de ciertos requisitos para obtener una autorización no puede resultar en una afectación de la esencia de los derechos consagrados constitucionalmente.

En este mismo sentido, tal como lo menciona el autor español Laguna de Paz "las autorizaciones administrativas no pueden ser utilizadas, al margen de la ley, para impedir o dificultar determinadas actividades o evitar futuras consecuencias dañosas para la Administración".[24]

7. CONCLUSIONES

Frente a la urgente necesidad que tiene nuestro país de incorporar nuevas fuentes de energías renovables, como también de instalaciones de transmisión que permitan su traslado continuo, eficiente y confiable, se hace imprescindible contar con normas e instrumentos que faciliten y favorezcan el desarrollo y operatividad de éstas.

Así, la sujeción de determinadas actividades esenciales —como es caso del suministro eléctrico— a la previa obtención de una autorización administrativa, debe ser primeramente justificada. Asimismo, la técnica autorizatoria debe ser necesaria para el objetivo que ha sido incorporado, y proporcionada a la esencia de aquel derecho que ha sido restringido, tal como lo exige el artículo 19 N° 26 de nuestra Constitución.

Por último, es necesario que las autorizaciones sean respetuosas con la finalidad que ha sido impuesta por el legislador. Una desviación en el fin propuesto por el legislador significará naturalmente incerteza jurídica y discriminación arbitraria lo que sin duda repercutirá en una afectación directa al orden público económico y el derecho de

---

[24]   Laguna De Paz, La autorización administrativa, 59.

los titulares a desarrollar una actividad económica lícita, tal como se consagra en el artículo 19 N° 21 de la Constitución.

Dada la importancia que significa para el sistema eléctrico la obtención de la declaración en construcción de nuevas instalaciones, y la aplicación reglamentaria que ha tenido en este último tiempo, consideramos necesario analizarla a la luz de los elementos establecidos en la ley, de modo que sea entendida como una intervención pública de baja intensidad, donde su objeto sea cumplido al entregar la información que requiera la autoridad para acreditar la fehaciencia de su desarrollo y existencia, y no como herramienta para propósitos de distinta naturaleza que vayan surgiendo en el devenir del funcionamiento eléctrico.

Una mala utilización de las técnicas autorizatorias en actividades esenciales como el abastecimiento de suministro eléctrico pueden significar en verdaderas cortapisas para la libre iniciativa de los particulares, y peor aún en un verdadero freno para su necesario desarrollo y crecimiento.

Bibliografía

Arancibia Mattar, Jaime, "Las autorizaciones administrativas: Bases conceptuales y jurídicas". Revista de Derecho Administrativo Económico. 32 (2020): 5-36.

Comisión Nacional de Energía, Fija Reglamento de la Ley General de Servicio Eléctricos Decreto supremo n°327. Ministerio de Minería (Diario oficial 10 septiembre de 1998)

Comisión Nacional de Energía, Ley General de Servicio Eléctricos y sus modificaciones, s.f., https://www.cne.cl/normativas/electrica/sector-electrico/

Comisión Nacional de Energía, El sector energía en Chile. CNE, 1989

Decreto con Fuerza de Ley N° 4/20.018 de 05 febrero 2007, Fija el texto refundido, coordinado y sistematizado del Decreto con Fuerza de Ley No 1, de Minería, de 1982, Ley General de Servicios Eléctricos.

Decreto Supremo N° 327 de 1998, del Ministerio de Minería, Fija Reglamento de la Ley General de Servicios Eléctricos. 10 de septiembre de 1998

Irarrázaval Armendariz, F., "Desafíos regulatorios de la energía distribuida en Chile", Cuadernos de Extensión Jurídica, 28 (2016): 139-158.

Laguna de Paz, Jose Carlos, La autorización administrativa. Madrid, Civitas, 2006.

Ley N° 20.936 del año 2016, Establece Un Nuevo Sistema De Transmisión Eléctrica Y Crea Un Organismo Coordinador Independiente Del Sistema Eléctrico Nacional, Ministerio De Energía, 20-jul-2016

Mardones Osorio, M., & N Cannoni Mandujano, Caducidad de la resolución de calificación ambiental y reglamento del SEIA. Revista Chilena De Derecho, 43 nª2 (2016): 573-600.

Ministerio de Energía, Gobierno de Chile, *Energía 2050: política energética de Chile*, 2016, https://energia.gob.cl/sites/default/files/energia_2050_-_politica_energetica_de_chile.pdf

Senado, Chile, *Cambio climático: carbono neutralidad al 2050 y piden agilizar los reglamentos*, 12 octubre 2021, https://www.senado.cl/cambio-climatico-comprometen-la-carbono-neutralidad-al-2050-y-piden

Vergara Blanco, Alejandro, Derecho de Energía: Identidad y Transformaciones. Santiago, Ediciones UC, 2018.

DERECHOS DE ACCESO: PRINCIPIO 10 DE RÍO, CONVENIO DE AARHUS Y ACUERDO DE ESCAZÚ

Raúl F. Campusano Droguett[*]
Ignacio J. Carvajal Gómez[**]

INTRODUCCIÓN

El objetivo de este trabajo es presentar reflexiones sobre el Convenio de Aarhus y el Acuerdo de Escazú, considerando sus diferencias, similitudes y desafíos. El trabajo está dividido en cuatro partes. La primera, esta introducción, en la que se consideran las bases teóricas de ambos tratados internacionales, con especial foco en el Principio 10 de la Declaración de Río de Janeiro sobre el Medio Ambiente y el Desarrollo de 1992, y sus tres pilares jurídicos fundamentales (los derechos de participación, acceso a la información y a la justicia ambiental). La segunda, comenta algunos de los aspectos normativos del Convenio de Aarhus. La tercera, se refiere a asuntos jurídicos del Acuerdo de Escazú. Y la cuarta, incluye reflexiones finales sobre los avances, desafíos e importancia de estas dos convenciones para el desarrollo de los Derechos de Acceso y la Democracia Ambiental.

---

[*] Profesor titular de la Universidad del Desarrollo. Abogado de la Universidad de Chile. Master en Derecho, Universidad de Leiden, Países Bajos. Master of Arts en Estudios sobre la Paz Internacional, Universidad de Notre Dame, Estados Unidos. Director de posgrados Derecho UDD, Director académico Programa de Magister en Derecho Ambiental, Universidad del Desarrollo. Correo: rcampusano@udd.cl

[**] Abogado de la Universidad Adolfo Ibáñez (UAI), Master in Business Law UAI, Magister en Derecho Ambiental, Universidad del Desarrollo. Correo: icarvajalg@udd.cl

1. ANTECEDENTES HISTÓRICOS: CUMBRE DE LA TIERRA Y DECLARACIÓN DE RÍO DE JANEIRO DE 1992

Actualmente, el mundo vive diversos procesos de cambios y adaptación a nivel político, económico, social y cultural, motivados, principalmente, por los grandes desafíos que enfrenta la humanidad en este siglo. Entre estos últimos, es posible mencionar: crecimiento de la población mundial; pobreza, hambre y malnutrición; escasez de agua potable, falta de viviendas adecuadas y servicios de higiene y salubridad básicos; cambios en la matriz energética tradicional; problemas sanitarios (como la pandemia por enfermedad de Coronavirus o Covid-19); guerras y conflictos; migraciones; contaminación ambiental, pérdida de diversidad biológica y cambio climático.

En el plano internacional, las grandes conferencias y acuerdos, en algunas de estas temáticas, permiten abordar, a nivel regional y global, los problemas que éstas plantean y sus posibles soluciones, plasmando el esfuerzo mundial y la solidaridad existentes en cierto momento. La segunda cumbre de medio ambiente fue la Conferencia de las Naciones Unidas sobre el Medio Ambiente y el Desarrollo (CNUMAD), celebrada del 3 al 14 de junio de 1992, con la participación de 179 países, conocida como, "Cumbre de la Tierra de Río" (al haberse celebrado en esa ciudad de Brasil). En ella, se observa cómo los diferentes factores sociales, económicos y ambientales son interdependientes y se desarrollan en conjunto, estableciendo como objetivo el desarrollo sostenible de los países[1]. Además, fija una agenda amplia

---

[1] El concepto de *Desarrollo Sostenible*, proviene de la Comisión Brundtland, constituida por la Asamblea General de la ONU en 1983. Su informe, "Nuestro Futuro Común" (1987) presentaba el término, para referirse al desarrollo que permite satisfacer las necesidades de las generaciones presentes sin comprometer las posibilidades de las generaciones futuras de satisfacer las propias. A partir de éste, y de los objetivos fijados por la ONU, se buscó atender tanto las aspiraciones de una agenda de protección del medio ambiente, como también asegurar el desarrollo de los países (especialmente los con menor nivel del mismo), requiriéndose la integración de estrategias de carácter económico y social, y la consideración de aspectos ambientales. Con el tiempo, se llevó a cabo el tratamiento de "tres dimensiones o pilares del Desarrollo Sostenible" (el económico, el social y el ambiental), que son los que caracterizan el concepto en la actualidad. (Comi-

y un nuevo plan de acción internacional sobre cuestiones ambientales y de desarrollo, de manera de orientar la cooperación internacional y la política vinculada a estas áreas para el siglo XXI (Programa 21). Finalmente, entre otros de sus resultados[2] es posible destacar la Declaración de Río.

Esta última, consiste en un conjunto de 27 principios universales sin fuerza jurídicamente vinculante, que buscan reafirmar y, a su vez, desarrollar la Declaración de la Conferencia de las Naciones Unidas sobre el Medio Humano (efectuada en la primera Cumbre de la Tierra, celebrada en Estocolmo, Suecia, en 1972), con el objetivo de alcanzar el desarrollo sostenible. A tales efectos, se considera el derecho de los seres humanos a una vida saludable y productiva en armonía con la naturaleza, contemplando ciertas acciones y mecanismos para ser adoptados en diversos ámbitos (social, económico, cultural, científico, institucional, legal y político) y que involucran no sólo a las autoridades de cada Estado, sino que también a sus ciudadanos, reconociendo el papel que juegan en la conservación del medio ambiente los

---

sión Económica para América Latina y El Caribe CEPAL. Acerca del Desarrollo Sostenible y asentamientos humanos, 2006, https://3c5.com/9UJ4P
El paradigma del Desarrollo Sostenible, surge a partir de la toma de conciencia, a nivel mundial, del carácter finito que tienen los recursos naturales; y, por ende, como una manera de justificar la necesidad del crecimiento económico de los países (como la dirección adecuada a seguir), pero ahora debiendo integrar los objetivos del desarrollo económico, la protección del medio ambiente y los intereses sociales (Pilar Moraga Sariego, "Principio 10 y desarrollo eléctrico: Participación y acceso a la justicia en miras a la implementación de tribunales especializados", *Revista de Derecho de la Pontificia Universidad Católica de Valparaíso* 39 (Valparaíso, Chile, 2012), 293.

2   A partir de esta conferencia internacional, también surgen: a) El Convención Marco de Naciones Unidas sobre el Cambio Climático; b) El Convenio sobre Diversidad Biológica; c) La Declaración de principios para un consenso mundial sobre la ordenación, la conservación y el desarrollo sostenible de bosques de todo tipo; y d) También dio lugar a la creación de la Comisión sobre el Desarrollo Sostenible, la celebración de la 1° conferencia mundial sobre el desarrollo sostenible de los pequeños Estados insulares en desarrollo, e inició las negociaciones para el establecimiento de una Convención sobre la lucha contra la desertificación y un acuerdo sobre poblaciones transzonales y poblaciones de peces altamente migratorias. ONU "Conferencia de las Naciones Unidas sobre Medio Ambiente y Desarrollo", Río de Janeiro, Brasil. 1992, https://www.un.org/es/conferences/environment/rio1992).

principales grupos existentes dentro de la sociedad (mujeres, jóvenes, comunidades indígenas y tradicionales). Junto con ello, la Declaración de Río reconoce la necesidad de formular instrumentos jurídicos, nacionales e internacionales, que regulen, protejan y promuevan de manera adecuada el medio ambiente y el desarrollo sostenible[3].

1.1. *El Principio 10 de la Declaración de Río y su contenido*

El Principio 10 de la Declaración[4], se refiere a los derechos de participación, acceso a la información y a la justicia ambiental, como tres elementos directamente relacionados y dependientes entre sí, de cuya realización depende la implementación del desarrollo sostenible a escala local, nacional, regional y global. Posteriormente, esta idea fue confirmada en el documento final elaborado en la Cumbre de Naciones Unidas sobre el Desarrollo Sostenible, realizada veinte años más tarde también en Río de Janeiro-Brasil ("Rio + 20"), titulado "El futuro que queremos", y que orientaría los Objetivos de Desarrollo Sostenible y la Agenda 2030.

Cabe destacar que, en los documentos jurídicos en los que se les ha incluido históricamente, se ha realizado un tratamiento conjunto de los tres elementos que conforman el Principio 10: a) El acceso a la información; b) La participación ciudadana; y c) El acceso a la justicia ambiental. En opinión de Michel Prieur, aquello se entiende porque: "estos componentes constituyen partes de un engranaje en el

---

[3]   Universidad Nacional de Educación a Distancia-UNED. "Declaración de Río sobre el Medio Ambiente y el Desarrollo"

[4]   Principio 10 de la Declaración de Río: "El mejor modo de tratar las cuestiones ambientales es con la participación de todos los ciudadanos interesados, en el nivel que corresponda. En el plano nacional, toda persona deberá tener acceso adecuado a la información sobre el medio ambiente de que dispongan las autoridades públicas, incluida la información sobre los materiales y las actividades que encierran peligro en sus comunidades, así como la oportunidad de participar en los procesos de adopción de decisiones. Los Estados deberán facilitar y fomentar la sensibilización y la participación de la población poniendo la información a disposición de todos. Deberá proporcionarse acceso efectivo a los procedimientos judiciales y administrativos, entre éstos el resarcimiento de daños y los recursos pertinentes" ONU, "Declaración de Río de Janeiro sobre el Medio Ambiente y el Desarrollo", Brasil, 1992. https://mma.gob.cl/wp-content/uploads/2014/08/1_DeclaracionRio_1992.pdf).

que la realización de cada uno de ellos depende del otro y en el que el funcionamiento del conjunto, contribuye a la puesta en práctica de un concepto global, cual es el de la democracia ambiental"[5]. Siguiendo esta lógica, una deficiente aplicación de cualquiera de los elementos del Principio 10 afectaría la efectividad de los demás (Ej: falencias en el ejercicio del derecho al acceso a la información, obstaculizarán la realización del derecho a una participación ciudadana eficaz en la toma de decisiones públicas; y las dificultades en el ejercicio del derecho al acceso a la justicia, harían más débil la protección de los derechos de participación y de acceso a la información de la misma).

Por otro lado, en relación al concepto de Democracia Ambiental[6], y tal como indica Brañes, el sistema democrático se construye sobre la base de una comunidad de personas, regidas por un conjunto de reglas jurídicas determinadas, que cuenta con la participación directa o indirecta de un "alto número de personas" y en la cual quienes están llamados a tomar decisiones en ella cuentan con alternativas reales y la posibilidad de optar para ello. El autor también agrega, que el cumplimiento de esta última condición exige, a su vez, que quienes decidan tengan garantizados sus derechos fundamentales y, entre ellos, el acceso a la justicia. Asimismo, señala que la aplicación del Derecho Ambiental vigente es de responsabilidad de los Estados (poder ejecutivo y judicial), pero también de los sujetos gobernados o ciudadanía, cuya participación debe estar asegurada por las autoridades por medio de los mecanismos de participación que resulten

---

[5]   Michel Prieur, "La convention d'Aarhus, instrument universel de la démocratie environnementale", en Revue Juridique de l'Environnement, Num. spécial: (La Convention de Aarhus , Paris, 1999), 9; y Graham Smith, "Deliberative democracy and the Environment" (Londres, Routledge,2007), 178.

[6]   Al hablar de *Democracia Ambiental*, se hace referencia a dos comprensiones. La primera, tiene que ver con cómo, en general, las democracias buscan avanzar hacia incorporar consideraciones relacionadas al entorno, para hacerse cargo de mantener un ambiente sano y ecológicamente equilibrado. Y, la segunda, dice relación con la implementación de los derechos de acceso, consagrados inicialmente en el Principio 10 de la Declaración de Río de 1992, luego en el Convenio de Aarhus referido a Europa y celebrado en 1998; y, recientemente, en el Acuerdo de Escazú vinculado a Latinoamérica y el Caribe; Ezio Costa, "Evaluando la Democracia en Chile", columna de opinión, página web de Fiscalía del Medio Ambiente-FIMA, Santiago, Chile. 2020, http://www.fima.cl/2020/10/13/columna-evaluando-la-democracia-ambiental-en-chile/).

idóneos[7]. De esta forma, la aplicación del Principio 10, por parte de la autoridad competente, se deberá realizar de acuerdo a los estándares que hayan sido definidos en la materia por la sociedad en su conjunto.

Sobre el particular, los ciudadanos están cada vez mejor informados sobre los hechos que acontecen en su territorio, lo que les ha permitido tomar una mayor conciencia sobre los impactos ambientales. Adicionalmente, con el transcurso de los años, se ha ido incrementando el nivel de desconfianza que existe hacia los representantes de los poderes públicos y sus decisiones, lo que deriva del inadecuado o insuficiente manejo de los problemas que afectan al medio ambiente y a la vida de las personas. Estos antecedentes y contexto, han hecho evolucionar los modelos de adopción de decisiones de la administración pública, los que han debido ir incorporando a los ciudadanos en una lógica de democracia deliberativa[8] —que parece haber llegado para quedarse, de conformidad a lo dispuesto en el Principio 10 de la Declaración de Río. Esto es, que "en el plano nacional, toda persona deberá tener acceso adecuado a la información sobre el medio ambiente de que dispongan las autoridades públicas, incluida la información sobre los materiales y las actividades que encierran peligro en sus comunidades, así como la oportunidad de participar en los procesos de adopción de decisiones"[9].

1.2. Derecho de Acceso a la Información Ambiental

En este primer elemento, se busca que cada individuo cuente con la información ambiental de que dispongan las autoridades (incluida la que se refiere a actividades y sustancias peligrosas), tanto a nivel local, nacional, regional o global. Así, toda persona tiene derecho a tal acceso, salvo casos excepcionales, sin necesidad de mencionar ni acreditar

[7]   Raúl Brañez, "El acceso a la justicia ambiental en el distrito federal y la procuraduría ambiental y del ordenamiento territorial" (México, Procuraduría Ambiental y del Ordenamiento Territorial del Distrito Federal, 2004), p. 27.

[8]   Cristian Luis Lenzi, "A política democrática da sustantabilidade: os modelos deliberativo e associativo de democracia ambiental, en Ambiente & Sociedade" (Campinas, Sao Paulo, 2009), pp. 19-36.

[9]   Organización de Naciones Unidas ONU, Declaración de Río de Janeiro sobre el Medio Ambiente y el Desarrollo, Rio de Janeiro, Brasil, 1992, https://www.un.org/spanish/esa/sustdev/documents/declaracionrio.htm

un interés especial. Es esta información la que, precisamente, permite a las personas interesadas, participar luego en la toma de decisiones.

Al respecto, la Comisión Económica para América Latina y el Caribe (CEPAL) ha sostenido que: "Las deficiencias en la disponibilidad de información —incluidas las estadísticas ambientales— limitan, además de un eficaz accionar público, una participación efectiva de la sociedad civil en las decisiones"[10].

En esta misma línea, el Programa 21, antes referido, aclara en esta materia que, en el contexto del desarrollo sostenible, cada persona es usuario y portador de información. En cuanto al contenido de tal información, el texto mencionado aclara que por ésta deben entenderse los datos, los antecedentes y el conjunto de experiencias y conocimientos de que se trate.

No obstante, es necesario tener presente que el acceso a la información en materia ambiental lleva aparejado una gran complejidad práctica; esto es, un marcado desconocimiento general sobre las materias ambientales por parte de la población. Al efecto, se ha resaltado de manera particular la dificultad que enfrentan, principalmente, los países en desarrollo para, primero, reunir y evaluar datos y, segundo, transformarlos en información útil y adecuada que pueda ser difundida y comprendida por toda la comunidad[11].

En todo caso, tal como ha indicado Bermúdez, la implementación del acceso a la información "favorece y hace efectivo el principio democrático", y el acceso a la información ambiental constituye, en dicho contexto, una condición previa para aplicar los mecanismos de participación ciudadana y alcanzar la justicia ambiental[12].

---

[10]   Comisión Económica para América Latina y El Caribe CEPAL, La sostenibilidad del desarrollo a 20 años de la cumbre para la Tierra. Avances, brechas y lineamientos estratégicos para América Latina y el Caribe, 2012, 39, https://www.cepal.org/es/publicaciones/1426-la-sostenibilidad-desarrollo-20-anos-la-cumbre-la-tierra-avances-brechas

[11]   Organización de Naciones Unidas ONU, Programa 21, Río de Janeiro, Brasil, 1992, https://www.un.org/spanish/esa/sustdev/agenda21/index.htm#:~:text=Programa%2021%20es%20un%20plan,influya%20en%20el%20medio%20ambiente.

[12]   Jorge Bermúdez, "El acceso a la información pública y la justicia ambiental", Revista de Derecho de la Pontificia Universidad Católica de Valparaíso, 34, (2010), 571-596.

1.3. Derecho de Participación Ciudadana

Este segundo elemento del Principio 10 de la Declaración de Río, es reafirmado por el Programa 21 antes aludido, al establecer que: "Uno de los requisitos fundamentales para alcanzar el desarrollo sostenible es la amplia participación de la opinión pública en la adopción de decisiones"[13]. Por Participación Ciudadana, se entiende el involucramiento activo de los ciudadanos, mediante diversos mecanismos y en distintos niveles, en los procesos de toma de decisiones públicas que tienen repercusión en sus vidas.

A nivel mundial, es posible apreciar que, si bien una parte importante de los países consagra en sus ordenamientos jurídicos internos el derecho de participación, existen complejidades para la creación de espacios e instancias idóneas que hagan posible la implementación de mecanismos eficaces para dicha participación. En ese marco, resulta relevante considerar la implementación de la participación ciudadana en procesos como la evaluación de impacto ambiental y la generación de ciertas estrategias, planes y normas (diseño y definición de políticas públicas).

La Participación Ciudadana en la Gestión Pública, en general, y la Participación Ambiental Ciudadana, en especial, permiten: a) Fortalecer los derechos y deberes de la comunidad; b) Incorporar a ésta en la toma de decisiones; c) Hacer uso de la información que proporciona la ciudadanía; d) Compartir las responsabilidades, según corresponda, en los actores de la sociedad; e) Promover el intercambio de información público-privada; f) Entregar transparencia a las decisiones que se toman por la autoridades; g) Construir confianzas; h) Mejorar las políticas públicas y la implementación de decisiones[14].

---

[13] Organización de Naciones Unidas ONU, Programa 21, Río de Janeiro, Brasil, 1992, cap. 23, https://www.un.org/spanish/esa/sustdev/agenda21/index.htm#:~:text=Programa%2021%20es%20un%20plan,influya%20en%20el%20medio%20ambiente

[14] Ministerio del Medio Ambiente, Gobierno de Chile, Participación Ambiental Ciudadana: Un derecho y un deber de todos (Guía). 2017, https://mma.gob.cl/wp-content/uploads/2017/11/guiaparticipacion.pdf

1.4. Derecho de acceso a la Justicia Ambiental

De los tres elementos de la Declaración de Río, el que se vincula directamente con la protección judicial efectiva del medio ambiente es el derecho de acceso a la justicia ambiental. A través de éste, se le reconoce a las personas la capacidad de actuar ante órganos competentes establecidos por ley, tanto para garantizar el ejercicio de los dos primeros derechos referidos, como para solicitar directamente la defensa del medio ambiente afectado por actos u omisiones de particulares o la administración[15].

Se trata, pues, de uno de los pilares fundamentales de un Estado de Derecho, ya que obliga a los países a poner a disposición de sus ciudadanos, mecanismos de protección de sus derechos y de resolución de sus conflictos de relevancia jurídica, por medio de recursos judiciales simples, accesibles, de tramitación breve y con un adecuado sistema de cumplimiento. Además, en materia ambiental es una de las principales herramientas para equilibrar el desarrollo con la sustentabilidad de un país. De esta forma, el derecho de acceso a la justicia ambiental permite concretar el derecho a vivir en un ambiente adecuado, al ser un mecanismo a través del cual las personas pueden participar en el control del cumplimiento de las normas ambientales[16].

En este contexto, Brañes lo conceptualiza como: "La posibilidad de obtener la solución expedita y completa por las autoridades judiciales de un conflicto jurídico de naturaleza ambiental, lo que supone que todas las personas están en igualdad de condiciones para acceder a la justicia y para obtener resultados individual o socialmente justos (legitimidad activa)"[17]. En forma similar, se pronuncian Cappelletti y Garth[18].

---

[15]   M. Ríos Angulo. y Carolina Riquelme Salazar, "Acceso a la justicia en materia ambiental en la Unión Europea". Profesora Guía, Valentina Durán. Memoria para optar al grado de Licenciado en Ciencias Jurídicas y Sociales, Universidad de Chile, Santiago, Chile, 2006, https://repositorio.uchile.cl/bitstream/handle/2250/107667/rios_m.pdf?sequence=3&isAllowed=y

[16]   C. Riquelme Salazar, "Los Tribunales Ambientales en Chile. ¿Un avance hacia la implementación del derecho de acceso a la justicia ambiental?", *Revista Catalana de Dret Ambiental*, 4 N°1 (2013).

[17]   Raúl Brañez, El acceso a la justicia ambiental en el distrito federal y la procuraduría ambiental y del ordenamiento territorial (México, Procuraduría Ambiental y del Ordenamiento Territorial del Distrito Federal, 2004).

[18]   Mauro Capelletti y Bryant Garth, Acceso a la justicia. La tendencia en el movimiento mundial para hacer efectivos los derechos (México, Fondo de Cultura Económica, 1996), 154.

Ahora bien, en materia ambiental el acceso a la justicia adquiere ciertas particulares debido a la naturaleza de los derechos que se busca proteger, ya que tienen el carácter de colectivos o difusos, y se enmarcan dentro de los denominados derechos humanos de tercera generación[19], en oposición a los derechos puramente individuales[20]. Por igual razón, también se advierte la dificultad de que los grupos de personas interesadas se organicen y recurran ante la justicia en conjunto. A su vez, los juicios ambientales poseen características propias y especiales que hacen aún más complejo el acceso a la justicia en esta materia (Ej: un importante componente técnico científico de las causas, los altos costos económicos en la tramitación de este tipo de causas, como abogados, declaración de expertos, exámenes científicos, etc.)[21]. Frente a ello, la experiencia comparada ofrece distintas soluciones destinadas a reducir la barrera económica para acceder a la justicia en materia ambiental (Ej: leyes de asistencia legal gratuita especializada en la materia, declaraciones realizadas por medios tecnológicos debido a la distancia de testigos y exámenes realizados a costo del tribunal)[22]. Adicionalmente, Savoia y Pring proponen la creación de tribunales especializados[23].

Según Brañes, el poder superar estos obstáculos depende de la existencia de un "marco jurídico que sea congruente con la naturaleza de los intereses que se deben tutelar judicialmente", lo que a su juicio no existe en la forma requerida. Así, en su opinión, la ausencia

---

[19]   Organización de Naciones Unidas ONU-UNHCR ¿Cuáles son los derechos humanos de tercera generación?: Derechos y valores del ser humano, 2017, https://3c5.com/WfGHq

[20]   Hélène Tigroudja, "El derecho a un medio ambiente sano en la jurisprudencia de la Corte Europea de Derechos Humanos", Revista de Derecho Ambiental, 3 N°3 (2009), 155-167.

[21]   Comisión Económica para Europa, Convention d'Aarhus: guide d'application ECE/CEP/72, 2000, 172.

[22]   Pilar Moraga Sariego, "Principio 10 y desarrollo eléctrico: Participación y acceso a la justicia en miras a la implementación de tribunales especializados", Revista de Derecho de la Pontificia Universidad Católica de Valparaíso n°39, (2012), 295 a 299.

[23]   Remo Savoia, "Administrative, Judicial and Other Means of Access to Justice", en Stec, Stephen (editor), Handbook on Access to Justice under the Aarhus Convention, Szentendre, The Regional Environmental Center for Central and Eastern Europe, 2003, 111.

de éste "ha determinado una situación de inaccesibilidad a la justicia ambiental y ha contribuido de una manera importante a la ineficacia de este derecho ambiental, comprometiendo la protección del medio ambiente y la viabilidad del desarrollo sostenible"[24].

Bajo este prisma, a efectos de propender a la evolución del derecho de acceso a la justicia ambiental, es necesario: a) Permanente desarrollo de la normativa sectorial; b) Efectiva aplicación de tales estatutos; c) Capacitación de las autoridades con competencia para conocer los asuntos de esta índole; d) Fortalecimiento de los mecanismos que permiten la resolución de conflictos ambientales de forma completa y expedita; e) Amplia legitimación activa; y f) Generación de condiciones de igualdad en el acceso a la información ambiental para todos los ciudadanos[25].

Finalmente —y a propósito del "Convenio de Aarhus"[26]—, la Comisión Económica para Europa ha identificado ciertos requisitos básicos para lograr una implementación exitosa de este derecho de acceso a la justicia ambiental; a saber: a) Los órganos encargados del conocimiento de estos procedimientos deben ser independientes e imparciales; b) Las soluciones deben ser adecuadas y efectivas; c) Los procedimientos deben ser justos, equitativos, abiertos y no prohibitivamente costosos; y d) La interpretación de la legitimación activa debe ser entendida de manera lo más ampliamente posible[27].

2. EL CONVENIO DE AARHUS

En esta parte, se tratan temas normativos vinculados a uno de los tratados que recoge y desarrolla el Principio 10 de la Declaración de Río: el Convenio de Aarhus.

---

[24]   Raúl Brañes, El acceso a la justicia ambiental en América Latina, Capítulo I: Derecho Ambiental y Desarrollo Sostenible. Estudio preparado para el Programa de Naciones Unidas para el Medio Ambiente (México, D.F., PNUMA, 2000), 54.

[25]   Sergio Muñoz Gajardo (2014). "El Acceso a la Justicia Ambiental", Revista Justicia Ambiental, FIMA-Fundación Heinrich Boll, VI, N° 6, (2014): 17-38.

[26]   Este tratado internacional será revisado en el capítulo II de este trabajo.

[27]   Comisión Económica para Europa, Un medio ambiente para Europa (ECE CEP24), 1995.

2.1. Nombre, lugar y fecha de adopción de su texto

Este tratado internacional se denomina "Convenio sobre el acceso a la información, la participación del público en la toma de decisiones y el acceso a la justicia en materia de medio ambiente", también conocido como "Convenio de Aarhus".

Su texto, fue firmado en la ciudad del mismo nombre, en Dinamarca, el 25 de junio de 1998.

2.2. Período de negociación, firma, ratificación y entrada en vigencia

Se trata de un convenio alcanzado entre varios países de Europa, en consideración de las necesidades de la sociedad civil europea, así como una herramienta clave para toda la política ambiental de esa región del planeta[28]. Es la primera vez que un tratado internacional se prepara con una amplia e intensa presencia de las organizaciones de la sociedad civil (Organizaciones No Gubernamentales —ONGs— ambientales), a través de una alianza de organizaciones llamada ECO-Forum Europa, que participó activamente (con derecho de voz, pero no de voto) en todas las sesiones de negociación organizadas por la Comisión Económica para Europa de la Organización de Naciones Unidas (CEPE-UN)[29]. Aquello, está reconocido en el propio texto del convenio y, de hecho, éstas siguen participando en las reuniones

---

[28] Según Kofi A. Annan, ex Secretario General de la ONU: "Aunque de ámbito regional, la importancia del Convenio de Aarhus es global. Se trata, con mucho, de la elaboración más impresionante del Principio 10 de la Declaración de Río, que acentúa la necesidad de que los ciudadanos participen en los asuntos ambientales y de que accedan a la información sobre el medio ambiente que está en poder de las autoridades públicas. Y como tal, es hasta ahora la empresa más ambiciosa acometida en el área de la "democracia ambiental" bajo los auspicios de las Naciones Unidas" (ANNAN, Kofi A. Citado por, Fe Sanchis Moreno (2003). Coordinadora de Campaña de Participación Pública de ECO Forum-Europa, en artículo "El Convenio de Aarhus", Revista El Ecologista / Ecologistas en Acción, N° 38, España.

[29] En el marco de la Conferencia Ministerial celebrada en Aarhus, esta alianza organizó también una mesa redonda con Ministros de Medio Ambiente sobre la importancia práctica del Convenio. En la mesa redonda se debatieron ejemplos de buenas y malas prácticas en diferentes países, y de cómo mejorar la situación.

oficiales, han designado a una persona para que les represente en la oficina del convenio e incluso tienen sus propios candidatos al Comité de Cumplimiento (organismo que será tratado más adelante).

El convenio fue firmado originalmente por treinta y cinco países, así como por la Comisión Europea, y posteriormente se han adherido algunos otros Estados.

La etapa de ratificación de este tratado internacional, fue bastante larga. Recién el 30 de octubre de 2001, el convenio entró en vigor, una vez que se alcanzaron las 16 ratificaciones necesarias para ello, de conformidad a lo dispuesto por el artículo 20 del convenio. Actualmente, todos los países de la UE, excepto Irlanda, han ratificado el tratado, así como también lo han hecho la Comunidad Europea y otros Estados[30].

2.3. Objetivos

La finalidad de este instrumento jurídico, es contribuir a proteger el derecho de cada persona a vivir en un medio ambiente que permita garantizar su salud y su bienestar (tanto generaciones presentes como futuras), velando para ello por el respeto de los derechos de acceso a la información sobre el medio ambiente, la participación del público en la toma de decisiones y el acceso a la justicia en materia medioambiental, en los términos establecidos en el convenio (Artículo 1 del Convenio de Aarhus).

Tal como se expresa en su Preámbulo, su aplicación busca contribuir a fortalecer la democracia, principalmente, en la región del mundo para la cual fue concebido[31].

Las conclusiones, fueron consideradas en la redacción del texto del acuerdo internacional.

[30]   En el siguiente link, puede revisarse las Partes del Convenio de Aarhus: Oficina Europea del Medio Ambiente EEB, La aplicación del Convenio de Aarhus en la UE y en España, 2007, https://www.ecologistasenaccion.org/wp-content/uploads/adjuntos-spip/pdf_Aarhus_booklet_ES.pdf

[31]   Unión Europea UE. Reglamento (CE) N° 1367/2006 del Parlamento Europeo y del Consejo. relativo a la aplicación, a las instituciones y a los organismos comunitarios, de las disposiciones del Convenio de Aarhus sobre el acceso a la información, la participación del público en la toma de decisiones y el acce-

2.4. Principios

El convenio, se inspira, principalmente, en tres principios básicos:
a) La vinculación entre la protección del medio ambiente, el desarrollo sostenible y el goce de los derechos fundamentales por los seres
humanos; b) La necesaria transparencia de las Administraciones Públicas en la toma de decisiones, y en concreto, de aquellas decisiones
que puedan tener repercusiones apreciables en materia de medio ambiente; y c) El importante papel que pueden desempeñar en la protección del medio ambiente los ciudadanos y la sociedad civil, ciertas
personas jurídicas sin ánimo de lucro y el sector privado en general.
Todas las disposiciones del tratado se alinean y orientan sobre la base
de ellos.

2.5. Importancia, características y particularidades

2.5.1. Acuerdo Regional, establece estándares mínimos y versa sobre Derechos Humanos, consagra pilares y Derechos de Acceso

Este instrumento jurídico vinculante, construido desde el contexto y la realidad europea, incorpora una serie de temas y novedades
importantes para la época, entre las que destacan ciertos estándares
básicos[32], que deben ser respetados —e idealmente mejorados— por
las Partes del mismo y reconocer el derecho de todas las personas, incluyendo el de las generaciones futuras, a vivir en un medio ambiente
que permita garantizar su salud y su bienestar (el que también ha ido
siendo consagrado en las constituciones políticas de varios países)[33].

---

so a la justicia en materia de medio ambiente, 2006, http://data.europa.eu/eli/reg/2006/1367/oj

[32] Unión Europea UE. Reglamento… Artículo 3 (Disposiciones generales), Apartado 5 del Convenio de Aarhus: "5. Las disposiciones del presente Convenio no
menoscabarán el derecho de las Partes a seguir aplicando o a adoptar, en lugar
de las medidas previstas por el presente Convenio, medidas que garanticen un
acceso más amplio a la justicia en materia medioambiental"

[33] El día 08 de octubre de 2021, el Consejo de Derechos Humanos de la ONU aprobó la Resolución 48/13 que reconoce por primera vez, oficialmente, el derecho humano a vivir en un medio ambiente sin riesgos, saludable, limpio y sostenible; algo
que se ha hecho necesario, en base al reconocimiento de que condiciones ambien-

En este sentido, si bien se refiere a las obligaciones de los Estados Partes, también alude al deber que tiene toda persona, tanto individual como colectivamente, de proteger y mejorar el medio ambiente con iguales fines antes indicados.

En miras a aquello, el convenio reconoce y regula los derechos que constituyen los tres pilares sobre los que se asienta la Democracia Participativa Ambiental: a) El derecho de acceso a la información ambiental; b) El derecho a la participación pública en el proceso de toma de decisiones sobre el medio ambiente; y c) El derecho de acceso a la justicia ambiental. Éstos ya han sido desarrollados en el capítulo I de este trabajo, por lo que se hace remisión a lo señalado. Junto con ello, el tratado promueve una serie de mecanismos para garantizar tales derechos, exigiendo la remoción de los obstáculos o barreras que lo dificulten.

Además, al implementarlo a nivel nacional, las obligaciones que establece y los derechos que reconoce a las personas, deben ser respetados por los órganos estatales de las Partes del mismo, incluidos los judiciales. Al respecto, los Estados Parte deben informar de su cumplimiento mediante la presentación de un Informe Nacional de Cumplimiento, que consiste en una exhaustiva revisión de la observancia de cada párrafo de sus artículos.

2.5.2. No establece una disposición especial sobre Defensores Ambientales

Este convenio, sólo consagra y regula los derechos de acceso a la información, a la participación y a la justicia ambiental antes referidos. A diferencia del Acuerdo de Escazú, no contiene disposiciones sobre la protección de la figura de los Defensores de los derechos

---

tales inadecuadas pueden afectar considerablemente el disfrute efectivo de otros importantes derechos fundamentales (Ej: derecho a la vida, a la salud, al agua, a los alimentos, etc.). La resolución y noticia aludidas, se encuentran disponibles en los siguientes links: Organización de Naciones Unidas. Asamblea General-Consejo de Derechos Humanos. Resolución A/HRC/48/L.23/Rev.1. Reconoce el derecho humano a un medio ambiente sin riesgos, limpio, saludable y sostenible, 2021. y DW, "La ONU reconoce el derecho a un medioambiente limpio, sano y sostenible". DW, 8 octubre 2021, https://p.dw.com/p/41Sh3, respectivamente.

humanos en asuntos ambientales (o Defensores Ambientales). Sin embargo, establece una norma general de garantía para las personas que ejerzan sus derechos de conformidad al Convenio de Aarhus[34].

2.5.3. Definiciones importantes

El artículo 2 del Convenio de Aarhus, fija ciertos conceptos fundamentales para su interpretación y cumplimiento; esto es: "Parte", "autoridad pública", "información(es) sobre el medio ambiente", "público" y "público interesado".

A diferencia del Acuerdo de Escazú (tratado internacional que se revisará en el capítulo III de este trabajo y que incluye un concepto de "personas o grupos en situación de vulnerabilidad" con un tratamiento especial dentro del mismo), el Convenio de Aarhus considera como "público interesado" a las personas físicas o jurídicas que resultan o pueden resultar afectadas por las decisiones adoptadas en materia medioambiental o que tienen un interés que invocar en la toma de decisiones. Y agrega, que se considera que tienen dicho interés, las ONG que trabajan a favor de la protección del medio ambiente y que cumplen los requisitos exigidos por el derecho interno. Este asunto, puede tener relevancia en la práctica al momento de intentar ejercer y/o garantizar los derechos consagrados por éstos tratados internacionales.

2.5.4. No establece una prohibición sobre las reservas

A diferencia del Acuerdo de Escazú, este tratado no establece prohibición a la institución de las reservas, consagradas en la Convención de Viena sobre Derecho de los Tratados de 1969.

---

[34]   Artículo 3 (Disposiciones generales), Apartado 8 del Convenio de Aarhus: "8. Cada Parte velará porque las personas que ejerzan sus derechos de conformidad con las disposiciones del presente Convenio no se vean en modo alguno penalizadas, perseguidas ni sometidas a medidas vejatorias por sus actos. La presente disposición no afectará en modo alguno al poder de los tribunales nacionales de imponer costas de una cuantía razonable al término de un procedimiento judicial.

2.5.5. Solución de Controversias

Según el artículo 16 del Convenio de Aarhus, en caso de surgir una controversia entre dos o más Partes del tratado, respecto de la interpretación o de la aplicación del mismo, éstas deben esforzarse por resolverla por medio de la negociación o por cualquier otro medio de solución de controversias que consideren aceptable, de conformidad al Derecho Internacional vigente.

Ahora bien, al firmar, ratificar, aceptar, aprobar o adherirse al tratado, o en cualquier otro momento posterior, una Parte puede declarar, unilateralmente y por escrito, al Depositario (esto es, el Secretario General de la ONU) que, en lo que respecta a las controversias que no se hayan podido resolver conforme a lo expuesto anteriormente, se acepta como obligatorio uno o los dos medios de solución que establece el apartado 2 del artículo 16 del Convenio de Aarhus, lo que procederá sólo en sus relaciones con cualquier Parte que acepte la misma obligación. A saber, la norma se refiere a: a) El sometimiento de la controversia a la Corte Internacional de Justicia (cuya competencia y procedimientos se rigen por la Carta de las Naciones Unidas y el Estatuto de la Corte Internacional de Justicia); y b) El Arbitraje, conforme al procedimiento definido en el anexo ll. 1 del Convenio de Aarhus.

Finalmente, si las Partes del conflicto han aceptado los dos medios de solución de controversias mencionados en el párrafo anterior, se preferirá a la Corte Internacional de Justicia, salvo que éstas acuerden otra cosa[35].

2.5.6. Mecanismos de cumplimiento e implementación

Sin perjuicio de las funciones de los órganos del convenio (Reunión de las Partes, Secretaría, etc.), éste considera un importante rol de la sociedad civil, lo que se manifestó en la negociación de su texto y que tiene gran importancia en la ejecución del mismo, velando por cumplimiento de éste.

---

[35]   Artículo 16 del Convenio de Aarhus.

Además, se contempla un mecanismo para controlar el cumplimiento del tratado, a cargo de un Comité de Cumplimiento responsable de examinar las quejas que se reciban respecto a la falta de su observancia (tratado en el artículo 15). Éste resulta interesante, ya que permite iniciar un procedimiento a tales efectos, a los Estados partes, al Secretario del convenio y a los propios ciudadanos, cuando, en general, el Derecho Internacional entrega esa capacidad sólo a los primeros[36]. Una vez iniciado el procedimiento, el Comité de Cumplimiento, formado por expertos, examina los casos y realiza recomendaciones al plenario de la Conferencia de las Partes (COP).

Adicionalmente, como el tratado se aplica en el ámbito nacional en toda la UE (y en el de las instituciones de la UE), los Estados partes han ido adoptando legislación interna para la incorporación del Convenio de Aarhus y su efectiva implementación.

Finalmente, sumado a estos esfuerzos nacionales, la UE ha adoptado dos Directivas, y ha propuesto una tercera, con el fin de aplicar las disposiciones y exigencias del Convenio de Aarhus. Asimismo, ha adoptado un reglamento que aplica el Convenio a sus instituciones y órganos[37].

---

[36] Lo anterior, puede realizarse por tres vías: a) La denuncia por incumplimiento realizada por una de las partes respecto de otra; b) El Secretario del Convenio puede apreciar incumplimientos de los informes entregados por los Estados Partes; y c) Un miembro del público (entre los que se encuentran las ONG) puede enviar al Comité una comunicación relativa a la inobservancia del Convenio por una de las partes. Las comunicaciones referidas en la letra c), pueden revisarse en: United Nations Economic Commission for Europe UNECE. Communications from the public, 2021, https://unece.org/sites/default/files/2021-07/ECE.MP_.PP_.2021.44_eng.pdf

[37] Se trata del Reglamento (CE) N° 1367/2006, conocido también como "Reglamento de Aarhus", que, a su vez, se aplica por medio de la Decisión 2008/50/CE de la Comisión y de la Decisión 2008/401/CE, Euratom de la Comisión. Éste cuerpo normativo, concede derechos al público e impone a las instituciones y organismos comunitarios obligaciones sobre acceso a información en materia de medio ambiente (sección I), participación del público en planes y programas sobre medio ambiente (sección II) y acceso a los procedimientos de revisión (sección III). Para efectos de su implementación, la UE ha adoptado una serie de medidas para su incorporación y aplicación, entre las que destacan la adopción de 2 Directivas: a) Una sobre el acceso a la información en materia de medio ambiente; y b) Otra sobre la participación pública. Éstas, se adoptaron en el año 2003, son aplicables en los 27 Estados miembros y su incorporación debía

3. ACUERDO DE ESCAZÚ

3.1. Nombre, lugar y fecha de adopción de su texto

El título de este tratado internacional es "Acuerdo Regional sobre el acceso a la información, la participación pública y el acceso a la justicia en asuntos ambientales en América Latina y el Caribe", también conocido como "Acuerdo de Escazú". Su texto, se firmó en la ciudad del mismo nombre, en Costa Rica, el 04 de marzo de 2018.

3.2. Período de negociación, firma, ratificación y entrada en vigencia

Este tratado internacional, tuvo su origen en la Conferencia de las Naciones Unidas sobre el Desarrollo Sostenible, celebrada en Rio de Janeiro (Brasil) en el año 2012, también conocida como Río+20, y es el producto de una fase preparatoria que duró dos años y nueve intensas reuniones de su Comité de Negociación. Durante las negociaciones, lideradas por Chile y Costa Rica en su calidad de Co-Presi-

---

producirse en 2005. Asimismo, la Comisión Europea ha propuesto una directiva sobre el acceso a la justicia, pero la propuesta ha quedado bloqueada en el Consejo de Medio Ambiente. Las tres Directivas propuestas, reciben colectivamente el nombre de "Directivas Aarhus". Junto con ello, la UE adoptó en 2006 un Reglamento cuyo fin es la aplicación de las disposiciones del Convenio de Aarhus a sus propias instituciones y órganos. Dicho Reglamento, está en vigor desde el mes de junio del año 2007 Unión Europea UE. Reglamento (CE) N° 1367/2006 del Parlamento Europeo y del Consejo relativo a la aplicación, a las instituciones y a los organismos comunitarios, de las disposiciones del Convenio de Aarhus sobre el acceso a la información, la participación del público en la toma de decisiones y el acceso a la justicia en materia de medio ambiente, 2006, http://data.europa.eu/eli/reg/2006/1367/oj", Diario Oficial de la Unión Europea, 25 de septiembre de 2006. Consultado en Internet, con fecha 16.05.22 y disponible en el siguiente link: https://eur-lex.europa.eu/legal-content/ES/TXT/PDF/?uri=CELEX:32006R1367&from=DE) / Oficina Europea del Medio Ambiente EEB, La aplicación del Convenio de Aarhus en la UE y en España, 2007, https://www.ecologistasenaccion.org/wp-content/uploads/adjuntos-spip/pdf_Aarhus_booklet_ES.pdf , Fé Sanchis Moreno, "La aplicación del Convenio de Aarhus en la UE y en España, España, 2007. Consultado en Internet, con fecha 15.05.22 y disponible en el siguiente link: www.ecologistasenaccion.org/wp-content/uploads/adjuntos-spip/pdf_Aarhus_booklet_ES.pdf).

dentes y por otros cinco integrantes de la Mesa Directiva (Argentina, México, Perú, San Vicente y las Granadinas, y Trinidad y Tobago), se reunieron delegados de los gobiernos respectivos, representantes del público y del sector académico, expertos y otras partes interesadas, que participaron activamente, de manera colaborativa y en una base de igualdad en este proceso.[38]

Según su texto, el tratado entra en vigor luego de la ratificación de 11 miembros, requisito que se cumplió, recientemente, el 22 de abril de 2021, tras la ratificación de México.

3.3. Objetivos

Este acuerdo internacional, tiene por propósito garantizar la implementación plena y efectiva, en América Latina y el Caribe, de los derechos de acceso a la información ambiental, participación pública en los procesos de toma de decisiones ambientales y de acceso a la justicia en asuntos ambientales; es decir, un entendimiento regional para la aplicación jurídica del Principio 10 de la Declaración de Río. Asimismo, busca promover y fortalecer el diálogo, la cooperación, la educación y la sensibilización, así como el desarrollo de capacidades a nivel internacional, regional, nacional, subnacional y local, contribuyendo a la protección del derecho de cada persona, de las generaciones presentes y futuras, a vivir en un medio ambiente sano y al desarrollo sostenible (Artículo 1 del Acuerdo de Escazú).

Más aún, y en palabras plasmadas en el Prólogo del acuerdo —por el propio Secretario General de la ONU António Guterres—, este tratado tiene por objeto luchar contra la desigualdad (asimetrías) y la discriminación, y garantizar los derechos de todas las personas a un medio ambiente sano y al desarrollo sostenible, dedicando especial atención a las personas y grupos en situación de vulnerabilidad y colocando la igualdad en el centro del desarrollo sostenible[39].

---

[38] Cabe destacar el trabajo y liderazgo de varias académicas chilenas en la reflexión, negociación, diseño, y redacción del tratado.

[39] António Guterres, *Prólogo del Acuerdo de Escazú* (Santiago, Chile, Organización de Naciones Unidas, CEPAL, 2018).

3.4. Principios

Establece, expresamente (en el artículo 3), 14 principios que guiarán a las Partes en la aplicación del tratado: a) Principio de igualdad y principio de no discriminación; b) Principio de transparencia y principio de rendición de cuentas; c) Principio de no regresión y principio de progresividad; d) Principio de buena fe; e) Principio preventivo; f) Principio precautorio; g) Principio de equidad intergeneracional; h) Principio de máxima publicidad; i) Principio de soberanía permanente de los Estados sobre sus recursos naturales; j) Principio de igualdad soberana de los Estados; y k) Principio pro-persona.

Desde un enfoque basado en los derechos, se reconocen principios democráticos fundamentales y se procura abordar algunos de los desafíos más importantes de la región, tales como la desigualdad, la pobreza, la incerteza jurídica y la desconfianza en las instituciones públicas. A través de promover una mayor transparencia, apertura y participación, entre otros, este acuerdo busca contribuir a la transición hacia un nuevo modelo de desarrollo más integrador e igualitario, con el compromiso de incluir a aquellos que tradicionalmente han sido excluidos, marginados o insuficientemente representados. De igual manera, pretende equilibrar los tres pilares o dimensiones del desarrollo sostenible (económico, social y medio ambiente), reconociendo su interrelación e interdependencia y estableciendo una nueva relación entre el Estado, el mercado y la sociedad en su conjunto; esto es, velar porque no haya crecimiento a expensas del medio ambiente, y que no se gestione el medio ambiente ignorando a los pueblos y a las economías regionales que viven y se desarrollan en el mismo[40].

3.5. Importancia, características y particularidades

3.5.1. Acuerdo Regional, establece estándares mínimos y versa sobre Derechos Humanos. Consagra pilares y Derechos de Acceso

Es el primer tratado regional ambiental vinculante de América Latina y el Caribe (logrado mediante la CEPAL), con disposiciones sin

---

[40]   Alicia Bárcena, Prefacio del Acuerdo de Escazú, Organización de Naciones Unidas (Santiago, Chile, CEPAL, 2018)

precedentes a nivel mundial y un instrumento jurídico valioso para implementar los Objetivos de Desarrollo Sostenible (ODS) y la Agenda 2030 (ONU)[41].

El tratado establece estándares regionales mínimos[42], promoviendo la creación de determinadas capacidades necesarias para la zona (en particular a través de la cooperación), fijando las bases de una estructura institucional de apoyo y ofreciendo herramientas para mejorar la formulación de políticas y la toma de decisiones en materia ambiental.

En cuanto a su contenido, trata los mismos derechos de acceso consagrados en el Convenio de Aarhus, pero se focaliza en las particularidades de América Latina y el Caribe (es un tratado hecho en la región y para la región)[43]. En él se abordan aspectos fundamentales

---

[41]   En el Acuerdo de Escazú se fomenta el multilateralismo para el desarrollo sostenible y se apoya la implementación de la Agenda 2030. En general, los principios del Acuerdo se entrelazan con todos los ODS y, en particular, contribuye al logro del Objetivo 16, en que se promueven sociedades pacíficas e inclusivas, y se exige que se garantice el acceso igualitario a la justicia, que haya instituciones eficaces, fiables y transparentes, que se tomen decisiones inclusivas, participativas y representativas, que el público pueda acceder a la información, y que se promuevan leyes y políticas no discriminatorias para el desarrollo sostenible. La implementación efectiva del Acuerdo de Escazú refuerza asimismo la aplicación equilibrada de las tres dimensiones del desarrollo sostenible: la económica, la social y la ambiental. De este modo, garantiza que el desarrollo no tenga lugar a expensas del medio ambiente, y que en las esferas económica y social se tengan debidamente en cuenta las preocupaciones ambientales Comisión Económica para América Latina y El Caribe *Acuerdo Regional sobre el Acceso a la Información, la Participación Pública y el Acceso a la Justicia en asuntos ambientales en América Latina y el Caribe*, Escazú, Costa Rica, 2018, https://www.cepal.org/es/acuerdodeescazu

[42]   Artículo 4, Apartado 7 del Acuerdo de Escazú: "Nada de lo dispuesto en el presente Acuerdo limitará o derogará otros derechos y garantías más favorables establecidos o que puedan establecerse en la legislación de un Estado Parte o en cualquier otro acuerdo internacional del que un Estado sea parte, ni impedirá a un Estado Parte otorgar un acceso más amplio a la información ambiental, a la participación pública en los procesos de toma de decisiones ambientales y a la justicia en asuntos ambientales" CEPAL (2018). "Acuerdo Regional sobre el Acceso a…"16 y 17.

[43]   El Acuerdo de Escazú, se basa en cinco pilares fundamentales que constituyen la esencia del texto y que se exponen en los artículos 5 a 12 de su texto. Todos los pilares están interconectados y dependen los unos de los otros para que se

de la gestión y la protección ambientales desde una perspectiva regional y se regulan los derechos de acceso mencionados, que deben ser ejercidos libremente por sus titulares, en ámbitos tan importantes como el uso sostenible de los recursos naturales, la conservación de la diversidad biológica, la lucha contra la degradación de las tierras, el cambio climático y el aumento de la resiliencia ante los desastres naturales (asunto de especial importancia considerando la enorme vulnerabilidad de la región frente a los efectos adversos del fenómeno climático)[44].

Este acuerdo, no sólo consagra en forma genérica los derechos aludidos, sino que además establece los procedimientos concretos y las condiciones mínimas que los Estados Partes deben garantizar a sus sociedades para el ejercicio de los mismos. Con éste, se busca mejorar varios aspectos de su antecesor europeo tomando en consideración la experiencia que existe después de los más de 20 años de aplicación del Convenio de Aarhus, esfuerzo realizado en colaboración con diversos representantes de la sociedad civil durante toda la negociación.

No sólo es un instrumento jurídico en materia de protección ambiental, que resulta ser pionero, visionario y sin precedentes en América Latina y el Caribe, sino que también es un tratado de derechos humanos, que refleja la ambición, las prioridades y las características de

---

alcance el objetivo del Acuerdo: i) Acceso a la información ambiental; ii) Participación pública en los procesos de toma de decisiones ambientales; iii) Acceso a la justicia en asuntos ambientales; iv) Defensores de los derechos humanos en asuntos ambientales; y v) Fortalecimiento de capacidades y cooperación (CEPAL-ONU (2022). "Acuerdo Regional sobre el Acceso a la Información, la Participación Pública... 17-19

[44]   Si bien, es una de las regiones que menos ha contribuido, a nivel mundial, al calentamiento global y al cambio climático antropogénico, Latinoamérica y el Caribe están entre las zonas más vulnerables a sus efectos adversos, al presentar gran parte de los factores con los que se mide su vulnerabilidad (GRUPO INTERGUBERNAMENTAL DE EXPERTOS PARA EL CAMBIO CLIMÁTICO-IPCC, "Informe del Grupo de Trabajo II para el Sexto Informe de Evaluación del Grupo Intergubernamental de Expertos sobre el Cambio Climático ('Impactos, adaptación y vulnerabilidad'). 2022, www.ipcc.ch/site/assets/uploads/2022/02/PR_WGII_AR6_spanish.pdf. / (DW (2022). "El Cambio Climático se agudiza en América Latina y el Caribe". Consultado en Internet, con fecha 16.05.22 y disponible en el siguiente link: www.dw.com/es/el-cambio-climatico-se-agudiza-en-américa-latina-y-el-caribe/a-61065972).

la región, siendo sus principales beneficiarios su población y en particular los grupos y comunidades más vulnerables. A través de éste, se busca proteger el derecho humano a vivir en un medio ambiente sin riesgos, saludable, limpio y sostenible, para lo cual se promueve un mayor desarrollo de la Democracia Ambiental, en los términos y mediante los mecanismos expuestos en su texto.

3.5.2. Contiene una disposición especial sobre los Defensores Ambientales

Se trata del primer acuerdo internacional en el mundo que incluye disposiciones sobre los Defensores de los derechos humanos[45] en asuntos ambientales (o Defensores Ambientales). El artículo 9 del Acuerdo de Escazú, es una interesante y novedosa norma, que tiene especial importancia en una región en la que, lamentablemente, éstos enfrentan con gran frecuencia agresiones e intimidaciones en su persona y en sus grupos familiares. En efecto, el acuerdo dispone que todo Estado Parte debe garantizar un entorno seguro y propicio en el que las personas, grupos y organizaciones que promueven y defienden los derechos humanos en asuntos ambientales, puedan actuar sin amenazas, restricciones e inseguridad[46].

---

[45] Como antecedente, la Resolución AG/RES/53/144, 1999 de la ONU, define qué debe entenderse por Defensores de los derechos humanos y declara la necesidad de proporcionar apoyo y protección a los mismos en el contexto de su labor. ONU, "Declaración sobre el derecho y el deber de los individuos, los grupos y las instituciones de promover y proteger los derechos humanos y las libertades fundamentales universalmente reconocidos". 1999, https://sre.gob.mx/sre-docs/dh/docsdh/temasrel/17c.pdf). Luego, en América Latina y el Caribe, la OEA realizó un informe sobre la materia, en que reconoce el gran desafío que enfrentan los defensores de derechos humanos en la región, y establece obligaciones positivas que los Estados debieran cumplir para la protección de estos actores (Organización de Estados Americanos-OEA, "Políticas Integrales de protección de personas defensoras", Ser.L/V/II. Doc. 207/17, diciembre 2017, http://www.oas.org/es/cidh/informes/pdfs/proteccion-personas-defensoras.pdf).

[46] Según Global Witness, se registraron 212 muertes de defensores ambientales en el mundo en 2019. La misma organización ha señalado que, desde el 2015, en el mundo muere al menos un defensor ambiental a la semana, la tendencia de asesinatos va al alza y en 2019 el promedio fue de 4 a la semana. En el ámbito regional, de 208 muertes de defensores de derechos humanos en Latinoamérica y el Caribe, 148 fueron defensores ambientales. Además, 4 de los 5 países con

Para el cumplimiento de aquello, las Partes deben adoptar las medidas adecuadas y efectivas para reconocer, proteger y promover todos los derechos de estas personas, incluidos su derecho a la vida, integridad personal, libertad de opinión y expresión, derecho de reunión y asociación pacíficas y derecho a circular libremente, así como su capacidad para ejercer los derechos de acceso (consagrados en el mismo acuerdo), teniendo en cuenta las obligaciones internacionales de dicha Parte en el ámbito de los derechos humanos, sus principios constitucionales y los elementos básicos de su sistema jurídico. Adicionalmente, es preciso tomar medidas apropiadas, efectivas y oportunas para prevenir, investigar y sancionar ataques, amenazas o intimidaciones que estas personas puedan sufrir en el ejercicio de los derechos contemplados en el Acuerdo de Escazú[47].

3.5.3. Prohibición de reservas

El tratado prohíbe expresamente las Reservas de sus disposiciones (en su artículo 23), algo que no ocurre en el Convenio de Aarhus. Por lo tanto, al obligarse como Estado Parte, se aceptan todos sus apartados y artículos, en los términos que consagra su texto original[48].

---

mayor muerte per cápita de defensores ambientales en el mundo son Latinoamericanos y, del total de muertes, dos tercios de ellas tienen lugar en América Latina y el Caribe. La organización, reconoce que la información es limitada por la dificultad de encontrar datos veraces y disponibles al respecto, por lo que probablemente las cifras sean mayores Global Witness. "Defending tomorrow: The climate crisis and threats against land and environmental defenders": 2020, http://www.globalwitness.org/en/campaigns/environmental-activists/defending-tomorrow/). Finalmente, según "Informe del Relator Especial de la ONU sobre la situación de los defensores de los derechos humanos", además de los casos de muertes efectivas conocidas, debe considerarse las amenazas y ataques a estos actores sociales, y a todas las personas y grupos que realizan acciones de defensa de derechos humanos, sin reconocerse a sí mismas como defensoras, ONU, Asamblea General. A/71/281, "Informe del Relator Especial sobre la situación de los defensores de los derechos humanos", 2016

47   Alicia Bárcena, Prefacio del Acuerdo de Escazú, Organización de Naciones Unidas (Santiago, Chile, CEPAL, 2018), Artículo 9

48   En el marco del Derecho Internacional de los Derechos Humanos, en opinión de ciertos autores, la institución de las Reservas constituiría un obstáculo para la adecuada protección de los derechos reconocidos en los tratados sobre la materia, conduciendo bajo ciertas circunstancias, a una violación del impor-

3.5.4. Definiciones importantes

En los conceptos establecidos en el artículo 2, se determina el alcance que las Partes dan a los términos y expresiones que se utilizan en todo el Acuerdo de Escazú, así como lo que entiende por cada uno de ellos, lo cual resulta relevante para la interpretación y el cumplimiento de su texto. A saber: "derechos de acceso", "autoridad competente" (sólo a efectos de los artículos 5 y 6), "información ambiental", "público" y "personas o grupos en situación de vulnerabilidad". Sobre el particular, y en armonía con el espíritu de este acuerdo, resulta especialmente interesante esta última noción, que se refiere a aquellas personas o grupos de personas que encuentran especiales dificultades para ejercer con plenitud los derechos de acceso reconocidos en el tratado, por circunstancias o condiciones entendidas en el contexto nacional de cada Parte y de sus obligaciones internacionales (incluidos pueblos indígenas y grupos étnicos)[49]. Así, las autoridades públicas deberán realizar esfuerzos para identificar y apoyar a personas o grupos en situación de vulnerabilidad, para que estén debidamente informados en materias ambientales, involucrarlos de manera activa, oportuna y asociados efectivamente a los mecanismos de participación del área, y atendiendo a sus necesidades de apoyo técnico y jurídico en el acceso a la justicia ambiental. Para ello, deben contemplarse facilidades en relación al costo de ciertos trámites y contar con medidas específicas (Ej: traducción de documentos), requeridas para facilitar el ejercicio de sus derechos y el cumplimiento del tratado en

---

tante objeto y fin de estos Maria Benavides, "Reservas en el ámbito del derecho internacional de los derechos humanos". Ius et Praxis 13 n°1, (2007): 167-204. Durante los últimos años, además, se ha apreciado una fuerte tendencia, en la comunidad internacional, en el sentido de no admitir más las reservas. Así, la mayoría de los tratados más recientes, por ejemplo, en temas vinculados al ambiente, contienen una cláusula que expresamente prohíbe la posibilidad de que procedan reservas sobre su texto. Algo que, como solución colocada sobre una balanza, presenta más virtudes que defectos, pareciendo recomendable desincentivar hacia el futuro el uso de esta antigua institución (derivada del derecho de los tratados y codificada en la Convención de Viena de 1969 (Raúl Campusano D. e Ignacio Carvajal G., "Derecho Internacional y Constitución", Actualidad Jurídica N° 43 (enero 2021), 103-162; 122-124.

[49]   Artículo 2 del Acuerdo de Escazú Bárcena, Alicia. Prefacio del Acuerdo de Escazú, Organización de Naciones Unidas (Santiago, Chile, CEPAL, 2018).

relación ellos[50]. Los instrumentos de derechos humanos, tienen por objeto proteger a todas las personas y, en particular, abordar los retos a los que se enfrentan quienes tienen más probabilidades de sufrir violaciones de sus derechos fundamentales.

3.5.5. Solución de Controversias

El artículo 19 del Acuerdo de Escazú, dispone que, en caso de generarse una controversia entre dos o más Partes, respecto de la interpretación o de la aplicación del acuerdo, éstas deberán esforzarse por resolverlo por medio de la negociación o por cualquier otro medio de solución de controversias que consideren aceptable, de conformidad al Derecho Internacional vigente.

Sin perjuicio de lo anterior, la norma establece ciertos medios específicos para solucionar las controversias que puedan surgir entre las Partes: a) Su sometimiento a la Corte Internacional de Justicia; y b) El Arbitraje. La competencia y los procedimientos de la Corte Internacional de Justicia, se rigen por la Carta de las Naciones Unidas y el Estatuto de la Corte Internacional de Justicia. En lo que respecta al Arbitraje, en el acuerdo se señala que estos procedimientos serán establecidos por la Conferencia de las Partes. Dichos medios, sólo son aplicables entre los Estados Parte, pero no entre una Parte y los miembros del público u otras partes interesadas. Además, no resulta obligatorio recurrir a ninguno de éstos, y en ningún caso se puede obligar a una Parte a optar por uno de ellos, salvo que haya brindado el consentimiento expreso para ello[51]. En consecuencia, una controversia sólo podrá someterse a la Corte Internacional de Justicia o al Arbitraje si cada una de las Partes de la controversia ha aceptado expresamente utilizar uno de estos medios o ambos. En la hipótesis de que las dos Partes hayan aceptado los dos medios indicados por

---

[50]   Comisión Económica para América Latina y El Caribe CEPAL, *Acuerdo Regional sobre el Acceso a la Información…* 17-19.

[51]   Una Parte puede aceptar de forma unilateral uno o los dos medios de solución de controversias mediante una indicación enviada al Depositario (Secretario General de la ONU), por escrito en el momento de la firma, ratificación, aceptación, aprobación o adhesión, o en cualquier otro momento posterior (Artículo 19 del Acuerdo de Escazú).

la disposición, se da preferencia a la Corte Internacional de Justicia, salvo que las Partes acuerden otra cosa[52].

3.5.6. Mecanismos de Cumplimiento e Implementación del tratado

El tratado está orientado hacia el cumplimiento e implementación de sus disposiciones (es parte de sus objetivos) y, por ende, éstas también se rigen por los principios que establece el artículo 3 del mismo. Conforme al artículo 4 (Disposiciones Generales), cada Parte adoptará todas las medidas necesarias, de naturaleza legislativa, reglamentaria, administrativa u otra, en el marco de sus disposiciones internas, para garantizar la implementación del acuerdo.

Si bien, la existencia de toda la arquitectura institucional del Acuerdo de Escazú (Conferencia de las Partes, Secretaría, etc.) tiene como finalidad de fondo contribuir en este sentido, existen algunos órganos subsidiarios, mecanismos y plataformas que buscan, especialmente, colaborar en ello: a) El Comité de Apoyo a la Aplicación y el Cumplimiento (regulado en el artículo 18); b) Los Mecanismos de Revisión Independientes (incluidos en el artículo 5, Apartado 8); y c) El Centro de Intercambio de Información (establecido en el artículo 12).

Sobre el particular, además de las obligaciones que corresponden a los Estados Partes y a sus autoridades (tanto a nivel nacional como internacional), es importante destacar el rol de la sociedad civil en la materia (ciudadanos y ONGs), al no sólo ser beneficiarios de su contenido, sino que también eventuales fiscalizadores de su adecuado cumplimiento e implementación, al velar por los derechos consagrados en el tratado.

En lo relativo a la implementación a nivel nacional del acuerdo, la responsabilidad última queda entregada a cada Estado Parte, debiendo éstos observar sus disposiciones (cumplir las obligaciones y adoptar las medidas requeridas). Al implementar el tratado, las Partes lo hacen efectivo en sus sistemas jurídicos nacionales y, conforme al artículo 13 del Acuerdo de Escazú, cuentan para ello con una amplia

---

[52]   Comisión Económica para América Latina y El Caribe CEPAL, Acuerdo Regional sobre el Acceso a la Información... 180-181.

gama de posibilidades en cuanto a los tipos de medidas y enfoques que pueden adoptar y los medios que puede destinar para cumplir con su texto[53]. Así, mientras cumplan plenamente éstas, los Estados gozan de un margen de discrecionalidad en relación a los medios que pueden utilizar (Ej: leyes, reglamentos, decretos, etc.), según el caso y su conveniencia. Acá, lo fundamental es la coherencia y la compatibilidad, para que no haya discrepancias entre lo prescrito en la legislación nacional o interna y en el Acuerdo de Escazú. No debe perderse de vista, que dichas medidas de implementación merecen una cuidadosa atención y su evaluación debe ser, necesariamente, caso a caso. Al respecto, también cabe considerar si esa implementación y cumplimiento del tratado se refiere a disposiciones que se consideran autoejecutables o no[54].

Finalmente, cabe mencionar la existencia de un Fondo de Contribuciones Voluntarias, con el objeto de apoyar el financiamiento de la implementación del acuerdo (regulado en el artículo 14).

4. REFLEXIONES FINALES

La realización del desarrollo sostenible, como paradigma del mundo actual, considerando sus tres dimensiones o pilares (económico, social y ambiental), depende de la aplicación real y efectiva de los principios establecidos en la Declaración de Río y reafirmados luego en el documento final de la Conferencia de Naciones Unidas sobre el Desarrollo Sostenible realizada en Brasil el 2012. Entre ellos, el Principio 10 de la Declaración de Río y los derechos que emanan de su contenido (derechos de acceso a la información, de participación y de acceso a la justicia ambiental), se vinculan, especialmente, con el Objetivo de Desarrollo Sostenible N° 16 (Paz, Justicia e Instituciones

---

[53] Artículo 13 del Acuerdo de Escazú (Implementación Nacional): "Cada Parte, de acuerdo con sus posibilidades y de conformidad con sus prioridades nacionales, se compromete a facilitar medios de implementación para las actividades nacionales necesarias para cumplir las obligaciones derivadas del presente Acuerdo" (Comisión Económica para América Latina y El Caribe CEPAL, Acuerdo Regional sobre el Acceso a la Información…

[54] Comisión Económica para América Latina y El Caribe CEPAL, Acuerdo Regional sobre el Acceso a la Información… 24.

Sólidas) en el contexto de la Agenda 2030 de la ONU y el anhelo de la Democracia Ambiental y Participativa para las sociedades. Estos derechos y pretensiones han sido recogidas y desarrolladas por el Convenio de Aarhus y el Acuerdo de Escazú, el que también incorpora la protección de los Defensores de derechos humanos en materia ambiental (o Defensores Ambientales), plasmando a nivel del derecho internacional las necesidades y características de las regiones de Europa y América Latina y el Caribe, respectivamente.

Los instrumentos jurídicos comentados en este trabajo permiten facilitar acciones y estrategias para enfrentar de mejor manera los desafíos comunes, promoviendo el diálogo, la cooperación, la asistencia técnica y la creación de capacidades, fortaleciendo la aplicación de tales derechos a nivel nacional e incentivando la construcción de una agenda regional propia en materia de derechos humanos y protección ambiental con base conceptual en la sostenibilidad y la igualdad.

A la fecha, se han logrado algunos avances, principalmente en materia de derecho de acceso a la información ambiental. Sin embargo, aún queda bastante por avanzar en materia de derechos de participación y de acceso a la justicia ambiental.

Si bien éstos tratados resultan importantes y oportunos, se encuadran con los lineamientos de la ONU y la noción de desarrollo sostenible y tienen el potencial de impulsar un cambio positivo para dar respuesta a algunos de los principales desafíos globales del siglo XXI[55], pueden resultar insuficientes sin una voluntad política de la autoridades nacionales de los Estados Partes —a todo nivel— y la colaboración de ciudadanos activos y comprometidos, en miras al cumplimiento de sus objetivos. Lograr su cabal y efectiva implementación implica un reto para los países. Alcanzar una mayor protección a las personas y al medio ambiente, prevenir conflictos socio-ambientales, y vivir en una sociedad más justa, ordenada y equilibrada, son objetivos de los derechos de acceso.

---

[55]   GUTERRES, António (2018), Op. cit.

Bibliografía

Textos positivos

Comisión Económica de las Naciones Unidas para Europa-CEPE, Convenio sobre el Acceso a la Información, la Participación del público en la toma de decisiones y el Acceso a la Justicia en materia de medio ambiente (LC/TS.2017/83), 2018, 1-152

Comisión Económica para América Latina y El Caribe CEPAL Acuerdo Regional sobre el Acceso a la Información, la Participación Pública y el Acceso a la Justicia en asuntos ambientales en América Latina y el Caribe, Escazú, Costa Rica, 2018, https://www.cepal.org/es/acuerdodeescazu

Unión Europea UE. Reglamento (CE) N° 1367/2006 del Parlamento Europeo y del Consejo. relativo a la aplicación, a las instituciones y a los organismos comunitarios, de las disposiciones del Convenio de Aarhus sobre el acceso a la información, la participación del público en la toma de decisiones y el acceso a la justicia en materia de medio ambiente, 2006, http://data.europa.eu/eli/reg/2006/1367/oj

Textos de Resoluciones de organismos internacionales

Organización de Naciones Unidas ONU. Asamblea General-Consejo de Derechos Humanos. Resolución AG/RES/53/144. Relatora Especial sobre la situación de los defensores de los derechos humanos, 1999.

Organización de Naciones Unidas. Asamblea General-Consejo de Derechos Humanos. Resolución A/HRC/48/L.23/Rev.1. Reconoce el derecho humano a un medio ambiente sin riesgos, limpio, saludable y sostenible, 2021.

Organización De Estados Americanos OE. Asamblea General, Resolución A/RES/56/163. Declaración sobre el derecho y el deber de los individuos, los grupos y las instituciones de promover y proteger los derechos humanos y las libertades fundamentales universalmente reconocidos, 2002.

Textos doctrinarios

Bárcena, Alicia. Prefacio del Acuerdo de Escazú, Organización de Naciones Unidas (Santiago, Chile, CEPAL, 2018)

Benavides, Maria. "Reservas en el ámbito del derecho internacional de los derechos humanos". Ius et Praxis 13 n°1, (2007): 167-204

Bermúdez, Jorge "El acceso a la información pública y la justicia ambiental", Revista de Derecho de la Pontificia Universidad Católica de Valparaíso, 34, (2010): 571-596.

Brañes, Raúl, El acceso a la justicia ambiental en América Latina, Capítulo I: Derecho Ambiental y Desarrollo Sostenible. Estudio preparado para *el Programa de Naciones Unidas para el Medio Ambiente* (México, D.F., PNUMA, 2000).

Brañez, Raúl, *El acceso a la justicia ambiental en el distrito federal y la procuraduría ambiental y del ordenamiento territorial* (México, Procuraduría Ambiental y del Ordenamiento Territorial del Distrito Federal, 2004).

Campusano D., Raúl e Ignacio Carvajal G., "Derecho Internacional y Constitución", *Actualidad Jurídica* N° 43 (enero 2021), 103-162

Capelletti, Mauro y Bryant Garth, *Acceso a la justicia. La tendencia en el movimiento mundial para hacer efectivos los derechos* (México, Fondo de Cultura Económica, 1996)

Comisión Económica para América Latina y El Caribe CEPAL. *Acerca del Desarrollo Sostenible y asentamientos humanos*, 2006, https://3c5.com/9UJ4P

Comisión Económica para América Latina y El Caribe CEPAL, *La sostenibilidad del desarrollo a 20 años de la cumbre para la Tierra. Avances, brechas y lineamientos estratégicos para América Latina y el Caribe*, 2012, https://www.cepal.org/es/publicaciones/1426-la-sostenibilidad-desarrollo-20-anos-la-cumbre-la-tierra-avances-brechas

Comisión Económica para América Latina y El Caribe CEPAL, *Acuerdo Regional sobre el Acceso a la Información, la Participación Pública y el Acceso a la Justicia en asuntos ambientales en América Latina y el Caribe: Guía de Implementación*, 2022, https://www.cepal.org/es/acuerdode-escazu

Comisión Económica para Europa, *Un medio ambiente para Europa* (ECE CEP24), 1995

Comisión Económica para Europa, *Convention d'Aarhus: guide d'application* (ECE/CEP/72, 2000, 2000

Costa, Ezio, "Evaluando la Democracia en Chile", *Fiscalía del Medio Ambiente-FIMA*, 13 octubre 2020, https://www.fima.cl/2020/10/13/columna-evaluando-la-democracia-ambiental-en-chile/

DW, "La ONU reconoce el derecho a un medioambiente limpio, sano y sostenible". *DW*, 8 octubre 2021, https://p.dw.com/p/41Sh3

DW, "El Cambio Climático se agudiza en América latina y el Caribe". *DW*, 9 marzo 2022.

Guterres, António, Prólogo del Acuerdo de Escazú (Santiago, Chile, Organización de Naciones Unidas, CEPAL, 2018).

Grupo Intergubernamental de Expertos Sobre el Cambio Climático (IPCC), *Informe del Grupo de Trabajo II para el Sexto Informe de Evaluación del Grupo Intergubernamental de Expertos sobre el Cambio Climático:*

Impactos, adaptación y vulnerabilidad, 2022, https://www.unep.org/es/resources/informe/sexto-informe-de-evaluacion-del-ipcc-cambio-climatico-2022

Global Witness, *Defending tomorrow: The climate crisis and threats against land and environmental defenders,* 2020, https://www.globalwitness.org/en/campaigns/environmental-activists/defending-tomorrow/

Lenzi, Cristian Luis, "A política democrática da sustantabilidade: os modelos deliberativo e associativo de democracia ambiental, en Ambiente & Sociedade" (Campinas, Sao Paulo, 2009).

Moraga Sariego, Pilar, "Principio 10 y desarrollo eléctrico: Participación y acceso a la justicia en miras a la implementación de tribunales especializados", *Revista de Derecho de la Pontificia Universidad Católica de Valparaíso* n°39, (2012): pp.291-317

Ministerio del Medio Ambiente, Gobierno de Chile, Participación Ambiental Ciudadana: Un derecho y un deber de todos (Guía). 2017, https://mma.gob.cl/wp-content/uploads/2017/11/guiaparticipacion.pdf

Moreno, Fe Sanchis (2003). Coordinadora de Campaña de Participación Pública de ECO Forum-Europa, en artículo "El Convenio de Aarhus", Revista El Ecologista / Ecologistas en Acción, N° 38, España.

Muñoz Gajardo, Sergio (2014). "El Acceso a la Justicia Ambiental", *Revista Justicia Ambiental, FIMA-Fundación Heinrich Boll,* VI, N° 6, (2014): 17-38

Organización de Estados Americanos OEA y Comisión Interamericana de los Derechos Humanos. *Políticas Integrales de protección de personas defensor* Ser.L/V/II. Doc. 207/17, http://www.oas.org/es/cidh/informes/pdfs/proteccion-personas-defensoras.pdf

Oficina Europea del Medio Ambiente EEB, *La aplicación del Convenio de Aarhus en la UE y en España,* 2007, https://www.ecologistasenaccion.org/wp-content/uploads/adjuntos-spip/pdf_Aarhus_booklet_ES.pdf

Organización de Naciones Unidas ONU, *Conferencia de las Naciones Unidas sobre Medio Ambiente y Desarrollo",* Río de Janeiro, Brasil, 3 a 4 de junio de 1992, https://www.un.org/es/conferences/environment/rio1992

Organización de Naciones Unidas ONU, *Declaración de Río de Janeiro sobre el Medio Ambiente y el Desarrollo,* Rio de Janeiro, Brasil, 1992, https://www.un.org/spanish/esa/sustdev/documents/declaracionrio.htm

Organización de Naciones Unidas ONU, *Programa 21,* Río de Janeiro, Brasil, 1992, https://www.un.org/spanish/esa/sustdev/agenda21/index.htm#:~:text=Programa%2021%20es%20un%20plan,influya%20en%20el%20medio%20ambiente.

Organización de Naciones Unidas ONU, Asamblea General. *A/71/281, 2016. Informe del Relator Especial de la ONU sobre la situación de los defensores de los derechos humanos*, 2016, https://www.cepal.org/fr/node/38586

Organización de Naciones Unidas ONU-UNHCR ¿Cuáles son los derechos *humanos de tercera generación?: Derechos y valores del ser humano*, 2017, https://3c5.com/WfGHq.

Prieur, Michel, "La convention d'Aarhus, instrument universel de la démocratie environnementale", en *Revue Juridique de l'Environnement*, Num. Spécial (1999): 9-29

Pring, George and Catherine Pring, *Greening Justice, Creating and Improving Environmental Courts and Tribunals*, 2009, https://www.law.du.edu/documents/ect-study/greening-justice-book.pdf

Riquelme Salazar, C., "Los Tribunales Ambientales en Chile. ¿Un avance hacia la implementación del derecho de acceso a la justicia ambiental?", *Revista Catalana de Dret Ambiental*, 4 N°1 (2013),

Ríos Angulo, M. y Carolina Riquelme Salazar, "Acceso a la justicia en materia ambiental en la Unión Europea". Profesora Guía, Valentina Durán. Memoria para optar al grado de Licenciado en Ciencias Jurídicas y Sociales, Universidad de Chile, Santiago, Chile, 2006, https://repositorio.uchile.cl/bitstream/handle/2250/107667/rios_m.pdf?sequence=3&isAllowed=y

Savoia, Remo, "Administrative, Judicial and Other Means of Access to Justice", en Stec, Stephen (editor), Handbook on Access to Justice under the Aarhus Convention, Szentendre, The Regional Environmental Center for Central and Eastern Europe, 2003

Smith, Graham, "Deliberative democracy and the Environment", Londres, Routledge, 2007.

Tigroudja, Hélène, "El derecho a un medio ambiente sano en la jurisprudencia de la Corte Europea de Derechos Humanos", *Revista de Derecho Ambiental*, 3 N°3 (2009): 155-167

United Nations Economic Commission for Europe UNECE. *Communications from the public*, 2021, https://unece.org/sites/default/files/2021-07/ECE.MP_.PP_.2021.44_eng.pdf

Universidad Nacional de Educación a Distancia UNED. *Declaración de Río sobre el Medio Ambiente y el Desarrollo*, 1992, https://n9.cl/lvpu

EL CASO CHEVRON-TEXACO. UNA MIRADA INTERDISCIPLINAR PARA UN ANÁLISIS DESDE LA ECOLOGÍA INTEGRAL

Ian Henríquez Herrera[*]
Karla Quintero Bonilla[**]
Tania Opitz Burgos[***]

INTRODUCCIÓN

En el año 1964, la transnacional petrolera Texaco Petroleum Company inició sus operaciones en la Amazonia ecuatoriana, mediante un contrato de concesión con la República del Ecuador. La compañía mantuvo el control de las operaciones extractivas hasta el año 1990. Las externalidades ocasionadas por la actividad de la empresa en la zona han sido de una magnitud considerable, al punto que se ha denominado como el "Chernobyl amazónico".

A partir de 1993, y a la fecha de estas líneas, ha habido una seguidilla de litigios, en cortes nacionales ecuatorianas, extranjeras, y arbitrales internacionales, a propósito de los daños ambientales y su eventual reparación, con un alto grado de complejidad y sofisticación. Se suma a lo anterior la particularidad de los intervinientes: el Estado ecuatoriano, que ha vivido un importante proceso de reformas jurídi-

[*] Doctor en Derecho y Magíster en Investigación Jurídica por la Universidad de los Andes (Chile), Magíster en Derecho Privado y Licenciado en Ciencias Jurídicas y Sociales por la Universidad de Chile. Instituto de Investigación en Derecho, Universidad Autónoma de Chile.

[**] Doctora en Geoquímica por la Universidad Central (Venezuela), y profesora del Magíster en Derecho de los Recursos Naturales y del Medio Ambiente de la Universidad Finis Terrae.

[***] Magíster en Gestión y Planificación Ambiental por la Universidad de Chile, Biólogo Marino por la Universidad Austral (Chile) y Coordinadora de Investigación de la Universidad Finis Terrae.

cas e institucionales, en la línea de lo que se ha venido llamando "neconstitucionalismo latinoamericano"; la mencionada transnacional —entre las más grandes e importantes de la industria—; diversas organizaciones de la sociedad civil, con enfoques ambientalistas e indigenistas. Todas estas circunstancias hacen del caso "Chevron-Texaco" —así conocido— un objeto de muy interesante estudio académico.

En las líneas que siguen, procuraremos analizar las particularidades y especificidades de este caso, con una mirada interdisciplinar. En la primera parte, haremos un recuento y reseña de la cronología de los hechos y del itinerario procesal de los diversos juicios ventilados con ocasión de este desastre ecológico. En la segunda parte, analizaremos con mayor detalle las particularidades de la cuenca petrolífera objeto de la explotación, de las características del sistema de producción utilizado, y de las consecuencias del tiempo y modo de la operación llevada a cabo por la compañía transnacional. En el apartado tercero, plantearemos nuestras propias reflexiones sobre el caso, con base principal en las enseñanzas contenidas en el texto "*Laudato si*", considerado como la Carta Magna de una ecología integral.

1. CRONOLOGÍA DE LOS HECHOS E ITINERARIO PROCESAL

En este apartado, reseñaremos los principales hitos en la compleja cronología de los hechos jurídicamente relevantes y del itinerario procesal de los diversos juicios que se han llevado a cabo con ocasión de los mismos. Nuestras fuentes principales han sido los respectivos expedientes, junto con artículos académicos. La aclaración, que, en lo usual huelga, dadas las peculiaridades de este caso, parece necesaria. En efecto, tanto el Estado Ecuatoriano como la compañía Texaco (sus adquirentes y sucesoras), han llevado adelante profusas campañas mediáticas en defensa de sus respectivas posturas, lo cual enturbia y por ende dificulta el acceso a la información imparcial, rigurosa y finalmente, verídica. Hoy por hoy, existe sobre el caso una enorme cantidad de literatura secundaria y terciaria, con clara intención de incidir en la opinión pública y aun en los decisores judiciales, y por consiguiente con carácter parcial y aun tendencioso. Hecha la aclaración, pasamos a la descripción anunciada.

1.1. Origen de la Compañía e inicio de las operaciones en Ecuador

Como antecedente, cabe mencionar que la empresa Texaco fue fundada en el año 1902, bajo la razón social The Texas Company, cuyo giro es la producción y comercialización de petróleo y productos derivados, y establecida en Delaware. En 1928, esta compañía adquiere la empresa California Petroleum Corporation, y en 1936 se fusiona con Standard Oil, dando origen a California Texas Oil CALTEX, actor muy relevante en el mercado global, con importante participación en Medio Oriente, África, Asia y Australia. En 1947, negocia con Trinidad Leaseholds, de lo cual surge la Regent Oil Company, expandiendo el negocio hacia Reino Unido. En 1959 adquiere Paragon Oil y sus empresas filiales, lo que le permitió participar directamente en la costa este, convirtiéndose, entonces, en un gigante del rubro petrolero. (Rodríguez. 2014: 45).

El día 5 de febrero del año 1964, Texaco Petroleum Company, obtuvo de la República del Ecuador la concesión de un millón cuatrocientas cincuenta mil hectáreas en la Amazonia, para llevar a cabo operaciones de exploración y producción propias de su rubro petrolero ("Concesión Napo"), por un plazo de cuarenta años. El 14 de marzo siguiente, la referida concesión fue transferida a dos filiales de Texaco Petroleum Company: Texaco Petróleos del Ecuador C.A. y Gulf Ecuatoriana de Petróleos S.A.. En rigor técnico, ambas eran subsidiarias de la matriz. En 1965, las referidas filiales cedieron el noventa y cinco por ciento de sus acciones a otra relacionada: Ecuadorian Gulf oil Co., y a la propia principal (Texaco Petroleum Company).

En torno a los dos lustros de iniciada las operaciones, en 1973, se lleva a cabo una nueva negociación, esta vez entre los controladores de la Concesión Napo —Texaco Petroleum Company y Ecuadorian Gulf oil Co.— y la República del Ecuador, con objeto de suscribir un contrato de opción de compra de acciones, a favor de la Corporación Estatal Petrolera Ecuatoriana ("Cepe"). Dicha opción alcanzaba el veinticinco por ciento de participación en la concesión. Junto con ello, se redujo en doce años el plazo de concesión inicial, fijándose como fecha de vencimiento el 6 de junio de 1992.

1.2. Participación del Ecuador en el consorcio petrolero

En el mes de enero de 1974, el gobierno ecuatoriano emitió el Decreto Supremo No. 9, por el cual se estableció que Cepe obtendría el referido veinticinco por ciento en la participación del consorcio concesionario en el año 1977, lo cual, efectivamente, así ocurrió una vez acaecido el plazo. En mayo de aquel mismo año 1977, la República del Ecuador, Cepe y Ecuadorian Gulf oil Co. suscribieron un contrato por el cual la filial de Texaco se comprometía en ese mismo año a vender a la empresa estatal la totalidad de sus acciones en el consorcio, obligación que se cumplió en el mes de diciembre de 1977, de modo tal que Cepe pasó a ser la controladora con el 62,5 por ciento de participación en el consorcio. Sin embargo, en el hecho, la compañía petrolera estadounidense continuó operando las actividades petroleras.

En 1989, mediante Ley Especial No. 45, de 26 de septiembre de 1989, se creó la empresa estatal Petróleos del Ecuador (Petroecuador), se suprimió a Cepe, y se le transfirieron todos los derechos y obligaciones de ésta a aquélla. Señala la referida ley:

> *"Los derechos y obligaciones de CEPE, derivados de contratos legalmente celebrados, serán ejercidos y cumplidos por la empresa estatal filial de PETROECUADOR a la que corresponda el área de actividad a la que se refiera el objeto contractual. En caso de que el objeto contractual abarcare las actividades de dos o más empresas filiales, los derechos y obligaciones serán ejercidos y cumplidos legalmente por PETROECUADOR o la empresa filial que fuere designada"* (Disposición Transitoria Sexta).

A partir de lo anterior, en 1990, Petróleos del Ecuador tomó el control tanto del consorcio que mantuvo la Corporación Estatal Petrolera Ecuatoriana con Texaco, como de las operaciones propiamente tales. Dos años después, Texaco deja de tener participación alguna en la concesión, y quedan en evidencia los manifiestos daños medioambientales. En ese contexto, en 1993 se inicia el primer juicio de este complejo caso.

1.3. El inicio de los litigios y los acuerdos liberatorios

La ciudadana ecuatoriana María Aguinda, junto con setenta y cinco residentes de las zonas en que operó el consorcio petrolero en la

Amazonia, y en representación de otros treinta mil, interpuso una acción (*class action*) en contra de Texaco ante la Corte del Distrito Sur de Nueva York. Dicha acción fue resuelta en 2002 por la Corte de Apelación de Nueva York, aplicando la doctrina de *forum non conveniens* y remitiendo el conocimiento de la causa a la jurisdicción ecuatoriana. Este juicio es conocido como "Caso Aguinda".

El 4 de mayo de 1995, Petroecuador y Texaco Petroleum Company suscribieron un acuerdo denominado "*Contract for Implementing of Environmental [..,] Remedial Work and Release from Obligations, Liability and Claims*". El artículo 5.1 del citado acuerdo señala, en lo que al punto importa:

> "*On the execution date of this Contract, and in consideration of TexPet's agreement to perform the Environmental Remedial Work in accordance with the Scope of Work[...] and the Remedial Action Plan, the Government and PetroEcuador shall hereby release, acquit and forever discharge TexPet, Texaco Petroleum Company, [...] Texaco, Inc., and all their respective agents, servants, employees, officers, directors [...] beneficiaries, successors, predecessors, principals and subsidiaries (hereinafter referred to as 'The Releasees') of all the Government's and PetroEcuador's claims against the Releasees for Environmental Impact arising from the Operations of the Consortium, except for those related to the obligations [..] of the Scope of Work, which shall be released as the Environmental Remedial Work is performed to the satisfaction of the Government and PetroEcuador [...]*"[1].*

A su vez, el artículo 9.4 del convenio referido, dice, a la letra:

---

[1]   "En la fecha de ejecución de este Contrato, y en consideración al acuerdo de TexPet para realizar el Trabajo de Remediación Ambiental de conformidad con el Alcance del Trabajo [...] y el Plan de Acción Correctiva, el Gobierno y PetroEcuador liberarán, absolverán y liberarán para siempre a TexPet, Texaco Petroleum Company, [...] Texaco, Inc., y todos sus respectivos agentes, servidores, empleados, funcionarios, directores [...] beneficiarios, sucesores, predecesores, directores y subsidiarias (en lo sucesivo, "Los relacionados") de todas las reclamaciones del Gobierno y PetroEcuador contra los relacionados por el Impacto Ambiental derivadas de las Operaciones del Consorcio, excepto aquellas relacionadas con las obligaciones [..] del Alcance del Trabajo, que se liberarán a medida que se realice el Trabajo de Remediación Ambiental a la satisfacción del Gobierno y de PetroEcuador [... J".

> *"Benefits for Third Porties — This Contract shall not be construed to confer any benefit on any third party not a Party to this Contract, nor shall it provide any rights to such third party to enforce its provisions."*[2]

En el año 1998, bajo la presidencia de Jamil Mahuad —derrocado en el 2000—, Texaco, Petroecuador y la República del Ecuador firman un documento titulado "Acta final", que ha fungido para la transnacional como finiquito liberatorio, pues señala que la empresa ha cumplido con la remediación medioambiental y se le exonera de cualquier responsabilidad. Señala el acuerdo, en lo pertinente:

> *"In accordance with that agreed in the [1995 Settlement Agreement] the Government and PetroEcuador proceed to release, absolve and discharge [The Releasees] forever from any liability and claims by the Government of the Republic of Ecuador, PetroEcuador and its Affiliates, for items related to the obligations assumed by TexPet in the aforementioned Contract, which has been fully performed by TexPet, within the framework of that agreed with the Government and PetroEcuador".*[3]

El 16 de octubre de 2000 ocurre otro hito digno de mención, pues las compañías Chevron Corporation y Texaco Incorporation anunciaron su acuerdo de fusión, lo cual se verificó el 9 de octubre del año siguiente, dando origen a Chevron-Texaco Corporation. Con posterioridad, la misma compañía adoptó la denominación simplificada Chevron Corporation, compañía que se convirtió en la más grande de los Estados Unidos, con operaciones en más de 180 países, titular de tres marcas reconocidas a nivel mundial: Chevron, Texaco y Caltex (Rodríguez. 2014:47).

---

[2]   "Beneficios para Terceros. Este Contrato no se interpretará en el sentido de conferir ningún beneficio a ningún tercero que no sea Parte en este Contrato, ni otorgará ningún derecho a dicho tercero para hacer cumplir sus disposiciones.".

[3]   "De conformidad con lo acordado en el [Acuerdo de Conciliación de 1995] el Gobierno y PetroEcuador proceden a liberar, absolver y liberar [a Los Liberados] para siempre de cualquier responsabilidad y reclamación por parte del Gobierno de la República del Ecuador, PetroEcuador y sus Afiliados, por elementos relacionados con las obligaciones asumidas por TexPet en el contrato antes mencionado, que ha sido cumplido en su totalidad por TexPet, en el marco de lo acordado con el Gobierno y PetroEcuador".

En el 2003, con ocasión del reenvío jurisdiccional llevado a cabo por la Corte de Apelación de New York, los mismos afectados presentaron una acción ahora ante la Corte Superior de Nueva Loja, Sucumbíos, por daño ambiental, en contra de Chevron, sucesora de Texaco. Esta acción fue acogida en primera instancia, confirmada en apelación y controlada en casación. En efecto, en el año 2013 la Corte Nacional de Justicia de Ecuador mantuvo la condena a la demandada, fijando la reparación en USD 9,5 mil millones. Este juicio suele denominarse "Caso Lago Agrio".

Ahora bien, dicha sentencia condenatoria no ha sido posible ejecutarse, pese a diversos intentos de los demandantes. En efecto, por lo pronto, como era de esperar, en el propio Ecuador la compañía transnacional no tiene ya bienes suficientes para satisfacer la deuda. En los Estados Unidos de Norteamérica, como se verá más adelante, la sentencia ecuatoriana fue declarada inejecutable. Y en otras jurisdicciones, tales como Canadá, Argentina, Brasil, Gibraltar, las solicitudes de homologación de la ejecutoria del fallo han sido infructuosas.

Junto con lo anterior, cabe añadir que los demandantes ecuatorianos afectados por la contaminación ambiental, presentaron una acción contra Chevron ante la Corte Penal Internacional en el año 2014, la que, a este tiempo, no ha tenido avances significativos.

1.4. La estrategia judicial de Chevron

Por su parte, la compañía inició una ofensiva judicial en diversas sedes. En el año 2004, Chevron demandó a la empresa Petroecuador ante un tribunal de Nueva York, a objeto de que las partes del consorcio que no realizaban operaciones indemnizaren al operador, en el evento de cualquier cobro que se verificare en contra de la compañía en la jurisdicción de la zona de concesión petrolera. Este juicio terminó con sentencia favorable a la demandada. Luego, ahora en sede arbitral, Chevron en el año 2006 presentó una acción ante la Corte Permanente de Arbitraje de La Haya en contra de la República de Ecuador, por incumplimiento del Tratado Bilateral de Inversiones (TBI), suscrito en 1993 entre los Estados Unidos de Norteamérica y la República del Ecuador, ante el atraso indebido en el proceso judicial llevado adelante en jurisdicción ecuatoriana contra la compañía transnacional.

Chevron ganó este juicio, y la república demandada ha de pagar USD 77 millones, más intereses, a su contraparte. El fallo arbitral fue confirmado por la Corte del Distrito de Columbia en 2015 y luego por la Corte Suprema al año siguiente. En el ínterin, en el año 2009, Chevron inició un segundo juicio arbitral contra el Ecuador, nuevamente ante la Corte Permanente de Arbitraje de La Haya y también con base en el TBI de 1993, esta vez alegando el incumplimiento por parte de la República del Ecuador del acta de finiquito de 1998. La demanda fue acogida en dos laudos parciales, y el fallo definitivo de la apelación, a la fecha de estas líneas, está todavía pendiente.

En paralelo, en marzo de 2014, el juez Lewis A. Kaplan, de Nueva York, declaró que la sentencia condenatoria a Chevron emanada de la jurisdicción ecuatoriana había sido fraudulenta, prohibiendo su ejecución. El procedimiento fue incoado sobre la base de la regulación sancionatoria de la corrupción influenciada por el crimen organizada ("RICO Act")[4]. En agosto de 2016 la Corte de Apelación del Distrito Sur de Nueva York mantuvo la decisión, y en junio de 2019 la Corte Suprema rechazó la petición de *certiorari*. Hay que añadir que en junio de 2021 Steven Donziger, el abogado que representó a los demandantes contra Chevron en Ecuador en 2011, fue condenado en Nueva York a seis meses de cárcel por desacato judicial, al tratar de implementar la sentencia condenatoria de la petrolera.

Como puede apreciarse, se trata éste de un caso especialmente complejo, con diversas aristas sustantivas y procesales, que amerita miradas múltiples. En el apartado siguiente, nos introduciremos en las especificidades geoquímicas y ambientales de la zona en su momento concesionada y en la cual operó Texaco, hoy Chevron.

2. CARACTERIZACIÓN DE LA CUENCA ORIENTE Y SU SISTEMA PETROLÍFERO

La evolución geológica de lo que hoy conocemos como la Amazonia ecuatoriana ha permitido la coexistencia de acumulaciones de petróleo, el más importante combustible fósil de la era moderna, en el

---

[4]   Racketeering Influenced Corrupt Organization Act.

subsuelo de una de las áreas de mayor biodiversidad del planeta. Esta singularidad, de inmediato pone en el tapete la ineludible cuestión del precario equilibrio entre la necesidad de explotar el recurso y la conservación de la biodiversidad.

La Cuenca Oriente forma parte del grupo de cuencas ubicadas al Norte de Suramérica siendo ella, una de las cuencas antepaís andinas que se limitan al oeste por la Cordillera de los Andes y al este por los escudos de Brasilia-Guayana, su extensión alcanza los 100.000 km^2 y esta específicamente confinada, topográfica y genéticamente, con las cuencas de Putumayo (Colombia) y Marañon (Perú) (Cruz *et al.* 2008, Petroecuador, 2013).

El sistema petrolífero ha sido definido por Mancilla *et al.* (2008) siguiendo los criterios descritos por Magoon y Dow (1994) como Napo-Napo (!), cuya roca madre fue caracterizada por Bernal (2005) como calizas y lutitas con concentraciones de COT entre 2 y 6 por ciento, querógeno tipo II con variaciones importantes de aporte de materia orgánica terrestre.

Sin embargo, la ausencia de estudios detallados para reconstruir la serie de eventos asociados con la generación y expulsión de hidrocarburos en la Cuenca Oriente y las efectivas correlaciones entre otras posibles rocas madres y los crudos, deja abierta la posibilidad de definir otros sistemas petrolíferos, en donde participen como una posible roca madre potencial la lutitas y calizas de la Formación Santiago caracterizadas por Gaibor *et al.* (2008), y se incluyan a los yacimientos probados de las formaciones Hollín y Tena, y los potenciales de las formaciones Santiago y Chapiza (Mancilla, 2005; Paladines, 2005).

Los crudos descritos dentro de la cuenca varían en gravedades API que van desde 6 hasta 35° (Villar, 2002 en Mancilla *et al.*, 2008; Bernal, 2005; Mancilla *et al.*, 2008), dicha variabilidad ha sido interpretada como consecuencia de la combinación de tres posibles factores, a saber: la madurez térmica, las facies orgánicas y la biodegradación. Sobre la madurez térmica, hay que observar que se trata de una cuenca cuyos valores de reflectancia de vitrinita equivalente (Roeq), se ubican desde 0,55 a más de 1,00 por ciento, sumado a la zona denominada "cocina Auca" (Bernal, 2005) ubicada en la parte centro occidental de la cuenca, que es descrita como una anomalía de madurez térmica con Ro entre 0,6 y 2,8 por ciento. Respecto de las facies orgánicas, ha de considerarse: cambios laterales y verticales de los eventos anóxicos reconocidos en la roca madre como consecuencia de ciclos transgresivos en un ambiente de plataforma carbonática a lodosa de baja energía (marino y deltáico-estuarino).

2.1. Biodiversidad, suelos y aguas en el Amazonas Ecuatoriano

La selva amazónica, como se sabe, es una de las áreas más biodiversas del planeta, debido a su alta riqueza de flora y fauna. La cuenca amazónica, abarca extensas zonas de Venezuela, Guayana, Brasil, Colombia, Perú, Bolivia y Ecuador, representado uno de los bosques húmedos tropicales más importantes del planeta, tanto así que ha quedado enmarcada dentro de los 24 puntos críticos de biodiversidad, basados en el endemismo de especies vegetales, definidos por Mittermeier *et al.* (1998).

La Amazonia ecuatoriana se extiende por aproximadamente 130.000 km² del actual territorio de la República ecuatoriana, es decir casi el 50 por ciento de la superficie total del país. Específicamente, la Amazonia ecuatoriana representa por sí misma una posición biogeográfica única, con aún más alta biodiversidad, cuando se compara con otras regiones de la misma cuenca amazónica habiéndose reportado dentro del Parque Nacional Yasuní, según lo descrito por Bass y colaboradores (2010), 150 especies de anfibios, 121 especies de reptiles, 596 aves, 169 mamíferos, 382 peces y 2704 tipos de plantas, pudiendo incluso alcanzar estos últimos tres grupos valores de 204, 499 y 4000 de mamíferos, peces y plantas al sumar aquellas especies que se estiman hagan vida en la región, pero no han sido vistas

La combinación entre el clima húmedo tropical, el relieve de la región, la litología de las rocas expuestas en superficie, la acción biológica y el tiempo, permiten encontrar variabilidad de suelos en la Amazonia ecuatoriana, clasificados por Díaz (2018) como Inceptisoles, Entisoles, Histosoles y Mollisoles, quien basada en la investigación de Valarezo (2004) describe los suelos de la Provincia de Napo como areno-limosos poco fértiles, sueltos e inestables de baja evolución provenientes de rocas volcánicas y capas meteorizadas de granito y los de la Provincia de Sucumbios como suelos poco profundos, erosionados, rocosos con materia orgánica no descompuesta, derivados de rocas ígneas y metamórficas.

Desde el punto de vista hídrico, la Amazonia ecuatoriana cuenta con una extraordinaria riqueza hídrica, dominada por tres grandes cuencas hidrográficas, la Cuenca de Napo con 31400 km2, la de Santiago (26300 km^2) y la de Pastaza (21100 km^2) (Laraque *et al.*, 2004). Tal riqueza es alimentada por precipitaciones anuales que van entre 400-900 mm (sobre los 2 100 m) y 2 500-5 000 mm (entre 200 y 1 000 m de altura), lo que permite establecer una red de drenaje de norte a sur dominada por los ríos: San Miguel, Aguarico, Napo, Curaray, Tigre, Corrientes, Pastaza, Morona, Santiago y Chinchipe, con sistemas torrentosos y caudalosos en las partes altas que se vuelven meándricos y navegables en las llanuras, donde incluso los meandros abandonados forman lagunas rodeadas de vegetación (Laraque *et al.*, 2004; Pombosa *et al.*, 2006).

El segundo laudo parcial, dictado por la Corte Arbitral Permanente de La Haya (30 de agosto de 2018), cita un estudio de Kimberling y otros:

> *"Los bosques tropicales del Oriente se encuentran entre los ecosistemas naturales con mayor diversidad biológica en la tierra – un tesoro de especies raras y únicas y una potencial fuente de medicamentos, frutos frescos y secos y otros alimentos y productos forestales. Las antiguas selvas tropicales ecuatoriales se encuentran a la cabeza del sistema del río Amazonas y ayudan a controlar las inundaciones y la erosión, incluso en los tramos más bajos del río. Los bosques orientales también ayudan a regular las precipitaciones y el clima de la región. El bosque es una reserva de carbono. Cuando se quema o se elimina, el dióxido de carbono se libera en la atmósfera, aumentando el potencial de calentamiento global"* (4.39[5]).

La colonización y urbanización de la Amazonia ecuatoriana ha sido un proceso dependiente de la explotación de distintos recursos naturales (oro, cascarilla, caucho, petróleo), la explotación de cascarilla y caucho en haciendas extractivas, generaron el desplazamiento de la población indígena (Martín Beristain *et al.*, sf), sin embargo en el caso del petróleo además del desplazamiento ocurrió un proceso de

---

[5]   *Amazon crude*, referido: R-473, pp. 33-34, *sine data, sine loci*.

colonización y urbanización por la creación de proyectos estratégicos impulsados por el Estado para el desarrollo de ejes viales, centrales hidroeléctricas, integración de la infraestructura regional suramericana (IIRSA), y construcción de infraestructura propia de campos petroleros (Durango, 2019), lo que provocó que las poblaciones indígenas viesen afectadas sus formas de vida, deviniendo en un conflicto multidinámico con ejes sociales, culturales, ambientales, económicos, políticos y legales.

Durango (2019) indica que, en la actualidad, en la Amazonia ecuatoriana conviven las poblaciones indígenas denominadas Achuar, Kichwa, Waorani, Siona, Secoya, Cofán, Shuar, Tagaeri y Taromenane, donde las dos últimas permanecen en aislamiento voluntario de la civilización. Además de comunidades extintas como lo fueron los pueblos de los Tetetes y los Sansahuaris, que habitaron la provincia de Sucumbios, cuya extinción ha sido asociada a las actividades petroleras en la región (Zambrano y Bombón, 2016; Martín Beristain *et al.*, sf). Específicamente, en las provincias de Sucumbíos, Orellana y Napo, objeto de la zona concesionada, al norte de la Amazonia, estudios reportan la presencia de 30.000 personas pertenecientes a las comunidades Cofán, Secoya, Siona, Waorani, Achuar, Shuar, Kichwa. Ha de puntualizarse que es en este territorio donde se encuentran, además, las reservas más grandes de petróleo del país (Ramos-Balarezzo, 2019).

2.2. La industria petrolera en la cuenca del Oriente del Ecuador, con énfasis en las operaciones de Chevron-Texaco

El instituto Americano del Petróleo (API) distingue tres etapas dentro de la cadena de valor de la industria petrolera, *upstream* referida a todo el proceso que conlleva a la exploración y producción del petróleo, *midstream* que concentra el proceso de transporte y almacenamiento del recurso y *downstream* que culmina la cadena de valor con los procesos de refinación y comercialización. Las tres fases poseen potencial riesgo de impacto ambiental (Almeida, 2006; Barclays Bank PIC, 2015; Durango, 2019).

Sin perjuicio de la cronología contenida en el apartado primero, conviene en este punto referir el desarrollo histórico de la industria petrolera, con sus tres etapas, durante el periodo de operaciones de la empresa Chevron-Texaco en la Cuenca Oriente, el cual es descrito a continuación, con las especificidades ahora pertinentes.

En 1964 la Junta Nacional de Gobierno presidida por el contralmirante Ramón Castro Jijón, otorgó por un periodo de hasta 50 años, una concesión de 1,4 millones de hectáreas al consorcio Texaco-Gulf, área que disminuyó en 1965 por medio de un decreto que estableció el límite de las áreas para exploración y producción de petróleo en 500000 y 250000 hectáreas respectivamente (Petroecuador, 2013; Rivadeneira en Baby *et al.*, 2014). La fase exploratoria del mencionado consorcio permitió el hallazgo de alrededor de 4000 millones de barriles de petróleo de reserva, los que representan aproximadamente el 50 por ciento del total de reservas que se han descubierto en la Cuenca Oriente hasta el año 2002 (Petroecuador, 2013).

En 1967 inicia la producción de 2955 barriles diarios de petróleo de 29° API, extraídos desde la Fm. Hollín a una profundidad de 10175 pies en el pozo Lago Agrio 1, (Rivadeneira en Baby *et al.*, 2014), producción que en la cuenca no fue exclusiva del consorcio Texaco-Gulf, sino que para 1968 operaban siete empresas en la región, ocupando un área de 40.000.000 de hectáreas de la Amazonia (Petroecuador, 2013), paralelo al inicio de la producción comienzan las labores de *midstream* para almacenar el crudo recién producido, construyéndose tanques de almacenamiento y líneas de transporte del crudo desde el yacimiento hasta los tanques.

Para 1970 el consorcio Texaco-Gulf, además del campo Lago Agrio, operaba en los campos Bermejon, Chapara, Parahuacu, Atacapi, Sacha, Shushufindi-Aguarico, Guanta-Dureno, Auca, Yuca y Coca (Rivadeneira en Baby *et al.*, 2014), iniciándose en ese mismo año, la construcción del Sistema de Oleoducto Transecuatoriano, a cargo de la compañía William Brothers, que llegaría a transportar 410.000 barriles de petróleo diarios (bdp) de 28-30° API, desde la Amazonia hasta Balao, dicho oleoducto pasó a ser del estado ecuatoriano en 1989 (Petroecuador, 2013).

En 1972 se unen a los descubrimientos del consorcio los campos Pucuna, Cuyabeno, Toro y Cononaco y en 1973 el campo Culebra (Rivadeneira en Baby *et al.*, 2014), sin embargo, se obligó al consorcio Texaco-Gulf a devolver al estado ecuatoriano 930.000 hectáreas de terreno, este hecho estuvo derivado del cambio en la política petrolera asociado con la toma del poder de la Junta Militar de Gobierno liderada por el General Guillermo Rodríguez Lara que promulgó en 1972 la Ley de Hidrocarburos y creó la Corporación Estatal Petrolera Ecuatoriana (CEPE) (Rivadeneira en Baby *et al.*, 2014). A partir de esta fecha y por primera vez el estado ecuatoriano manejaría las tres fases de su industria petrolera y en la misma línea, CEPE compra las acciones de Gulf (equivalente al 62,5 por ciento del total) y se convierte en el socio mayoritario del ahora consorcio CEPE-Texaco, siendo Texaco el responsable de las operaciones (Rivadeneira en Baby *et al.*, 2014; Petroecuador, 2013).

Para 1974 el país contaba con 10 tanques de almacenamiento de petróleo con capacidad de 384.000 barriles, con una infraestructura considerada precaria por Petroecuador (2013). En 1975, CEPE inició la exploración en la región amazónica con la perforación del pozo 18FB1, seguido en 1978 del pozo exploratorio Shiripuno 1 que derivó en el campo del mismo nombre y en 1979 se descubren los campos Sansahuari y Cuyabeno (Rivadeneira en Baby *et al.*, 2014; Petroecuador, 2013).

En la década de 1980, se ejecutó la fase de perforación del proyecto Pungarayacu, se descubren los campos Libertador, Tapi-Tetete Paraíso y Cantagallo (posterior campo VHR) (Rivadeneira en Baby *et al.*, 2014), se perforaron pozos con una torre helitransportable al suroriente de la cuenca y se inicia la producción de campos descubiertos tanto por CEPE como por compañías extranjeras (devueltos al estado), entre los que destacan: Libertador, VHR, Frontera y Paraíso, Cuyabeno, Bermejo, Charapa, Tigüino, Atacapi, Parahuaco, Cononaco, Anaconda, Yulebra y Culebra.

Como resultado de este inmenso proceso de *upstream* fueron descubiertos alrededor de 380 millones de barriles de petróleo en sitio. En esa misma década inician las operaciones de *downstream* del estado ecuatoriano a través de CEPE, con la instalación de la Planta de Gas de Shushufindi, que procesaba el gas asociado de los pozos petroleros del campo Shushufindi-Aguarico, Limoncocha y Libertador, y el inicio de operaciones de la refinería Amazonas 1 (Petroecuador, 2013).

Como ya se ha referido, la participación de Texaco como concesionaria culmina el 26 de septiembre de 1989, cuando, bajo el amparo de la Ley Especial N.º 45, se crea la Empresa Estatal Petróleos del Ecuador (Petroecuador), quien asume la totalidad de las actividades del consorcio CEPE-Texaco, las refinerías de Anglo y Repetrol y el Sistema de Oleoducto Transecuatoriano.

2.3. Los efectos medioambientales de la actividad petrolera en la zona del litigio

El daño ambiental de las operaciones petroleras durante los 26 años que se estableció Chevron Texaco en la Amazonia Ecuatoriana, llevaron a catalogar lo ocurrido como "el Chernobyl de la Amazonia", aún más grave que el accidente del Exxon Valdez, no solo por el efecto generado sino porque en el primer caso se trató de efectos "colaterales" de la cadena de valor de la industria petrolera desarrollada en la zona, convirtiéndose en el peor desastre natural ocasionado por una compañía petrolera, mientras que en el segundo fue un accidente (Zambrano y Bombón, 2006).

Como hecho, hay que constatar que Chevron utilizaba en sus operaciones en el Ecuador tecnologías obsoletas en relación con el estado del arte a la fecha conocido. Por lo pronto, dos prácticas prohibidas en la jurisdicción de la matriz, eran utilizadas en el territorio de la concesión: verter aguas de formación, en lugar de reinyectarlas en el suelo, y construir piscinas descubiertas para el derrame de lodo residual de las actividades de perforación y limpieza de pozos (Serrano, 2013: 25).

Las cifras que se manejan con relación a la contaminación oscilan entre 16.800.000 de galones de crudo regados en la selva, 18.500.000 litros de aguas de formación liberadas en suelo, ríos, esteros y lagunas y 235.000.000.000 de pies cúbicos de gas liberado por quema a la atmósfera (Zambrano y Bombón, 2006). Esparciendo focos de contaminación tanto en el suelo, como en el agua y el aire que generaran un sistema dinámico de interacción entre geosferas para provocar consecuencias ambientales que actúan en detrimento de los ecosistemas que allí conviven y afectaron directamente la salud de las poblaciones. Se han contabilizado en la zona 916 piscinas con materiales tóxicos (Serrano, 2013: 23).

Análisis de las aguas de la zona concesionada señalan índices de hasta 2.88 ppm (partes por millón) de hidrocarburos (TPHs). Como parámetro, considérese que las regulaciones de la Unión Europea señalan un máximo de 0.01 ppm (Ramos-Balarezo, 2019: 27). Fácilmente puede colegirse las consecuencias del uso y consumo humano de aguas con tales niveles de toxicidad.

La contaminación por hidrocarburos en un ambiente acuático genera grasa de aceite, disminuye la concentración de oxígeno disuelto, incrementa la demanda bioquímica de oxígeno, la temperatura del agua y el pH, indicadores que a su vez están asociados a la degradación de la biota acuática, disminuyendo la productividad y la biodiversidad de la columna de agua (Enujiugha y Nwanna, 2004).

Existen muchos estudios que documentan el efecto de contaminación de hidrocarburos en la biota de agua dulce y salada (Caruso et al. 2004; Enujiugha y Nwanna, 2004; Ekpo et al 2018), efecto que se ve exacerbado si consideramos la gran interrelación entre ecosistemas (lo que afecta al agua afecta al aire y por ende a la atmosfera y al suelo). En los ecosistemas acuáticos la interrelación se genera entre masas de agua, lo que sucede en los ríos, afecta a las ciénagas, esteros y lagunas. Esto debido a que a través de los ríos se realiza el transporte y dispersión de nutrientes, flora y fauna (Miranda y Restrepo, 2002).

Esta interrelación también se genera verticalmente, es decir, en la columna de agua, por ende, cuando se analiza el efecto de contaminación por hidrocarburo, se analiza desde la superficie al sedimento de la cuenca (Akpotor, 2019). En esta última se han enfocados principalmente los estudios de impacto de contaminación por hidrocarburos, debido al decrecimiento significativo de la microbiota que habita en el sedimento de la cuenca frente a concentraciones de este contamínate.

Es por esto, que la microbiota del sedimento es considerada un muy buen bioindicador del efecto de la contaminación por hidrocarburos (Hassashahian, 2014). La contaminación del sedimento acuático se genera por la decantación hidrocarburo en la columna de agua (Akpotor, 2019). La contaminación de la zona por la actividad petrolera es un hecho manifiesto e inconcuso[6].

---

[6]   El mismo Segundo laudo parcial de la Corte Arbitral Permanente de La Haya, que resultó favorable a Chevron, sostiene: "*There is today crude oil pollution*

Para ponderar las cosas en su justa dimensión y delimitar adecuadamente las correspondientes responsabilidades, hay que consignar que entre 1994 y 2002 —es decir, ya bajo la exclusiva operación de la empresa ecuatoriana estatal— cada año se produjeron en promedio 114 derrames que ocasionaron la pérdida de más de 33.000 barriles de aguas de formación o de crudo. Si bien es cierto la mayor parte del crudo derramado es recuperada, los daños persisten, en gran parte debido a la falta de recursos financieros y humanos por parte de la empresa nacional Petroecuador.

Desde luego, hay que considerar el impacto que los daños al ambiente generaron en los sistemas de vida de las poblaciones de las áreas concesionada. Sobre este punto, el estudio de Kimberling, utilizado por el segundo panel arbitral de la Corte Permanente de la Haya, refiere:

> "*Las selvas tropicales del Oriente también son el hogar de los pueblos indígenas de la región que dependen del bosque para su sustento. Sin la selva, los pueblos amazónicos serían amenazada de extinción cultural y, en algunos casos, física...*". "*El Ecuador oriental tiene un rico patrimonio de culturas indígenas y es el hogar de ocho grupos étnicos. Estimaciones de la población indígena del Oriente oscilan entre 90.000 y 250.000, es decir, del 25 al 50 por ciento de la población total de la región. Dos grupos, los quichuas y los shuar, juntos representan la gran mayoría de los indígenas en Oriente. La media de la población se encuentra entre los Achuar, Cofan, Huaorani, Shiwiar, Secoya y Siona. El número de Huaorani ronda los 1.580 individuos, los Shiwiar unos 600, y juntos los Secoya y Siona alcanzan unos 350 individuos. La población de Cofan, otrora estimada en 15,000, ahora es de aproximadamente 300*". "*Los pueblos indígenas han vivido en la Amazonia durante miles de años en armonía con su entorno de selva tropical*" (4.39).

En el mismo sentido, la Corte de Sucumbíos señala: "*... es evidente que un impacto en el medio ambiente tiene un efecto directo en la*

---

in the former concession area of the Oriente, including pollution lying close to human habitation. The Tribunal has seen such pollution, albeit only briefly during its site-visit to four sites in the former concession area in June 2015. More significantly, the fact of such pollution has never been denied by the Claimants themselves." (4.71).

cultura de las comunidades indígenas que habitan la zona donde la contaminación ha ocurrido, como en el caso específico de los daños causados en la Amazonia". (C-2551, pp. 128-129).

Ahora bien, en cuanto al impacto específico en la vida y salud de los referidos habitantes, se ha reportado un amplio número y un extenso elenco de enfermedades, tanto toxicológicas, dermatológicas e incluso degenerativas, entre ellas, casos de cáncer, todas asociadas a la contaminación. Por otra parte, la etnia tetete, como se ha señalado, ha resultado extinta (Subía Cabrera: 2019, 5). Así, Ramos-Balarezzo (2019: 26) reporta efectos causados por la contaminación de las aguas, tales como afecciones cutáneas, alta incidencia de alergias, dermatitis y micosis en las personas que se bañaban en los ríos, esteros y vertientes de la zona concesionada, junto con problemas gastrointestinales —disentería y gastritis— en quienes bebían de las mismas.

Castillo Monar (2017: 5-6), aporta la siguiente información:

"Debido a la contaminación petrolera las poblaciones que viven en los entornos de las instalaciones petroleras enfrentan situaciones de salud crítica. En un estudio hecho con pobladores que viven a 500 metros de instalaciones petroleras en la Amazonia ecuatoriana se encontró que, de 1520 familias encuestadas, 1252 habían sufrido enfermedades relacionadas con la contaminación petrolera, incluyendo enfermedades respiratorias, de la piel, abortos, cáncer. La mitad de las familias reportaron por lo menos un fallecimiento, lo que significa una taza del 63 por mil habitantes. La principal causa es el cáncer y la leucemia".

La misma autora llevó adelante una investigación empírica, cuantitativa, entre los habitantes del Cantón de Lago Agrio. Sus conclusiones son desoladoras: el 88 por ciento de los habitantes ha padecido una enfermedad asociada a la contaminación petrolera, entre los cuales se señala cáncer, problemas en la piel, problemas digestivos, a la garganta, nariz ojos, tumores y abortos (Castillo Monar, 2017: 54).

3. UNA MIRADA DESDE LA ECOLOGÍA INTEGRAL

El término ecología integral está referido a la comprensión holística y sistémica de los aspectos medioambientales, que integra las dimensiones humanas y sociales. La expresión fue utilizada en *Laudato si* el año 2015, texto que ha sido calificada como la Carta Magna de la Ecología Integral (Boff, 2015), y sobre el cual Lord Nicholas Stern —autor del informe homónimo sobre el cambio climático y ex presidente del Banco Mundial—, ha dicho: "*Laudato Si*" hizo una gran diferencia. Ese es el tipo de liderazgo moral que necesitamos" (2017: 34). A su vez, Ruud Lubbers, ex primer ministro holandés y uno de los promotores de la Carta de la Tierra, coincide en la relevancia del texto: "Sólo dos generaciones después de la Declaración Universal de los Derechos Humanos, el Papa ha hecho historia al invitar a la humanidad a la alegre celebración de la vida, contribuyendo a la conciencia necesaria para realizar un nuevo comienzo que permita lograr alcanzar Nuestro Futuro Común y dejar atrás un período de autodestrucción debido al crecimiento insostenible y a la falta de cuidado de Nuestra Casa Común" (2015)[7]. Por consiguiente, se trata de un texto que puede brindarnos luces para el análisis de este caso paradigmático de contaminación medioambiental por actividades extractivas. Pasemos, pues, a la transcripción de ciertos párrafos que pueden resultar de especial utilidad para este propósito:

> "138. *La ecología estudia las relaciones entre los organismos vivientes y el ambiente donde se desarrollan. También exige sentarse a pensar y a discutir acerca de las condiciones de vida y de supervivencia de una sociedad, con la honestidad para poner en duda modelos de desarrollo, producción y consumo. No está de más insistir en que todo está conectado. El tiempo y el espacio no son independientes entre sí, y ni siquiera los átomos o las partículas subatómicas se pueden considerar por separado. Así como los distintos componentes del planeta —físicos, químicos y biológicos— están relacionados entre sí, también las especies vivas conforman una red que nunca terminamos de reconocer y comprender. Buena parte de nuestra información genética se comparte con muchos seres vivos. Por eso, los conocimientos fragmentarios y aislados pueden convertirse en una forma de ignorancia si se resisten a integrarse en una visión más amplia de la realidad.*

---

[7]   https://cartadelatierra.org/comentario-de-ruud-lubbers-sobre-laudato-si/.   Última visita: 11 de enero de 2022.

139. *Cuando se habla de «medio ambiente», se indica particularmente una relación, la que existe entre la naturaleza y la sociedad que la habita. Esto nos impide entender la naturaleza como algo separado de nosotros o como un mero marco de nuestra vida. Estamos incluidos en ella, somos parte de ella y estamos interpenetrados. Las razones por las cuales un lugar se contamina exigen un análisis del funcionamiento de la sociedad, de su economía, de su comportamiento, de sus maneras de entender la realidad. Dada la magnitud de los cambios, ya no es posible encontrar una respuesta específica e independiente para cada parte del problema. Es fundamental buscar soluciones integrales que consideren las interacciones de los sistemas naturales entre sí y con los sistemas sociales. No hay dos crisis separadas, una ambiental y otra social, sino una sola y compleja crisis socio-ambiental. Las líneas para la solución requieren una aproximación integral para combatir la pobreza, para devolver la dignidad a los excluidos y simultáneamente para cuidar la naturaleza"*.

Llegado a este punto, conviene tener en vista la reflexión de Papa Francisco, contenida en «Querida Amazonia», texto en el que trata específicamente sobre la degradación medioambiental en ese territorio tan valioso y especial:

"52. Los más poderosos no se conforman nunca con las ganancias que obtienen, y los recursos del poder económico se agigantan con el desarrollo científico y tecnológico. Por ello todos deberíamos insistir en la urgencia de «crear un sistema normativo que incluya límites infranqueables y asegure la protección de los ecosistemas, antes que las nuevas formas de poder derivadas del paradigma tecnoeconómico terminen arrasando no sólo con la política sino también con la libertad y la justicia». Si el llamado de Dios necesita de una escucha atenta del clamor de los pobres y de la tierra al mismo tiempo, para nosotros «el grito de la Amazonia al Creador, es semejante al grito del Pueblo de Dios en Egipto (cf. Ex 3,7). Es un grito de esclavitud y abandono, que clama por la libertad»." [...];

"58. Así podemos dar un paso más y recordar que una ecología integral no se conforma con ajustar cuestiones técnicas o con decisiones políticas, jurídicas y sociales. La gran ecología siempre incorpora un aspecto educativo que provoca el desarrollo de nuevos hábitos en las personas y en los grupos humanos. Lamentablemen-

te muchos habitantes de la Amazonia han adquirido costumbres propias de las grandes ciudades, donde el consumismo y la cultura del descarte ya están muy arraigados. No habrá una ecología sana y sustentable, capaz de transformar algo, si no cambian las personas, si no se las estimula a optar por otro estilo de vida, menos voraz, más sereno, más respetuoso, menos ansioso, más fraterno".

Una primera constatación elemental, es que el modelo de desarrollo meramente extractivo en zonas tales como la Amazonia, es simplemente inviable. Las externalidades negativas, directas e indirectas, son de una envergadura tal que cualquier juicio de ponderación razonable frente a eventuales beneficios, se torna de solución única: nada parecería justificar de manera suficiente el deterioro ambiental en un lugar con tales especificidades y particularidades. La selva valdiviana, las fosas abisales, la Antártica y los glaciares milenarios podrían ser listadas zonas análogas, que habrían de permanecer al margen de actividades extractivas.

Una segunda constatación, también elemental, es que resulta falaz la dicotomía analítica entre bienestar y desarrollo humano y cuidado y preservación del medio ambiente, como si el deterioro de éste fuere un costo necesario de la búsqueda de aquél. En el caso analizado, las operaciones de la actividad petrolera impactaron de un modo importante en las comunidades habitantes de las zonas concesionadas, produciendo cambios relevantes en los ecosistemas, los modos de vida, desplazamientos forzados y cambios culturales. Es posible —e imperativo— diseñar e implementar modelos que concilien ambos elementos. Así, se lee en «Querida Amazonia»:

"39. La economía globalizada daña sin pudor la riqueza humana, social y cultural. La desintegración de las familias, que se da a partir de migraciones forzadas, afecta la transmisión de valores, porque «la familia es y ha sido siempre la institución social que más ha contribuido a mantener vivas nuestras culturas».

Una tercera constatación, dice relación con la necesidad de reconocer a las comunidades concernidas el protagonismo debido. Ese ha sido un déficit manifiesto en el caso analizado, que contrasta con la sugerencia del texto que venimos citando:

"40. En cualquier proyecto para la Amazonia «hace falta incorporar la perspectiva de los derechos de los pueblos y las culturas, y así entender que el desarrollo de un grupo social [...] requiere

del continuado protagonismo de los actores sociales locales desde su propia cultura. Ni siquiera la noción de calidad de vida puede imponerse, sino que debe entenderse dentro del mundo de símbolos y hábitos propios de cada grupo humano». Pero si las culturas ancestrales de los pueblos originarios nacieron y se desarrollaron en íntimo contacto con el entorno natural, difícilmente puedan quedar indemnes cuando ese ambiente se daña".

El caso Chevron-Texaco, más allá de la retórica que le ha circundado, justificada o injustificadamente, representa un paradigma del daño ecológico por actividades extractivas. Recordemos que no se trata de las consecuencias de un accidente, sino de una verdadera catástrofe derivada de una operación petrolera. Al revisar el itinerario de la misma se vislumbran, como piezas de mosaico, factores políticos: inestabilidad de gobiernos y fragilidad de instituciones; decisiones corporativas de poca estatura: maximización a ultranza de utilidades y beneficios; elementos culturales e incluso ideológicos: las díadas civilización-barbarie y progreso-subdesarrollo. Como fuere, todas convergieron en un suceso que no puede sino causar estupor y aun vergüenza en cualquier observador razonable e imparcial. Con perspectiva de futuro, la mirada de una ecología integral puede contribuir a que sucesos de tales características no hayan de repetirse. Pareciera que es una lección necesaria que ha de extraerse del caso en cuestión.

Bibliografía

ALMEIDA, Alexandra (2006). «Fases e impactos de la actividad petrolera». En: *Manuales de Monitoreo Ambiental Comunitario.* Quito: Acción Ecológica.

AKPOTOR, Ebot (2019). The adverse effects of crude oil spills in the Niger Delta: Urhobo Historical Society. *International Journal of Innovative Development and Policy Studies.* 7(2):38-49

BABY, Patrice, Marco Rivadeneira, Roberto Barragán (2014). *La Cuenca Oriente: Geología y Petróleo.* Colección "Travaux de l'Institut Francais d'Études Andines". Tomo 144. 3a. edición. ISBN 9978-43-859-9. ISSN 0768-424X. 414 pp.

BARCLAYS BANK PIC (2005). *Environmental and Social Risk Briefing Oil & Gas.* Versión 3.0. Disponible en: https://home.barclays/content/dam/

home-barclays/documents/citizenship/the-way-we-do-business/Oil_And_Gas_Guidance_Note.pdf.

BARHAM DALMAU, Vanessa (2012). «El derecho a la reparación de las comunidades afectadas por Chevron-Texaco». En: *Programa Andino de Derechos Humanos, Horizontes de los Derechos Humanos*. Ecuador, pp. 119 a 128.

BASS, Margot, Matt Finer, Clinton Jenkins, Kreft Holger, Diego Cisneros-Heredia, Shawn McCracken, Nigel Pitman, Peter English, Kelly Swing, Gorky Villa, Anthony Di Fiore, Christian Voig y Thomas Kunz (2010). «Global conservation significance of Ecuador´s Yasuní National Park». *PluS ONE 5* (1): e8767.

BERNAL, Isabel (2005). «Geoquímica de las rocas madre cretácicas e hidrocarburos de la Cuenca Oriente Ecuador», *XII Congreso Latinoamericano de Geología y IX Congreso Ecuatoriano de Geología, Minas, Petróleos y Ambientes*, Quito, Ecuador.

CARUSO, Gabriella., Renato Denaro, María Genovese, Laura Giuliano, Monique Mancuso, Michail Yakimov. (2004). New methodological strategies for detecting bacterial indicators. *Chem Ecol, 20* (3): 167-181.

CRUZ, Carlos, Jorge Rodríguez, Jorge Hechem y Héctor Villar (2008). «Sistemas Petroleros de las Cuencas Andinas». *Instituto Argentino del Petróleo y del Gas*. I-VIII.

DÍAZ, Alejandra (2018). «Caracterización de los suelos de la Amazonia ecuatoriana». En *Agroforestería Sostenible en la Amazonia Ecuatoriana. Fragilidad de los suelos en la Amazonia ecuatoriana y potenciales alternativas agroforestales para el manejo sostenible*. SACHA, E., pp. 1-1. INIAP, Estación Experimental Central de la Amazonia.

DURANGO, Juan (2019). «Environmental impacts of oil activities in the Northeastern Ecuadorian Amazon: From the spatial study of vulnerability to risk assessments. Biodiversity and Ecology». Université Toulouse 3 Paul Sabatier. *Tesis Doctoral* (pp 188).

Ekpo Imaobong., Ofonmbuk Obot y Gift David (2018). Impact of oil spill on living aquatic resources of the Niger Delta region: A review. *Journal of Wetlands and Waste Management*. 2(1) 48-57.

ENUJIUGHA, Victor y LAWRENCE, Nwanna (2004). Aquatic Oil Pollution Impact Indicators. *Journal of Applied Sciences and Environmental Management*. 8 (2) 71-75.

ERAZO, Nancy (2017). *La red urbana amazónica: análisis multiescalar de la dinámica de urbanización*. 106 pp. Quito: FLACSO.

FRANCISCO (2015). *Laudato si. Sobre el cuidado de la casa común*. Santiago de Chile: Pontificia Universidad Católica de Chile.

GAIBOR, Janeth, Hochuli Peter, Wilfried Winkler y J Toro (2008). «Hydrocarbon source potential of the Santiago Formation, Oriente Basin, SE of Ecuador», *Journal of South American Earth Sciences* 25, 145-156.

HASSANSHAHIAN, Mehdi. (2014). The effects of crude oil on marine microbial communities in sediments from the Persian Gulf and the Caspian Sea: A microcosm experiment, *International journal of Advanced Biological and Biomedical Research* 2, 1-17.

LARAQUE, Alain, Jean Loup Guyot y Rodrigo Pombosa (2004) «Hidroclimatología del Oriente e hidrosedimentología de la Cuenca del Napo». En: *La Cuenca Oriente: Geología y petróleo* [en línea]. Lima: Institut français d'études andines, Disponible en Internet: ISBN: 9782821840454. DOI: https://doi.org/10.4000/books.ifea.3005.

MAGOON, Leslie y Wallace Dow (1994). «The Petroleum System». En: L. B. Magoon y W. G. Dow (ed.), *The Petroleum system – from source to trap*, AAPG Memoir 60, 3-24.

MANCILLA, Oscar, Luis Albariño, Viviana Meissinger, Marco Rivadeneira y Simone Sciamanna (2008). «Sistemas Petroleros de la Cuenca Oriente. Ecuador». En: Sistemas Petroleros de las Cuencas Andinas. Cruz, C., Rodríguez, J., Hechem, J., Villar, H (ed.), Instituto Argentino del Petróleo y del Gas (pp. 287-311).

MIRANDA DARÍO Y RICARDO RESTREPO (2005). LOS DERRAMES DE PETRÓLEO EN ECOSISTEMAS TROPICALES – IMPACTOS, CONSECUENCIAS Y PREVENCIÓN. LA EXPERIENCIA DE COLOMBIA. *International Oil Spill Conference Proceedings*. 1-5

MARTÍN BERISTAIN, Carlos, Darío Páez Rovira, Itziar Fernández (s.f.). *Las palabras de la selva: estudio psicosocial de las explotaciones petroleras de Texaco en las comunidades amazónicas del Ecuador*. Instituto Hegoa-UPV/EHU. ISBN: 978-84-89916-23-4.

MITTERMEIER, Russell, Norman Myers, Jorgen Thomsen, Gustavo Da Fonseca y Silvio Olivieri (1998). «Biodiversity Hotspots and Major Tropical Wilderness Areas: Approaches to Setting Conservation Priorities». *Conservation Biology* 12 (3), 516-520.

MORA BERNAL, Adriana (2021) «¿Existe el enfoque nexo agua-energía-alimento en el mandato constitucional del Ecuador?». *Revista de Derecho Ambiental* 16, 193-215.

PALADINES, Agustín (2005). *Los recursos no renovables del Ecuador: Base para la planificación y ordenamiento*. Ecuador: Editorial universitaria. Universidad Central del Ecuador.

PETROECUADOR (2013). *El Petróleo en el Ecuador: La nueva era petrolera.* Disponible en: https://www.eppetroecuador.ec/wp-content/uploads/downloads/2015/03/El-Petr%C3%B3leo-en-el-Ecuador-La-Nueva-Era.pdf.

POMBOSA, Rodrigo, Luc Bourrel, Elisa Armijos, Phillippe Magat (2006). *Monografía de la Cuenca del río Napo en su parte ecuatoriana. Proyecto: HYBAM (Hidrología de la Cuenca Amazónica).* Institut de Recherche pour le Développement e Instituto Nacional de Meteorología e Hidrología.

RAMOS-BALAREZO, Pedro (2019). «El juicio contra Chevron en Ecuador: una voz a los sin voz». En: *ET 7/13,* julio-diciembre 2019, pp. 24 a 35.

SERRANO, Helga (2013). *Caso Chevron-Texaco. Cuando los pueblos toman la palabra.* Quito: Universidad Andina Simón Bolívar.

SUBÍA CABRERA, Andrea (2019). «Análisis del caso Aguinda vs. Chevron». En: *Actualidad Jurídica Ambiental,* n° 86.

VALAREZO, Carlos (2004). «Gestión de la fertilidad del suelo en el trópico húmedo, en la Región Amazónica ecuatoriana y bajo sistemas agroforestales». Universidad Nacional de Loja, Programa de Modernización de los Servicios Agropecuarios-PROMSA. Editorial Universitaria, Loja, Ecuador.

ZAMBRANO, Ana Laura y Karen Bombón (2016) «Derramamiento de petróleo en la amazonía ecuatoriana: caso Texaco Chevron». En: *Anais do I Encuentro de Estudios Sociales desde América Latina y el Caribe: cenários lingüístico-culturais contemporâneos.* (pp. 152-167). Foz de Iguazú, Brasil.

Fallos

CORTE PROVINCIAL DE JUSTICIA SUCUMBIOS, María Aguinda y otros contra Chevron Corporation, juicio N° 2003-0002, 14 de febrero de 2011.

THE HAGUE, DISTRICT COURT, The Republic of Ecuador v. Chevron Corporation & Texaco Petroleum Company, 16 september 2020.

THE HAGUE, THE ARBITRATION TRIBUNAL (UNDER UNCITRAL RULES), Chevron Corporation & Texaco Petroleum Company v. The Republic of Ecuador, 30 August 2018. Second partial award.

THE HAGUE, THE ARBITRATION TRIBUNAL (UNDER UNCITRAL RULES), Chevron Corporation & Texaco Petroleum Company v. The Republic of Ecuador, 31 August 2011.

UNITED STATES COURT OF APPEAL, SECOND CIRCUIT, María Aguinda v. Texaco Inc, Aug. 16, 2002.

UNITED STATES DISTRICT COURT S.D. NEW YORK, María Aguinda et al. v. Texaco Inc, May 30, 2001.

LA REGULACIÓN DE LAS PARCELACIONES EN CHILE: UNA APROXIMACIÓN DESDE EL DERECHO DEL MEDIO AMBIENTE

Javier Herrera Valverde[*]
Carlo Sepúlveda Fierro[**]

INTRODUCCIÓN

Aun cuando es posible constatar que el Derecho del Medio Ambiente tiene ciertos precedentes históricos[1], se refiere a una disciplina novedosa, reciente y joven, un «signo de nuestra era»[2]. Así, dada la

---

[*] Abogado, Licenciado en Derecho por la Pontificia Universidad Católica de Chile. Máster en Estudios Jurídicos Avanzados por la Universidad de Barcelona. Profesor Derecho Ambiental <,Universidad Finis Terrae. Correo: jnherrer@uc.cl
[**] Abogado, Licenciado en Derecho por la Pontificia Universidad Católica de Chile. Correo: casepul1@uc.cl

[1] Véase, a título meramente ejemplar, las siguientes obras: Sergio Federovisky, *Historia del medio ambiente*. (Buenos Aires: Capital Intelectual, 2007); José Pascual Fernández & Gloria Gamborino. *El medio ambiente: conceptos generales*, en *Derecho Ambiental Español*, ed. María José Reyes (Valencia: Tirant Lo Blanch, 2001), 11-62; González de Molina, *Historia y medio ambiente*. (Madrid: Eudema Universidad, 1993); Silvia Jaquenod de Zsögön, *El Derecho ambiental y sus principios rectores*. (Madrid: Dykinson S.L., 1991), 87-108; Blanca Lozano Cutanda, *Derecho ambiental administrativo*. (Madrid: La Ley, 2010) 38-47; Patricia Zambrana, "Historia del derecho medioambiental: La tutela de las aguas en las fuentes jurídicas castellanas de la edad moderna", *Revista de estudios histórico-jurídicos*, n.° 34 (2012), 277-319.

[2] Jesús Jordano, "El futuro del Derecho Ambiental". Revista de Medio Ambiente & Derecho: Revista electrónica de Derecho Ambiental, n.° 24 (2013), https://huespedes.cica.es/gimadus/principal24.htm, Lozano Cutanda, *Derecho ambiental administrativo*, 38; Alejandro Ochoa, "Medioambiente como bien jurídico protegido, ¿visión antropocéntrica o ecocéntrica?", *Revista de derecho penal y criminología*, n.°11 (2014), 253-294; Patricia Zambrana, "Introducció a la història del Dret

constante y permanente interacción del hombre con el medio natural que lo circunda, «desde la más remota antigüedad [...], ha ocasionado un indiscutible deterioro del mismo, siendo necesario imponer límites jurídicamente, sobre todo, a partir de la aparición de las ciudades»[3].

En particular, ya desde los años setenta, ha adquirido una gran importancia práctica, debido a la creciente conflictividad judicial derivada de la aprobación de un sinnúmero de proyectos de inversión por parte de las Administraciones Públicas. Tales conflictos derivan, principalmente, del riesgo ambiental que conllevan esas iniciativas económicas, ejecutadas al amparo de la legislación medioambiental, que autoriza tales actuaciones a través de una autorización de funcionamiento ambiental, que en Chile toma la denominación de resolución de calificación ambiental ("RCA").

Así, por ejemplo, el desarrollo de una serie de iniciativas invasivas para el medio humano y natural, como lo son «los derivados de la medicina, la industria automotriz, la farmacéutica, la actividad financiera, la construcción, la alimentaria, la minera, la fabril o industrial en general, entre muchas otras.»[4], comportan, naturalmente, la necesidad de decidir en función del conocimiento previo de los efectos[5] que estas generen.

En tal sentido, una de las iniciativas que durante el último tiempo ha sido objeto de cuestionamientos, corresponde a los proyectos de acondicionamiento de parcelaciones rurales en predios o parcelas cuyo origen es una subdivisión rural efectuada al amparo del D.L. 3516/1980[6]. Tales proyectos se han visto enfrentados a un cambio de criterio por parte de la autoridad ambiental —especialmente de la Su-

mediambiental català: la salubritat de les aigües en les fonts jurídiques de Barcelona i Tortosa a l'edat mitjana i l'edat moderna", *Revista de Dret Històric Català* [Societat Catalana d'Estudis Jurídics], n.° 11 (2011-2012), 57.

3   Zambrana, "Historia del derecho medioambiental", 279.

4   Christian Rojas, "Los riesgos, las funciones del derecho ambiental ante éstos, y su control por medio de entidades privadas colaboradoras de la gestión ambiental", *Revista de Derecho de la Pontificia Universidad Católica de Valparaíso*, n.° 43 (2014), 551.

5   José Esteve Pardo, *Técnica, riesgo y derecho.* (Barcelona: Editorial Ariel, 1999), 29.

6   Decreto Ley 3516 de 1980. Por medio del cual se establecen normas sobre división de predios rústicos (Diario Oficial, de 1 de diciembre de 1980).

perintendencia del Medio Ambiente ("SMA")—, la cual los ha fiscalizado y, en ocasiones, obligado a someterse al Sistema de Evaluación de Impacto Ambiental ("SEIA"), en forma previa a su "ejecución", estableciendo que corresponden a proyectos o actividades tipificados en el artículo 10 de la L. 19.300/1994[7].

En el mismo sentido, en la tramitación de consultas de pertinencia, se ha observado que el Servicio de Evaluación Ambiental ("SEA") ha empezado a solicitar mayores antecedentes para resolver consultas de pertinencia, tomando precisamente los criterios emanados de la SMA.

La hipótesis de este trabajo es que la SMA ha adoptado una aproximación —desde el Derecho del Medio Ambiente— que puede ser catalogada como «intuitiva» al fenómeno de las parcelaciones de agrado. Pese a ello, tal aproximación ha resultado desproporcionada en consideración a su real entidad, inobservando la finalidad propia de este sistema jurídico y constituyéndolo como una herramienta prohibitiva, sin considerar que se trata de un problema que abarca, no solo una dimensión ambiental (por ejemplo, la búsqueda de una mejor calidad de vida) y que el Estado en su conjunto no solo debe tender a prohibir, sino que también a buscar soluciones que apunten a un adecuado equilibrio entre los intereses involucrados.

Para cumplir este objetivo, el presente trabajo estudia la regulación urbanística y ambiental de estos proyectos; la consideración actual que tiene la SMA sobre la necesidad de evaluar ambientalmente estas actividades y sus posibles tipologías; los criterios que ha adoptado al respecto dicha entidad; y el control que han hecho sobre la materia los Tribunales Ambientales, especialmente respecto del sometimiento de esos proyectos al SEIA.

---

[7]   Ley 19.300 de 1994, 9 de marzo de 1994. Ley de Bases Generales del Medio Ambiente.

1. CONSIDERACIONES GENERALES
SOBRE LA REGULACIÓN URBANÍSTICA Y AMBIENTAL
DE LOS PROYECTOS DE ACONDICIONAMIENTO DE
PARCELACIONES RURALES EN PREDIOS O PARCELAS

1.1. *La regulación urbanística de los procesos de subdivisión y urbanización del suelo*

1.1.1. Breves consideraciones sobre el fenómeno estudiado: las migraciones por amenidades

Una primera cuestión que resulta relevante constatar, es el interés que despierta en un sector de la población, la migración o desplazamiento de su residencia principal, de forma permanente, hacia sectores rurales del país. Es evidente que, de un tiempo a esta parte, la escasez y el valor del suelo urbano han aumentado significativamente. También en las ciudades han aumentado fenómenos como la contaminación del aire, ruido ambiental, gases de efecto invernadero, residuos y aguas residuales, impactos paisajísticos, uso intensivo de recursos no renovables, incluidos el aire, suelo y agua, presión sobre áreas protegidas y fragmentación de hábitats, cambios de uso de suelo, deforestación, entre otros, lo que ha justificado el interés en los bienes ambientales que ofrecen las parcelaciones de agrado, produciendo, en consecuencia, una migración a la inversa: de la ciudad al campo. Sin dejar de mencionar, además, el interés generado por las nuevas modalidades de trabajo (teletrabajo) causado en los últimos años por el COVID-19, al demostrar que es posible (para ciertas actividades) realizar funciones laborales desde la distancia.

En términos generales, podemos indicar que la migración corresponde a un «fenómeno geográfico que refleja la distribución de la población en el espacio»[8], el cual responde a intereses económicos, culturales y sociales. Su materialización en un determinado espacio geográfico «se constituye por un número significativo de decisiones individuales que, sumadas, producen efectos importantes en la con-

---

[8]   Rodrigo Hidalgo, Axel Borsdorf y Felipe Plaza, "Parcelas de agrado alrededor de Santiago y Valparaíso. ¿Migración por amenidad a la chilena?", *Revista de Geografía Norte Grande*, n.°44 (2009), 93-112. https://doi.org/10.4067/S0718-34022009000300005.

figuración de la personalidad colectiva de las ciudades destinos. Esas decisiones pueden ser tomadas en forma forzada [...] o voluntaria.»[9]. Entre los factores que explican la migración existen algunos mensurables y otros que no. Las migraciones por amenidades se encuentran dentro de estas últimas.

La migración por amenidad es un fenómeno reciente[10]. Para Moss, constituyen «el traslado permanente o temporal de personas a ciertos lugares, debido a la percepción de mejora en la calidad ambiental y diferenciación cultural del lugar de destino»[11]. Según Hidalgo y otros, tales migraciones corresponden a un «desplazamiento de población desde las áreas urbanas hacia las "áreas rurales de ocio", es decir aquellos lugares más ricos paisajísticamente con alto valor recreativo, no necesariamente de alta montaña, que generan como consecuencia un aumento de población en áreas rurales, proceso al que denomina "contraurbanización"»[12]. Para Latorre, al concepto de amenidades ambientales, suma el concepto de amenidades culturales, estableciendo que «las primeras se refieren atributos físicos-ambientales valiosos de un lugar, incluidos los paisajes terrestres y acuáticos. Suponen también una gran biodiversidad. La segunda acepción hace referencia a las manifestaciones tangibles e intangibles de grupos humanos.»[13].

Siendo así descrito el fenómeno, es posible concluir que la migración por amenidad tiene como finalidad principal el desplazamiento por razones de mejoramiento de la calidad de vida. Este concepto,

---

[9]   Rodrigo González et al., "Las movilidades del turismo y las migraciones de amenidad: problemáticas y contradicciones en el desarrollo de centros turísticos de montaña", *Revista de Geografía Norte Grande*, n.° 44 (2009), 75-92. https://doi.org/10.4067/S0718-34022009000300004.

[10]   González et al., *Las movilidades del turismo y las migraciones de amenidad*, 80.

[11]   Laurance Moss, *The amenity migrants: seeking and sustaining mountains and their cultures.* (Wallingford: CABI, 2006), citado por Hidalgo, Borsdorf y Plaza, *Parcelas de agrado alrededor de Santiago y Valparaíso*, 94.

[12]   Hidalgo, Borsdorf y Plaza, *Parcelas de agrado alrededor de Santiago y Valparaíso*, 94.

[13]   Carlos Latorre, "Migración por amenidad: nuevos asentamientos en zonas rurales en la comuna de Puerto Varas a partir de parcelas de agrado" (Tesis para optar al grado de magister en análisis geográfico, Facultad de Arquitectura, Urbanismo y Geografía, Universidad de Concepción, 2022), 12, http://repositorio.udec.cl/jspui/bitstream/11594/9941/1/Carlos%20Latorre%20Tesis.pdf.

desde luego, tiene una componente «ontológicamente cualitativa»[14], por lo que en su determinación pueden encontrarse diversos aspectos, tales como «el microclima, la ausencia de ruido, la seguridad, vida rural, cortos tiempos de viaje en un nuevo entorno y la vista de las montañas»[15], y un conjunto de otros servicios ambientales como los paisajes rurales, sus montañas, bosques y aguas, los que buscan cada vez más en todo el mundo como experiencias de ocio, de aprendizaje, o más en general, de calidad de vida[16].

Sin embargo, y tal como se ha constatado, estas formas de movilidad pueden «generar consecuencias no previstas sobre las localidades que en muchos casos son necesarias de regular»[17], entre las que se cuentan la eventual afectación de los sistemas de agua potable rural ("APR"), la alteración de los deficientes sistemas de recolección de basura u otros servicios considerados esenciales en zonas urbanas pero ausentes en la ruralidad, el consumo de agua[18], entre otros, configurándose una tensión que ha llegado al punto que la respuesta del Estado al fenómeno está dada por dificultar y limitar, urbanística, ambiental y económicamente, su establecimiento.

1.1.2. La normativa urbanística aplicable en los procesos de subdivisión y urbanización del suelo

En nuestro país, el derecho urbanístico ha sido entendido como un «sistema cuyo objeto son aquellos principios y normas que regulan la

---

[14]   Lía Nakayama y Susana Marioni, "Migración por opción: El fenómeno migratorio en destinos turísticos de montaña", *Revista Brasileira de Pesquisa em Turismo*, n°1 (2007), 101-136.

[15]   Hidalgo, Borsdorf y Plaza, *Parcelas de agrado alrededor de Santiago y Valparaíso*, 108.

[16]   Moss, *The amenity migrants*, 7.

[17]   Adriana Otero, Hugo Zunino y Mariana Rodríguez, "Las tecnologías socioculturales en los procesos de innovación de los migrantes de amenidad y por estilos de vida. El caso del destino turístico de Pucón, Chile", *Revista de Geografía Norte Grande*, n°67 (2020), 211-233. https://doi.org/10.4067/S0718-34022017000200011.

[18]   Al respecto, lo manifestado en el Boletín N° 14.605-14, Proyecto de ley, iniciado en moción de los Honorables Senadores señores De Urresti, señora Muñoz y señores Latorre, Montes y Sandoval, que modifica diversos cuerpos legales, con el objeto de regular la división de predios con fines inmobiliarios.

actividad de la autoridad pública y de los particulares en la búsqueda de un orden racional en los usos y actividades que se desarrollan en el suelo urbano y rural»[19]. En la búsqueda de ese orden racional, el Estado ha asumido una función protagónica, a través de la planificación territorial, que en nuestro ordenamiento jurídico, se hace efectiva «a través de los llamados "Instrumentos de Planificación Territorial (IPT)" y, más específicamente, a través de las "autorizaciones" o "permisos" que se requieren para desarrollar determinadas actividades. Estas autorizaciones son por regla general competencia de la autoridad local (Municipalidad) y deben ser otorgadas en conformidad con las reglas establecidas en los IPT.»[20].

El D.F.L. 458/1975[21], define en el artículo 27 la planificación urbana como «[...] el proceso que se efectúa para orientar y regular el desarrollo de los centros urbanos en función de una política nacional, regional y comunal de desarrollo social, económico, cultural y medioambiental, la que debe contemplar, en todos sus niveles, criterios de integración e inclusión social y urbana».

Sin embargo, el mismo cuerpo normativo, de la «planificación rural» nada señala. Tal como se ha indicado, sobre las políticas territoriales urbana-rural, se configura «la mayor deficiencia a nivel país, debido a que históricamente se ha carecido de políticas públicas complementarias, coherentes, integradas y con principios comunes; lo cual se ha buscado corregir con el desarrollo de políticas en estos últi-

---

[19]   Eduardo Cordero, "Naturaleza, contenido y principios del derecho urbanístico chileno", *Revista de Derecho Universidad Católica del Norte*, n°22 (2015), 103. Sobre el contenido de este derecho, puede verse: Raúl Álvarez, "La disciplina urbanística. Su entidad ante el Derecho", *Revista de Ciencias Sociales Derecho y Sociedad*, n.° 2 (1988), 38-40; Eduardo Cordero, "El Derecho Urbanístico, los Instrumentos de Planificación Territorial y el Régimen Jurídico de los Bienes Públicos", *Revista de Derecho de la Pontificia Universidad Católica de Valparaíso*, n.° 29 (2007), 269-298; José Fernández y Felipe Holmes, *Derecho Urbanístico Chileno*. (Santiago: Editorial Jurídica de Chile, 2008); Enrique Rajevic, "La planificación urbana en Chile", *Revista de Derecho del Consejo de Defensa del Estado*, n°1 (2001), 81-100.

[20]   Dominique Hervé, "Noción y elementos de la justicia ambiental: directrices para su aplicación en la planificación territorial y en la evaluación ambiental estratégica", *Revista de Derecho de Valdivia*, n.° 23 (2010), 9-36.

[21]   Decreto con fuerza de ley 458 de 1975. Ley General de Urbanismo y Construcciones (Diario Oficial, de 13 de abril de 1976).

mos años, teniendo en cuenta que serán bajo estos ámbitos, que se podrán establecer diversas acciones de gobierno de interés público, con el objeto de una atención efectiva a problemas públicos específicos»[22].

En el caso de las parcelaciones rurales, el régimen jurídico se encuentra establecido en diversas disposiciones. En primer lugar, debe tenerse a la vista lo dispuesto en el artículo 1 del D.L. 3516/1980, que define los predios rústicos, como los «inmuebles de aptitud agrícola, ganadera o forestal ubicados fuera de los límites urbanos […]», los que «podrán ser divididos libremente por sus propietarios siempre que los lotes resultantes tengan una superficie no inferior a 0,5 hectáreas físicas.». En lo que interesa, también el artículo 2 del mismo cuerpo normativo refiere que «Quienes infringieren lo dispuesto en el presente decreto ley, aun bajo la forma de comunidades, condominios, arrendamientos o cualquier otro cuyo resultado sea la destinación a fines urbanos o habitacionales de los predios señalados en el artículo primero, serán sancionados con una multa a beneficio fiscal, equivalente al 200% del avalúo del predio dividido, vigente al momento de pagarse la multa. Las multas serán aplicables de acuerdo con las normas del Capítulo IV del Título I de la Ley General de Urbanismo y Construcciones.»

Adicionalmente, se debe considerar lo dispuesto en el artículo 55 del D.F.L. 458/1975, que señala en su inciso primero, lo siguiente: «Fuera de los límites urbanos establecidos en los Planes Reguladores no será permitido abrir calles, subdividir para formar poblaciones, ni levantar construcciones, salvo aquellas que fueren necesarias para la explotación agrícola del inmueble, o para las viviendas del propietario del mismo y sus trabajadores, o para la construcción de conjuntos habitacionales de viviendas sociales o de viviendas de hasta un valor de 1.000 unidades de fomento, que cuenten con los requisitos para obtener el subsidio del Estado.». A continuación, el inciso tercero de

---

[22]   Al respecto, lo dispuesto por la Resolución Exenta 267 de 2020, del Ministerio de Vivienda y Urbanismo, que Aprueba Guía de Procedimiento para definición de parámetros en equipamientos turísticos que no generen núcleos urbanos en sectores de ayllys y oasis de la región de Antofagasta, para la aplicación del informe a emitir por la SEREMI MINVU en el marco del art. 55 de la Ley General de Urbanismo y Construcciones (Diario Oficial CVE 1762743, de 20 de mayo de 2020).

la norma legal citada dispone que «Con dicho objeto, cuando sea necesario subdividir y urbanizar terrenos rurales para complementar alguna actividad industrial con viviendas, dotar de equipamiento a algún sector rural, o habilitar un balneario o campamento turístico, o para la construcción de conjuntos habitacionales de viviendas sociales o de viviendas de hasta un valor de 1.000 unidades de fomento, que cuenten con los requisitos para obtener el subsidio del Estado, la autorización que otorgue la Secretaría Regional del Ministerio de Agricultura requerirá del informe previo favorable de la Secretaría Regional del Ministerio de Vivienda y Urbanismo. Este informe señalará el grado de urbanización que deberá tener esa división predial, conforme a lo que establezca la Ordenanza General de Urbanismo y Construcciones.». Finalmente, el inciso cuarto de la misma norma prescribe que «Igualmente, las construcciones industriales, de infraestructura, de equipamiento, turismo, y poblaciones, fuera de los límites urbanos, requerirán, previamente a la aprobación correspondiente de la Dirección de Obras Municipales, del informe favorable de la Secretaría Regional del Ministerio de Vivienda y Urbanismo y del Servicio Agrícola que correspondan. El mismo informe será exigible a las obras de infraestructura de transporte, sanitaria y energética que ejecute el Estado.».

Por último, es menester considerar lo expresado por el artículo 46 de la L. 18755/1989[23], que señala: «Para autorizar un cambio de uso de suelos en el sector rural, de acuerdo al artículo 55 del decreto supremo N° 458, de 1976, del Ministerio de Vivienda y Urbanismo, se requerirá informe previo del Servicio. Dicho informe deberá ser fundado y público, y expedido por el Servicio dentro del plazo de 30 días, contados desde que haya sido requerido. Asimismo, para proceder a la subdivisión de predios rústicos, el Servicio certificará el cumplimiento de la normativa vigente.».

Teniendo presente las disposiciones antes anotadas, es posible indicar que el régimen jurídico establecido para autorizar la subdivisión de un predio emplazado en el área rural, es diverso según la normati-

---

[23]   Ley 18755/1989, 7 de enero de 1989. Establece normas sobre el Servicio Agrícola y Ganadero, deroga la Ley N° 16.640 y otras disposiciones. Diario Oficial 7 de enero de 1989.

va respectiva. El primero, de carácter «general», regulado por el D.L. 3516/1980, que ampara al propietario al momento de efectuar una subdivisión predial, siempre y cuando: (i) los lotes resultantes tengan una superficie no inferior a 0,5 hectáreas físicas; (ii) la destinación no sea para fines urbanos o habitacionales; (iii) la subdivisión está sujeta a una prohibición de cambio de destino, en los términos que establecen los artículos 55 y 56 del D.F.L. 458/1975; (iv) no requerirá contar del informe previo favorable a que refieren el artículo 46 de la Ley N° 18.755 y sus modificaciones posteriores; y (v) la normativa no ha previsto la intervención de la SEREMI MINVU para cautelar que las subdivisiones de predios rústicos realizadas no generen nuevos núcleos urbanos, sin embargo, pueden fiscalizar el cumplimiento de lo dispuesto en dicho cuerpo normativo.

El segundo, un régimen especial[24], que se regula: (i) por el D.F.L. 458/1975 en sus artículos 52 al 56, y a continuación, por los artículos 2.1.7, 2.1.19, 2.1.20, 2.2.10, 3.1.7, 6.2.8, 6.3.3 y 6.3.4 del D. 47/1992[25]; (ii) el procedimiento establecido en el artículo 55 supone la ponderación, por parte de las autoridades administrativas que en él intervienen, de diversos factores para los efectos de emitir sus pronunciamientos; (iii) se establece una prohibición general en orden a impedir que fuera de los límites urbanos establecidos en los Planes Reguladores, se puedan abrir calles, subdividir para formar poblaciones ni levantar construcciones, salvo las excepciones ahí señaladas; (iv) impone a la SEREMI MINVU cautelar que las subdivisiones y construcciones en terrenos rurales, con fines ajenos a la agricultura, no origen nuevos núcleos urbanos al margen de la planificación territorial; (v) las subdivisiones y urbanizaciones acogidas al inciso tercero del artículo 55 del D.F.L. 458/1975, solo pueden efectuar cuando sea necesario: complementar alguna actividad industrial con viviendas, dotar de equipamiento a algún sector rural, habilitar un balneario o campamento turístico, o para la construcción de conjuntos habitacionales de viviendas sociales o viviendas de hasta un valor de 1.000 unidades de fomento, que cuenten con los requisitos para obtener el

---

[24]   Al respecto lo expresado por el Dictamen 35.926, de 2013, de la Contraloría General de la República.

[25]   Decreto 47 de 1992. Por medio del cual se fija nuevo texto de la Ordenanza General de Urbanismo y Construcciones (Diario Oficial de 5 de junio de 1992).

subsidio del Estado; (vi) la superficie de los predios resultantes, no tiene la limitación que sí tiene el D.L. 3516/1980 (que tengan 0,5 hectáreas o más), por lo que las superficies de los loteos pueden tener una superficie inferior a 0,5 hectáreas; y (vii) para el caso de las subdivisiones y urbanizaciones acogidas al inciso tercero del artículo 55 del D.F.L. 458/1975, se deben emitir las autorizaciones de la SEREMI de Agricultura, la que a su vez debe contar con el informe previo favorable de la SEREMI MINVU.

1.2 La tipología de procesos de subdivisión y urbanización que reconoce el D.F.L. 458/1975.

En el artículo 65 del D.F.L. 458/1975, se establecen tres casos de procesos de subdivisión y urbanización del suelo, tales son[26]:

(i) Subdivisión de terrenos: es el proceso de división del suelo que no requiere la ejecución de obras de urbanización por ser suficientes las existentes, cualquiera sea el número de sitios resultantes (artículo 1.1.2 del D. 47/1992). Para estos efectos, se entiende que son suficientes las obras de urbanización existentes, cuando el proyecto no contempla la apertura, ensanche o prolongación de vías públicas y el predio no está afecto a utilidad pública por el Instrumento de Planificación Territorial (artículo 2.2.2 del D. 47/1992).

(ii) Loteo: es el proceso de división del suelo, cualquiera sea el número de predios resultantes, cuyo proyecto contempla la apertura de nuevas vías públicas, y su correspondiente urbanización.

(iii) Urbanización de loteos existentes: este proceso se refiere a loteos de terrenos "existentes", es decir que fueron aprobados y recibidos, o garantizadas sus obras de urbanización o enajenados, sin embargo, en su momento, por alguna circunstan-

---

[26] Así también lo indicó la Circular 332, de 2017 (DDU 371), por la cual se dictamina sobre permisos, aprobaciones y recepciones; franjas afectas a utilidad pública; tipos de permisos de urbanización y casos en que resulta obligatorio urbanizar un predio.

cia, sus obras de infraestructura sanitaria, energética u obras de pavimentación, no fueron realizadas oportunamente.

Esta distinción también ha sido confirmada por la Contraloría General de la República[27], en los siguientes términos: «los loteos están siempre sujetos a la construcción de obras de urbanización, sea porque el terreno que se trata de lotear no cuenta con ellos, o las que posee son insuficientes, a diferencia de la subdivisión predial que no requiere de ella». Estas distinciones son relevantes, pues, en principio, los proyectos de acondicionamiento de parcelaciones rurales en predios o parcelas, corresponden a una subdivisión de terrenos, dado que no requiere la ejecución de obras de urbanización por ser suficientes las existentes, en atención a que: (i) no contemplan la apertura, ensanche o prolongación de vías públicas; y, (ii) el predio no está afecto a utilidad pública por el Instrumento de Planificación Territorial respectivo, al encontrarse en el área rural.

La anotación anterior es relevante, porque como se abordará en el próximo acápite, si se estimase que estos proyectos corresponden a un «loteo», se configuraría uno de los requisitos establecidos en los literales g) y h) del artículo 3° del D. 40/2013[28] y, en consecuencia, se podría ver obligado a ingresar a evaluación ambiental. Es por eso, que, el concepto de «obras de urbanización suficientes» es esencial en este análisis.

2. LA REGULACIÓN AMBIENTAL DE LOS PROYECTOS DE REACONDICIONAMIENTO DE PARCELACIONES RURALES EN PREDIOS O PARCELAS

2.1. La evaluación ambiental en general

La evaluación ambiental ha operado como un mecanismo de naturaleza preventiva sobre proyectos o actividades determinadas, lo que se traduce, en definitiva, en una limitación para el ejercicio de

---

[27]   Dictamen 11.030, de 1996, de la Contraloría General de la República.
[28]   Decreto 40 de 2013. Por el cual se aprueba el Reglamento del Sistema de Evaluación de Impacto Ambiental (Diario Oficial de 12 de agosto de 2013).

actividades económicas[29]. Tal visión, con todo, se compatibiliza, al entenderla también como una garantía para los operadores jurídicos, en tanto la RCA, como un producto de la evaluación ambiental, permite el desarrollo de una actividad económica en particular[30].

En Chile, la SMA tiene la potestad para definir si determinada actividad debe o no someterse al SEIA y, justamente, en el ejercicio de ella es que ha determinado que los proyectos de «parcelaciones rurales» deben someterse a tal sistema.

2.2. Sobre las tipologías de proyectos o actividades específicas a las que se puede enfrentar una parcelación rural

Como punto de partida, se debe tener presente que para determinar si un proyecto o actividad debe ingresar obligatoriamente al SEIA, se requiere analizar si dicho proyecto o actividad se encuentra dentro de alguna de las tipologías previstas en el artículo 10 de la L. 19.300/1994, complementadas por el artículo 3° del D. 40/2013.

En el caso de los proyectos de acondicionamiento de parcelaciones rurales, la SMA ha relacionado este tipo de iniciativas, con las las tipologías de ingreso previstas en los literales g.1.)[31] y h.)[32] del artículo 3° del D. 40/2013. Además, de analizar si corresponden a actividades que se ejecutan en «áreas colocadas bajo protección oficial», para efectos de lo dispuesto en la letra p) del mismo artículo del referido cuerpo normativo.

Al respecto, y sin restar la importancia que pueda tener el análisis sobre las letras h) y p) del artículo 3° del D. 40/2013, se estima que,

---

[29]   Jorge Bermúdez, "Fundamento y límites de la potestad sancionadora administrativa en materia ambiental", *Revista de derecho (Valparaíso)*, n.° 40 (2013), 426.

[30]   Recordemos, a este respecto, lo señalado por el artículo 24 de la LBGMA, en cuanto a que la RCA «certificará que se cumple con todos los requisitos ambientales aplicables, incluyendo los eventuales trabajos de mitigación y restauración, no pudiendo ningún organismo del Estado negar las autorizaciones ambientales pertinentes.».

[31]   El literal g.), se analiza siempre y cuando el predio no se encuentre regulado por ningún instrumento de planificación territorial.

[32]   El literal h,), se analiza siempre y cuando el predio se encuentre inserto en una zona declarada latente o saturada.

atendido los casos que se han ventilado ante la SMA, los que revisten una mayor relación con la materia aquí estudiada, son los proyectos de desarrollo urbano, regulados en la letra g.), del artículo 3° del D. 40/2013, del siguiente modo:

«Artículo 3.—Tipos de proyectos o actividades.

Los proyectos o actividades susceptibles de causar impacto ambiental, en cualesquiera de sus fases, que deberán someterse al Sistema de Evaluación de Impacto Ambiental, son los siguientes:

[...]

g. Proyectos de desarrollo urbano o turístico, en zonas no comprendidas en alguno de los planes evaluados estratégicamente de conformidad a lo establecido en el párrafo 1° bis del Título II de la Ley. Se entenderá por planes a los instrumentos de planificación territorial.

g.1. Se entenderá por proyectos de desarrollo urbano aquellos que contemplen obras de edificación y/o urbanización cuyo destino sea habitacional, industrial y/o de equipamiento, de acuerdo a las siguientes especificaciones:

g.1.1. Conjuntos habitacionales con una capacidad igual o superior a ochenta (80) viviendas o, tratándose de vivienda social, vivienda progresiva o infraestructura sanitaria, a ciento sesenta (160) viviendas.

g.1.2. Proyectos de equipamiento que correspondan a predios y/o edificios destinados en forma permanente a salud, educación, seguridad, culto, deporte, esparcimiento, cultura, comercio, servicios, fines científicos o sociales y que contemplen al menos una de las siguientes características:

a) superficie construida igual o mayor a cinco mil metros cuadrados (5.000 m²);

b) superficie predial igual o mayor a veinte mil metros cuadrados (20.000 m²);

c) capacidad de atención, afluencia o permanencia simultánea igual o mayor a ochocientas (800) personas;

d) doscientos (200) o más sitios para el estacionamiento de vehículos.

g.1.3. Urbanizaciones y/o loteos con destino industrial de una superficie igual o mayor a treinta mil metros cuadrados (30.000 m²)».

De acuerdo con la norma citada, para que determinadas obras o actividades constituyan un «proyecto de desarrollo urbano» que requiera ingresar al SEIA, se deben cumplir copulativamente los siguientes requisitos:

(i) Las obras deben ejecutarse en zonas no comprendidas en instrumentos de planificación territorial evaluados estratégicamente[33].

(ii) Debe tratarse de proyectos que contemplen obras de edificación y/o urbanización cuyo destino sea habitacional, industrial y/o de equipamiento.

(iii) Tales obras deben presentar alguna de las especificaciones señaladas en las letras g.1.1 a g.1.3, recién transcritas.

Sobre el primer requisito, se deberá evaluar si el proyecto o actividad se ejecutará o no en una zona no comprendida en un IPT.

En relación con el segundo requisito, esto es, si el Proyecto contempla obras de edificación y/o urbanización cuyo destino sea habitacional, industrial y/o de equipamiento, se deben efectuar algunas distinciones:

(a) Respecto de las obras de edificación: para efectos de estar en presencia de obras de edificación, se debe analizar el artículo 1.1.2 del D. 47/1992, el cual dispone que se entenderá por «edificio» a «toda edificación compuesta por uno o más recintos, cualquiera sea su destino». Por su parte, la SMA ha entendido que existen «obras de edificación», cuando, por ejemplo, la actividad contempla la construcción de viviendas, siguiendo para ello, el criterio observado en el proyecto denominado «Proyecto Inmobiliario Bahía Panguipulli»[34].

---

[33] Conforme lo dispone el artículo 2° transitorio del D. 40/2013, para efectos de lo establecido en la letra g.) del artículo 3° se considerarán evaluados estratégicamente «los planes calificados mediante el Sistema de Evaluación de Impacto Ambiental de manera previa a la entrada en vigencia de la Ley N° 20.417, así como los planes que se encuentren vigentes desde antes de la dictación de la Ley N° 19.300».

[34] Considerando 131 y siguientes de la Resolución Exenta 1310, de 2020, que resuelve procedimiento administrativo sancionatorio Rol D-110-2018, seguido en contra de Inversiones Panguipulli SpA, disponible en: https://snifa.sma.gob.cl/Sancionatorio/Ficha/1824.

En términos generales, en este tipo de proyectos, no existen obras de edificación de ningún tipo, ya que sólo se considera la habilitación de obras mínimas para llevar a cabo la subdivisión y la posterior venta de parcelas a terceros. En ese sentido, no pueden considerarse obras de edificación la habilitación de caminos, la ejecución de redes interiores de electricidad y de agua, en atención a que esas obras no implican la ejecución de algún recinto o edificio.

(b) Respecto de las obras de urbanización: En relación con este aspecto, se debe tener presente lo dispuesto en el artículo 1.1.2. del D. 47/1992 el cual señala que «urbanizar» consiste en «ejecutar, ampliar o modificar cualquiera de las obras señaladas en el artículo 134 de la Ley General de Urbanismo y Construcciones que correspondan según el caso, en el espacio público o en el contemplado con tal destino en el respectivo Instrumento de Planificación Territorial o en un proyecto de loteo». En similares términos, el artículo 2.2.1 del D. 47/1992 define urbanización de la siguiente manera: «Se entiende por urbanización la ejecución o ampliación de las obras de infraestructura y ornato señaladas en el artículo 134 de la Ley General de Urbanismo y Construcciones, que se ejecutan en el espacio público existente, al interior de un predio en las vías contempladas en un proyecto de loteo, o en el área del predio que estuviere afecta a utilidad pública por el Instrumento de Planificación Territorial respectivo».

De esta manera, para estar en presencia de «obras de urbanización», se deben cumplir los siguientes requisitos copulativos:

(i) Debe tratarse de las obras indicadas en el artículo 134 del D.F.L. 458/1975.

Tales obras son: «el pavimento de las calles y pasajes, las plantaciones y obras de ornato, las instalaciones sanitarias y energéticas, con sus obras de alimentación y desagües de aguas servidas y de aguas lluvias, y las obras de defensa y servicio del terreno».

(ii) Las obras deben ejecutarse en cualquiera de los siguientes lugares:

a) El espacio público existente[35].

En términos generales, estos proyectos se desarrollan en predios de propiedad privada. Por lo anterior, no se ejecutan en el espacio público existente[36].

b) Al interior de un predio, en las vías contempladas en un proyecto de loteo.

Respecto de este punto, las obras de un proyecto de parcelación rural tampoco se ejecutarán en esas vías, dado que no se puede considerar un «loteo».

En efecto, el artículo 1.1.2 del D. 47/1992 señala que el «loteo de un terreno» consiste en el «proceso de división del suelo, cualquiera sea el número de predios resultantes, cuyo proyecto contempla la apertura de nuevas vías públicas y su correspondiente urbanización».

Pues bien, las obras de un proyecto de parcelación, en general, no implican una apertura de nuevas vías públicas y su correspondiente urbanización, por lo que no concurren los elementos para considerar que se trata de un "proyecto de loteo".

c) El área de un predio que se encuentre afecta a utilidad pública por el IPT respectivo.

En la mayoría de estos proyectos, no existe un IPT que contemple que el predio del proyecto respectivo, se encuentre afecto a utilidad pública.

En relación con el tercer requisito, esto es, si las obras presentan alguna de las especificaciones señaladas en las letras g.1.1.) a g.1.3.), es posible señalar lo siguiente:

---

[35]   Reafirma el punto la guía del SEA denominada «Guía para la descripción de proyectos inmobiliarios en el SEIA», al indicar que existen «obras de urbanización» cuando aparte de tratarse de las obras indicadas en el artículo 134 de la LGUC, aquellas se emplacen en el espacio público, de acuerdo con lo señalado en el artículo 2.2.1 del D. 47/1992.

[36]   El artículo 1.1.2 del D. 47/1992, define «espacio público» como «bien nacional de uso público, destinado a circulación y esparcimiento entre otros», el que incluye el sistema vial, las plazas, parques y áreas verdes públicas.

a) Respecto a si se trata de conjuntos habitacionales con una capacidad igual o superior a ochenta (80) viviendas o, tratándose de vivienda social, vivienda progresiva o infraestructura sanitaria, a ciento sesenta (160) viviendas (g.1.1.).

Como ha sido expuesto previamente, en estos proyectos, su responsable no considera la construcción de ninguna vivienda, solo obras como la generación de caminos, sistema eléctrico, dotación de agua potable, etc. Sin embargo, sobre este punto, es relevante tener presente el criterio establecido por la SMA en el «Proyecto Inmobiliario Bahía Panguipulli», en el que determinó que no era «razonable ni lógico»[37] pensar que no se contemplarían viviendas. De esta manera, concluyó que sí se configuraba este requisito.

b) Respecto a si se trata de proyectos de equipamiento que correspondan a predios y/o edificios destinados en forma permanente a salud, educación, seguridad, culto, deporte, esparcimiento, cultura, comercio, servicios, fines científicos o sociales y que contemplen al menos una de las características señaladas en la norma.

En relación con este punto, es necesario tener presente que el artículo 1.1.2 del D. 47/1992, define «equipamiento» como aquellas «construcciones destinadas a complementar las funciones básicas de habitar, producir y circular, cualquiera sea su clase o escala». Construcciones son, a su vez, las «obras de edificación o de urbanización».

---

[37] Considerando 230 de la Resolución Exenta N° 1310, de 31 de julio de 2020, que resuelve procedimiento administrativo sancionatorio Rol D-110-2018, seguido en contra de Inversiones Panguipulli SpA, disponible en: https://snifa.sma.gob.cl/Sancionatorio/Ficha/1824.

c) Respecto a si se trata de urbanizaciones y/o loteos con destino industrial de una superficie igual o mayor a treinta mil metros cuadrados (30.000 m2).

En relación con este punto, en general estos proyectos no constituyen un loteo ni tampoco tiene un destino industrial.

3. CRITERIOS QUE HA FIJADO LA AUTORIDAD Y LOS TRIBUNALES AMBIENTALES EN RELACIÓN LOS PROYECTOS DE PARCELACIONES RURALES

Estimamos de relevancia para el presente trabajo exponer los criterios que se han generado tanto por la SMA como los Tribunales Ambientales frente a este tipo de proyectos, especialmente en lo que dice relación con su sometimiento al SEIA.

3.1. *Criterios que la SMA ha establecido en relación con los proyectos de acondicionamiento de parcelaciones*

En lo que respecta a la SMA, es posible señalar que este órgano ha sido consistente en sus decisiones: deben someterse al SEIA. El núcleo de su argumentación se basa en que no es lógico ni razonable pretender que las parcelaciones no tengan un fin inmobiliario. En ese sentido, el órgano construye su decisión sobre una serie de antecedentes que le sirven de indicios al momento de desentrañar aquella finalidad (permisos de edificación, normativas internas, publicidad, soluciones sanitarias, obras de equipamiento y de infraestructura, por ejemplo).

La SMA en su ejercicio argumentativo lo que hace es develar una supuesta intencionalidad oculta de los responsables de estas parcelaciones. No le basta con la defensa consistente en que ellos no construirán vivienda alguna, pues estima que es poco probable que dadas las dimensiones de cada terreno (5.000 m2) solo tengan una finalidad agrícola. Así, le da sustento jurídico a su postura bajo el denominado «principio de realidad»[38].

---

[38] Tal principio es aquel por el cual en caso de divergencia entre lo que ocurre en la realidad y lo que se ha plasmado en los documentos, debe darse prevalencia

A continuación, se citan algunos casos que dan cuenta de este razonamiento.

3.1.1. Proyecto Inmobiliario Bahía Panguipulli[39]

Se trata del primer y más emblemático caso llevado adelante por la SMA. En este procedimiento, la SMA estimó que se trataba de un proyecto de «desarrollo urbano» que contemplaba «obras de edificación» con «destino habitacional», al proyectar o «contemplar» más de 80 viviendas. De esta manera, resolvió que se configura el supuesto de ingreso establecido en el literal g.1.1.) del artículo 3° del D. 40/2013, por lo que el proyecto eludió la evaluación ambiental, sancionándolo con una multa ascendente a 351 UTA[40].

La autoridad concluyó que el «Proyecto Inmobiliario Bahía Panguipulli» contemplaba la construcción de al menos una vivienda unifamiliar en cada uno de los 228 lotes resultantes de la subdivisión y por lo tanto superaba el límite de 80 viviendas establecido en ese literal. Así, dio por configurados los siguientes requisitos: (i) el proyecto no se encontraba regulado por un IPT; (ii) contemplaba obras de edificación; y, (iii) proyectaba la construcción de más de 80 viviendas.

La SMA llegó a dicha conclusión en base a los siguientes antecedentes indiciarios: (i) los Planes de Manejo de Corta y Reforestación de CONAF establecían como objetivo del proyecto la construcción de viviendas en el marco de un proyecto inmobiliario; (ii) existía una "Normativa Interna Bahía Panguipulli" la cual establecía que se contemplaba la construcción de hasta 228 viviendas, que debían respetar ciertas normas urbanísticas en su construcción (densidad, antejardín mínimo, distanciamiento de pisos, altura máxima, entre otros); (iii) la publicidad

---

a lo que surge en la práctica, y su desarrollo doctrinario es propio del derecho laboral.

[39] El expediente se encuentra disponible en el siguiente link: https://snifa.sma.gob.cl/Sancionatorio/Ficha/1824

[40] Esta decisión de la SMA se ejecutó en su Resolución Exenta 1.310 de 2020. Tal decisión fue impugnada por el responsable del proyecto ante el Tercer Tribunal Ambiental de Valdivia, dando origen a la causa Rol R-28-2020, la que fue rechazada por ese Tribunal, el que terminó confirmando los criterios adoptados por la SMA.

del proyecto en diarios, redes sociales y folletos promocionaba el proyecto como un conjunto habitacional, detallando distintos modelos de casas; (iv) se contemplaba un embarcadero entre las obras del proyecto, el cual no tendría objeto si no fuera para auxiliar y complementar el uso habitacional de las viviendas, pues no resultaba «lógico pensar» que se construiría para otros fines (como, por ejemplo, para la explotación agrícola del predio); (v) El proyecto consideraba la venta de los terrenos y casas con suministro de agua potable aportado por un sistema particular único para todos los predios. La SMA se dio el trabajo de calcular que el volumen del estanque de acumulación construido para tal fin fue diseñado para asegurar el suministro de agua potable para las 228 viviendas y otros usos; (vi) se contemplaban obras de infraestructura complementarias que auxilian el fin habitacional de los 228 lotes tales como caminos interiores, un acceso que conecta el condominio con un camino público, obras de conducción eléctrica, luminarias, canalización de aguas lluvias, instalación de una pirca para separar las altas mareas del lago; (vii) existían 13 permisos de edificación otorgados para la construcción de viviendas; y, (viii) conforme al «principio de realidad», era «poco probable» que las dimensiones de cada terreno (5000 m2) fueren para uso exclusivamente agrícola, pues el diseño del proyecto (modelos de casas, público objetivo de los predios —en atención a sus precios precios—, regulación ornamental), permitía concluir que la finalidad del proyecto era la construcción de viviendas.

La SMA construyó la tipología de ingreso del literal g.1.1) en base a distintos elementos, como la descripción del proyecto, la existencia de autorizaciones administrativas relacionadas con la construcción de viviendas y a sus propios actos (publicidad y normativa interna). Tales elementos, fueron utilizados por la autoridad como prueba indiciaria de que el proyecto correspondía a un "conjunto habitacional" de más de 80 viviendas (se trataba de 228 lotes) y que, en consecuencia, existirían "obras de edificación".

En definitiva, calificó la finalidad u objeto del proyecto, a pesar de que el titular siempre negó que en los predios se fuesen a construir viviendas, pues señaló que esa decisión le correspondía a un tercero correspondiente a los futuros propietarios de los lotes.

Asimismo, estimó que no es necesario que las 80 viviendas estén construidas para considerar al proyecto como un «conjunto habitacional» y que se configure la infracción, sino que basta que el proyecto las «contemple». Además, descartó que eventuales consultas de pertinencia[41], en las que se resolvió que el proyecto no debía ingresar al SEIA, fueran vinculantes para la SMA, quien puede ejercer sus atribuciones de investigación para determinar cuál es la real situación del proyecto.

Cabe destacar que la SMA descartó que el proyecto contemplara obras de urbanización y obras de equipamiento, dado que no se configuraban todos los requisitos establecidos en el D.F.L. 458/1975 (específicamente la ejecución de obras en espacio público).

De esta manera, la autoridad determinó que se configuraba el literal g.1.1.) del artículo 3° del D. 40/2013 y que el proyecto "Bahía Panguipulli" debía ingresar a evaluación ambiental.

3.1.2. Proyecto Parcelación Altos del Trancura[42]

En este caso, la SMA sancionó a Inversiones Santa Amalia S.A. con 594, 3 UTA por la ejecución, sin contar con una RCA, de lo que estimó era un proyecto de desarrollo urbano, que contempla obras de edificación con destino habitacional, con una cantidad superior a 80 viviendas y, además, se encuentra ubicada en un área colocada bajo protección oficial, correspondiente a una Zona de Interés Turístico (ZOIT).

Para determinar que el proyecto contemplaba obras de edificación con destino habitacional, la SMA consideró antecedentes similares a los del Proyecto Bahía Panguipulli, tales como publicidad, obras de abastecimiento de agua potable, de red eléctrica, caminos internos, club house, etc.

---

[41] Las consultas de pertinencia son documentos voluntarios en los que el titular de un proyecto, solicita a la Dirección Regional del SEA, que resuelva si tal proyecto debe o no ingresar previamente al SEIA. Sobre las consultas de pertinencia puede verse, entre otros, a Javier Herrera, "*Regulación jurídica y efectos de las consultas de pertinencia de ingreso al Sistema de Evaluación de Impacto Ambiental*, en Administración y Derecho: Homenaje a los 125 años de la Facultad de Derecho de la Pontificia Universidad Católica de Chile, Gabriel Bocksang, ed. (Santiago: Editorial Legal Publishing Thomson Reuters, 2014) 61-88.

[42] El expediente se encuentra disponible en el siguiente link: https://snifa.sma.gob.cl/Sancionatorio/Ficha/1772. A través de la Resolución Exenta 274, de 2021, se resuelve procedimiento administrativo sancionatorio Rol D-077-2018, seguido en contra de Inversiones Santa Amalia S.A.

Todo lo anterior llevó a la SMA a concluir que la empresa, como desarrolladora del proyecto, apuntaba a un segmento de clientes que busca construir una casa para fines de descanso, habitacionales o recreativos.

Cabe destacar que la empresa presentó durante la tramitación del sancionatorio, una nueva consulta de pertinencia respecto del proyecto, modificando las características de éste. Al respecto, la SMA estableció que no tenía la aptitud de afectar la configuración de la infracción porque ésta ya se había cometido.

Al igual que en el caso anterior, la SMA construyó la hipótesis de ingreso en base a la propia descripción del proyecto (obras de equipamiento e infraestructura) y a los actos propios de su titular (publicidad), para de esa manera aplicar el "principio de realidad" en base al cual concluyó que este tipo de actividades no se pueden entender sin viviendas.

3.1.3. Proyectos «Camino de Parcelación Cutipay I», «Cutipay II» y «Loteos de Pilolcura»[43]

Estos tres proyectos tienen aspectos en común: se encuentran ubicados en la Región de los Ríos, en la Comuna de Valdivia y consistían en la subdivisión de un predio rural para su posterior venta (parcelas de 5.000 m2); además, todos fueron objeto de un procedimiento de requerimiento de ingreso al SEIA, en los que la SMA concluyó que debían ingresar a tal sistema por los siguientes motivos: (i) los proyectos no tienen un destino agrícola, ganadero o forestal y son de carácter urbano, pues «existen una serie de acciones del titular que buscan que estos lotes sirvan o tengan una finalidad habitacional, generando con ello un núcleo urbano». Tales acciones consisten en caminos, gestión de electricidad (aunque esta finalmente se proporcione por un tercero), posibilidad de implementar pozos de captación de agua para consumo habitacional, para la habitabilidad del terreno. Se trata de obras encaminadas a facilitar la habitabilidad de los lotes; (ii) contemplan obras de urbanización conforme al D.F.L. 458/1975 (mejoramiento

---

[43]   Resoluciones Exentas Nos 2652, 2651 y 2654, todas del 21 de diciembre de 2021, de la SMA, por la cual se requiere a los titulares de los proyectos respectivos a ingresar al SEIA.

de caminos, gestión de disponibilidad de electricidad y de agua potable); (iii) se pueden calificar como un «conjunto de viviendas», pues se trata de casas agrupadas bajo un nombre común y que cuentan con servicios comunes (tales como vías conectoras, electricidad), esto con independencia de si el futuro propietario construye o no las casas. Lo anterior, bajo un enfoque preventivo; (iv) en específico, para los proyectos Cutipay I y II descartó la aplicación del literal g.1.1. en atención a que ambos tenían menos de 80 parcelas, en cambio para el proyecto Loteos Pilolcura indicó que se configuraba ese literal dado que contemplaba 120 lotes; estimo que en todos se configuraba la letra p), dado que existía una susceptibilidad de afectación de la ZOIT de Valdivia (específicamente a la Comunidad Mapuche Lafkenche, el aumento en los tiempos de desplazamiento y a la diversidad visual) y los literales h.1.1. y h.1.3 en atención a que tendrán sistemas propios de producción y distribución de agua potable y de aguas servidas, se emplazan en una superficie igual o superior a 7 hectáreas y Valdivia se encuentra declarada como una zona suturada.

De esta manera, los tres proyectos deberán ingresar al SEIA, respecto de lo cual sus titulares deberán definir si presentaran una DIA o un EIA, pues la SMA, al igual que en los casos anteriores, estimó que bajo el prisma del «principio de realidad» existen una serie de acciones que buscan que los lotes sirvan o tengan una finalidad habitacional y no de otro tipo.

3.2. Criterios que los Tribunales Ambientales han establecido en relación con los proyectos de acondicionamiento de parcelaciones

A su vez, encontramos dos sentencias del Tercer Tribunal Ambiental que vienen a conformar los criterios de la SMA que recién se expusieron:

3.2.1. Proyecto Inmobiliario Bahía Panguipulli

En contra de la decisión de la SMA que se expuso, el titular de este proyecto interpuso una reclamación judicial ante el Tercer Tribunal Ambiental de Valdivia, dando lugar a la causa caratulada «Inversiones Panguipulli SpA con Superintendencia del Medio Ambiente», seguida bajo el Rol N° R-28-2020. El Tribunal resolvió, a través de la sentencia de fecha 28 de octubre de 2021[44], que la decisión de ese órgano se ajustó a derecho, pues la actividad tiene un destino habitacional en las parcelas que lo conforman (y no para el desarrollo de actividades agrícolas), por lo que se configura la letra g.1.1 del artículo 3° del D. 40/2013.

Es decir, avaló la postura y criterios de la SMA, señalando en su sentencia del 28 de octubre de 2021 que de la redacción del literal g.1.1. «se desprende claramente que la hipótesis de ingreso al SEIA radica en "contemplar" la realización de determinadas obras edificación y/o de urbanización, es decir, que tales obras se encuentren proyectadas, lo cual podrá ser determinado a partir de elementos que permitan conocer cómo ha sido concebido el proyecto por parte de quién lo desarrolla y cuáles son las acciones que éste ha tomado para materializarlo. De esta forma, no resulta necesario que la totalidad de las obras estén ya ejecutadas, sino que basta la constatación de hechos que, considerados en conjunto, permitan presumir que éstas van a realizarse en el futuro, configurando el supuesto infraccional. Lo anterior tiene como respaldo el carácter preventivo del SEIA [...]»[45].

En esa línea, compartió el desarrollo argumentativo del SMA consistente en analizar una serie de circunstancias (indicios) que permitían concluir que el destino del proyecto era habitacional y no agrícola, tales como la normativa interna que establecía reglas relacionadas con el diseño de las futuras casas, la existencia de caminos, obras de evacuación de aguas lluvias, la existencia de un pozo profundo para abastecer de agua potable y planes de manejo de corta y reforestación de bosque nativo en los que expresamente se señaló que su objeto era realizar obras para un proyecto inmobiliario. Todo esto con independencia de que los terrenos sean vendidos a terceros.

---

[44]   Habiéndose deducido recursos de casación en la forma y en el fondo por parte del titular, y dando origen a los autos rol de ingreso N° 91.797-2021, seguidos ante la Corte Suprema, se desistió de los mismos por medio de la presentación de fecha 15 de marzo de 2022.

[45]   Tribunal Ambiental de Valdivia. STA Rol R-28-2020, del 28 de octubre de 2021.

3.2.2. Proyecto Parcelación Altos del Trancura

La decisión de la SMA relacionada con este proyecto, también fue impugnada por su titular ante el Tercer Tribunal Ambiental, dando lugar a los autos caratulados «Inversiones Santa Amalia S.A con Superintendencia del Medio Ambiente», seguida bajo el Rol R-4-2021. Al igual que en el caso recién expuesto, el Tribunal resolvió, con fecha 7 de marzo de 2022, que el órgano fiscalizador se ajustó a derecho, pues se configuraba la tipología establecida en el literal g.1.1.), en atención a que el proyecto consistía en la habilitación de un proyecto inmobiliario y contemplaba la construcción de a lo menos 80 viviendas, siendo irrelevante si se encuentran ejecutadas o por ejecutar. En esa línea, tomó en consideración una serie de antecedentes (caminos, publicidad del proyecto, abastecimiento de agua potable y electricidad, club house, reglamento de copropiedad, etc.), para concluir que «es posible verificar el desarrollo de actividades que, consideradas en conjunto, se relacionan y vinculan directamente a la ejecución de un proyecto con destino residencial. De esta manera, se configura un conjunto habitacional en un área no amparada por un instrumento de planificación territorial, conforme al literal g.1.1) del art. 3 del D. 40/2013, al proyectar la creación de una agrupación de viviendas vinculadas entre sí. Contrario a lo que argumenta la Reclamante, la cantidad de parcelas, las dimensiones de éstas y las intervenciones realizadas; hacen prever que los terrenos serán adquiridos para la construcción de —al menos— una vivienda y no para el desarrollo de actividades agrícolas"[46].

3.3. Sobre la eventual evaluación ambiental de los proyectos de acondicionamiento de parcelaciones

Hasta acá hemos abordado los criterios de la SMA y de los Tribunales relacionados con el ingreso de estos proyectos al SEIA, los que han sido consistentes: deben someterse a evaluación ambiental. Zanjado aquello, resta determinar la manera en que estos proyectos deben ser evaluados, tratándose este de un aspecto esencial, si

---

[46]   Tribunal Ambiental de Valdivia. STA Rol R-4-2021, del 7 de marzo de 2022.

se considera que en la mayoría de estas parcelaciones su titular no construirá ninguna vivienda alguna, pues aquello quedará sujeto a la decisión del futuro propietario de la parcela. Entonces: ¿cuál debe ser la descripción del proyecto? ¿solo se debe limitar a describir las obras de urbanización (caminos, electricidad, abastecimiento de agua, etc.)? o al ser proyectos con «destino habitacional» ¿deben incorporar las eventuales casas?

Estas interrogantes reflejan las distorsiones que genera en el SEIA, el raciocinio de la SMA que, en el fondo, imputa diseños a los responsables de estos proyectos que se alejan de su voluntad expresa y manifiesta. Mas allá de la bondad de la decisión final de la SMA, lo cierto es que, para llegar a ella, construye su raciocinio sobre bases que se escapan a la lógica jurídica que existe en nuestro país, pues es el titular —y no la administración ambiental— el que tiene el resorte exclusivo en lo que se refiere al diseño de las partes, obras y acciones de su actividad.

Dicho eso, lo cierto es que en la actualidad no existen respuestas oficiales para tales preguntas, a pesar de que pesa sobre el SEA tal obligación por su rol de coordinador y administrador del SEIA y, en específico, dada la potestad que tiene de uniformar criterios, requisitos, condiciones, etc., conforme a lo previsto por el artículo 81 letra d) de la L. 19.300/1994.

Además, es posible apreciar una evidente falta de coordinación entre la SMA y el SEA, lo que es más reprochable si se considera que ambos dependen del Ministerio del Medio Ambiente, pues si la SMA decide cambiar los criterios actuales y obligar a que determinadas actividades que antes se encontraban exentas de evaluación ambiental —como en estos casos— ahora deben evaluarse, lo mínimo que se puede esperar es que el SEA actúe en consecuencia y de lineamientos y criterios. Sin embargo, como se mencionó, ello no ha ocurrido.

Es en este contexto, que encontramos el proyecto denominado «Loteo Parque La Dehesa», el que ingresó al SEIA el 26 de mayo de 2021 y que consistía en la subdivisión de cuatro predios, en un área rural de la comuna de Valdivia, generando 111 lotes que variaban entre 0,5 y 1,7 hectáreas de superficie. En ellos se desarrollarían obras de urbanización, para ser vendidos a terceros. Así, la actividad no consideraba la construcción de viviendas.

Es interesante mencionar que, si bien el titular señaló expresamente que la construcción de las futuras viviendas dependerá de cada comprador, igualmente consideró los impactos ambientales que generarían las eventuales viviendas, conforme a un «Reglamento Ambiental Interno» del Proyecto y que formaba parte de su descripción. Este reglamento establecía los denominados «supuestos de habitabilidad futura», los que consistían, básicamente, en una serie de lineamientos (obligatorios) para los adquirentes de los predios y que suponían limites en términos constructivos (140 m2, para cuatros personas, diseños arquitectónicos, alturas, jardines, dos estacionamientos, etc.); además, tal normativa interna establecía una serie de obligaciones (medidas) para los futuros adquirentes encaminadas a proteger su entorno.

Como se puede apreciar estaos supuestos de habitabilidad permitan tener claridad respecto de las obras futuras asociadas a las casas y, por ende, de los impactos que se generarían por ellas (emisiones, residuos, aumento de tiempos de desplazamientos, etc.). Es decir, se consideraron impactos de viviendas que no dependían del titular del proyecto; sin embargo, el SEA terminó anticipadamente ese proceso de evaluación[47], entre otras consideraciones porque no se entregó cierta información para evaluar tales impactos.

A través de este ejemplo es posible apreciar como, por un lado, es posible evaluar los impactos de viviendas futuras basados en supuestos y, por otro, como la autoridad a pesar de estar frente a un proyecto único en su tipo, no aplicó ninguna gradualidad al momento de ejercer sus potestades, lo que es más grave si se considera la falta de criterios oficiales respecto del punto.

Además, de ese caso vale citar un razonamiento de la SMA sobre la materia y que se plasmó en las resoluciones que obligaron a ingresar al SEIA a los proyectos Cutipay I, Cutipay II y Pilolcura. En tales casos la SMA indicó que el análisis de los impactos ambientales es «independiente de las características precisas de las casas que se construirán, en el sentido de que el proyecto puede ser evaluado como un loteo y conjunto de viviendas, revisándose los impactos que se prevé

---

[47]   A través de la Resolución Exenta N° 6, de 23 de julio de 2021, de la Dirección Regional del SEA de Los Ríos, por la cual se dispuso el término del procedimiento de evaluación de impacto ambiental del proyecto "Loteo Parque La Dehesa".

este generará al habilitar el espacio para su habitación. Ello, ya que corresponde hacerse cargo preventivamente, de las incidencias que un futuro conjunto de viviendas tendrá, por ejemplo, en materia de emisiones atmosféricas, contaminación acústica, afectación de recursos hídricos, pérdida de biodiversidad, planificación vial, desarrollo territorial, etc.; eso es lo que pretende esta causal de ingreso al SEIA, y no la evaluación de los impactos específicos de la construcción de cada una de las casas del conjunto»[48].

La SMA indica que la evaluación debe recaer en el loteo (obras de urbanización) y en el «conjunto de viviendas», sin considerar «los impactos específicos de la construcción de cada una de las casas»; sin embargo, vemos poco probable que ese estándar sea aceptado por el SEA, considerando que aquello podría significar una falta de información relevante y esencial y, en consecuencia, que se decrete un término anticipado del procedimiento.

Lo cierto es que urgen criterios oficiales del SEA respecto de la manera de evaluar estos proyectos que tienen una singularidad respecto del común de los proyectos inmobiliarios: las viviendas no serán construidas por su titular. En ese orden de ideas, estimamos que ponerse en supuestos de habitabilidad futura y regular la construcción y operación futura mediante reglamentos internos, son mecanismos adecuados para evaluar sus impactos, partiendo de la base que las casas no serán construidas por el responsable de la venta de las parcelas.

4. CONCLUSIONES

Se ha podido constatar que el cambio de criterio adoptado por la SMA, determina la necesidad de que los proyectos de parcelaciones rurales, se evalúen en forma previa ejecución, a través del SEIA, considerando, para esos efectos las tipologías de ingreso establecidas en el artículo 3° del D. 40/2013, y especialmente su letra g.).

Lo relevante en esa determinación, es la realidad del proyecto, esto es, los contornos objetivos de sus partes, obras y acciones, más allá de

---

[48]   Resoluciones Exentas Nos 2652, 2651 y 2654, todas del 21 de diciembre de 2021, de la SMA.

lo declarado por el titular en forma oficial. En tal sentido, en aplicación del principio de realidad, la autoridad ambiental puede establecer que el proyecto tiene un fin habitacional, generando con ello un núcleo urbano, independientemente de quién materialice la acción de edificar las viviendas.

Esta determinación genera incertidumbre en los eventuales criterios que pueda adoptar la autoridad ambiental al momento de su evaluación. Lo anterior, porque al efectuar la descripción de su proyecto, el titular únicamente podrá mencionar las obras que pretende habilitar (generación de caminos, sistema eléctrico y dotación de agua, etc.), y no aquellas que forman parte del proyecto habitacional en sí mismo. Tal omisión, en todo caso, puede ser sancionada con el término anticipado de la evaluación, al carecer el proyecto de información relevante y esencial.

Con la finalidad de entregar un mayor nivel de certeza jurídica, es urgente e indispensable que el SEA defina lineamientos y criterios de evaluación ambiental de este tipo de proyectos, tomando en consideración que no se trata de proyectos inmobiliarios comunes, pues por lo general sus responsables no construirán viviendas, dejando esa decisión al futuro propietario del terreno. En ese sentido, creemos que los supuestos de habitabilidad futura y los reglamentos internos ayudarían, por un lado, a determinar la descripción del proyecto y a establecer medidas adecuadas a sus impactos, especialmente en los que dice relación con la generación de núcleos urbanos al margen de la planificación, que en el SEIA se encuentra regulado en el artículo 160 de su Reglamento.

Bibliografía

Álvarez, Raúl, "La disciplina urbanística. Su entidad ante el Derecho", *Revista de Ciencias Sociales Derecho y Sociedad*, n°2 (1988), 38-40.

Bermúdez, Jorge, "Fundamento y límites de la potestad sancionadora administrativa en materia ambiental", *Revista de derecho (Valparaíso)*, n°40 (2013), 421-447.

Cordero, Eduardo, "El Derecho Urbanístico, los Instrumentos de Planificación Territorial y el Régimen Jurídico de los Bienes Públicos", *Revista de Derecho de la Pontificia Universidad Católica de Valparaíso*, n°29 (2007), 269-298;

Cordero, Eduardo, "Naturaleza, contenido y principios del derecho urbanístico chileno", *Revista de Derecho Universidad Católica del Norte*, n°22 (2015), 93-138.

Esteve, José. *Técnica, riesgo y derecho*. Barcelona: Editorial Ariel, 1999.

Federovisky, Sergio. *Historia del medio ambiente*. Buenos Aires: Capital Intelectual, 2007.

Fernández, José y Holmes, Felipe. *Derecho Urbanístico Chileno*. Santiago: Editorial Jurídica de Chile, 2008.

Fernández, José Pascual y Gamborino Gloria. *El medio ambiente: conceptos generales*, en *Derecho Ambiental Español*, ed. María José Reyes, 11-62. Valencia: Tirant Lo Blanch, 2001.

González de Molina, Manuel. *Historia y medio ambiente*. Madrid: Eudema Universidad, 1993.

González, Rodrigo et al, "Las movilidades del turismo y las migraciones de amenidad: problemáticas y contradicciones en el desarrollo de centros turísticos de montaña", *Revista de Geografía Norte Grande*, n.°44 (2009), 75-92. https://doi.org/10.4067/S0718-34022009000300004.

Herrera, Javier, "Regulación jurídica y efectos de las consultas de pertinencia de ingreso al Sistema de Evaluación de Impacto Ambiental, en *Administración y Derecho: Homenaje a los 125 años de la Facultad de Derecho de la Pontificia Universidad Católica de Chile*, Gabriel Bocksang, ed., 61-88. Santiago: Editorial Legal Publishing Thomson Reuters, 2014.

Hervé, Dominique, "Noción y elementos de la justicia ambiental: directrices para su aplicación en la planificación territorial y en la evaluación ambiental estratégica", *Revista de Derecho de Valdivia*, n°23 (2010), 9-36.

Hidalgo, Rodrigo, Borsdorf, Axel y Plaza, Felipe, "Parcelas de agrado alrededor de Santiago y Valparaíso. ¿Migración por amenidad a la chilena?", *Revista de Geografía Norte Grande*, n.° 44 (2009), 93-112. https://doi.org/10.4067/S0718-34022009000300005.

Jaquenod de Zsögön, Silvia. *El Derecho ambiental y sus principios rectores*. Madrid: Dykinson S.L, 1991.

Jordano, Jesús, "El futuro del Derecho Ambiental". *Revista de Medio Ambiente & Derecho: Revista electrónica de Derecho Ambiental*, n.°24 (2013), https://huespedes.cica.es/gimadus/principal24.htm

Latorre, Carlos. "Migración por amenidad: nuevos asentamientos en zonas rurales en la comuna de Puerto Varas a partir de parcelas de agrado" (Tesis para optar al grado de magister en análisis geográfico, Facultad de Arquitectura, Urbanismo y Geografía, Universidad de Concepción, 2022), http://repositorio.udec.cl/jspui/bitstream/11594/9941/1/Carlos%20Lato-rre%20Tesis.pdf.

Lozano, Blanca. *Derecho ambiental administrativo*. Madrid: La Ley, 2010.

Moss, Laurance. The amenity migrants: seeking and sustaining mountains and their cultures. Wallingford: CABI, 2006.

Nakayama, Lía y Marioni, Susana, "Migración por opción: El fenómeno migratorio en destinos turísticos de montaña", *Revista Brasileira de Pesquisa em Turismo*, n.°1 (2007), 101-136.

Ochoa, Alejandro, "Medioambiente como bien jurídico protegido, ¿visión antropocéntrica o ecocéntrica?", *Revista de derecho penal y criminología*, n.°11 (2014), 253-294;

Otero, Adriana, Zunino, Hugo y Rodríguez, Mariana, "Las tecnologías socioculturales en los procesos de innovación de los migrantes de amenidad y por estilos de vida. El caso del destino turístico de Pucón, Chile", *Revista de Geografía Norte Grande*, n° 67 (2020), 211-233. https://doi.org/10.4067/S0718-34022017000200011

Rajevic, Enrique, "La planificación urbana en Chile", R*evista de Derecho del Consejo de Defensa del Estado*, n.°1 (2001), 81-100.

Rojas, Christian, "Los riesgos, las funciones del derecho ambiental ante éstos, y su control por medio de entidades privadas colaboradoras de la gestión ambiental", *Revista de Derecho de la Pontificia Universidad Católica de Valparaíso*, n.°43 (2014), 549-582.

Zambrana, Patricia, "Introducció a la història del Dret mediambiental català: la salubritat de les aigües en les fonts jurídiques de Barcelona i Tortosa a l'edat mitjana i l'edat moderna", *Revista de Dret Històric Català [Societat Catalana d'Estudis Jurídics]*, n.°11 (2011-2012), 55-95.

Zambrana, Patricia, "Historia del derecho medioambiental: La tutela de las aguas en las fuentes jurídicas castellanas de la edad moderna", *Revista de estudios histórico-jurídicos*, n°34 (2012), 277-319.

Anexo de legislación

Ley 19.300 de 1994. Ley de Bases Generales del Medio Ambiente. (Diario Oficial de 9 de marzo de 1994).

Decreto 40 de 2013. Por el cual se aprueba el Reglamento del Sistema de Evaluación de Impacto Ambiental (Diario Oficial de 12 de agosto de 2013).

Decreto con fuerza de ley 458 de 1975. Ley General de Urbanismo y Construcciones (Diario Oficial, de 13 de abril de 1976).

Decreto 47 de 1992. Por medio del cual se fija nuevo texto de la Ordenanza General de Urbanismo y Construcciones (Diario Oficial de 5 de junio de 1992).

Decreto Ley 3516 de 1980. Por medio del cual se establecen normas sobre división de predios rústicos (Diario Oficial, de 1 de diciembre de 1980).

Ley 18755/1989, 7 de enero de 1989. Establece normas sobre el Servicio Agrícola y Ganadero, deroga la Ley N° 16.640 y otras disposiciones. Diario Oficial 7 de enero de 1989.

Resolución Exenta N° 267, de 4 de mayo de 2020, del Ministerio de Vivienda y Urbanismo, que Aprueba Guía de Procedimiento para definición de parámetros en equipamientos turísticos que no generen núcleos urbanos en sectores de ayllys y oasis de la región de Antofagasta, para la aplicación del informe a emitir por la SEREMI MINVU en el marco del art. 55 de la Ley General de Urbanismo y Construcciones (Diario Oficial CVE 1762743, de 20 de mayo de 2020).

Circular 332 (DDU 371), de 2017, por la cual se dictamina sobre permisos, aprobaciones y recepciones; franjas afectas a utilidad pública; tipos de permisos de urbanización y casos en que resulta obligatorio urbanizar un predio.

Dictamen 35.926, de 2013, de la Contraloría General de la República.

Dictamen 11.030, de 1996, de la Contraloría General de la República.

Resolución Exenta 1310, de 2020, que resuelve procedimiento administrativo sancionatorio Rol D-110-2018, seguido en contra de Inversiones Panguipulli SpA.

Resolución Exenta 274, de 2021, que resuelve procedimiento administrativo sancionatorio Rol D-077-2018, seguido en contra de Inversiones Santa Amalia S.A.

Resolución Exenta N° 6, de 23 de julio de 2021, de la Dirección Regional del SEA de Los Ríos, por la cual se dispuso el término del procedimiento de evaluación de impacto ambiental del proyecto "Loteo Parque La Dehesa".

Tribunal Ambiental de Valdivia. STA Rol R-28-2020, del 28 de octubre de 2021.

Tribunal Ambiental de Valdivia. STA Rol R-4-2021, del 7 de marzo de 2022.

II.
ARTÍCULOS ACADÉMICOS

(aprobados con Distinción Máxima), programa de Magíster
en Derecho de los Recursos Naturales y Medio Ambiente
2020-2021, Universidad Finis Terrae

TRANSPORTE Y DISTRIBUCIÓN DE HIDRÓGENO VERDE POR REDES DE GAS NATURAL EN CHILE: ANÁLISIS NORMATIVO-TÉCNICO Y PROPUESTA REGULATORIA[*]

Mattias Stiepovich López[**]

INTRODUCCIÓN

A la fecha de redacción de este trabajo no es ninguna novedad hablar sobre la crisis energética mundial[1] sobre la base del consumo

[*] Artículo Académico presentado ante la Dirección de Postgrados de la Facultad de Derecho para optar al grado académico de Magíster en Derecho de los Recursos Naturales y Medio Ambiente de la Universidad Finis Terrae (versión 2020-2021), siendo calificado por el tribunal de defensa con Distinción Máxima.
En primer lugar, quiero agradecer a mi tutor, Francisco Irarrázaval Armendáriz, quien con sus conocimientos, apoyo y buena voluntad me orientó a través de cada una de las etapas de este proyecto para alcanzar lo que buscaba. No hubiese podido arribar a estos resultados de no haber sido por su ayuda y grandiosa calidad humana.
También quiero reconocer a la Universidad Finis Terrae por brindarme, a través de su programa de Magíster, todos los recursos y competencias técnicas que fueron necesarios para llevar a cabo el proceso de investigación. De igual manera, quiero corresponder a Editorial Tirant Lo Blanch, quienes me han dado la oportunidad de publicar este artículo en una editorial académica del más alto prestigio.
Por último, pero definitivamente no menos importante, quiero dar las gracias a mi mujer, María Ignacia, quien me incentivó a tomar este desafío. Por su extraordinaria alegría y amor incondicional, por sus invaluables palabras de ánimo para renovar mis energías y por su magnífico ejemplo. Sin ella, la motivación, investigación, constancia y tiempo dedicado a este trabajo no hubiesen existido. A todos, muchas gracias.
[**] El autor es Magíster en Derecho de los Recursos Naturales y Medio Ambiente por la Universidad Finis Terrae, y Abogado, Licenciado en Ciencias Jurídicas, Universidad Adolfo Ibáñez. Correo: mattias@stiepovich.cl
[1] International Energy Agency (IEA), CO2 Emissions From *Fuel Combustion Highlights* 2018. December 2018, https://www.academia.edu/38020558/CO2_Emissions_from_Fuel_Combustion_2018_Highlight

de combustibles fósiles de forma irreversible, si es que no se toman medidas responsables y permanentes a escala global[2]. A nivel local, el sector energético en nuestro país es el responsable del 78% de las emisiones contaminantes, por lo que la descarbonización de los sectores de electricidad, calefacción, transporte e industria son clave para lograr los objetivos de protección del clima[3].

Debido a la urgencia para lograr la descarbonización total de la matriz energética y alcanzar los objetivos del Acuerdo de París[4] para el 2050, ratificado por Chile[5], se ha masificado y optado a nivel mundial por el uso de energías renovables no convencionales como centros de generación no contaminantes, logrando múltiples beneficios económicos y sociales en el mediano plazo, sin contar con la reducción de emisión de gases de efecto invernadero (GEI)[6]. Bajo este contexto, el hidrógeno verde, esto es, aquel producido y utilizado como energía generada por fuentes renovables[7], se perfila como el vector energético más prometedor del futuro para alcanzar estos fines[8].

Chile es un país privilegiado en el desarrollo de energías renovables, perfilándose como una de las naciones con mayor potencial para

---

[2]   Henry Fontain, "A World Speeding 'Dangerously Close' to a Tipping Point", in *The New York Times*" 5 december of 2019, p.10, https://www.nytimes.com/2019/12/04/climate/climate-change-acceleration.html.

[3]   Sociedad Alemana para la Cooperación Internacional (GIZ) y Ministerio Federal de Medio Ambiente, Protección de la Naturaleza y Seguridad Nuclear (BMU), *Descarbonización del sector energético en Chile*, 2019, https://4echile-datastore.s3.eu-central-1.amazonaws.com/wp-content/uploads/2020/08/05142648/Descarbonizaci%C3%B3n-del-sector-energ%C3%A9tico-en-Chile.pdf.

[4]   Naciones Unidas, Acuerdo de París, 2015, https://unfccc.int/sites/default/files/spanish_paris_agreement.pdf

[5]   United Nations *Treaty Collections, Chapter XXVII ENVIORONMENT*, 2015, https://treaties.un.org/Pages/ViewDetails.aspx?src=TREATY&mtdsg_no=XXVII-7-d&chapter=27&clang=_en

[6]   Natural Resources Defense Counsil y Asociación Chilena de Energías Renovables, *Beneficios Económicos de Energías Renovables no Convencionales en Chile*, R: 13-11-A., Septiembre 2013, p.40, https://www.nrdc.org/sites/default/files/chile-ncre-report-sp.pdf

[7]   International Energy Agency (IEA), The Future of Hydrogen. Seizing today's opportunities. Report prepared by the IEA for the G20, Japan, 2019, https://www.iea.org/reports/the-future-of-hydrogen

[8]   International Energy Agency (IEA), The Future of Hydrogen. Seizing today's opportunities..., 2019

la producción y exportación de hidrógeno del mundo[9], permitiendo que el precio de la energía favorezca la disminución en el costo de producción considerablemente[10], siendo el hidrógeno verde más competitivo del planeta[11]. El desarrollo de una industria del hidrógeno verde en Chile tiene el potencial de generar como mínimo 94 mil empleos para el año 2050[12], proyectando que su uso se expandirá a los sectores de la movilidad, residencial y de energía en el mediano y largo plazo[13]. Además, considerando que un 73 % del uso energético de los hogares se destina a calefacción/climatización[14], la opción a más corto plazo para el uso del hidrógeno en otro sector distinto al industrial es el de mezclarlo en las redes de gas natural para su uso residencial o su transformación en metano, ayudando a superar los problemas de calefacción en aquellos lugares donde el clima es más frío[15].

Con todo, debido al continuo desarrollo e inversión de esta tecnología, para poder transformar al hidrógeno (H2) en el vector ener-

---

[9]   R. Vásquez, F. Salinas y Sociedad Alemana para la Cooperación Internacional (GIZ) Tecnologías del hidrógeno y perspectivas para Chile, 2019, p.12, https://4echile-datastore.s3.eu-central-1.amazonaws.com/wp-content/uploads/2020/07/24213909/Tecnolog%C3%ADas-del-hidr%C3%B3geno-y-perspectivas-para-Chile_2019.pdf

[10]   Agencia Internacional de Energía Renovable (IRENA) . Hidrógeno: Una Perspectiva de Energía Renovable", 2019, p. 36https://www.irena.org/-/media/Files/IRENA/Agency/Publication/2019/Sep/IRENA_Hydrogen_2019.pdf

[11]   International Energy Agency (IEA), Latin America's hydrogen opportunity: from national strategies to regional cooperation, 2020, https://www.iea.org/commentaries/latin-america-s-hydrogen-opportunity-from-national-strategies-to-regional-cooperation

[12]   Sociedad Alemana para la Cooperación Internacional (GIZ) y el Ministerio de Energía de Chile, Cuantificación del encadenamiento industrial y laboral para el desarrollo del hidrógeno en Chile, 2020a, p.64, https://4echile-datastore.s3.eu-central-1.amazonaws.com/wp-content/uploads/2020/10/22121744/Encadenamiento-Reporte-Final.pdf

[13]   Sociedad Alemana para la Cooperación Internacional (GIZ) y el Ministerio de Energía de Chile, Descarbonización del sector energético chileno. Hidrógen, 2020b, https://4echile-datastore.s3.eu-central-1.amazonaws.com/wp-content/uploads/2020/09/16125937/Reporte_Final_Rev1_publicar.pdf.

[14]   Ministerio de Energía de Chile, Asociación de Agencias de Gas Natural, GLP Chile y Empresas Eléctricas A.G. "Informe final de usos de la energía de los hogares Chile 2018. Resultado 3500 encuestas, 2018, p.55, https://energia.gob.cl/sites/default/files/documentos/informe_final_caracterizacion_residencial_2018.pdf

[15]   Sociedad Alemana para la Cooperación Internacional (GIZ), *Descarbonización del sector energético chileno. Hidrógen*, 2020b

gético del futuro, es imprescindible una política y regulación normativa cuidadosamente diseñada[16], a fin de cumplir con las metas de reducción de emisiones acordadas a nivel mundial[17]. En Chile todavía no existen normas concretas que regulen al hidrógeno, siendo actualmente clasificado como una sustancia peligrosa, específicamente, como gas inflamable[18], requiriendo una actualización regulatoria que cumpla con los estándares internacionales de regulación.

Bajo este contexto de urgencia de actualización normativa, el *Informe Final* de la *Proposición de Estrategia Regulatoria del Hidrógeno para Chile*[19], levantó una línea base y propuso un plan de acción nacional para desarrollar un marco regulatorio del hidrógeno como matriz energética, estableciendo un total de veinte recomendaciones reglamentarias que debían implementarse en nuestro país en el corto, mediano y largo plazo.

El presente artículo tiene por objetivo proponer los contenidos normativos mínimos de una de esas propuestas, correspondiente a la regulación del reglamento de transporte y distribución de hidrógeno por cañerías y gaseoductos de la red de gas en Chile. Para lograr el cometido, se comenzará: 1) realizando un estudio de la normativa internacional de los países y comunidades líderes de la materia y sobre la seguridad en el manejo de esta energía; 2) se continuará examinando la regulación nacional vigente y; 3) se terminará exponiendo el estado actual de la red de gas natural en Chile y su factibilidad técnica para la mezcla o inyección de hidrógeno.

La originalidad de este artículo recae en las propuestas de contenidos normativos inexistentes hasta la fecha, pero cuya regulación ya encuentra plazo definido, situándose en un momento oportuno dentro de la actualización en la planificación energética pública del país.

---

[16]   International Energy Agency (IEA), *The Future of Hydrogen…*

[17]   Hydrogen Counsil, Hydrogen *Descarbonization Pathways. Potencial Supply scenarios*, 2021, https://hydrogencouncil.com/wp-content/uploads/2021/01/Hydrogen-Council-Report_Decarbonization-Pathways_Part-2_Supply-Scenarios.pdf

[18]   Sociedad Alemana para la Cooperación Internacional (GIZ) y el Ministerio de Energía de Chile, *Proposición de Estrategia Regulatoria del Hidrógeno para Chile. Informe final*, 2020c, p. 31. https://www.revistaei.cl/wp-content/uploads/2020/06/Prop-Estrat-Reg-Informe-Final_publicar.pdf

[19]   Sociedad Alemana para la Cooperación Internacional (GIZ), *Proposición de Estrategia Regulatoria…p. 31.*

Además, la escasez investigativa y doctrinaria de este tema en particular, facultan que este artículo pueda ser un aporte para el desarrollo de la investigación e implementación docente y administrativa para el transporte y distribución de hidrógeno verde por las redes de gas natural en Chile.

1. NORMATIVA INTERNACIONAL DE LOS PAÍSES Y COMUNIDADES LÍDERES EN MATERIA DE HIDRÓGENO VERDE Y LA SEGURIDAD EN EL MANEJO DE ESTA ENERGÍA

A nivel comparado, la tecnología del hidrógeno es controlada a través de códigos y estándares de una manera similar a otros combustibles[20], clasificándose como normas primarias, que se aplican a sistemas completos; y las secundarias, que regulan componentes y materiales[21].

En este sentido, la Unión Europea (UE) lleva desde hace unos años un plan de descarbonización que se alinea a lo acordado en el Acuerdo de París, actualizando las políticas dirigidas a este fin, muchas de ellas enfocándose en los puntos sugeridos por la Agencia Internacional de Energía[22]. En general, las directivas y reglamentos de la UE fomentan el uso de tecnologías con hidrógeno y se han enfocado en su uso como combustible. Además de estos, hay otros actos legislativos en las áreas de salud y seguridad, derecho ambiental, derecho laboral y derecho de la movilidad que afectan indirectamente la implementación de tecnologías del hidrógeno a fin de que cada Estado miembro, acorde a las directrices europeas, elabore un plan nacional integrado de energía y clima que cubran las dimensiones de la estrategia de la UE a largo plazo.

---

[20]   C. Rivkin, R Burgess & W. Buttner, Laboratorio Nacional de Energía Renovable, *Guía de Seguridad de las Tecnologías del Hidrógeno*, 2015, https://www.nrel. gov/docs/fy15osti/60948.pdf

[21]   Sociedad Alemana para la Cooperación Internacional (GIZ) y el Ministerio de Energía de Chile, *Proposición de Estrategia Regulatoria*, p. 42.

[22]   International Energy Agency (IEA), *The Future of Hydrogen...*

En cuanto al tema específico de este trabajo, la Unión Europea subraya la necesidad de un enfoque energético integrado, en el que se puedan aprovechar las sinergias en el funcionamiento de las redes de electricidad, gas y calefacción, aspirando a investigar cómo integrar el hidrógeno renovable en las redes de gas gradualmente, lo que podría sustancialmente contribuir a la "ecologización" de la infraestructura de gas y la descarbonización de los sectores de calefacción y refrigeración, así como reducir las importaciones de gas natural, destacando además que el hidrógeno verde inyectado a partir de la electrólisis podría mejorar el uso eficiente de energías renovables variables e intermitentes[23].

Es importante destacar, que en cuanto al marco regulatorio general y específico de la Unión Europea y sus miembros, se ha establecido un proyecto emblemático destinado a impulsar la absorción del mercado de las tecnologías de hidrógeno, proporcionando a los desarrolladores de mercado una visión clara de las regulaciones y normativas aplicables, a la vez que pretende llamar la atención de los responsables políticos sobre las barreras legales a eliminar y las recomendaciones sobre cómo eliminar dichas barreras, llamado *HyLaw*[24-25].

La Comunidad, a través del Proyecto *HyLaw*, creó el concepto de *Power-togas (PtG)*, en el contexto del acoplamiento sectorial, que significa la conversión, por electrólisis de agua, de energía eléctrica en un portador de energía gaseosa como hidrógeno o metano sintético, seguido de la inyección del hidrógeno o el sintético metano en la red de gas. Este proceso, declaran, generalmente involucra al Operador de Servicios de Distribución de Gas (DSO) local para mezclar y entregar gas natural rico en hidrógeno a través de las conexiones de la red local

23   Bundesministerium Nachhaltigkeit und Tourismus-Federal Ministry Republic of Austria. Sustentability and Tourism, Die wasserstoffinitiative – *The Hydrogen Iniciative*. 2018, p.12, https://www.eu2018.at/dam/jcr:6f59ae57-1b4b-419f-81d7-996de6bf77ea/Die%20Wasserstoffinitiative%20(nicht%20barrierefrei)%20(DE).pdf
24   El proyecto reúne a 23 socios de Austria, Bélgica, Bulgaria, Dinamarca, Finlandia, Francia, Alemania, Hungría, Italia, Letonia, Noruega, Polonia, Rumania, España, Suecia, Portugal, Países Bajos y Reino Unido y está coordinado por *Hydrogen* Europe.
25   HyLAW, *HyLaw online database, about HyLAW*, 2020, https://www.hylaw.eu/about-hylaw

y los clientes, pero también puede implicar el uso de la red de gas a presión, de larga distancia, gestionada por un Operador de Servicios de Transmisión (TSO) y que puede tener un interfaz de red con conexiones internacionales a la red de gas.

De acuerdo al reporte específico de la Unión Europea, la comunidad de *HyLaw* declara que para que *PtG* tenga lugar, es requerido un marco legal que cubra (entre otras cosas): (i) acceso a la red de gas; (ii) un marco para el permiso para conectarse a la red de gas e inyectar / mezclar hidrógeno en la red; (iii) un régimen financiero / de pagos y facturación para la recepción, transporte y suministro de hidrógeno o hidrógeno natural rico gas que cumple con los requisitos de calidad para los clientes y (iv) los regímenes de seguridad para las instalaciones de almacenamiento temporal de hidrógeno, y la conexión, mezcla e inyección de hidrógeno a la red de gas, junto con los regímenes de seguridad para los equipos domésticos, comerciales y de otros usuarios finales conectados a la red[26].

Con todo, pese a que las redes de gas europeas se han liberalizado y abierto a la competencia del mercado durante los últimos 20 años a través de Directivas y Reglamentos[27] que dan acceso a mercados de gas (y electricidad) y procedimientos operativos y de fijación de precios claros para el acceso a la red y la operación, estos se han basado en almacenamiento, transmisión, distribución y suministro de gas natural basado en el cliente, sin contar con cobertura legal específica que permita o regule la inyección de hidrógeno en la red de gas a nivel de distribución o de transmisión en toda la UE[28]. Por otro lado,

---

[26]   Alexandru Floristean, *HyLaw: Deliverable 4.5. EU Policy Paper*, 2019, p.21, https://www.hylaw.eu/sites/default/files/2019-06/EU%20Policy%20Paper%20 %28June%202019%29.pdf

[27]   En particular: Directiva 2009/73/CE; Reglamento (CE) N° 714/2009; 715/2009 y 713/2009.

[28]   El marco regulatorio vigente de la Unión Europea que aplica directa o indirectamente a actividades de hidrógeno y PtG son los siguientes: a) *Regulation (EC) No 713/2009 of the European Parliament and of the Council of 13 July 2009*; b) *Regulation (EU) 2015/703 of 30 April 2015*; c) *Commission Regulation (EU) 2017/460 of 16 March 2017*; d) *ATEX Directive 2014/34/EU*; e) *Regulation (EU) 2016/426 of the European Parliament and of the Council of 9 March 2016*; f) *Directive (EU) 2018/2001 of The European Parliament and of the Council of 11 December 2018*.

la normativa gestiona los procedimientos operativos y de seguridad de la red para las redes de gas, pero en la actualidad existen límites nacionales diferentes exigidos legalmente para los niveles permisibles de concentración de hidrógeno dentro de los flujos de gas y enfoques nacionales para el permiso para inyectar hidrógeno y acuerdos de pago por el hidrógeno inyectado.

Por ello, el reporte de *HyLaw* concluye que el marco legal del sector del gas (natural) en sí es completo, pero este se ha elaborado en torno a procedimientos operativos basados en gas natural y actividades relacionadas con el mercado para transmisión, distribución y suministro en régimen de servicio público. El marco regulatorio actual no se lleva bien ni cubre adecuadamente el acceso a la red para inyección de hidrógeno, provocando barreras en cuanto a la inexistencia de una posición legal clara e inequívoca para los procedimientos operativos y de seguridad de la red y para la concentración de hidrógeno en la red de gas; la inconsistencia de la aplicación de la metodología de los arreglos de pago y facturación del gas natural (basado en el poder calórico del mismo) con las *PtG* rico en hidrógeno; y la incertidumbre en las características de la llama y el calor de los aparatos de quema de gas al cambiar la composición del mismo con concentraciones más altas en hidrógeno[29].

Teniendo esto en consideración, el reporte estableció las siguientes recomendaciones para un marco regulatorio acorde para la implementación del transporte y distribución de hidrógeno verde por redes de cañerías: a) incluir a los operadores de la red de gas en los marcos reglamentarios pertinentes de la UE, para asegurar una igual de trato y condiciones en toda la comunidad; b) establecer un enfoque común para gestionar la seguridad del gas y los requisitos de cumplimiento para la conexión y operación de la red, tales como sitios de generación, mezcla, conexión e inyección y equipos y operaciones relacionados para mezclas de hidrógeno e hidrógeno potencialmente puro, determinando un umbral superior aceptable en las concentraciones de hidrógeno para permitir la planificación de la red; c) establecer un marco de garantía de origen y/o el esquema de rastreo, siendo necesario incluir incentivos en la fijación de precios y tarifas para la

---

[29]   Floristean, *HyLaw: Deliverable...*, p.23.

inyección de hidrógeno verde en la red de gas natural, compensando los costos de alimentación y conexión y; d) en cuanto a la preocupación en torno a la seguridad y umbral operativo de los aparatos quemadores de gas del usuario final (doméstico, comercial o industrial), establecer revisiones de la regulación de gas y una evaluación de la cadena de suministro de los impactos económicos, para validar y permitir la transición a la operación de la red de gas con niveles mayores de concentración de hidrógeno[30].

Por otro lado, en cuanto al análisis individual de países, las políticas y estrategias empleadas en cada nación dependen del contexto social, político, económico y cultural, así como también la disponibilidad de recursos y en la infraestructura existente. De esta forma, en algunas naciones el enfoque es preparar el terreno para productos y grandes mercados del hidrógeno mediante el uso de oportunidades basadas en la explotación de combustibles fósiles y adoptar una transición a hidrógeno bajo en carbono. En otros, en cambio, han decidido enfocarse en la creación de productos y mercados que se basen únicamente en hidrógeno verde o bajo en carbono desde un comienzo[31].

1.1. Alemania

Este país ha establecido un plan de descarbonización, proyectando producir hidrógeno principalmente a partir de la electrólisis del agua con electricidad de origen renovable, para ser utilizada tanto en el almacenamiento prolongado de energía, como en el sector de la movilidad[32]. El país ha tenido un liderazgo importante en el desarrollo de las tecnologías del hidrógeno, siendo también impulsor del concepto Power to X, aprovechando el exceso de generación, especialmente de energía eólica. En lo que se refiere a infraestructura para transporte, Alemania cuenta actualmente con 70 estaciones de carga de hidróge-

---

[30]   Floristean, HyLaw: Deliverable..., pp. 23-24.
[31]   Sociedad Alemana para la Cooperación Internacional, Descarbonización del sector energético, p.66.
[32]   Bundesministerium für Bildung und Forschung Nationale Wasserstoffstrategie. 2020, https://www.bmbf.de/de/nationale-wasserstoffstrategie-9916.html

no. Los planes contemplan llegar a 1000 estaciones el 2030.[33] Además, el país cuenta con una red de hidrógeno a nivel internacional, ubicada cerca de Frankfurt, la cual obtiene hidrógeno como un producto secundario en la generación de cloro[34].

En términos de distribución de hidrógeno por redes de cañerías, la legislación alemana hace una distinción entre la planta de generación de hidrógeno y la planta de alimentación a la red de gas, siendo esta última parte de la red de suministros y, por ende, propiedad del operador de la red de gas. De esta manera, es el operador quien planifica y construye esta planta y se ocupa de las aprobaciones necesarias, como la línea de suministro, el equipo de medición y el sistema de alimentación. Por tanto, es el operador de la planta de hidrógeno el único responsable del sistema técnico perteneciente a la generación del hidrógeno[35].

Regulatoriamente hablando, en Alemania el hidrógeno verde y el metano producido sintéticamente están incluidos en la definición de biogás según la Ley de la industria energética, contando a su vez con privilegios en la Ordenanza sobre el acceso a la red de gas, regulados en la Ordenanza de Acceso a la Red de Gas y en la Ordenanza de Cargos por Redes de Gas, tales como una conexión e inyección privilegiada, eliminación de tarifas de alimentación, pago de costos de red y asignación de costos a cargo de los operadores de redes de gas[36]. De acuerdo a esto, el operador de la red asume el 75% de los costos de conexión de la red y el interesado en desarrollar el proyecto asume el

[33]   Philipp Braunsdorf, "*Country Overview Germany*". Nationale Organization. Wasserstoff-und Brennstoffzellentechnologie, 2018, p.10, https://www.energy.gov/sites/prod/files/2018/10/f56/fcto-infrastructure-workshop-2018-1-braunsdorf.pdf

[34]   Bundesministerium für Verkehr und digitale Infrastruktur (BMWI), *Wasserstoff Instrastruktur für die Schiene*, 2016, https://www.now-gmbh.de/content/1-aktuelles/1-presse/20160701-bmvi-studie-untersucht-wirtschaftliche-rechtliche-und-technische-voraussetzungen-fuer-den-einsatz-von-brennstoffzellentriebwagen-im-zugverkehr/h2-schiene_ergebnisbericht_online.pdf

[35]   Sociedad Alemana para la Cooperación Internacional, *Descarbonización del sector energético chileno...*, p.67

[36]   Gerd Harms, Dennitsa Nozharova and German Hydrogen and Fuel Cells Association, *HyLaw National Policy* Paper – Germany, 2018, p.25, https://www.hylaw.eu/sites/default/files/2018-12/20181217_National%20Policy%20Paper%20DE%20en%20Final_0.pdf

25% restante, si la línea de conexión es de hasta 10 km de largo. Para los tramos de línea superiores a 100 kilómetros, el promotor del proyecto es responsable del 100% de los costos adicionales. Finalmente, el operador de la red está obligado a dar prioridad a la alimentación con hidrógeno producido de forma regenerativa.

1.2. Reino Unido

Continuando con el análisis internacional, Gran Bretaña ha sido líder en la evaluación de descarbonización de redes, junto con iniciativas para validar la operación de la red de gas con umbrales de hidrógeno significativamente más altos que de los que se prueban en países como Dinamarca, Francia y Nueva Zelanda[37]. Cuenta con una red de gas de clase mundial y el gas domina su curva de suministro de calor, calentando el 83% de sus edificios y proporcionando la mayor parte de su calor industrial. La mezcla de hidrógeno al 20% molar con gas natural ahorraría alrededor de 6 millones de toneladas de emisiones de dióxido de carbono cada año, el equivalente a la eliminación de 2,5 millones de autos en carretera[38].

De hecho, en cuanto a la inyección de hidrógeno en la red de gas natural, el proyecto *HyDeploy* destaca como el primer proyecto práctico del Reino Unido que demuestra que el hidrógeno puede mezclarse con seguridad en el sistema de distribución de gas natural sin necesidad de cambios en los equipos y la consiguiente interrupción del servicio[39].

De los países y comunidades analizados, Reino Unido cuenta con el marco regulatorio más vasto y específico en cuanto a la distribución de hidrógeno por redes de tuberías en ciudades, siendo además una de las naciones que más invierte en esta área en específico. Entre ellas, destacan Regulaciones sobre el manejo Seguro de Gas (*Gas Safety (Management) Regulations*) 1996; el *Programa Colaborativo H21),*

---

[37]   Harms, Nozharova and German Hydrogen and Fuel Cells Association, *HyLaw National Policy Paper*... p.12.

[38]   T. Isaac,.HyDeploy: The UK's First Hydrogen Blending Deployment Project, *Clean Energy* 3 N° 2 (2019), 114-125. https://doi.org/10.1093/ce/zkz006

[39]   Isaac, HyDeploy: The UK's First Hydrogen Blending Deployment Project...

que a través de una serie de proyectos busca apoyar la transición de la red de gas a 100% hidrógeno; *2016 H21 Leeds City Gate*, que trata sobre la Conversión de la red de gas de la ciudad de Leeds a hidrógeno; *H21 Competencia de Innovación en las Redes (Network Innovation Competition) (NIC)*, que trata sobre un programa con un fondo de 10.3 millones GBP para entregar evidencia cuantificada acerca de la seguridad en las redes y así poder tomar una decisión con información sobre el uso de hidrógeno en la red de gas existente y el *Proyecto Hydeploy*, el cual pretende establecer un aumento del límite de hidrógeno permitido en la red de gas hasta un 20 Vol.-%[40].

Sin embargo, es de la opinión de la UE que en Reino Unido no existe un marco de pago formal, claro y coherente para la transmisión de hidrógeno, que cubra las tarifas de conexión y los cargos, o que cubra la remuneración del hidrógeno suministrado/ inyectado. En este sentido, si bien no existen principios de fijación de precios para las redes de gas reguladas de otro modo para proporcionar un nivel de claridad sobre la valorización de los flujos de gas rico en hidrógeno, los sistemas *Power-toGas* tienen una justificación de negocio limitada y no pueden ir más allá de los proyectos de demostración. Además, si bien el marco legal tiene Directivas y Reglamentos específicos a nivel de transmisión y distribución, no hay una cobertura específica que regule la inyección de hidrógeno que se aplique a cualquier nivel en la UE y en el Reino Unido[41].

1.3. Holanda (Países Bajos)

Otro país interesante de analizar a nivel europeo es Holanda (Países Bajos), ya que históricamente ha sido un país de gas. Por lo tanto, cuenta con una gran experiencia y una extensa infraestructura de gas existente, jugando un papel importante en Europa en el suministro de gas, que será esencial para el siguiente paso en la infraestructura basada en la energía del hidrógeno.

---

[40] Dan Sadler et. al. *H21 Leeds City Gate Project Report*, 2017, https://www.h21. green/wp-content/uploads/2019/01/H21-Leeds-City-Gte-Report.pdf.
[41] Harms, Nozharova and Hydrogen and Fuel Cells Association, *HyLaw National Policy Paper*, p.12,

En cuanto a su marco regulatorio, la inyección de hidrógeno a nivel de transmisión y distribución está contenida en la Ley de Gas Holandesa, que define al gas natural como aquel compuesto por más del 50% de metano y al gas procedente de fuentes de energía renovable como aquel que contenga más del 50% de metano y cumpla con el *Decreto Ministerial de Calidad del Gas*. Esto significa que la *Autoridad Holandesa de Consumo y Mercado* solo puede determinar las tarifas del gas de acuerdo con la Ley del gas, lo que para gases con menos de 50% de metano (y por lo tanto sin "gas" en el sentido de dicha ley) no se pueden determinar las tarifas. Además, la inyección de hidrógeno en la red de gas solo está permitida hasta la concentración máxima especificada en el *Decreto Ministerial de Calidad del Gas*, que solo permite inyectar hidrógeno hasta 0.02 molar% para la Red de Transmisión de Alta Presión y 0,05% molar% para la Red de Transporte Regional, lo que significa que en la práctica nada (o muy poco) hidrógeno puede ser inyectado en las redes de gas, creando una barrera importante para la transición energética. Por otro lado, la legislación holandesa que regula el transporte de hidrógeno a través de las redes de gas está contenida en la *Ley de Progreso de Transición Energética* de 2018, que analiza su cometido desde un punto de vista legislativo, limitando las actividades permitidas de la empresa de la red y señalando las restricciones de las tareas permitidas por parte del administrador de la red.

De esta forma, pese al potencial por la infraestructura existente de redes de gas natural, en los Países Bajos todavía no está permitido legalmente inyectarlo, transportar o distribuir cualquier cantidad significativa de hidrógeno a través de la red de gas holandesa, por lo que los informes de la UE han establecido que se necesitan cambios técnicos y cambios en las regulaciones, códigos y estándares para la cadena de valor del gas en esta materia, con el fin de cumplir con el Acuerdo de París 2015[42]. Con todo, durante julio de 2021 el Gobierno Holandés presentó el proyecto de reemplazo de las actuales cañerías de gas natural por hidrógeno verde en su 100%, por lo que, con certeza, este país se posicionará como uno de los líderes a nivel normativo y técnico en el mediano plazo[43].

---

[42]   Floristean, *HyLaw: Deliverable 4.5. EU Policy Paper*, p. 20.
[43]   Hydrogen Counsil, *Hydrogen Descarbonization Pathways. Potencial Supply scenarios...*

Como contrapartida a la regulación europea, varios artículos que han recopilado la actividad de distintas industrias y la academia coinciden en que Japón es quien lidera el desarrollo tecnológico asociado al hidrógeno en estos momentos[44], por lo que es una pieza clave en el análisis regulatorio del transporte de hidrógeno por las redes de gas.

1.4. Japón

En Japón, el Plan Estratégico de Energía para implementar el desarrollo del hidrógeno verde fue aprobado por el Gobierno en 2017, donde se afirma que es esencial para dicho país formular una hoja de ruta hacia la realización de una "sociedad del hidrógeno", contemplando todos los sectores concebibles para hacer uso del hidrógeno, objetivos a alcanzar en cada paso de fabricación, transporte y almacenamiento de hidrógeno y esfuerzos de colaboración entre la industria, la academia y el gobierno para lograr estos objetivos[45]. Los programas japoneses prevén importaciones masivas de hidrógeno para transporte marítimo desde Australia y muchas otras partes del mundo. En el corto plazo, el hidrógeno será producido por la gasificación del carbón y otros hidrocarburos combinados con el secuestro de carbón, pero a medio y largo plazo se prevé que será reemplazado por hidrógeno a partir de recursos renovables[46].

Sin embargo, debido a la topografía montañosa del país, los sistemas de redes de tuberías de gas natural en Japón son limitados (la mitad de la red existente en comparación a Alemania) y está mucho menos interconectado a través del territorio de la nación[47]. Por ello, Japón no cuenta con un marco regulatorio de esta área en particular.

---

[44]   Vásquez, Salinas y Sociedad Alemana para la Cooperación Internacional, *Inyección de Hidrógeno en…*p. 61.

[45]   Consejo Ministerial de Energía Renovable, Hidrógeno y Temas Relacionados de Japón (2017), pp. 17-34.

[46]   Tokyo Metropolitan Government (TMG), *Hydrogen Society by 2020*, 2016, http://www.japan.go.jp/tomodachi/2016/spring2016/tokyo_realize_hydrogen_ by_2020.html

[47]   Mónica Nagashima, *Études de Iífri, Ifri, Japan's hydrogen strategy and its economic and geopolitical implications*" 2018, p.43, https://www.ifri.org/en/publications/etudes-de-lifri/japans-hydrogen-strategy-and-its-economic-and-geopolitical-implications

1.5. Estados Unidos

Finalmente, el último país a analizar, como líder en el desarrollo de hidrógeno verde, es Estados Unidos, específicamente, el estado de California, debido a que este estado ha asumido un compromiso enérgico en apoyar la implementación de estaciones de hidrógeno para cubrir la demanda anticipada de combustible para vehículos con pila de combustible, consistente en 20 MM USD/año desde 2014 hasta el 2024, es decir, 200 MM USD para llevar el número total de estaciones a 94 en 2023, además, se determinó una meta de reducción en las emisiones de gases de efecto invernadero del 40% en el período de 1990 hasta el 2030[48].

Los requerimientos de seguridad para uso de hidrógeno a nivel industrial del país están bien desarrollados[49] y han sido elaborados históricamente por la *National Fire Protection Association (NFPA)* y la *Compressed Gas Association (CGA)*, abordados en distintos códigos y estándares que definen requisitos de construcción, operación y mantenimiento de los sistemas de producción, almacenamiento y dispensación del hidrógeno.

Con todo, es importante destacar que no hay leyes ni reglamentos sobre la mezcla de hidrógeno en las redes de gas natural en los EE. UU, ni siquiera en California, pero existe el reporte técnico NREL/TP-5600-51995, que establece que se puede usar menos del 15 Vol.% sin incremento significativo de riesgos[50]. De todas formas, para los efectos del desarrollo de la hipótesis de este trabajo, es importante destacar que en el reporte *Blending Hydrogen into Natural Gas Pipeline Networks: A Review of Key Issues* del Departamento de Energía de Estados Unidos, se analizaron en 2013 siete cuestiones clave relacionadas con la mezcla de hidrógeno en un gasoducto, a saber, beneficios

---

[48]   National Conference of State Legislatures, *Greenhouse Gas Emissions Reduction Targets and Market-based Policies*, 2019, https://www.ncsl.org/research/energy/greenhouse-gas-emissions-reduction-targets-and-market-based-policies.aspx

[49]   Rivkin, Burgess & Buttner, Laboratorio Nacional de Energía Renovable, Guía de Seguridad de las Tecnologías del Hidrógeno", 2015, p.12

[50]   M W Melaina, O. Antonia, and M. Penev. Blending Hydrogen into Natural Gas Pipeline Networks: A Review of Key Issues, 2013, p.1, https://www.nrel.gov/docs/fy13osti/51995.pdf

de mezclar; extensión de la red de gasoductos en EE.UU.; impacto en los sistemas de uso final; seguridad; gestión de la durabilidad e integridad de los materiales; fugas; y extracción aguas abajo[51].

1.6. Análisis comparado en cuanto a la seguridad en la manipulación y transporte del hidrógeno

Un punto en que toda la regulación internacional comparte y busca solucionar de forma conjunta es la seguridad en la manipulación y transporte de este gas, por lo que se tratará este tema de forma independiente y transversal, exponiendo aquellos aspectos más relevantes que buscan prevenir al máximo cualquier consecuencia negativa de este combustible.

El hidrógeno ha sido utilizado de forma segura por muchas décadas en la industria, por ello, para su uso y transporte seguro el diseño de las estructuras para dicho fin debe considerar las propiedades de este elemento (que se grafican en la tabla posterior). En este sentido, el hidrógeno es el elemento más liviano y pequeño, siendo gaseoso a condiciones normales. Es 14 veces más liviano que el aire, por lo que asciende y se dispersa rápidamente. Se puede encontrar en estado líquido sólo a temperaturas extremadamente bajas (-253° C). Además, el hidrógeno es un gas incoloro, inodoro, insípido, altamente inflamable y no es tóxico, pero puede debilitar algunos metales[52]. La llama producto de la combustión del hidrógeno es casi invisible y solo puede ser vista con una cámara infrarroja. En tanto, otros combustibles como el propano y el gas natural, si bien también son inodoros, se les añade olor, el cual contiene azufre para que las personas puedan detectarlo, lo cual no sucede con el H2[53].

---

[51]   Melaina, Antonia, and Penev,. Blending Hydrogen into Natural Gas Pipeline p. V-XII.

[52]   Cid Jiménez, Iván, "Hidrógeno: vector energético en el siglo XXI" (Memoria Ingeniería técnica industrial, Escuela universitaria Ingeniería Técnica industrial Zaragosa, 2020).

[53]   Vásquez, Salinas y Sociedad Alemana para la Cooperación Internacional (GIZ) (2019), p. 55.

Tabla 1

Característica	Peligro Potencial	Medida de Control
Incoloro, Inodoro, Insípido.	Imposible de detectar por un humano.	Sensores de detección.
Baja viscosidad, átomo muy pequeño (puede ser absorbido en materiales).	Fugas, debilitamiento de ciertos materiales que pueden resultar en fallas estructurales.	Sistemas de detección de fugas, ventilación y selección adecuada de materiales.
Baja densidad energética volumétrica.	Almacenamiento a altas presiones.	Diseño adecuado de contenedores de almacenamiento, dispositivos de alivio de presión.
No respirable (sin oxígeno).	Peligros por acumulación en espacios confinados (como cualquier gas que no tiene oxígeno).	Sistemas de detección de fugas, ventilación.
Amplio rango de inflamabilidad.	Se puede encender en un amplio rango de concentración, por lo tanto, las fugas de cualquier magnitud son de cuidado.	Sistemas de detección de fugas, ventilación.
Energía mínima de ignición muy baja.	Una pequeña chispa lo puede encender.	Ventilación, tomas de tierra, sistemas de eliminación de posibles fuentes de ignición.
Baja temperatura de licuefacción.	Quemaduras criogénicas y daño pulmonar.	Sistemas de detección de fugas, equipos de protección personal.
Rápido cambio de fase de líquido a gas.	Explosiones de presión.	Dispositivos de alivio de presión, sistemas de detección de fugas.

Fuente: elaboración propia.

El hidrógeno comparte similares características respecto a combustibles convencionales y de uso común. Es decir, es posible categorizarlo en cuanto a su densidad relativa; temperatura de auto ignición;

rango de inflamabilidad; y energía mínima de ignición, como se muestra en la siguiente tabla[54]:

Tabla 2

	Hidrógeno	Gas Natural	Propano	Vapor de Gasolina	Comentarios
Densidad Relativa	0,07	0,55	1,52	4	El H2 es 14 veces más ligero que el aire.
Temperatura de auto ignición	1.085°C	1.003°C	914°C	450°C	El H2 y el gas natural tienen similares temperaturas de auto ignición, siendo 2 veces más alto que el vapor de la gasolina.
Rango de Inflamabilidad	4%-75%	5%-15%	2,1%-10,1%	1,4%-7,6%	El H2 tiene un amplio rango de inflamabilidad, sobre todo cuando el ratio hidrógeno-aire es 29%.
Energía Mínima de Ignición	0,02 mj	0,29 mj	0,26 mj	0,24 mj	En condiciones óptimas de combustión, el H2 puede encenderse con mínima energía (una pequeña chispa).

Fuente: elaboración propia.

En la práctica, tres puntos constituyen el marco básico para el manejo seguro del hidrógeno: la identificación de los riesgos potenciales para el tipo de aplicación en particular; la disposición de instalaciones técnicas fiables para detectar fallos en componentes y sistemas; y el análisis de los posibles efectos de las fugas de gas, en todas las condiciones en que la aplicación del hidrógeno deba funcionar[55]. La mezcla o inyección de hidrógeno en redes de gas natural puede reducir significativamente las emisiones de GEI si se utiliza hidrógeno de bajas emisiones. Sin embargo, la implementación de mezclas de hidrógeno en la red de tuberías de gas natural introduce considera-

54 Vásquez, Salinas y Sociedad Alemana para la Cooperación Internacional (GIZ) (2019), p. 57.
55 Vásquez, Salinas y Sociedad Alemana para la Cooperación Internacional, p. 57.

ciones de composición, presión, compatibilidad de materiales y funcionamiento del aparato y, en algunos casos, extracción de hidrógeno, para asegurar que se logre un sistema de suministro de gas robusto[56]. A ello, también es importante agregar, como se indicó anteriormente, consideraciones en cuanto a las condiciones sanitarias y ambientales en los lugares de trabajo.

Finalmente, pero no menos importante, para la seguridad no sólo juega un rol importante la tecnología, sino que también es necesario entrenamiento e instrucciones de operación especiales para el usuario, donde se incluya la obligatoriedad de capacitación del personal y utilización de elementos de protección personal específicos para la realización de las tareas. A modo de conclusión de este acápite sobre la seguridad es importante destacar la normativa internacional recomendada para un uso seguro del hidrógeno por cañerías y gasoductos, como se grafica en la siguiente tabla[57]:

Tabla 3

Documento Regulatorio	Normativa Internacional
Reglamento general de instalaciones e hidrógeno combustible	NFPA 2, ISO 16110, ISO 22734, SAE J2601, SAE J2601/2, SAE J2601/3, ANSI/CSA HGV 4.8, ISO 14687.
Reglamento de almacenamiento de sustancias peligrosas (Dto 43/2016)	NFPA 2
Reglamento sobre condiciones sanitarias y ambientales en los lugares de trabajo (Dto 594/2018)	NFPA 2, Directiva 1999/92/EC, Directiva 2014/68/EU, Directiva 2012/18/EU, Directova 2014/34/UE, Directiva 98/24/CE, 29 C.F.R. §1910.103, 29 C.F.R. §1910.101, 29 C.F.R. §1910.119.
Reglamento de transporte y distribución de hidrógeno por cañerías.	ASME B31.12, EIGA 121/14 (CGA G-5.6), 49 C.F.R. §171 a 180.

Fuente: elaboración propia.

---

[56]   Zen and the Art of Clean Energy Solutions, British Columbia Hydrogen Study, 2019, p.66
https://www2.gov.bc.ca/assets/gov/government/ministries-organizations/zen-bcbn-hydrogen-study-final-v6.pdf

[57]   Sociedad Alemana para la Cooperación Internacional, Proposición de Estrategia...2020c, p.71.

2. MARCO REGULATORIO DEL HIDRÓGENO EN CHILE

En Chile, el hidrógeno es clasificado como una sustancia peligrosa y, según la NCh382.Of 98:2003, pertenece a la Clase 2.1, gases inflamables. Por lo tanto, la reglamentación que regula su uso es aquella que trata el almacenamiento y transporte de sustancias peligrosas, y las que rigen la higiene y seguridad en los lugares de trabajo[58]. Como se ha indicado, en Chile todavía no existen normas específicas que regulen el hidrógeno, a diferencia de otras formas de energía[59].

En relación con el hidrógeno como gas, existen tres normas que involucran la identificación de los gases y el transporte de los mismos para los fines de este artículo: el Decreto Supremo N°280, de 2009, del Ministerio de Economía, denominado "Reglamento de Seguridad del Transporte y Distribución de Gas de Red"; el Decreto N° 66 de 2007, del Ministerio de Economía, llamado "Reglamento de Instalaciones Interiores y Medidores de Gas"; y el Decreto N° 191 de 1996 (última modificación realizada en 2017) del Ministerio de Economía, que "Aprueba el Reglamento de Instaladores de Gas".

El Decreto Supremo N° 280 del Ministerio de Economía, promulgado el 28 de octubre de 2009 y publicado el 7 de abril de 2010 consta de tan solo treinta y tres artículos. En él, se establecen los requisitos mínimos de seguridad que deben cumplir las redes de transporte y distribución de gas de red, nuevas y en uso, respecto de su diseño, construcción, operación, mantenimiento, reparación, modificación e inspección y término de operación. Además, se establecen las obligaciones de las personas naturales y jurídicas que intervienen en esas instalaciones, a objeto de desarrollar dichas actividades en forma segura, minimizando los riesgos de manera tal que no constituyan peligro para las personas y cosas (artículo 1°).

---

[58]   Sociedad Alemana para la Cooperación Internacional, Proposición de Estrategia...2020c, p.31.

[59]   En el caso de la electricidad, por ejemplo, la Ley General de Servicios Eléctricos y el Reglamento General de Servicios Eléctricos regulan de forma minuciosa la producción, el transporte, la distribución, el régimen de concesiones y tarifas de la energía eléctrica y las funciones del Estado relacionadas con estas materias.

En cuanto a la responsabilidad, el Reglamento establece en su Capítulo III que serán los propietarios y/u operadores los encargados de velar por la misma, ya sea desde el diseño de la red de gas hasta su término de operación, así como también de la mantención de las redes de gas en buen estado y en condiciones de evitar peligros para las personas o cosas, o interrupciones del servicio, junto con la conservación de diferentes estudios, planos y documentos técnicos utilizados para la construcción y mantención de las mismas. En materias de diseño, construcción, operación, mantenimiento, reparación, modificación e inspección y término de operación, la Superintendencia de Electricidad y Combustibles podrá permitir el uso de tecnologías diferentes a las establecidas en el reglamento, siempre que se mantenga el nivel de seguridad que el texto normativo contempla o se fundamenten en normas o códigos nacionales o extranjeras.

Respecto a este punto en particular (Capítulo IV y V del Reglamento), se establece la aplicación de las especificaciones contenidas en normas, códigos y reglamentos extranjeros "internacionalmente reconocidos", regulando de forma un poco más específica para las redes de gas que operen a presiones iguales o inferiores a 1 MPa (10 bar). Sin embargo, dichas normas carecen de una actualización, toda vez que eran las existentes y aplicables de forma previa a la promulgación del Decreto[60]. Finalmente, el Reglamento establece que será el propietario, al dar término definitivo de las operaciones en una instalación, quien deberá adoptar las medidas de seguridad necesarias para garantizar que ellas no constituyan riesgo para la seguridad de las personas y sus bienes (sin especificar cómo).

---

[60]   En este sentido, destacan: The American Society of Mechanical Engineers, ASME B31.8-2007, Gas transmission and distribution piping systems, 2007, de los Estados Unidos de Norteamérica, para los aspectos técnicos de diseño, construcción, instalación, revisión deconstrucción y ensayos de redes de transporte y/o distribución de gas de red; integridad de sistemas de gasoductos, 25 julio de 2011. el *Código ANSI/ASMEB31.8S-2004, "Managing System Integrity Of Gas Pipelines"*, para la gestión de integridad de tuberías; y el *Reglamento "DOT, Pipeline Safety Requirements, Part 191-Part 192, Minimun Federal Safety Standards", Title 49, Code of Federal Regulations, Pipeline Safety"*, de los Estados Unidos de Norteamérica, 2007, para la operación y mantenimiento, entre otros.

Por otro lado, el Decreto 66 de 2007 del Ministerio de Economía (promulgado el 2 de julio de 2007 y publicado el 19 de julio del mismo año), que aprueba el "Reglamento de Instalaciones Interiores y Medidores de Gas", consta de 106 artículos. Es decir, regula de forma extensa los requisitos mínimos de seguridad que deberán cumplir las instalaciones interiores de gas, sean individuales o colectivas, abastecidas a través de una red (gas de red) o de envases a presión (cilindros) como asimismo sus medidores de gas, que sean parte integrante de edificios colectivos o casas, de uso residencial, comercial, industrial y público, ya sea en su fase de proyecto, ejecución o construcción, medidores de gas, instalación de artefactos a gas, puesta en servicio y operaciones.

Además, el Reglamento referido señala que las instalaciones de gas deberán ser realizadas por personas que cuenten con una certificación aprobada por la SEC, dando cuenta de todas aquellas tareas y/o modificaciones que se gestionen, previa comprobación de suministro general de la red (artículos 11 y siguientes). De igual forma, el decreto indica los requisitos y responsabilidades de las empresas constructoras de la red, de los fabricantes de los artefactos, las empresas de gas, propietarios y consumidores, entre otras, además de señalar los requerimientos técnicos para los proyectos de instalaciones de gas.

Finalmente, el Decreto Supremo N° 191 de 1996 del Ministerio de Economía (su última versión es de 2017), aprueba el Reglamento de Instaladores de Gas. En sus once artículos, el Reglamento tiene por objeto establecer los requisitos mínimos que se debe cumplir para obtener las licencias de instalador de gas, y fijar disposiciones para un adecuado desempeño profesional, con el fin de garantizar que las instalaciones de gas cumplan con las condiciones mínimas de seguridad y que no constituyan un peligro para las personas y las cosas, previa certificación otorgada por la SEC (artículo 1°).

Como se puede apreciar, no obstante los tres Reglamentos analizados regulan de forma específica/técnica el transporte y la distribución del gas en red, y pese a que el transporte del hidrógeno verde por cañerías será en su estado gaseoso, la normativa existente es insuficiente en cuanto hidrógeno se refiere. No se hace una diferenciación en cuanto a sus características, ni menos se establecen condiciones mínimas de seguridad, suministro o manipulación.

2.1. Factibilidad técnica de inyección o mezcla de hidrógeno y redes de gas en Chile

En agosto del año 2021, la Sociedad Alemana para la Cooperación Internacional (GIZ), en coordinación con el Ministerio de Energía de Chile, publicaron un estudio llamado "Inyección de Hidrógeno en Redes de Gas Natural", donde identificaron los antecedentes y factores claves que determinarán la posibilidad de inyectar hidrógeno en la red de gas natural.[61]

Para determinar la factibilidad técnica de reemplazar el gas natural por hidrógeno o de inyectar una fracción en volumen de este elemento, es necesario conocer la tolerancia que tiene cada componente de la red de gas natural en relación con su funcionamiento y seguridad en contacto con la mezcla o con 100% de hidrógeno. Para ello, el grado de tolerancia dependerá de: la presión de operación; la materialidad de las tuberías; los componentes, tales como válvulas y compresores en la parte del transporte; el tipo de uso o combustión final; y los componentes que utilizan gas, para el caso de los consumidores finales[62].

La infraestructura de gasoducto de transporte existente para gas natural en el país se encuentra instalada en cuatro grandes zonas geográficas (Antofagasta, Metropolitana-Valparaíso, Bíobío y Magallanes), determinadas por el centro de consumo como lo son generación eléctrica, producción industrial en algunos casos y el consumo residencial en otros. Las materialidades presentes y la extensión de los gasoductos de Chile en el segmento de transporte se resumen y describen en los siguientes gráficos:[63]

---

61 Sociedad Alemana para la Cooperación Internacional (GIZ) y el Ministerio de Energía de Chile, *Inyección de Hidrógeno en Redes de Gas Natural*, 2021, p. 11-15, https://www.4echile.cl/publicaciones/inyeccion-de-hidrogeno-en-redes-de-gas-natural/

62 Sociedad Alemana para la Cooperación Internacional, *Inyección de Hidrógeno en Redes...* p 9.

63 Sociedad Alemana para la Cooperación Internacional, *Inyección de Hidrógeno en Redes...* p. 40-42.

Tabla 4

GASODUCTOS ZONA NORTE					
Gasoducto	Diámetro (pulg)	Capacidad (MMm³ / día)	Longitud total (km)	Materialidad	Máxima Presión [bar]
Gasatacama (Internacional)	20	5,4	941	API 5L X-70	100
Norandino (internacional)	20, 12 y 16	7,1; 7,64; 1,6; 5,5; 3,9; 1,6.	1.180	API 5L X-70	100 y 97,6
Taltal (nacional)	16 y 12.	2,4 y 1,8.	229	API 5L X-65	99,2

Fuente: elaboración propia.

Tabla 5

GASODUCTOS ZONA CENTRO SUR					
Gasoducto	Diámetro (pulg)	Capacidad (MMm³ / día)	Longitud total (km)	Materialidad	Máxima Presión [bar]
GasAndes (internacional)	6, 12, 20 Y 24.	0,2; 5,6; y 9.	538,1	API 5L Gr. B.; API 5L X-60; y API 5L X-65	99,3
Electrogas (nacional)	16, 24 y 30.	1,2 y 4,1	138	API 5L X-70 y API 5L X-65	50 y 82,4
Gas Pacífico (internacional)	10, 12, 16, 20 y 24	1; 2,1; 3; 6,7 y 9,7	663,4	API 5L X-52 y API 5L X-70	97,5
Gasoducto Innergy Transporte	4 y 8	0,2468 y 0,247	21,64	API 5l X-42 y API 5L GRB	50

Fuente: elaboración propia.

Tabla 6

GASODUCTOS ZONA MAGALLANES					
Gasoducto	Diámetro (pulg)	Capacidad (MMm³/día)	Longitud total (km)	Materialidad	Máxima Presión [bar]
ENAP Punta Daniel-Daniel Central	12	4,5	6	s/i	s/i
ENAP Daniel Central-Posesión	10	4,5	16,6	s/i	s/i
ENAP Posesión	12	2	1	s/i	s/i
ENAP Posesión-Cabo Negro	18	6,3	177	s/i	s/i
ENAP Posesión-Cabo Negro	20	7	177	s/i	s/i
ENAP Pecket-Esperanza	6	0,3	120	s/i	s/i
ENAP Cabo Negro-Gasco	12	2	2,8	s/i	s/i
ENAP CullenPunta Daniel	14	4,5	69	s/i	s/i
ENAP Sara-Victoria	4	0,1	5,2	s/i	s/i
ENAP Victoria-Lautaro	6	0,1	13,4	s/i	s/i
ENAP Lautaro-Cabañas	8	0,1	13,2	s/i	s/i
ENAP Cabañas-Clarencia	4	0,1	23,9	s/i	s/i
Enap Frontera-Daniel Este	8	2,8	10,8	s/i	s/i

Fuente: elaboración propia.

En cuanto al segmento de distribución, existen redes de distribución para abastecer casas y edificios en las principales ciudades de Chile. No obstante, no existen registros que reúnan la totalidad de gasoductos para la distribución en el sector residencial, pudiendo sólo determinar su infraestructura a través del estudio de decretos donde se otorga la concesión a empresas de gas para construir redes de distribución en la ciudad y otras fuentes que mencionan el lardo de red de tuberías[64], cuyo resumen se grafica a continuación:

Tabla 7

DISTRIBUCIÓN ZONA NORTE					
Empresa de distribución	Región	Tipo de red	Máxima Presión [bar]	Longitud total (km)	Materialidad
Metrogas S.A.	Arica y Parinacota, Tarapacá, Antofagasta, Atacama	Estructural y D. Terciaria	3,8	225,14	Pe 80 y PE 80 SDR 11
Progas S.A.	Antofagasta	Estructural y D. Terciaria	s/i	s/i	PEMD
Abastible S.A.	Atacama	Estructural y D. Terciaria	4	60,26	PE 80 SDR11
Empresa Lipigas S.A.	Antofagasta, Atacama, Coquimbo	Estructural, D. Terciaria y D. Secundaria	4 y 6	18,04	PE 100 SDR 11

Fuente: elaboración propia.

---

[64]   Sociedad Alemana para la Cooperación Internacional, *Inyección de Hidrógeno en Redes...* pp. 45-51.

Tabla 8

DISTRIBUCIÓN ZONA CENTRO					
Empresa de distribución	Región	Tipo de red	Máxima Presión [bar]	Longitud total (km)	Materialidad
GasValpo S.A.	Valparaíso	Estructural y D. Terciaria	4 y 34	87,09	Acero y PE
Empresa Lipigas S.A.	O'Higgins y Maule	Estructural, D. Terciaria y D. Secundaria	4 y 28	40,95	Acero, PE y PE 80.
Energas S.A.	Valparaíso	D. Terciaria y D. Secundaria	4, 10 y 30	186,03	API 5L gr B, PEMD, Acero ,
Abastible S.A.	O'Higgins, Maule y Bíobío	Estructural y D. Terciaria	4	265,86	PE, PE 80, Cobre tipo L o K, SDR 11,
Intergas S.A.	Bíobñio	D. Terciaria y D. Secundaria	4, 10 y 30	34,46	Acero y PE
Ecogas S.A.	Bíobío	D. Terciaria y D. Secundaria	4, 10 y 30	78,08	PE y Acero
Gas Sur S.A.	Bíobío	D. Terciaria y D. Secundaria	3, 4, y 30	131,08	API 5L Gr. B, PE y PEHD.
Gasco S.A.	Metropolitana	Estructural, D. Terciaria y D. Secundaria	s/i	243,25	Acero, PE
Metrogas S.A.	Valparaíso, Metropolitana, O'Higgins, Maule	Estructural, D. Terciaria y D. Secundaria	s/i	897,44	PE, Acero, SDR 11,
Gas de Chile S.A. (No está vigente Actualmente)	Metropolitana	s/i	s/i	133,76	Acero y PE

Fuente: elaboración propia.

Tabla 9

DISTRIBUCIÓN ZONA SUR					
Empresa de distribución	Región	Tipo de red	Máxima Presión [bar]	Longitud total (km)	Materialidad
Enagas	Araucanía	s/i	4	24,3	PEMD
Ecogas	Araucanía, Los Lagos	D. Terciaria	4	58,062	PE
Abastible S.A.	Araucanía, Los Lagos, Los Ríos	D. Terciaria y Estructural	4	228,98	PE 80 SDR 11
Metrogas S.A.	Araucanía, Los Lagos, Los Ríos	Estructural, D. Terciaria, 2ria Estructurante, 3ria Estructurante.	3,8, y 8,9	193,19	PE 80 SDR 12, PE 80 SDR 11, PE 100 SDR 11, PE 80.
Empresa Lipigas S.A.	Los Lagos, Los Ríos	Estructural, Secundaria, 3ria Estructurante	4, 10	64,81	PE 80, PE 100

Fuente: elaboración propia.

Respecto al segmento de servicio (o uso final), para determinar el potencial de uso del hidrógeno en las aplicaciones, el estudio referido detalla los consumos de los usuarios finales de gas natural respecto a los subsectores residencial, comercial, e industrial, especificando los tipos de usos de acuerdo a los artefactos propios de cada sector y las implicancias técnicas para cada caso (como calderas que funcionan con gas como combustibles, quemadores de cocina, calefactores de agua, sistemas de calefacción y medidores de gas, entre otros)[65].

Luego de un extenso análisis, el estudio concluye que es potencialmente factible inyectar hidrógeno en la red de gas natural en porcentajes reducidos, siempre y cuando se consideren los factores para

---

[65] Sociedad Alemana para la Cooperación Internacional, *Inyección de Hidrógeno en Redes...* pp.51-74.

determinar cuánto porcentaje de hidrógeno es posible inyectar de forma segura, tales como la tolerancia que el equipo conectado a la red tiene con el H2.

Para el segmento de transporte de gas natural, la cantidad admisible de mezcla o inyección de hidrógeno podría llegar al 20%, pero para el caso de los consumidores finales conectados directamente a la red de transmisión, como las generadoras eléctricas con turbinas de gas natural e industrias con calderas, el porcentaje de hidrógeno tolerable es de 1% a 5%[66].

Para el caso de distribución y servicio, existen mayores posibilidades de inyectar un mayor porcentaje de hidrógeno sin mayores modificaciones, ya que las tuberías están construidas de materiales más dúctiles y compatibles con el mismo, como lo es el polietileno, el cual puede tolerar más de un 30% de H2 sin mayores cambios. Para las aplicaciones comerciales y residenciales que generalmente se encuentran conectadas en esta sección de la infraestructura total de gas natural, la compatibilidad de hidrógeno varía entre un rango de 5%-30% dependiendo de la tecnología de combustión[67].

Es importante destacar que en Chile los principales beneficios que la inyección de hidrógeno a la red de gas natural puede entregar son la reducción de emisiones de gases de efecto invernadero y la disminución de dependencia en la importación gas natural, estando limitada la tasa de disminución de CO_2 por el porcentaje de hidrógeno que pueda ser inyectado[68].

En este sentido, de acuerdo a la información aportada por la Superintendencia de Electricidad y Combustibles, Chile (en adelante "SEC") consumió durante 2019[69] aproximadamente 4.699.252.920 [m3] de gas en los sectores industrial, comercial, residencial y de ge-

---

[66]   Sociedad Alemana para la Cooperación Internacional, *Inyección de Hidrógeno en Redes...* p 78.

[67]   Sociedad Alemana para la Cooperación Internacional, *Inyección de Hidrógeno en Redes...* p 77.

[68]   M. Abeysekera, J. Wu, N. Jenkins and M. Rees. Steady state analysis of gas network with distributed injetion of alternative gas. Applied Energy 164 (15 feb 2016), 991-1002, https://doi.org/10.1016/j.apenergy.2015.05.099

[69]   Los datos analizados son pre pandémicos, para dar una mayor objetividad en el estudio.

neración, estimando que las emisiones de dióxido de carbono producidas por el uso de este combustible alcanzan un valor de 9.279.184
[TonCO2]. Tomando estos datos en observación y considerando que
las posibilidades de inyección pueden variar teóricamente desde un
5% hasta un 20%, se puede proyectar una tabla y un gráfico que de-
muestran la cantidad de CO2 que puede evitar emitirse en tres casos
de estudio, al 5%, 10% y 20%[70].

Tabla 10

Dato	Caso 5% Inyec- ción H2	Caso 10% Inyección H2	Caso 20% Inyección H2	Unidad
Consumo	4.875.727.247	5.065.791.433	5.494.733.390	[m3]
Volumen Gas Natural	4.631.940.884	4.559.212.290	4.395.786.712	[m3]
Volumen Hidrógeno	243.786.362	506.579.143	1.098.946.678	[m3]
Energía Gas Natural	181.150	178.306	171.914	[TJ]
Energía Hidrógeno	2.633	5.471	11.869	[TJ]
Total Energía	183.783	183.777	183.783	[TJ]
Índice de Wobbe[71]	48,88	48,31	47,194	[-]
CO2 Emitido	9.146.269	9.002.658	8.679.957	[TonCO2]
CO2 Evitado	132,91	276,53	599,23	[kton]
Aumento Volumen	4%	8%	17%	

Fuente: elaboración propia.

---

[70] Sociedad Alemana para la Cooperación Internacional, Inyección de Hidrógeno
en Redes... pp. 75 y 76.
[71] El índice de Wobbe es un parámetro importante cuando se quiere mezclar gases
combustibles y el aire (en una reacción de combustión), se controla este índice
para asegurar la combustión satisfactoria en un quemador.

Gráfico CO2

CO2 Evitado [kTon]

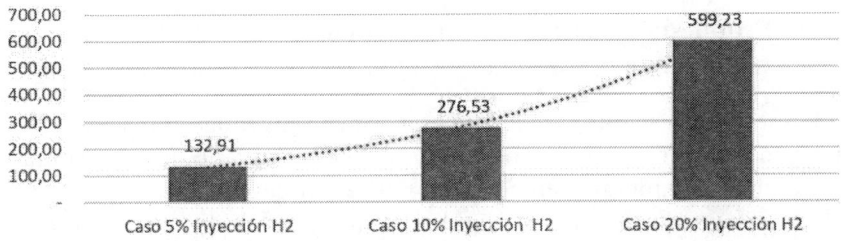

Fuente: elaboración propia.

Finalmente, el mismo estudio señala que *"debido a que esta zona (distribución) es la de mayor factibilidad por el momento para realizar blending de H2 con gas natural, se requiere realizar una normativa exhaustiva, con revisión pre y post inyección en cada uno de los sectores que se quiera realizar"*[72].

2.2. Aspectos y consideraciones regulatorias previas y necesarias para la propuesta de contenidos mínimos en la reglamentación de transporte y distribución de hidrógeno en las redes de gas natural en Chile

El análisis realizado hasta ahora ha develado múltiples factores que inciden en una regulación normativa exhaustiva y responsable, ya sea a nivel de coherencia general que permita un cambio en la matriz energética, ya sea como una obligación e incentivo para su implementación, o ya sea aquellas consideraciones más particulares y reglamentarias que este nuevo combustible requiere. Por este motivo, la propuesta de contenidos mínimos para su regulación sólo alcanzará su eficacia cuando exista un respaldo e incentivo regulatorio y multisectorial. Por ello, previo a las propuestas específicas del contenido de la reglamentación objeto de este artículo, se propone la existencia

---

[72]   Sociedad Alemana para la Cooperación Internacional, *Inyección de Hidrógeno en Redes...* p. 78.

de una regulación legal y política en dos niveles distintos e independientes.

2.2.1. Propuesta de la regulación normativa y políticas multisectoriales que permitan una transición en la matriz energética

Es necesario seguir las recomendaciones realizadas por la Unión Europea respecto a un enfoque energético integrado, que permita aprovechar las sinergias en el funcionamiento de las redes de electricidad, gas y calefacción, aspirando a integrar el hidrógeno renovable en las redes de gas gradualmente[73]. Antes de cualquier regulación normativa específica respecto a las características y consideraciones especiales del hidrógeno o sobre la factibilidad técnica del porcentaje permitido de inyección, se sugiere alcanzar la totalidad del concepto *Power-togas (PtG)*, en el contexto del acoplamiento sectorial, donde no sólo se involucre al Operador de Servicios de Distribución de Gas local para mezclar y entregar gas natural rico en hidrógeno a través de las conexiones de la red local y los clientes, sino que también implique el uso de la red de gas de larga distancia, gestionada por un Operador de Servicios de Transmisión que gestione y controle toda los segmentos del hidrógeno.

La primera recomendación necesaria para alcanzar una eficacia en una regulación reglamentaria específica, es la creación de un marco normativo general, exclusivo del Hidrógeno Verde como vector energético, que exija un servicio de suministro estable y que tenga garantías ante problemas de generación y distribución, al igual que en su calidad, el régimen de concesiones y licitaciones, tarifas de la energía y las funciones del Estado relacionadas con estas materias, dependiente del Ministerio de Energía.

Por ello, el punto de partida inicial es el implementar un servicio público de energía de hidrógeno verde similar al existente con el sistema eléctrico nacional, donde se establezca una coherencia normativa desde la Constitución Política de la República hasta Reglamentos específicos para cada tipo de uso.

---

[73] *Bundesministerium Nachhaltigkeit und Tourismus-Federal Ministry Republic of Austria. The Hydrogen Iniciative.... 2018*, p.12.

De igual forma, también será necesaria la creación de distintos órganos, ya sea de carácter técnico o político, que velen por el funcionamiento y fiscalización del sistema, como lo es la Comisión Nacional de Energía, el Coordinador Eléctrico Nacional o el Panel de Expertos, para el caso de la energía eléctrica. Es menester la implementación de garantías constitucionales que protejan su funcionamiento y desarrollo desde su generación hasta el uso del consumidor final, asegurando una calidad y constancia del suministro.

En otras palabras, si el objeto final de la implementación del uso de hidrógeno verde es una transición para el cambio definitivo de la matriz energética, es necesario la creación de un sistema regulatorio específico para el "sistema de hidrógeno verde".

Pese a que esta recomendación normativa inicial tiene un componente político fuerte y que no estará exento de discusión, no es sensato recomendar la existencia de un Reglamento que regule la inyección o mezcla del hidrógeno en las redes de gas natural, si no existe previamente una ley general o un sistema energético al cual pertenecer y que sea amparado por la Carta Fundamental que, hasta ahora, es o inexistente (para el caso de un sistema de regulación específico para el hidrógeno y/o el hidrogeno verde) o insuficiente (para el caso de la normativa existente respecto al gas natural), como se señaló en este artículo.

Debido al éxito demostrado en la regulación del sistema de suministro de energía eléctrica establecido en la Ley General de Servicio Eléctrico, es prudente la fundamentación en dicho sistema de regulación energético, haciendo uso de sus virtudes y defectos (que no son materia de este artículo) para obtener un sistema general mejorado.

Este nuevo sistema energético, además, debe integrar no sólo a otros sistemas energéticos relacionados (como el caso del uso de hidrógeno para la generación de energía eléctrica o como parte del suministro derivado al Sistema Interconectado Central), sino que también es imprescindible su correlación y trabajo conjunto con otros actos legislativos que afectan indirectamente la implementación de tecnologías del hidrógeno, como en las áreas de salud y seguridad, derecho ambiental, derecho laboral y derecho de la movilidad, previamente coordinado y unificado con los distintos Ministerios correspondientes.

Considerando la disponibilidad de los recursos de energía solar y eólica en Chile, sumado a la permanente actualización en las tecnologías para su generación, se recomienda que esta ley de sistema energético de hidrógeno contenga disposiciones que incentiven el I+D aplicada para la adopción de tecnologías que muestren potencial de transición a la fase comercial y que posibiliten el desarrollo de la industria. En este sentido, no obstante que la implementación del marco regulatorio del cambio de matriz energético es de carácter legal y político, no hay que dejar de tener en consideración que su proceso será, en gran parte, técnico, por lo que el incentivo de la investigación y desarrollo es imprescindible.

2.2.2. Propuesta de contenidos normativos de obligación e incentivo en la inyección o mezcla de hidrógeno verde en la red de gas natural

Una vez establecida la regulación general del mercado o sistema de hidrógeno verde es necesaria la promulgación de una disposición legal que obligue e incentive la inyección o mezcla de hidrógeno verde en la red de gas natural del país. Para ello, se recomienda asimilar o fundamentar esta norma en la Ley 20.257 de 2008 que *Introduce Modificaciones a la Ley General de Servicios Eléctricos respecto a la Generación de Energía Eléctrica con Fuentes de Energías Renovables no Convencionales*, conocida como Ley ERNC. Las razones de esta recomendación son de carácter práctico y estratégico.

La Ley ERNC, modificó la Ley General de Servicios Eléctricos a fin de establecer la obligación de abastecer un porcentaje de la demanda mediante inyecciones provenientes de medios de generación de energías renovables no convencionales, debiendo ser cumplida por cada empresa eléctrica que efectúa retiros de energía para comercializarla con distribuidoras o con clientes finales. Estableció que la obligación de proveer parte de los retiros por inyecciones de ERNC es de 5 por ciento para los años 2010 a 2014, aumentando 0,5 por ciento anual a partir del año 2015 hasta alcanzar 10 por ciento el año 2024.

Además, señala que en caso de que una empresa exceda su obligación de inyecciones de ERNC, por medios propios o contratados, puede convenir traspasar sus excedentes a otra empresa eléctrica, incluso en otros sistemas eléctricos. Finalmente, también indica que las empresas que no cumplen su obligación tienen que pagar un cargo de déficit, aumentando su valor de mantenerse en esa situación[74].

Las razones prácticas para promulgar esta disposición de forma similar o fundamentada en la Ley 20.257 son justamente los resultados que esta norma alcanzó. Esto, porque dicha ley demostró que las ERNC en las condiciones de mercado podían ser competitivas y aportaban al sistema una disminución de los costos de operación, lo que se tradujo que en 2013, a 3 años desde su entrada en vigencia, se promulgara la ley 20.698 (o Ley 20/25)[75], que incrementó el objetivo de la obligación en términos de proveer generación eléctrica de fuentes ERNC para llegar a 20 por ciento al año 2025, además de inlcuir licitaciones públicas para la venta de las inyecciones de bloques de energía provenientes de medios de generación renovable no convencional, con precios garantizados por 10 años.

En otras palabras, no sólo logró el impulso necesario para doblar el porcentaje de cuota de inyección en menos de un cuarto del tiempo estimado original, sino que también estableció mayores incentivos (en la garantía de precio) para su implementación. Gracias a esto, en 2020 los resultados de este cambio fueron más notorios que nunca y las fuentes limpias (represas hidroeléctricas incluidas) alcanzaron un 46,5 por ciento de la generación total, la mayor proporción en casi 15 años[76]. Si bien existen posturas doctrinarias que no adulan su implementación por el traspaso de sus costos de operación a los usuarios finales[77], la evidencia demuestra que la eficiencia de esta norma en cuanto a su relación plazo-objetivo es, en la práctica, indiscutible.

---

[74]   Ley 20257 de 1 de abril de 2008, Introduce modificaciones a la ley general de servicios eléctricos respect de la generación de energía eléctrica con fuentes de energías renovables no convencionales, Ministerio de Econompía, Fomento y Reconstrucción, http://bcn.cl/2p752

[75]   Ley 20698 de 22 octubre de 2013, Propicia la ampliación de la matriz energética, mediante fuentes renovables no convencionales, Ministerio de Energia, Chile, http://bcn.cl/335eh

[76]   Bnamericas, *Energía renovable en Chile: 2021 rompería récords de adiciones,* 6 de abril 2021, https://www.bnamericas.com/es/analisis/energia-renovable-en-chile-2021-romperia-records-de-adiciones

[77]   Centro de Estudios Públicos (2017), p. 215.

De igual forma, establecer esta disposición normativa propuesta también alcanza un objetivo estratégico, ya que, nuevamente, si la finalidad de la política energética mundial y nacional es el reemplazo de la matriz energética, la implementación de esta norma generaría una gestión directa en dos sistemas energéticos distintos, el eléctrico y el de hidrógeno, lo que permitiría un reemplazo de la matriz de energía en bloque, asegurando un proceso de transición conjunto y acelerado que probablemente superará las expectativas y proyecciones esperadas por la política energética del país y del Acuerdo de París.

3. PROPUESTA DE CONTENIDOS MÍNIMOS DE UN REGLAMENTO EN EL TRANSPORTE Y DISTRIBUCIÓN DE HIDRÓGENO EN LAS REDES DE GAS EN CHILE

Como se ha manifestado, para determinar la factibilidad técnica de reemplazar el gas natural por hidrógeno o de inyectar una fracción en volumen de este elemento, es necesario conocer la tolerancia que tiene cada componente de la red de gas natural en relación con su funcionamiento y seguridad en contacto con la mezcla o con cien por ciento de hidrógeno. Tomando esto en consideración, y posterior a la regulación previa y necesaria ya referida, el contenido mínimo normativo del Reglamento para el Transporte y Distribución de Hidrógeno por Gasoductos y Cañerías debe tener, al menos, estos seis componentes regulados:

a) **Red de gas natural y su rendimiento**: Para cualquier planificación generalizada de un nuevo uso de hidrógeno verde como energía, es necesario establecer los parámetros existentes en las infraestructuras que servirán para este fin y su factibilidad de inyección/mezcla de hidrógeno. En este sentido, el Reglamento que regule el transporte y distribución de hidrógeno verde por las redes de gas natural requiere exigir una especificación de las infraestructuras existentes y disponibles en todo el territorio nacional, así como también su potencial rendimiento al ser condicionada al transporte del hidrógeno. De hecho, una de las barreras presentes en la implementación de esta tecnología es la falta de certeza en cuanto a la extensión de la red de gas natural, sobre todo en el segmento de distribución, así como también la falta de información precisa de los componentes y materiales presentes en las tuberías, a fin de determinar el porcentaje mínimo y máximo permitido para la inyección de hidrógeno para cada caso en particular.

Por esto, el Reglamento debería tratar, de manera técnica, qué tipo de material permite qué porcentaje de hidrógeno y qué estructura es apta para adoptarlo, a fin de evitar accidentes y un mal funcionamiento de la red en términos de suministro y disponibilidad. De igual forma, un conocimiento absoluto y exhaustivo de las redes de gas existentes permitirán una planificación en cuanto a la extensión y desarrollo de la misma, permitiendo un cambio de matriz energética ordenado que permita ampliar el rango de existencia sectorizado en las cuatro áreas geográficas expuestas previamente, ya sea a nivel de transporte y distribución.

De todas formas, sin perjuicio de la necesidad de determinación de requisitos y estándares técnicos que regulen la operación de la mezcla, por el hecho de que esta tecnología está en constante desarrollo y descubrimiento, es necesaria la implementación de métodos que permitan la exposición e investigación de nuevas aplicaciones, previa consulta y ratificación por el o los organismos técnicos competentes;

b) **Pureza y Mercado de Hidrógeno Verde:** Una de las recomendaciones realizadas por *HyLaw* para países a la vanguardia de este uso del hidrógeno, como Alemania y Gran Bretaña, era el establecimiento de parámetros definidos para el mercado de hidrógeno en red que se creará a medida que vaya implementando la inyección o mezcla. Por ello, es necesario determinar un marco de pago formal, claro y coherente para la transmisión de hidrógeno, que cubra las tarifas de conexión y los cargos, o que cubra la remuneración del hidrógeno suministrado/ inyectado, que incluya una fijación de precios para las redes de gas a fin de proporcionar un nivel de claridad sobre la valorización de los flujos de gas rico en hidrógeno, en pos de la transición energética *Power-toGas*. De igual forma, es menester que el Reglamento regule el estándar mínimo de calidad del hidrógeno que ingresará a la red de gas.

En este sentido, independiente a si es inyección o mezcla de hidrógeno, es importante saber la pureza de este, debido a que los equipos de los consumidores finales se pueden ver afectados en su funcionamiento a menor pureza del hidrógeno. Con esto, se asegura un estándar de calidad uniforme que permitan el funcionamiento de la red de forma equitativa;

c) **Empresas operadoras de la red de gas natural:** Una de las barreras para la implementación de una transición de matriz energética hacia el hidrógeno verde por redes de gas natural es la falta de certeza de información respecto al estado actual de la red, sus materiales y su potencial de factibilidad.

De igual forma, la necesidad de personal capacitado, cumplimiento de medidas de seguridad y de contaminación, cambios estructurales en el plan regulador de las ciudades o disponibilidad y pureza del hidrógeno recae en gestiones que de una u otra forma tienen que realizar las empresas propietarias, operadoras y/o generadoras de hidrógeno. Por tanto, se recomienda el establecimiento de un régimen de responsabilidad directa o solidaria para las empresas operadoras de la red, para así asegurar, transparentar, certificar e incentivar tanto la exhibición de la información, la calidad, la investigación, el desarrollo, la operación y la seguridad en la implementación de esta tecnología;

d) **Seguridad y uso:** Uno de los componentes esenciales para el uso y operación del hidrógeno, son los aspectos relativos a la seguridad en la manipulación y transporte de este gas. Se sugiere una actualización y definición de los parámetros normativos internacionales que regulen los ámbitos de seguridad, asegurando una identificación de los riesgos potenciales para el tipo de aplicación en particular; la disposición de instalaciones técnicas fiables para detectar fallos en componentes y sistemas; y el análisis de los posibles efectos de las fugas de gas, a fin de considerar la composición, presión, compatibilidad de materiales y funcionamiento del aparato, minimizando los riesgos. También es imprescindible las medidas de seguridad para evitar accidentes, exposiciones químicas o impactos en el medioambiente, más allá de las consideraciones propias por las cualidades del hidrógeno. Para lograr este objetivo, se recomienda la implementación de la normativa internacional recomendada en el punto 2 de este artículo. Finalmente, se aconseja que el Reglamento estipule de forma minuciosa los componentes técnicos mínimos de las aplicaciones para el uso de los consumidores finales, ya sea en el uso residencial, comercial e industrial, a fin de determinar los principales aspectos de seguridad y operación a considerar para determinar si se debe reacondicionar o reemplazar el equipo, junto con su estándar mínimo de calidad;

e) **Instaladores de Hidrógeno en Red:** De forma similar a lo dispuesto en el Decreto 191 de 1996 del Ministerio de Economía, es imprescindible asegurar que las personas encargadas de instalar y manipular el hidrógeno, ya sea en la generación o en el servicio técnico de las aplicaciones de uso doméstico, sean previamente certificadas a fin de obtener las licencias de instalador de hidrógeno y fijar disposiciones para un adecuado desempeño profesional, a fin de garantizar que las instalaciones de hidrógeno cumplan con las condiciones mínimas de seguridad y que eviten peligro para las personas y las cosas;

f) **Fiscalización y Sanciones:** Se observó cómo la falta de fiscalización ha causado un detrimento en la información respecto a la red de gas natural y a sus características físicas y químicas. De igual forma, la falta de fiscalización ha provocado que las redes y aplicaciones de distribución y uso sean manipuladas por personal no capacitado y muchas veces de forma doméstica. Nada de lo recomendado en este artículo podrá ser posible sin un sistema de fiscalización y sanción activo y permanente. Por ello, recomendamos que la SEC sea la entidad responsable de la fiscalización del sistema, pudiendo establecer sanciones de tipo económicas (ya sea para personas naturales o jurídicas) o de suspensión de suministro o incluso de desconexión del sistema interconectado o la red de gas, es decir, otorgándole facultades amplias para perseguir la eficiencia y calidad del Reglamento.

4. CONCLUSIONES

Este artículo analizó los antecedentes regulatorios, físicos y técnicos para proponer un contenido normativo que reglamente el transporte y distribución de hidrógeno por las redes de gas natural en Chile. Respecto al estado de la red de gas, todos los antecedentes aportados no sólo dan certeza en cuanto a la factibilidad de inyección de hidrógeno en las redes de gas natural, sino que justifican su urgencia y corroboran los beneficios que conlleva esta tecnología, incentivando su desarrollo e implementación de forma inmediata.

En cuanto a los antecedentes regulatorios y de seguridad analizados, se concluye que una reglamentación específica y eficaz requiere, previamente, de la existencia de un marco normativo general que permita crear un sistema energético independiente el cual pueda justificar la existencia y funcionamiento de reglamentos de carácter especial; de igual forma, es necesaria una disposición legal que obligue e incentive su implementación. Finalmente, en cuanto al reglamento que regule el transporte y distribución de hidrógeno de forma particular, propone que este se concentre en el conocimiento absoluto de la red de gas y sus componentes; en la pureza y consideraciones de mercado para el hidrógeno; en las obligaciones y responsabilidades de las empresas operadoras; en los estándares de seguridad para su operación; en los requisitos y certificaciones de los instaladores de gas y en el establecimiento de un sistema eficaz de fiscalización y sanción.

No obstante las recomendaciones realizadas, es de vital relevancia entender que la regulación para el transporte de hidrógeno verde por cañerías no debe analizarse sólo en un aspecto legal o sólo en su calidad técnica, sino como un sistema energético integrado e independiente, que persiga los estándares normativos comparados y apele a una operación segura. Con todo, no cabe duda que esta es una alternativa real para la descarbonización energética, por lo que su implementación conlleva argumentos más positivos que negativos.

En este sentido, los proyectos piloto de inyección de hidrógeno verde en redes de gas natural de Coquimbo y La Serena[78] dan mues-

---

[78] Ministerio de Energía de Chile, *Ministro Jobet tras inicio de obras de proyecto de hidrógeno verde: "El éxito de los proyectos de hidrógeno verde en Chile será*

tra que estamos en un buen camino y que la posibilidad cierta de reemplazar la matriz energética está, afortunadamente, más cerca que nunca.

Bibliografía

Abeysekera, M., J. Wu, N. Jenkins and M. Rees. Steady state analysis of gas network with distributed injetion of alternative gas. *Applied Energy* 164 (15 feb 2016), 991-1002, https://doi.org/10.1016/j.apenergy.2015.05.099

Agencia Internacional de Energía Renovable (IRENA) . *Hidrógeno: Una Perspectiva de Energía Renovable"*, 2019, https://www.irena.org/-/media/Files/IRENA/Agency/Publication/2019/Sep/IRENA_Hydrogen_2019.pdf

Bnamericas, *Energia removable en Chile: 2021 rompería records de adiciones*, 6 de abril 2021, https://www.bnamericas.com/es/analisis/energia-renovable-en-chile-2021-romperia-records-de-adiciones

Braunsdorf, Philipp, *"Country Overview Germany"*. Nationale Organization. Wasserstoff-und Brennstoffzellentechnologie, 2018, https://www.energy.gov/sites/prod/files/2018/10/f56/fcto-infrastructure-workshop-2018-1-braunsdorf.pdf

Bundesministerium für Bildung und Forschung *Nationale Wasserstoffstrategie.* 2020, https://www.bmbf.de/de/nationale-wasserstoffstrategie-9916.html

Bundesministerium für Verkehr und digitale Infrastruktur (BMWI), *Wasserstoff Instrastruktur für die Schiene*, 2016, https://www.now-gmbh.de/content/1-aktuelles/1-presse/20160701-bmvi-studie-untersucht-wirtschaftliche-rechtliche-und-technische-voraussetzungen-fuer-den-einsatz-von-brennstoffzellentriebwagen-im-zugverkehr/h2-schiene_ergebnisbericht_online.pdf

Bundesministerium Nachhaltigkeit und Tourismus-Federal Ministry Republic of Austria. Sustentability and Tourism, *Die wasserstoffinitiative – The Hydrogen Iniciative.* 2018, https://www.eu2018.at/dam/jcr:6f59ae57-1b4b-419f-81d7-996de6bf77ea/Die%20Wasserstoffinitiative%20(nicht%20barrierefrei)%20(DE).pdf

Cid Jiménez, Iván, "Hidrógeno: vector energético en el siglo XXI" (Memoria Ingeniería técnica industrial, Escuela universitaria Ingeniería Técnica industrial Zaragosa, 2020)

esencial para combatir el cambio climático a nivel mundial, 10 sep 2021, https://energia.gob.cl/noticias/nacional/ministro-jobet-tras-inicio-de-obras-de-proyecto-de-hidrogeno-verde-el-exito-de-los-proyectos-de-hidrogeno-verde-en-chile-sera-esencial-para-combatir-el-cambio-climatico-nivel-mundial

Comisión del Parlamento Europeo, el Consejo, el Comité Económico y Social Europeo y el Comité de las Regiones, *Una estrategia de hidrógeno para una Europa climáticamente neutra*, 2020, https://ec.europa.eu/energy/sites/ener/files/hydrogen_strategy.pdf

Decreto supremo n°327, Fija Reglamento de la Ley General de Servicios eléctricos. Ministerio de Minería, Chile (Diario oficial 10 septiembre de 1998)

Departamento de Energía de Estados Unidos, *Leyes e incentivos de Hidrógeno en California.*

Disponible en: https://afdc.energy.gov/fuels/laws/HY?state=ca

Departamento de Energía y Cambio Climático de Reino Unido, *Estándar de Hidrógeno Verde*. 2015, https://assets.publishing.service.gov.uk/government/uploads/system/uploads/attachment_data/file/403774/Green_Hydrogen_Standard_Call_for_Evidence.pdf

Floristean, Alexandru, *HyLaw: Deliverable 4.5. EU Policy Paper*, 2019, https://www.hylaw.eu/sites/default/files/2019-06/EU%20Policy%20Paper%20%28June%202019%29.pdf

Fontain, Henry, "A World Speeding 'Dangerously Close' to a Tipping Point", in *The New York Times*" 5 december of 2019, https://www.nytimes.com/2019/12/04/climate/climate-change-acceleration.html.

Harms, Gerd , Dennitsa Nozharova and German Hydrogen and Fuel Cells Association, *HyLaw National Policy Paper – Germany*, 2018, https://www.hylaw.eu/sites/default/files/2018-12/20181217_National%20Policy%20Paper%20DE%20en%20Final_0.pdf

Hayter, Dennis, *HyLaw Hydrogen law and removal of legal barriers to the deployment of fuel cells and hydrogen applications:* UK *National Policy Paper*, 2018, https://www.hylaw.eu/sites/default/files/2019-01/HyLaw%20UK%20Policy%20Paper_Final_December%202018.pdf

Hydrogen Counsil, *Hydrogen Descarbonization Pathways. Potencial Supply scenarios*, 2021, https://hydrogencouncil.com/wp-content/uploads/2021/01/Hydrogen-Council-Report_Decarbonization-Pathways_Part-2_Supply-Scenarios.pdf

HyLAW, *HyLaw online database, about HyLAW*, 2020, https://www.hylaw.eu/about-hylaw

International Energy Agency (IEA), *CO2 Emissions From Fuel Combustion Highlights 2018*. December 2018, https://www.academia.edu/38020558/CO2_Emissions_from_Fuel_Combustion_2018_Highlighs

International Energy Agency (IEA), *The Future of Hydrogen. Seizing today's opportunities. Report prepared by the IEA for the G20, Japan*, 2019, https://www.iea.org/reports/the-future-of-hydrogen

International Energy Agency (IEA), *Latin America's hydrogen opportunity: from national strategies to regional cooperation,* 2020, https://www.iea.org/commentaries/latin-america-s-hydrogen-opportunity-from-national-strategies-to-regional-cooperation

Isaac, T.. HyDeploy: The UK's First Hydrogen Blending Deployment Project, *Clean Energy* 3 N° 2 (2019), 114-125. https://doi.org/10.1093/ce/zkz006

Ley 19674 Ley General de Servicios electricos (Diario official 3 de mayo de 2000)

Ley 20257 de 1 de abril de 2008, Introduce modificaciones a la ley general de servicios eléctricos respect de la generación de energía eléctrica con fuentes de energías renovables no convencionales, Ministerio de Econompía, Fomento y Reconstrucción, http://bcn.cl/2p752

Ley 20698 de 22 octubre de 2013, Propicia la ampliación de la matriz energética, mediante fuentes renovables no convencionales, Ministerio de Energia, Chile, http://bcn.cl/335eh

Melaina, M. W., O. Antonia, and M. Penev. *Blending Hydrogen into Natural Gas Pipeline Networks: A Review of Key Issues,* 2013, https://www.nrel.gov/docs/fy13osti/51995.pdf

Ministerial Council on Renewable Energy, Hydrogen and Related Issues, *Basic Hydrogen Strategy,* 2017, https://www.meti.go.jp/english/press/2017/pdf/1226_003b.pdf

Ministerio de Energía de Chile, Asociación de Agencias de Gas Natural, GLP Chile y Empresas Eléctricas A.G. *"Informe final de usos de la energía de los hogares Chile 2018. Resultado 3500 encuestas,* 2018, https://energia.gob.cl/sites/default/files/documentos/informe_final_caracterizacion_residencial_2018.pdf

Ministerio de Energía de Chile, *Ministro Jobet tras inicio de obras de proyecto de hidrógeno verde: "El éxito de los proyectos de hidrógeno verde en Chile será esencial para combatir el cambio climático a nivel mundial,* 10 sep 2021, https://energia.gob.cl/noticias/nacional/ministro-jobet-tras-inicio-de-obras-de-proyecto-de-hidrogeno-verde-el-exito-de-los-proyectos-de-hidrogeno-verde-en-chile-sera-esencial-para-combatir-el-cambio-climatico-nivel-mundial

Naciones Unidas, *Acuerdo de París,* 2015, https://unfccc.int/sites/default/files/spanish_paris_agreement.pdf

Nagashima, Mónica. Études de lÍfri, Ifri, *Japan's hydrogen strategy and its economic and geopolitical implications"* 2018, https://www.ifri.org/en/publications/etudes-de-lifri/japans-hydrogen-strategy-and-its-economic-and-geopolitical-implications

National Conference of State Legislatures, *Greenhouse Gas Emissions Reduction Targets and Market-based Policies*, 2019, https://www.ncsl.org/research/energy/greenhouse-gas-emissions-reduction-targets-and-market-based-policies.aspx

Natural Resources Defense Counsil y Asociación Chilena de Energías Renovables, *Beneficios Económicos de Energías Renovables no Convencionales en Chile*, R: 13-11-A., Septiembre 2013, https://www.nrdc.org/sites/default/files/chile-ncre-report-sp.pdf

Rivkin, C., R Burgess & W. Buttner, Laboratorio Nacional de Energía Renovable, *Guía de Seguridad de las Tecnologías del Hidrógeno"*, 2015, https://www.nrel.gov/docs/fy15osti/60948.pdf

Sadler, Dan et. al. *H21 Leeds City Gate Project Report*, 2017, https://www.h21.green/wp-content/uploads/2019/01/H21-Leeds-City-Gte-Report.pdf.

Sociedad Alemana para la Cooperación Internacional (GIZ) y Ministerio Federal de Medio Ambiente, Protección de la Naturaleza y Seguridad Nuclear (BMU), *Descarbonización del sector energético en Chile*, 2019, https://4echile-datastore.s3.eu-central-1.amazonaws.com/wp-content/uploads/2020/08/05142648/Descarbonizaci%C3%B3n-del-sector-energ%C3%A9tico-en-Chile.pdf.

Sociedad Alemana para la Cooperación Internacional (GIZ) y el Ministerio de Energía de Chile, *Cuantificación del encadenamiento industrial y laboral para el desarrollo del hidrógeno en Chile*, 2020a, https://4echile-datastore.s3.eu-central-1.amazonaws.com/wp-content/uploads/2020/10/22121744/Encadenamiento-Reporte-Final.pdf

Sociedad Alemana para la Cooperación Internacional (GIZ) y el Ministerio de Energía de Chile, *Descarbonización del sector energético chileno. Hidrógen*, 2020b, https://4echile-datastore.s3.eu-central-1.amazonaws.com/wp-content/uploads/2020/09/16125937/Reporte_Final_Rev1_publicar.pdf.

Sociedad Alemana para la Cooperación Internacional (GIZ) y el Ministerio de Energía de Chile, *Proposición de Estrategia Regulatoria del Hidrógeno para Chile. Informe final*,2020c, https://www.revistaei.cl/wp-content/uploads/2020/06/Prop-Estrat-Reg-Informe-Final_publicar.pdf

Sociedad Alemana para la Cooperación Internacional (GIZ) y el Ministerio de Energía de Chile, *Inyección de Hidrógeno en Redes de Gas Natural*, 2021, https://www.4echile.cl/publicaciones/inyeccion-de-hidrogeno-en-redes-de-gas-natural/

Tezel, Gülbahar y Robert Hensgens, *HyWay27: hydrogen transmission using the existing natural gas grid? Final report for the Ministry of Economic Affairs and Climate Policy*, 2021, https://www.hyway27.nl/en/latest-news/hyway-27-realisation-of-a-national-hydrogen-network

The American Society of Mechanical Engineers, *ASME B31.8-2007, Gas transmission and distribution piping systems*, 2007

The American Society of Mechanical Engineers, *ASME B31.8S-2004, Managing System Integrity of Gas Pipelines, 2004*

Tokyo Metropolitan Government (TMG), *Hydrogen Society by 2020*, 2016, http://www.japan.go.jp/tomodachi/2016/spring2016/tokyo_realize_hydrogen_by_2020.html .

United Nations Treaty Collections, *Chapter XXVII ENVIORONMENT*, 2015, https://treaties.un.org/Pages/ViewDetails.aspx?src=TREATY&mtdsg_no=XXVII-7-d&chapter=27&clang=_en

van der Meer, Jan Piet, Remco Perotti & Françoise de Jong, *HyLaw: National Policy Paper – Netherlands"*, 2018, https://www.hylaw.eu/sites/default/files/2019-03/HyLAW_National%20Policy%20Paper_Netherlands.pdf

Vásquez, R., F. Salidas y Sociedad Alemana para la Cooperación Internacional (GIZ), *Tecnologías del hidrógeno y perspectivas para Chile*, 2019, https://4echile-datastore.s3.eu-central-1.amazonaws.com/wp-content/uploads/2020/07/24213909/Tecnolog%C3%ADas-del-hidr%C3%B3geno-y-perspectivas-para-Chile_2019.pdf

Westphal, K., S. Dröge and O. Geden, *Las Dimensiones Internacionales de la Política de Hidrógeno Alemana*, Alemania, Instituto Alemán de Asuntos Internacionales y Seguridad (SWP), *2020,* https://www.swp-berlin.org/fileadmin/contents/products/comments/2020C32_HydrogenPolicy.pdf

Zen and the Art of Clean Energy Solutions, *British Columbia Hydrogen Study*, 2019, https://www2.gov.bc.ca/assets/gov/government/ministries-organizations/zen-bcbn-hydrogen-study-final-v6.pdf

EXPLOTACIÓN SUSTENTABLE DEL LITIO EN CHILE[*]

Javier Coopman Corral[**]

INTRODUCCIÓN

En los últimos años y por diversas circunstancias el Litio ha estado presente en la discusión pública de nuestro país. Sin embargo, la mayoría de las veces se habla de él repitiendo titulares como el "oro blanco"[1], "el futuro de Chile"[2], la "nacionalización"[3] u otros términos similares.

El presente trabajo no se centra en esta discusión, más bien, trata de abordar la temática desde un punto de vista objetivo y servir, de una forma simple, como guía práctica para entender de que hablamos cuando hablamos del litio.

---

[*] Artículo Académico presentado ante la Dirección de Postgrados de la Facultad de Derecho para optar al grado académico de Magíster en Derecho de los Recursos Naturales y Medio Ambiente de la Universidad Finis Terrae (versión 2020-2021), siendo calificado por el tribunal de defensa con Distinción Máxima.

[**] Magíster en Derecho de los Recursos Naturales y Medio Ambiente de la Universidad Finis Terrae; Abogado, Licenciado en Ciencias Jurídicas, Universidad de las Américas. Ex Jefe de Gabinete del Ministerio de Minería. Correo: javier.coopman@gmail.com

[1] Guía minera de Chile. *Cerca de US$2.000 millones invierten empresas en nuevas iniciativas de litio en Chile.* 20 junio 2022. https://www.guiaminera.cl/oro-blanco-genera-boom-de-proyectos-cerca-de-us2-000-millones-invierten-empresas-en-nuevas-iniciativas-de-litio-en-chile/

[2] Forbes Chile. *Licitación para la explotación de litio en Chile genera enorme polémica.* 5 enero 2022 https://forbes.cl/negocios/2022-01-05/licitacion-para-la-explotacion-de-litio-en-chile-genera-enorme-polemica/

[3] Senado de Chile. *Advierten necesidad de activar nacionalización del Litio.* 24 sep 2012. https://senado.cl/noticias/mineria-y-energia/advierten-necesidad-de-activar-nacionalizacion-del-litio

Para el logro de este objetivo, el trabajo se divide en seis acápites. El primero centrado en entregar al lector nociones generales sobre el litio, tales como recursos y reservas; oferta y demanda; precios. El segundo, se centra en la producción nacional actual de este mineral y las proyecciones futuras del mismo. Por su parte, el tercer apartado, analiza el régimen jurídico del litio en nuestro país, diferenciando el escenario existente antes y después del año 1979, fecha en que hubo un cambio fundamental en la legislación nacional, quedando a partir de ese momento su explotación reservada exclusivamente para el Estado de Chile. Con el objetivo de tener una mirada más completa, el cuarto acápite se centra en enumerar y explicar las diversas formas de explotación de este mineral: explotación de roca, de salmuera y de arcillas. La quinta parte se centra en resolver la siguiente interrogante: ¿es posible un desarrollo sustentable de la industria del litio en nuestro país?, entregando ciertos elementos para lograr este objetivo. Por último, se hace referencia a la irrupción de nuevas tecnologías para la una explotación sustentable del recurso desde salmueras, pero dejando de lado la forma tradicional de evaporación.

1. NOCIONES GENERALES

El litio es el más liviano de todos los metales (densidad 0.534 g/cm), se presenta en color plateado y posee un conjunto de propiedades altamente valoradas hoy en día: elevada conductividad eléctrica, baja viscosidad, liviano y bajo coeficiente de expansión térmica[4]. Estas cualidades, permiten que tenga múltiples aplicaciones en el sector industrial y especialmente en el ámbito de las baterías, dada la tendencia tecnológica actual. Aún más, resulta ser un elemento fundamental para la fabricación de computadores, automóviles eléctricos, teléfonos celulares, sistemas de almacenamiento de energía en general y otros múltiples dispositivos electrónicos. Sin embargo, y a pesar de que entre el año 2015 y 2019 las exportaciones de litio chileno casi

---

[4]   Dirección de Estudios y Políticas Públicas de Chile y Comité de Minería No Metálica, Chile. Mercado Internacional del Litio y su Potencial en Chile, diciembre 2017. https://www.guiaminera.cl/mercado-internacional-del-litio-y-su-potencial-en-chile/

se han cuadruplicado,[5] el mercado es aun relativamente pequeño si lo comparamos con el de otros minerales o incluso, con otros productos exportados por nuestro país. En efecto, las exportaciones de litio en el año 2020 representaron sólo el 1,51% de las exportaciones mineras de Chile,[6] quedando muy por debajo de otros productos exportados como la carne, vino o los salmones.

Según el Servicio Geológico de Estados Unidos (USGS), los recursos mundiales de litio ascienden a 80 millones de toneladas aproximadas. Por su parte, las reservas totalizan 21 millones de toneladas,[7] tal como se ve en los siguientes gráficos:[8]

Gráfico 1.
Fuente: Cochilco, 2020.

5   Cochilco, Oferta y Demanda del Litio hacia el 2030, agosto 2020. https://www.cochilco.cl/Mercado%20de%20Metales/Produccion%20y%20consumo%20de%20litio%20hacia%20el%202030.pdf

6   Elaboración propia en base a los datos publicados por el Banco Central, disponibles en https://www.bcentral.cl/web/banco-central/areas/estadisticas/comercio-exterior-de-bienes

7   USGS, Lithium, 2021 https://pubs.usgs.gov/periodicals/mcs2021/mcs2021-lithium.pdf

8   Cochilco, Oferta y Demanda del Litio hacia 2030, agosto 2020.

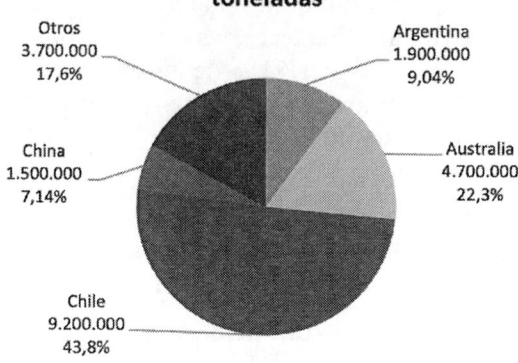

Gráfico 2.
Fuente: Cochilco, 2020.

Como se puede reconocer de la gráfica anterior, nuestro país cuenta con las mayores reservas y actualmente se consolida como el segundo productor de litio a nivel mundial, por lo que cuenta con una condición privilegiada y una gran oportunidad, no solo para consolidar y ampliar su posición dominante en el mercado, sino que también para impulsar nuevas tecnologías que sean más amigables con el medio ambiente y por lo tanto desarrollar una industria más sostenible.

1.1. Demanda del litio

Entre los años 2000 y 2019, la demanda del litio ha aumentado un 396%, pasando de las 65.000 toneladas de carbonato de litio equivalente (en adelante LCE) a las 323.000 toneladas LCE.[9]

En el año 2019, el 32% de la demanda estuvo relacionada a la fabricación de baterías para vehículos eléctricos, mientras que el 68% estuvo focalizada en el área industrial, artículos electrónicos y sistemas de almacenamiento energético.[10]

La industria del litio no ha estado ajena a los efectos de las nuevas políticas públicas a nivel mundial respecto a la reducción de las

---

[9]   Cochilco, Oferta y Demanda del Litio hacia el 2030, agosto 2020.
[10]   Cochilco, Oferta y Demanda del Litio hacia el 2030.

emisiones de CO_2 y carbono neutro de los países, que, por cierto, han afectado de manera positiva la demanda de este mineral. En los últimos años el sector transporte ha sido el principal demandante de litio, debido a la producción de vehículos eléctricos livianos o de pasajeros. Esta es una tendencia que se espera continúe creciendo progresivamente, a medida que los automóviles de combustión interna comiencen a ser progresivamente reemplazados por alternativas menos contaminantes.

Así las cosas, se espera que la demanda futura de litio se concentre en el segmento de las baterías para vehículos eléctricos. Según estimaciones de la Comisión Chilena del Cobre (en adelante COCHILCO), hacia el 2030 se requerirían a nivel mundial más de 1 millón 700 mil toneladas de LCE, de las cuales el segmento de automóviles eléctricos representaría el 79% del consumo de litio.

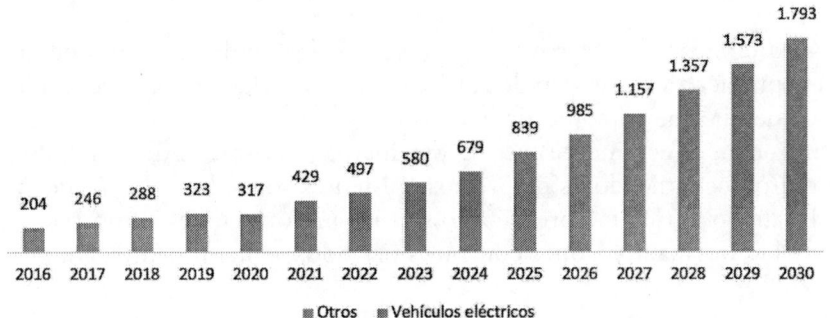

Figura 1: Demanda agregada de litio (miles de toneladas de LCE)
Fuente: COCHILCO 2020.

1.2. Oferta del litio

El año 2019, la oferta mundial de LCE registró 381.000 toneladas, concentrándose principalmente en Australia, Chile y Argentina. La proyección de oferta de LCE para el año 2030, se estima alcanzaría 1.466.000 toneladas.[11]

---

[11]   Cochilco, Oferta y Demanda del Litio hacia el 2030.

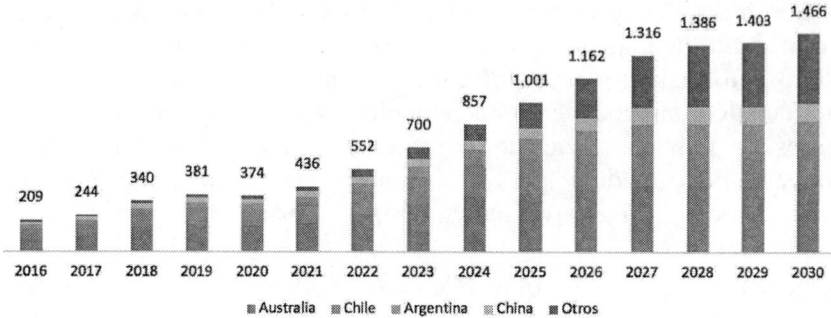

Figura 2: Producción de litio (miles de toneladas LCE)
Fuente: COCHILCO 2020.

1.3. Precio del litio

A diferencia de otros minerales, los precios del litio generalmente no se publican y dependen de la naturaleza y calidad del producto que se comercializa, así como de los términos del contrato específico que se negocian directamente entre el productor y el consumidor final. Por lo tanto, los indicadores de precios existentes son sólo referenciales y se basan en varios factores, como son las importaciones, exportaciones y la información sobre contratos privados, generalmente de largo plazo.

Desde el año 2018, la Bolsa de Metales de Londres (LME) ha realizado esfuerzos para fijar un precio de referencia que sea tranzado en bolsa, pero las características propias y los diversos productos de litio han complejizado esta tarea. A pesar de las dificultades, se espera que en los próximos años se posean precios referenciales tanto del carbonato grado batería como del hidróxido de litio.

En términos generales, el litio como producto se puede categorizar según su composición química en carbonato, hidróxido y otros compuestos que incluyen concentrados, butil-litio, bromuro y metal de litio. Actualmente, el carbonato es el producto de mayor utilización industrial con cerca de un 71%, seguido del hidróxido con un 24%. De igual forma, tanto el hidróxido como el carbonato se pueden categorizar en grado técnico y grado batería según el grado de pureza de su composición. En el caso del carbonato, el grado técnico usualmente suele requerir un 99,0% de pureza y el grado batería al menos un 99,5%.[12]

Dado el volumen potencial de las nuevas capacidades de producción que entrarían en el mercado y, de acuerdo con las proyecciones de demanda, se espera que el precio de largo plazo,[13] en términos reales se sitúe en torno a los US$ 8.300 por tonelada para el carbonato de litio y de US$ 9.550 por tonelada para el hidróxido de litio.[14]

2. PRODUCCIÓN DE LITIO EN CHILE

En nuestro país, el carbonato de litio se extrae desde salmueras, mediante la evaporación solar como proceso convencional, representando menores costos de producción, los que fluctúan entre US$ 4.100/ton y US$ 5.750/ton, situándose bajo los registrados por la producción en base a mineral de roca, según lo indicado en la siguiente figura:

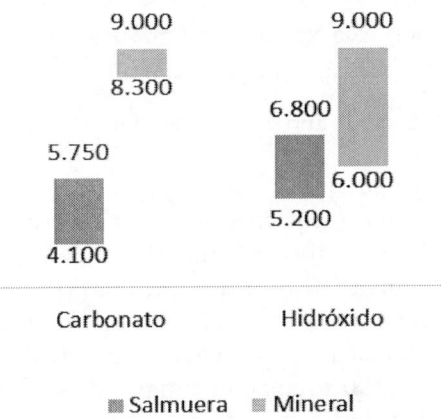

Figura 3: Rango de costos estimados
Fuente: COCHILCO 2020.

12   Cochilco, Oferta y Demanda del Litio hacia el 2030
13   Se refiere al Período 2025-2029.
14   Cochilco en base a Consensus Economics, julio de 2020

La producción chilena ha registrado un sostenido aumento. Se espera que se duplique en los próximos años, alcanzando las 238.000 toneladas al 2025, esto gracias, fundamentalmente, a la expansión de los proyectos operando en el Salar de Atacama. En efecto, producto de las modificaciones contractuales acordadas entre la Corporación de Fomento y Producción (CORFO) y Albemarle (2016) y entre la estatal con SQM (2018), ambas empresas iniciaron ampliaciones a sus plantas: mientras la primera espera aumentar su producción a 88 mil toneladas de carbonato por año, la segunda lo hará a 180.000 toneladas año.

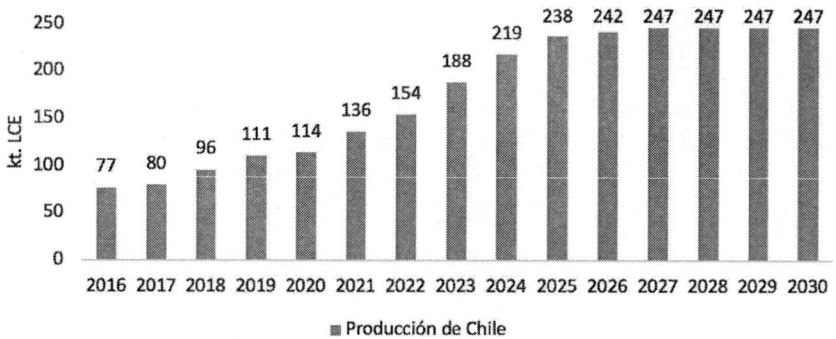

Figura 4: Producción de litio de mina de Chile. COCHILCO 2020

Hacia el año 2025 se aprecia un estancamiento en la producción nacional pues no existen proyectos que, en el corto plazo, entren en operación. El año 2020 se aprobaron ambientalmente dos proyectos en el Salar de Maricunga (Región de Atacama): Proyecto Blanco, de minera Salar Blanco con una capacidad anual de 20 mil toneladas y el proyecto Sales de Maricunga, perteneciente a SIMCO SpA, con una capacidad anual de 5.700 toneladas anuales de carbonato de litio y 9.000 toneladas año de hidróxido de litio. A estas iniciativas, se suma la estatal Codelco quien obtuvo, en noviembre del año 2020, una Resolución de Calificación Ambiental (RCA) para realizar un proyecto de exploración en el mismo salar.[15]-[16]

---

[15]   Elaboración propia en base a la información contenida en www.seia.gob.cl
[16]   Codelco, Codelco recibe la calificación ambiental favorable para iniciar las exploraciones en el Salar de Maricunga, 5 noviembre 2020, https://www.codelco.

3. RÉGIMEN JURÍDICO DEL LITIO

Es necesario distinguir entre dos regímenes jurídicos que actualmente coexisten: uno basado en el sistema concesional, aplicable hasta el año 1979 y otro, en la reserva de la sustancia para el Estado, actualmente vigente.

3.1. *Régimen de concesibilidad del Litio al amparo del Código de Minería de 1932*

Bajo la vigencia de la Constitución Política de 1925 las minas pertenecían al Estado y la explotación de los minerales contenidos en ellas, incluido el litio, era entregada a terceros por la vía de una concesión minera. Así las cosas, el litio quedaba sujeto a las reglas generales en materia de concesiones mineras establecidas en la Constitución Política de la República y el Código de Minería.

Bajo este régimen, se otorgaron concesiones de explotación sobre una superficie superior a las 230.000 hectáreas en diversos salares ubicados en las regiones de Antofagasta y Atacama. De este total, el 83% se encuentran en manos del Estado de Chile: por un lado, Corfo, que posee pertenencias en el Salar de Atacama, y, por otro lado, las empresas mineras del Estado (Codelco y Enami) en los salares de Maricunga, Pedernales, Aguilar e Infieles.[17]

3.2. *Régimen de no concesibilidad del litio (reserva de la sustancia para el Estado)*

3.2.1. Antecedentes históricos

El año 1965 se crea la Comisión Chilena de Energía Nuclear (CCHEN).[18] Con ella, se reservó al Estado los "yacimientos de materia-

---

com/codelco-recibe-la-calificacion-ambiental-favorable-para-iniciar-las/prontus_codelco/2020-11-05/174805.html

[17]   Elaboración propia en base a listado de concesiones de explotación bajo el régimen del Código de 1932 de Sernageomin (2019).

[18]   Ley 16.319 de 23 de octubre 1965. CREA LA COMISION CHILENA DE ENERGIA NUCLEAR. MINISTERIO DE ECONOMÍA, FOMENTO Y RECONSTRUCCIÓN (Diario Oficial 03.12.2009)

les atómicos naturales",[19] encomendando a un reglamento establecer su definición, lo que se materializó con la dictación del Decreto Supremo N°450,[20] que distinguió entre materiales atómicos naturales (como el torio y el uranio) y los materiales de interés nuclear, refiriéndose a estos como aquellos que sirven para un uso especifico en instalaciones nucleares o radioactivas, entre los cuales se incluyó expresamente el litio.[21]

El 30 de septiembre del año 1976, se publicó el Decreto Ley N° 1.557 sobre exploración, explotación y beneficio de materiales atómicos naturales y sobre el acopio de materiales de interés nuclear, elevando a rango legal el interés nuclear del litio.

En el año 1979 se dictó el Decreto Ley N° 2.886,[22] que reservó al litio para el Estado en forma expresa, situación que fue posteriormente ratificada por la Ley Orgánica Constitucional (LOC) de Concesiones Mineras del año 1982.[23] Esta reserva subsiste hasta el día de hoy, con dos excepciones:

a) El litio proveniente de pertenencias ya constituidas sobre litio (pre-1979) y cualquiera de las sustancias minerales del inciso primero del artículo tercero del Código de Minería de 1932, que al 14 de noviembre de 1979 contaran con acta de mensura inscrita, vigente y cuya manifestación se encontrare inscrita antes del 1° de enero del año 1979; y

b) Aquellas pertenencias de litio y cualquiera de las sustancias minerales del inciso primero del artículo tercero del Código de Minería de 1932 que, al 14 de noviembre del año 1979 estuvieren en trámite, en tanto su manifestación también haya estado inscrita antes del 1° de enero de 1979.

---

[19] Ley 16.319 de 23 de octubre 1965 (artículo 5).
[20] Decreto Supremo N°450, 21 de agosto de 1975. DICTA REGLAMENTO DE TERMINOS NUCLEARES. MINISTERIO DE ECONOMÍA, FOMENTO Y RECONSTRUCCIÓN http://bcn.cl/2nrmo
[21] Decreto Supremo N°450 (artículo 2 N°13)
[22] Decreto Ley N°2.886 de 14 noviembre de 1979, DEJA SUJETA A LAS NORMAS GENERALES DEL CODIGO DE MINERIA LA CONSTITUCION DE PERTENENCIA MINERA SOBRE CARBONATO DE CALCIO, FOSFATO Y SALES POTASICAS, RESERVA EL LITIO EN FAVOR DEL ESTADO E INTERPRETA Y MODIFICA LAS LEYES QUE SE SEÑALAN, MINISTERIO DE MINERÍA (articulo 5). Dispuso: *"Art.5.—Por exigirlo el interés nacional, desde la fecha de vigencia de este decreto ley, el litio queda reservado al Estado"*.
[23] Decreto Ley N°2.886 de 14 noviembre de 1979 (artículo 3 inciso 4°)

En el mismo orden de ideas, el Decreto Ley N° 2.886 encomendó a una ley regular la forma en que el Estado ejercería los derechos sobre el litio, prohibiendo, además, la realización de cualquier acto jurídico respecto al mineral, sino en tanto éstos se ejecuten o celebren por la CCHEN o autorizados previamente por ella, estableciendo que una vez dada la autorización ésta no podía ser modificada ni extinguida[24].

La calificación de "interés nacional" para reservar el litio al Estado radica, entre otros argumentos, en el de considerarse como un material de interés nuclear, pero principalmente, por las importantes reservas existentes de este mineral, siendo el Salar de Atacama, el yacimiento más importante a nivel mundial. Así quedó establecido en la historia de la Ley Orgánica Constitucional de Concesiones Mineras, en donde el ministro de minería de la época, José Piñera Echenique fundamentaba en este sentido al señalar que:

Las reservas chilenas conocidas de litio constituyen aproximadamente el 40% de las reservas mundiales de esta sustancia. Por otra parte, la compleja e incipiente tecnología de producción y utilización del litio ha conducido a que el mercado internacional no sea competitivo. De lo anterior se concluye que no aparece aconsejable innovar en el actual status del litio, ya que podría no ser conveniente para el interés nacional debilitar el actual control de la oferta de esta sustancia por parte del Estado de Chile.[25]

3.2.2. Régimen jurídico vigente para el litio

La Constitución de 1980 mantuvo el dominio de los minerales en el Estado, clasificando las sustancias minerales como concesibles y no concesibles (o inconcesibles).

A nivel constitucional y fundándose en el interés público de la explotación minera, el inciso 6° del numeral 24 del artículo 19 de la Constitución establece que:

---

24   Decreto Ley N°2.886 de 14 noviembre de 1979
25   Historia de la Ley N°18.097. Ley Orgánica Constitucional sobre Concesiones Mineras, p.12. Biblioteca del Congreso Nacional. https://obtienearchivo.bcn.cl/obtienearchivo?id=recursoslegales/10221.3/37081/1/HL18097.pdf

El Estado tiene el dominio absoluto, exclusivo, inalienable e imprescriptible de todas las minas, comprendiéndose en éstas las covaderas, las arenas metalíferas, los salares, los depósitos de carbón e hidrocarburos y las demás sustancias fósiles, con excepción de las arcillas superficiales, no obstante la propiedad de las personas naturales o jurídicas sobre los terrenos en cuyas entrañas estuvieren situadas[26].

Por su parte el inciso 7° de la misma disposición constitucional, entrega a la ley la determinación de cuáles son las sustancias susceptibles de ser objeto de concesiones de exploración o de explotación.

Es así, como la LOC de Concesiones Mineras, en su artículo 3 inciso 4°, declara la inconcesibilidad del litio, cuyo aprovechamiento, por mandato del artículo 19 N°24 inciso 10° de la Constitución, corresponde al Estado.

A su vez, el Código de Minería prescribe la inconcesibilidad del litio en su artículo 7°, ratificando en su artículo 8° que la exploración y explotación de esta mineral queda reservado al Estado o sus empresas repitiendo la disposición constitucional del artículo 19 N°24 inciso 10°.

En resumen, bajo la vigencia de la Constitución de 1980, de la Ley Orgánica Constitucional sobre Concesiones Mineras[27] y del Código de Minería de 1983, la exploración y explotación de litio corresponde de manera exclusiva al Estado de Chile. Esto se traduce en que, dentro del perímetro de una concesión minera otorgada por los tribunales de justicia, el titular puede explorar y explotar todas las sustancias concesibles y si como producto de la actividad minera desarrollada, se encuentra con litio en un volumen considerable, éste debe ser entregado al Estado, a través de diversos procesos que se encuentran establecidos para tal efecto.

---

[26]   Constitución política de la República de Chile de 1980 (articulo 19, n°24 inciso 6).

[27]   Ley 18.097 de 21 enero de 1982. Ley Orgánica Constitucional sobre Concesiones Mineras (Diario Oficial de fecha 21 de enero de 1982).

3.2.3. Forma de explotación del Litio

De acuerdo con la legislación vigente, a la que hicimos referencia anteriormente, las formas de explotación del litio son las siguientes[28]:

a) Directamente a través del Estado o sus empresas: Situación que obliga a cumplir con lo dispuesto en el artículo 19 N°21 de la Constitución Política de la República, que impone al Estado y a sus organismos, para poder desarrollar actividades empresariales o participar en ellas, contar con una ley de quorum calificado que así los autorice;

b) Concesión administrativa: La que puede ser definida como un contrato administrativo celebrado entre el Estado y una empresa particular, mediante el cual el primero delega en el segundo su responsabilidad de explorar y explotar sustancias no concesibles, comprometiéndose la empresa privada a desarrollar, por su propia cuenta y riesgo, la actividad convenida;

c) Contrato especial de operación (CEOL) es aquel en virtud del cual una persona natural o jurídica se obliga a realizar todo o parte de las actividades correspondientes a la fase de exploración, explotación y beneficio, en el área o lugar y en el plazo estipulado.

El Estado goza, respecto del litio, del derecho a ser informado de su presencia y a exigir a los productores que le entreguen o para que los enajene por su cuenta, en tanto haya presencia significativa, conforme lo estipula el artículo 12 del Código de Minería.[29] Dicho de otra forma, implícitamente se permite al concesionario minero no separar el Litio de sus sustancias concesibles, cuando el litio no tenga presencia significativa.

---

[28]   Ley 18.097 de 21 enero de 1982.

[29]   Código de Minería, 29 septiembre de 1983 (artículo 12°) establece que: *Para los efectos de los artículos 9° y 10, se entiende que una sustancia tiene presencia significativa en un producto minero, esto es, que es susceptible de ser reducida o separada desde un punto de vista técnico y económico, cuando el mayor costo total que impliquen su recuperación mediante procedimientos técnicos de probada aplicación, su comercialización y su entrega, sea inferior a su valor comercial. Para los mismos efectos, se entiende por "producto minero" toda sustancia mineral ya extraída, aunque no haya sido objeto de beneficio.*

Asimismo, previo a la entrega del litio, el Estado queda obligado a reembolsar al concesionario los gastos en que haya incurrido en la reducción, separación y entrega además de costear las modificaciones y obras complementarias que fuere necesario realizar para dicha separación y reducción, obras que serán de propiedad estatal.

Tal como se ha señalado existen dos regímenes jurídicos vigentes. Además de esta situación, que ya posee un grado de dificultad, se suma otra: ¿qué pasa cuando el Estado por medio de un CEOL entrega a un tercero la titularidad del litio contenido en una respectiva área y sobre ella existe un titular de una concesión de explotación post 79?

Esta situación fue resuelta por el Tribunal Constitucional (en adelante TC), a propósito de un requerimiento presentado contra el CEOL otorgado a Codelco para explotar el litio contenido en el Salar de Maricunga.[30]

Amparado en las normas legales ya citadas, con fecha 9 de marzo de 2018, el Ministerio de Minería aprobó el CEOL entre el Estado y la Sociedad Salar de Maricunga Spa filial de CODELCO,[31] en virtud del cual se autoriza a esta sociedad explorar y explotar el litio en la totalidad del salar de Maricunga, excluidas las pertenencias pre-79.

Ante esta situación, un conjunto de sociedades legales mineras dedujo un requerimiento de inaplicabilidad por inconstitucionalidad respecto del artículo 9° (inciso segundo, segunda oración) por considerar que, para este caso específico, constituiría una vulneración a las garantías constitucionales consagradas en los numerales 22 y 24 del artículo 19 de la Carta Fundamental (no discriminación arbitraria y derecho de propiedad)[32].

Para este caso específico, el Tribunal Constitucional resolvió que el dominio público que el Estado tiene sobre todas las minas puede coexistir junto al derecho de los concesionarios mineros sobre su concesión —y, por ello, sobre las sustancias concesibles que existan

---

[30]   Sentencia Tribunal Constitucional. STC rol 4716-18, (17 de julio de 2019).
[31]   Resolución N°2 de 2018, 9 de marzo 2018. Ministerio de Minería, que aprueba el contrato especial de operación para la exploración, explotación y beneficio de yacimientos de litio en el Salar de Maricunga, ubicado en la Región de Atacama, suscrito entre el Estado de Chile y la sociedad Salar de Maricunga Spa.
[32]   Constitución política de la República de Chile de 1980 (artículo 19, numerales 22 y 24).

dentro de sus límites—, al derecho de propiedad de las personas na-turales o jurídicas sobre los terrenos superficiales y , también , al de-recho patrimonial del Estado para explorar, explotar y beneficiar las sustancias no susceptibles de concesión minera.[33]

Esta sentencia establece claramente el sentido constitucional y le-gal del litio, en virtud del cual se "consideró apropiado mantener el litio reservado para el Estado —como una excepción a la libre denun-ciabilidad de los minerales—".[34] Al respecto, señaló que:

> A diferencia de lo que ocurre con los hidrocarburos líquidos o gaseosos (inciso 7° del N° 24 del artículo 19), la inconcesibilidad del litio es de origen legal y no constitucional. Por otra parte, so-bre su aprovechamiento por particulares no existe una regulación especial ni de carácter legal ni reglamentaria, rigiéndose por la re-gla general de aprovechamiento por el Estado de las sustancias no concesibles contenida en el artículo 19 N° 24 inc.10° de la CPR a través de las modalidades que allí se indican, entre las cuales se encuentra la celebración de Contratos Especiales de Operación.[35]

Habrá que tener presente este fallo y la importancia que pueda sig-nificar ante el Decreto del Ministerio de Minería,[36] que establece los requisitos y condiciones de los CEOL y el llamado a licitación públi-ca, nacional e internacional por 400.000 toneladas de litio metálico, recientemente publicado.

4. PROCESOS UTILIZADOS PARA LA EXPLOTACIÓN DEL LITIO

En general se pueden distinguir tres fuentes potencialmente ex-plotables de litio a nivel mundial: de mineral de roca o pegmatitas (comúnmente en la forma de espodumeno), salmueras y en rocas se-dimentarias. En la actualidad, el mineral de roca y las salmueras son las únicas fuentes de producción de litio.

---

[33] STC rol 4716-18, (17 de julio de 2019).
[34] STC rol 4716-18, (17 de julio de 2019) (Considerando 13°).
[35] STC rol 4716-18, (17 de julio de 2019) (Considerando 15°).
[36] Decreto Supremo N°23 de 13 de octubre de 2021. (Diario Oficial N°43.076).

Para extraer litio de pegmatitas se debe efectuar una operación minera a rajo abierto, los minerales son sometidos a un proceso de concentración, el que comprende chancado, molienda y flotación.

Por su parte, la explotación de salmueras por evaporación solar (método utilizado en nuestro país) consiste principalmente en bombear salmuera desde el interior del salar para enviarlas a piscinas de evaporación donde se cristalizan secuencialmente las distintas sales. En el caso del Salar de Atacama el primer elemento a precipitar es el cloruro de sodio, continuando con silvinita (Cloruro de Potasio), carnalita (cloruro doble de potasio y de magnesio) y bischosfita (cloruro de magnesio hexahidratado). Esta operación permite concentrar la salmuera de litio. Luego debe pasar por un proceso de purificación en planta, minimizando el contenido de boro mediante extracción por solventes y posteriormente se purifica eliminando el calcio y magnesio. Ambos modos de explotación presentan las siguientes ventajas y desventajas:[37]

Tabla 1: Modos de explotación.

	Ventajas	Desventajas
Salmueras	No requiere de grandes instalaciones de planta, ni de equipamiento mayor; No requiere proceso de conminución (reducción de tamaño mediante chancado o molienda); Bajo costo operacional.	El tiempo requerido para cosechar el litio es entre 12 y 24 meses; Evaporación depende del clima (evaporación vs. precipitaciones); Elevada concentración de Mg complica extracción y requiere mayor consumo de reactivos; Residuos salinos con poco valor (p.ej. sales impuras de Na y Mg).
Pegmatitas	No depende de factores climáticos; Complementa la oferta restringida desde salares.	Requiere instalaciones de planta con mayores equipos; Alto consumo de energía en combustible durante la reducción de tamaño del mineral; Consumo de reactivos en las etapas de separación; Alto costo operacional.

Fuente: Cochilco 2014

[37]   Cochilco, La explotación del Litio en Chile, 2014.

Al año 2019, Australia contribuyó casi con la totalidad de la producción a partir de yacimientos pegmatíticos (86% de la categoría en 2019). La producción a partir de salmueras, por su parte, proviene principalmente de Chile (65% del total de la categoría en 2019) y Argentina (21%), países que actualmente sólo producen litio a partir de esta categoría.[38]

Por otra parte, respecto a la iniciativa de extraer litio de arcillas, podemos mencionar que la empresa Tesla desarrolló ciertos acuerdos que le permitirían extraer y procesar su propio litio desde depósitos de arcilla con alto contenido del mineral. Lo anterior, con el fin de reducir sus costos en la producción de baterías.

Generalmente se ha considerado que, la producción de litio a partir de arcillas es demasiado difícil y costosa, debido a las bajas tasas de recuperación. Por otro lado, se proyecta que hacia 2030, alrededor del 5% de la producción mundial podría provenir de recursos no convencionales, como la arcilla.[39]

Para el caso de nuestro país, esta materia resulta interesante pues existen estudios preliminares que demostrarían una presencia considerable de litio contenido en arcillas en el Salar de Llamara, ubicado entre las regiones de Tarapacá y Antofagasta. Según estos, existirían reservas interesantes, por lo menos en algunos sectores de Llamara, para producir del orden de las 60 mil toneladas de LCE por un periodo entre 30 a 40 años.[40]

5. SUSTENTABILIDAD EN LA EXPLOTACIÓN DEL LITIO

Con lo señalado hasta ahora, nos hacemos la siguiente pregunta: ¿es posible un desarrollo sostenible de la industria del litio de nuestro país y un uso racional de este recurso?

---

[38] Cochilco, Oferta y Demanda del Litio hacia el 2030, agosto 2020.

[39] Minería Chilena, Tesla ya tiene socio para el litio, mientras SQM aprueba dividendo eventual, 30 septiembre de 2020, https://www.mch.cl/2020/09/30/tesla-ya-tiene-socio-para-el-litio-mientras-sqm-aprueba-dividendo-eventual/#

[40] Elaboración propia en base a información entregada por Llamara Lithium Group.

Esperamos responder esta pregunta en los siguientes párrafos.

El concepto de desarrollo sostenible o sustentable,[41] se remonta al Informe "Nuestro Futuro Común" elaborado por la comisión mundial sobre medio ambiente y el desarrollo,[42] y se asocia a un desarrollo duradero, o sea, "asegurar que satisfaga las necesidades del presente sin comprometer la capacidad de las futuras generaciones para satisfacer las propias". Esta noción es complementada por la Declaración de Rio sobre Medio Ambiente y Desarrollo, realizada en 1992, la que la incorpora en sus principios al señalar que "debe ejercerse en forma tal que responda equitativamente a las necesidades de desarrollo y ambientales de las generaciones presentes y futuras" (principio 3) o bien, indicando que para "alcanzar el desarrollo sostenible, la protección del medio ambiente deberá constituir parte integrante del proceso de desarrollo y no podrá considerarse en forma aislada" (principio 4).

Naciones Unidas, determinó los objetivos del desarrollo sustentable, entre los que se pueden destacar el de "Promover el crecimiento económico sostenido, inclusivo y sostenible, el empleo pleno y productivo y el trabajo decente para todos" [43] (objetivo 8), por el cual se busca alcanzar niveles más elevados de productividad económica mediante la diversificación, la modernización tecnológica y la innovación; o el "Garantizar modalidades de consumo y producción sostenibles", por el cual se busca lograr la gestión sostenible y el uso eficiente de los recursos naturales, y en esa misma línea, adoptar medidas urgentes y significativas para reducir la degradación de los hábitats naturales y detener la pérdida de biodiversidad[44].

La legislación nacional conceptualiza el desarrollo sustentable como: "El proceso de desarrollo sostenido y equitativo de la calidad de vida de las personas, fundado en medidas apropiadas de conservación y protección del medio ambiente, de manera de no compro-

---

[41] Para los efectos del presente trabajo se consideran conceptos sinónimos.
[42] Comisión Mundial sobre el Medio Ambiente y el Desarrollo, Nuestro futuro común / Informe Brundtland, 4 de agosto 1987.
[43] Ministerio de Desarrollo social y familia, Agenda 2030 para el Desarrollo Sostenible, septiembre 2015. http://www.chileagenda2030.gob.cl/
[44] Ministerio de Desarrollo social y familia, Agenda 2030 para el Desarrollo Sostenible

meter las expectativas de las generaciones futuras"[45]. A partir de este concepto, el desarrollo sustentable supone, entre otras conclusiones, "una utilización racional de los recursos, de manera que el crecimiento económico y productivo no lleven a una presión sobre los bienes ambientales más allá de sus propios límites".[46]

Chile, posee un gran potencial para desarrollar la industria del litio, esto debido principalmente al nivel de reservas, bajos costos de explotación y una red de servicios mineros consolidada. Sin embargo, no podemos perder de vista, por las características y ubicación de las reservas salinas, que este potencial debe ser desarrollado compatibilizando el cuidado medioambiental y el bienestar de los grupos humanos ubicados en zonas colindantes.

Los salares tienen su origen producto de la acumulación de aguas en cuencas cerradas presentes en regiones áridas, donde la descarga por evaporación en el largo plazo es mayor que la recarga por precipitación, dejando en el fondo las sales y minerales que se acumulan con el tiempo.[47]

Están formados localmente por una fracción liquida correspondiente a salmueras, representada por la depositación de diferentes sales transportadas en solución a la cuenca, y una fracción sólida constituida por distintos niveles de arena, limo y arcilla. Predominan sales tales como cloruros, sulfatos, nitratos, boratos, entre otros.[48]

Conforme a un estudio realizado por Servicio Nacional de Geología y Minas (en adelante SERNAGEOMIN),[49] en el norte de nuestro país existen 63 ambientes salinos, desagregados en 45 salares y 18 la-

---

[45]   Ley N°19.300, 9 de marzo de 1994. Ley de Bases Generales del Medio Ambiente (artículo 2)

[46]   Jorge Bermúdez Soto, Fundamentos de Derecho Ambiental, 2a edición, 2018, p.78.

[47]   Francois Risacher, Hugo Alonso y Carlos Salazar, Geoquímica de aguas en cuencas cerradas: I, II, III regiones-Chile, 1999.

[48]   Mariana Cervetto, Caracterización Hidrogeológica e Hidrogeoquímica de Las Cuencas: Salar De Aguas Calientes 2, Puntas Negras, Laguna Tuyajto, Pampa Colorada, Pampa Las Tecas Y Salar El Laco, II Región De Chile, 2012 (Tesis para optar al título de Geóloga, Universidad de Chile), 18.

[49]   SERNAGEOMIN, Estudio del Potencial del Litio en Salares del Norte de Chile, diciembre de 2013, https://www.sernageomin.cl/wp-content/uploads/2017/09/Mercado-Internacional_Potencial-del-Litio-en-salares-del-norte-de-chile.pdf

gunas salinas. El estudio se centró en el análisis de 18 salares andinos de las regiones de Antofagasta y Atacama, realizando la validación de la información disponible y la obtención de muestras (de costras salinas y de aguas) con el objetivo de determinar su potencial en litio y potasio. Esta información, fue la base del trabajo realizado el año 2017 entre el mismo organismo y el Comité de Minería No Metálica (CORFO) que tuvo por objeto establecer bases técnicas para identificar el potencial minero de dichos reservorios.[50]

En base a estos trabajos se determinó que, de los 18 salares, excluidos el de Atacama, existirían nueve con un potencial geológico medio alto: [51] Tara, Loyoques Aguas Calientes Centro, Pajonales, La Isla, Aguilar, Parinas, Pedernales y Maricunga.

Los salares, se encuentran emplazados en sectores cercanos a humedales altoandinos que a su vez revisten una importancia internacional para sustentar una gran diversidad biológica. Asimismo, con la extracción de salmueras se podría afectar el comportamiento hidrogeológico del acuífero lo que, sumado a la extracción de aguas dulces o salobres, necesarias para el proceso productivo, podría generar graves consecuencias no solo a los ecosistemas cercanos, sino que también, provocar efectos sociales a consecuencia de posibles alteraciones del recurso hídrico necesario para la subsistencia de los grupos humanos ubicados en las cercanías.[52]

Estas características, hacen necesario que la explotación futura de los mismos se realice de manera sustentable. Si analizamos los salares con potencial geológico, nos encontramos con que: dos se encuentran total o parcialmente en reservas o parques nacionales; en tres, existen vegas protegidas; en dos, total o parcialmente existen sitios RAMSAR; en tres, hay acuíferos protegidos; uno fue declarado área de res-

[50]   SERNAGEOMIN, Informe sobre Priorización de Salares del Norte de Chile con relación a su Potencial en Litio: resultados del taller de trabajo-Corfo, de fecha 10 de enero de 2017.

[51]   El potencial geológico de un salar guarda relación con la cantidad (volumen) y calidad (concentración de litio) de las salmueras contenidas en los acuíferos asociados al él.

[52]   Servicio de Evaluación Ambiental, Gobierno de Chile. Guía para la descripción de proyectos de explotación de litio y otras sustancias minerales desde salares, 2021. https://www.sea.gob.cl/sites/default/files/imce/archivos/2021/03/12/guia_litio_version_para_publicar_compressed.pdf

tricción hídrica; dos han sido declarados zona de prohibición hídrica; y tres de ellos, están al interior de zonas de desarrollo indígena.

Como podemos observar, la ubicación y característica de los reservorios resulta determinante a la hora de evaluar la explotación de cada uno de ellos. Así las cosas, sólo cuatro salares no poseen condiciones o restricciones como las señaladas en el párrafo anterior y respecto de ellos podrían desarrollarse proyectos productivos. Sin embargo, no podemos desconocer la gran carga hídrica que implica este sistema tradicional, en donde para producir una tonelada de litio se debe evaporar unos dos millones de litros de líquido,[53] por lo que el uso de nuevas tecnologías representa un paso importante la para explotación sostenible del recurso.

En el mismo orden de ideas, según un estudio encargado por el Comité de Minería No Metálica de CORFO,[54] para revisar los compromisos ambientales contenidos en las diversas Resoluciones de Calificación Ambiental (RCA) y Planes de Alerta Temprana (PAT) de los proyectos que operan en el Salar de Atacama, se concluyó que, en materia de objeto de protección, el recurso hídrico es el componente de mayor relevancia.

Otro elemento que considerar en materia de sustentabilidad, son los impactos ambientales sinérgicos y acumulativos que dos o más proyectos pueden ocasionar en un mismo ambiente salino, como hoy ocurre, por ejemplo, en el Salar de Atacama. El Sistema de Evaluación de Impacto Ambiental (SEIA) contempla que cada nuevo proyecto, deba evaluarse mediante un Estudio o una Declaración de Impacto Ambiental, pero la forma como está diseñado el sistema, hace en extremo compleja la evaluación en sectores en donde los recursos y los impactos son compartidos, como ocurre en los salares.

En efecto, el SEIA al ser un instrumento que se aplica a proyectos concretos emplazados geográficamente en lugares determinados, no permite una gestión colectiva del territorio o una gestión conjunta de

---

53   Fundación Terram, Cada tonelada de litio requiere la evaporación de 2 millones de litros de agua, 20 mayo de 2019, https://n9.cl/ag71c

54   CORFO, Estudio para el análisis y preparación de un plan de trabajo con relación a las distintas RCA sobre el Salar de Atacama, Informe Final, diciembre de 2017.

varios proyectos. Así las cosas, podríamos encontrar dos proyectos de distinto titular ubicados en un mismo salar con distintas líneas de bases o incluso, con modelos hidrogeológicos diferentes, lo que claramente podría afectar la sustentabilidad del área.

Así las cosas, el desarrollo productivo tradicional del litio desde salares, esto es mediante la evaporación solar, podría entrar en retirada ante la presencia y desarrollo de nuevas tecnologías que permitan compatibilizar el desarrollo económico con el cuidado del medio ambiente y el bienestar de la población. Pero, esto sólo podría ser posible en el mediano plazo, si se implementaran nuevas políticas públicas que incentiven el desarrollo de pilotos tecnológicos que busquen explotar este mineral de una forma más sostenible.

6. NUEVAS TECNOLOGÍAS EN LA EXPLOTACIÓN DEL LITIO EN SALARES

Las desventajas que la explotación tradicional del litio presenta para la sustentabilidad del mismo, constituye un gran desafío para el desarrollo de nuevas tecnologías, asociadas principalmente a buscar procesos que empleen un uso racional de agua y una baja tasa de evaporación; aumentar la capacidad de recuperación; disminuir considerablemente los tiempos de procesamiento y disponibilidad; o la flexibilidad necesaria para poder extraer el mineral desde salares que posean bajas concentraciones de litio.

Algunas opciones teóricas que se han desarrollado consisten en procesos físico/químicos de ultra/nano filtrado, extracción por solventes, procesos electroquímicos, evaporación térmica/solar, y separación mediante membranas. Sin embargo, estas tecnologías aún no cuentan con la experiencia suficiente a nivel de implementación industrial, por lo que los consumos energéticos, así como potenciales efectos ambientales y residuos generados durante el proceso aún no han sido evaluados en terreno.[55]

---

[55]   Corporación Alta Ley, Antecedentes Industria del Litio, Proceso de Hoja de Ruta Tecnológica del Litio, 2020.

A continuación, se presenta un cuadro explicativo donde es posible comparar los diversos procesos tecnológicos emergentes versus la explotación tradicional o convencional:

Tabla 2

Tecnología	Proceso Recuperación	Recuperación Li	Evaporación Salmuera	Tiempo Procesamiento	Producto Final (Li)
Tradicional	Evaporación Solar	30–60%	85–95%	18 meses	Carbonato de litio
SOLVAY	Magnetos	99%	No hay	Horas	Hidróxido o Carbonato de Litio
ADIONICS	Diferencia de temperatura y liquido absorbente	90%	No hay	Horas	Hidróxido o Carbonato de Litio
ERAMET	Nanofiltración y osmosis inversa	90%	No hay	Horas	Carbonato de Litio
TENOVA	Extracción de solventes	95%	No hay	Horas	Hidróxido o Carbonato de Litio

Fuente: Corporación Alta Ley, 2020.

Ahora bien, a pesar de las ventajas que estos nuevos prospectos de extracción y producción de litio presentan, ninguno ha sido utilizado a nivel industrial ni de pilotaje, sea con salmueras provenientes del Salar de Atacama u otro ambiente salino nacional. Es por ello que, para determinar una real dimensión sustentable de estas nuevas tecnologías, se hace fundamental incentivar estos trabajos en terreno.

Adicionalmente, existirán procesos con costos asociados a consumo energético que no han sido incluidos en la evaluación de estas tecnologías. Ello podría, eventualmente, derivar en un análisis económico y ambiental desfavorable para estas nuevas tecnologías, debido a los costos de operación y balances negativos de emisiones de CO_2 y de otros contaminantes implicados en el proceso completo de producción de productos litio que aún no han sido evaluados debidamente, lo que podría aumentar el impacto en la zona de aplicación.[56]

7. CONCLUSIONES

El presente documento establece parámetros que buscan abrir una puerta al debate informado sobre el futuro de este mineral que, hoy por hoy, representa un insumo fundamental para la electromovilidad. Las exigencias que están imponiendo los usuarios finales para poder contar con un insumo verde a ser utilizados en sus productos, será un factor gravitante y, sin lugar a duda, la explotación sustentable del litio será un elemento determinante para la industria de este mineral en los próximos años.

Hoy nuestro país es el segundo productor y el que posee las mayores reservas de litio del orbe, por ello tiene por delante un gran desafío, no solo desde un punto de vista económico, cual es, seguir siendo líder mundial en la producción, sino que también de la manera en que la explotación del litio logre satisfacer a los otros pilares de la sustentabilidad: el ámbito social y el medio ambiente. Mantener este equilibrio no es fácil y debe ser ayudado por una política pública que sea capaz de compatibilizar los distintos intereses que puedan existir.

El trabajo para lograr este gran objetivo, en parte ya está realizado: se han identificado los salares y sus características físicas, económicas, ambientales y sociales. Asimismo, se han analizado las ventajas y desventajas de las formas actuales de explotación y ya existe información suficiente sobre el uso de potenciales nuevas tecnologías, que podrían

---

[56]   Corporación Alta Ley, Antecedentes Industria del Litio, Proceso de Hoja de Ruta Tecnológica del Litio, 2020.

significar un uso eficiente del recurso hídrico y una menor afectación al medio ambiente que rodea a los ambientes salinos.

Sin embargo, este cambio tecnológico no podrá darse en el mediano plazo sin las políticas publicas que permitan implementar pilotajes en los distintos salares con características de viabilidad en cuanto a su explotación. Es necesario avanzar en este sentido si queremos lograr el aumento de la producción a nivel nacional, pero de una manera sostenible con el medio ambiente.

Chile posee una oportunidad insospechada para dar un gran salto, no tan solo en materia de explotación sustentable del litio, sino que también en subirse en la cadena de valor y ser capaz de producir no solo materias primas si no que partes o porque no pensar en baterías de litio. Estamos en el momento oportuno para ello.

Bibliografía citada

Asamblea General de Naciones Unidas, AGENDA 2030 para el Desarrollo Sostenible, 25 septiembre 2015disponible en https://undocs.org/sp/A/RES/70/1.

Asamblea General de las Naciones Unidas, Informe BRUNDTLAND, presentado ante la, página 23, 4 de agosto 1987disponible en https://undocs.org/es/A/42/427.

Bermúdez Soto, Jorge, Fundamentos de Derecho Ambiental, 2a edición, 2014, 78.

Cervetto, Mariana. Caracterización Hidrogeológica e Hidrogeoquímica De Las Cuencas: Salar De Aguas Calientes 2, Puntas Negras, Laguna Tuyajto, Pampa Colorada, Pampa Las Tecas Y Salar El Laco, II Región De Chile (Tesis para optar al título de Geóloga, Universidad de Chile), 2012, 18

COCHILCO, La explotación del Litio en Chile, 2014. https://www.cochilco.cl/Listado%20Temtico/2014%2012%2001%20LA%20EXPLOTACI%-C3%93N%20DEL%20LITIO%20EN%20CHILE%20(2).pdf

COCHILCO, Oferta y Demanda del Litio hacia el 2030, agosto 2020. https://www.cochilco.cl/Mercado%20de%20Metales/Produccion%20y%20consumo%20de%20litio%20hacia%20el%202030.pdf

Codelco, Codelco recibe la calificación ambiental favorable para iniciar las exploraciones en el Salar de Maricunga, 5 noviembre 2020, https://www.codelco.com/codelco-recibe-la-calificacion-ambiental-favorable-para-iniciar-las/prontus_codelco/2020-11-05/174805.html

Código de Minería, 29 septiembre de 1983 (artículo 12°)

Comisión Mundial sobre el Medio Ambiente y el Desarrollo, Nuestro futuro común / Informe Brundtland, 4 de agosto 1987.

Constitución política de la República de Chile de 1980 (artículo 19, n°24 inciso 6)

Corporación Alta Ley, Antecedentes Industria del Litio, Proceso de Hoja de Ruta Tecnológica del Litio, 2020.

CORFO, Estudio para el análisis y preparación de un plan de trabajo con relación a las distintas RCA sobre el Salar de Atacama, Informe Final. Región Metropolitana, diciembre, 2017, página 69. Disponible en línea en:https://www.corfo.cl/sites/Satellite?blobcol=urldata&blobkey=id&-blobtable=MungoBlobs&blobwhere=1475167244481&ssbinary=true .

Decreto Ley N°2.886 de 14 noviembre de 1979, Deja Sujeta a Las Normas Generales Del Codigo de Mineria La Constitucion de Pertenencia Minera Sobre Carbonato de Calcio, Fosfato y Sales Potasicas, Reserva El Litio en Favor Del Estado e Interpreta y Modifica Las Leyes Que se Señalan, Ministerio de Minería

Decreto Supremo N°23 de 13 de octubre de 2021. (Diario Oficial N°43.076)

Decreto Supremo N°450, 21 de agosto de 1975. Dicta Reglamento de Terminos Nucleares. Ministerio de Economía, Fomento y Reconstrucción http://bcn.cl/2nrmo

Dirección de Estudios y Políticas Públicas de Chile y Comité de Minería No Metálica, Chile. Mercado Internacional del Litio y su Potencial en Chile, diciembre 2017. https://www.guiaminera.cl/mercado-internacional-del-litio-y-su-potencial-en-chile/

Forbes Chile. *Licitación para la explotación de litio en Chile genera enorme polémica.* 5 enero 2022 https://forbes.cl/negocios/2022-01-05/licitacion-para-la-explotacion-de-litio-en-chile-genera-enorme-polemica/

Fundación Terram, Cada tonelada de litio requiere la evaporación de 2 millones de litros de agua, 20 mayo de 2019, https://n9.cl/ag71c

Guía minera de Chile. *Cerca de US$2.000 millones invierten empresas en nuevas iniciativas de litio en Chile.* 20 junio 2022. https://www.guiaminera.cl/oro-blanco-genera-boom-de-proyectos-cerca-de-us2-000-millones-invierten-empresas-en-nuevas-iniciativas-de-litio-en-chile/

Historia de la Ley N°18.097. Ley Orgánica Constitucional sobre Concesiones Mineras, p.12. Biblioteca del Congreso Nacional. https://obtienearchivo.bcn.cl/obtienearchivo?id=recursoslegales/10221.3/37081/1/HL18097.pdf

Ley 16.319 de 23 de octubre 1965. Crea la Comision Chilena de Energia Nuclear. Ministerio De Economía, Fomento y Reconstrucción (Diario Oficial 03.12.2009)

Ley 18.097 de 21 enero de 1982. Ley Orgánica Constitucional sobre Concesiones Mineras (Diario Oficial de fecha 21 de enero de 1982)

Ley N°19.300, 9 de marzo de 1994. Ley de Bases Generales del Medio Ambiente (artículo 2)

Ministerio de Desarrollo social y familia, Agenda 2030 para el Desarrollo Sostenible, septiembre 2015. http://www.chileagenda2030.gob.cl/

Risacher, Francois, Alonso, Hugo y Salazar, Carlos, Geoquímica de aguas en cuencas cerradas: I, II, III regiones-Chile, 1999.

Senado de Chile. *Advierten necesidad de activar nacionalización del Litio.* 24 sep 2012. https://senado.cl/noticias/mineria-y-energia/advierten-necesidad-de-activar-nacionalizacion-del-litio

Sernageomin, Estudio del Potencial del Litio en Salares del Norte de Chile, 2013, https://www.sernageomin.cl/wp-content/uploads/2017/09/Mercado-Internacional_Potencial-del-Litio-en-salares-del-norte-de-chile.pdf

Sernageomin, Informe sobre Priorización de Salares del Norte de Chile con relación a su Potencial en Litio: resultados del taller de trabajo-Corfo, de fecha 10 de enero de 2017.

Servicio de evaluación ambiental, Guía para la descripción de proyectos de explotación de litio y otras sustancias minerales desde salares, 2021, https://www.sea.gob.cl/sites/default/files/imce/archivos/2021/03/12/guia_litio_version_para_publicar_compressed.pdf

USGS, Lithium, 2021 https://pubs.usgs.gov/periodicals/mcs2021/mcs2021-lithium.pdf

Jurisprudencia citada

Sentencia Tribunal Constitucional. STC rol 4716-18, de 17 de julio de 2019.

Sociedades Legales Mineras "Victoria una del Salar de Maricunga y otras" respecto del artículo 9° inciso segundo, segunda oración del Código de Minería, Tribunal Constitucional (requerimiento de inaplicabilidad por inconstitucionalidad), 17 de julio de 2019, causa Rol N° 4716-18-INA, disponible en https://www.tribunalconstitucional.cl/expediente .

PARQUES FOTOVOLTAICOS PMGD FLOTANTES SOBRE ESPEJOS DE AGUA ARTIFICIAL. ¿SON VIABLES EN RAZÓN DE NUESTRA LEGISLACIÓN AMBIENTAL ACTUAL?[*]

Rodrigo Torres González[**]

INTRODUCCIÓN

Dada las características propias de nuestro territorio nacional y, particularmente, por la radiación solar existente en el desierto de Atacama, es que gran parte de la explosión de desarrollos energéticos de los últimos años ha encontrado su fuente en la captura de dicho recurso natural de carácter renovable mediante paneles capaces de convertir los rayos del sol en electricidad que, una vez transportada y distribuida, nos permite consumirla en cada una de nuestras actividades diarias.

Sin embargo, la construcción de dichas obras se ha extendido por todos los territorios del país, siendo posible encontrarlos en una gran cantidad, desde la Región de Arica y Parinacota, hasta la Región de la Araucanía. En tal sentido, su desarrollo ha entrado en pugna con variadas industrias por la utilización de los suelos que originalmente

---

[*] Artículo Académico presentado ante la Dirección de Postgrados de la Facultad de Derecho para optar al grado académico de Magíster en Derecho de los Recursos Naturales y Medio Ambiente de la Universidad Finis Terrae (versión 2020-2021), siendo calificado por el tribunal de defensa con Distinción Máxima.

[**] El autor es Magíster en Derecho de los Recursos Naturales y Medio Ambiente por la Universidad Finis Terrae, y Abogado, Licenciado en Ciencias Jurídicas por la Universidad Andrés Bello. Ex Jefe de Litigios de la Dirección General de Aguas. Correo: rtorresg1984@icloud.com

eran destinados a otros usos, siendo uno de los ejemplos más vívidos el sector agrícola.

De esta forma, se ha innovado en tecnología para buscar distintas soluciones a dicha problemática, comenzando a desarrollarse de manera muy cautelosa los primeros parques fotovoltaicos flotantes PMGD del país montados sobre pequeños embalses, lo que genera una relación de ganancia tanto para las industrias generadoras, al utilizar un espacio que tiene como único uso el almacenamiento de aguas, como para los titulares de los tranques, quienes ven como una consecuencia positiva de la construcción e instalación de los paneles flotantes una considerable disminución de la evaporación del agua, a raíz de la sombra producida por la isla.

Por dicha razón, el objeto de este trabajo es analizar y dilucidar la viabilidad jurídica de generar este tipo de desarrollo de proyectos *combinados* a la luz de la legislación ambiental chilena actual, suponiendo cuatro hipótesis en donde se profundiza respecto de la necesidad de obtener una Resolución de Calificación Ambiental (en adelante RCA, indistintamente) previa y los correspondientes permisos de operación, además de los eventuales problemas relacionados con los cambios de consideración descritos en el D.S. N° 40, de 2013, del Ministerio del Medio Ambiente, que Aprueba el Reglamento del Sistema de Evaluación de Impacto Ambiental.

1. DE LOS PARQUES FOTOVOLTAICOS PMGD

Tal como ya fue descrito, la energía solar se ha ganado un espacio importante dentro de los medios de generación de electricidad dentro del espectro nacional, y dada su inagotable fuente, es que este potencial ha sido utilizado tanto a pequeña escala en instalaciones domiciliarias[1], como en grandes inversiones que inyectan cientos de MW al Sistema, siendo ejemplo de aquello la Planta Solar El Romero[2], o la recién inaugurada Planta Fotovoltaica Cerro Dominador[3].

---

[1]   Incentivadas principalmente por el Netbilling incluido en la Le N° 20.571, de 2012.
[2]   Que tiene una potencia bruta de 196MW.
[3]   Con una potencia instalada de 100 MW.

Pues bien, y dado el objeto del presente trabajo, es que me enfocaré únicamente en los denominados "Parques Fotovoltaicos PMGD", por ser los de mayor proliferación en el último tiempo, dada sus características y facilidades, entendiendo por aquellos los proyectos de captación de energía solar que no superan los 9 MW de capacidad instalada, que en su génesis se encuentran compuestos por un importante número de placas interconectadas que tienen la capacidad de captar y transformar la energía solar, con el objeto de abastecer de electricidad tanto a clientes libres como a clientes regulados, estos últimos mediante la venta de dicha energía a las empresas distribuidoras que mantienen una concesión vigente dentro de un territorio determinado.

1.1. Marco Normativo

En primer término, es preciso destacar que el legislador ha reconocido a la energía solar obtenida de la radiación solar, como uno de los distintos tipos de energía renovable no convencional[4], lo que genera para este tipo de proyectos una serie de ventajas comparativas y competitivas respecto de aquellos cuya generación de energía es captada desde otras fuentes no renovables.

Por ello, el legislador ha pretendido incentivarla mediante la concesión de un importante conjunto de prerrogativas, tales como la exención de peajes asociados al sistema de transmisión cuando su capacidad de inyección es menor a 20 MW[5], el abastecimiento imperativo de hasta un 5% de la energía a las Distribuidoras al precio de licitación, sin necesidad de participar en ella[6], además de instaurar como obligación a las Empresas de Distribución el abastecer la demanda de consumo eléctrico mediante la inyección de un porcentaje de energía derivada de los distintos tipos de energía renovable no convencional (en adelante ERNC), que se pretende alcance el 10% del total al año 2024, debiendo adquirirla directamente desde las Generadoras de la

---

[4]   Por ser generada mediante la radiación solar, según dispone el artículo 225 AA) número 4 del D.F.L N° 4, de 2018 que Fija el Texto Refundido, Coordinado y Sistematizado de la Ley Genera de Servicios Eléctricos.

[5]   Incluida en la denominada Ley Corta I, N° 19.940.

[6]   Incluida en la denominada Ley Corta II, N° 20.018.

energía limpia en caso de no autogenerarla, obligación que luego fue elevada al 20% como meta al año 2025[7].

Por su parte, e íntimamente ligado con lo descrito en el anterior párrafo, la publicación del Decreto Supremo N° 88, de 2019, del Ministerio de Energía, que Aprueba el Reglamento para Medios de Generación de Pequeña Escala, fue el acto administrativo que terminó por dar el impulso final a los proyectos de carácter solar.

Así, se incentivó particularmente la construcción y desarrollo de los Pequeños Medios de Generación Distribuido (en adelante PMGD) con un tope de 9MW, además entregarles la posibilidad de suministrarlos directamente al Sistema por medio del establecimiento de la obligación legal a las Empresas Distribuidoras.

De esta forma, estas últimas se encuentran compelidas a aceptar la conexión a su red cuando las Generadoras así lo requieran, pudiendo acceder a sus instalaciones mediante líneas propias o de terceros, siempre bajo estrictos protocolos de puesta en servicio, operando de esta forma los parque fotovoltaico con autodespacho de su energía y teniendo alternativas de venta de la misma a un precio estabilizado, lo que naturalmente los convirtió en el desarrollo predilecto desde la arista de la generación de energía, dada sus invaluables ventajas comparativas.

1.2. *De los permisos necesarios para construir y operar los parques fotovoltaicos PMGD*

Sin perjuicio de la gran cantidad de permisos de carácter sectorial que pudieran ser requeridos para construir y operar los parques fotovoltaicos según su ubicación territorial y características propias, para los efectos de este artículo nos enfocaremos en dos líneas de trabajo: la autorización ambiental del Servicio de Evaluación Ambiental y la Declaración en Construcción que permite su operación.

Sobre los requisitos ambientales que permiten la construcción de los parques fotovoltaicos, es necesario recurrir al catálogo del artícu-

---

[7]   La meta del 10% fue instaurada por la Ley 20.257, y luego fue ampliada al 20% por medio de la Ley 20.698.

lo 10 de la Ley N° 19.300, que contiene los proyectos o actividades susceptibles de causar impacto ambiental, las que obligatoriamente deben someterse al Sistema de Evaluación de Impacto Ambiental (en adelante SEIA, indistintamente). En este sentido, encontramos que en la letra C) del precepto en comento incluye dentro de esta categoría a todas las centrales generadoras de energía mayores a 3 MW, idea que es reforzada por el artículo 3 del Reglamento del Sistema de Evaluación de Impacto Ambiental[8].

Por lo tanto, todos los desarrollos de *parques fotovoltaicos* que se encuentren entre 3 MW y 9 MW (tope máximo para ser considerado PMGD) deberán ser sometidos al Sistema de Evaluación de Impacto Ambiental, mediante una Declaración de Impacto Ambiental (DIA), o bien, mediante un Estudio de Impacto Ambiental (EIA) si a propósito del desarrollo del proyecto se genera alguno de los efectos negativos descritos en el artículo 11 de la Ley de Bases del Medio Ambiente[9], el que sólo podrá ser construido una vez obtenida la correspondiente Resolución de Calificación Ambiental.

Por su parte, la Declaración en Construcción para inyectar la energía proveniente del parque fotovoltaico, será otorgada por la Comisión Nacional de Energía siempre que se cumpla con los requisitos de la solicitud, la autorización de conexión o Informe de Criterios de Conexión (ICC) vigente, los títulos habilitantes del terreno en donde

---

[8]   D.S. N° 40, de 2012, del Ministerio del Medio Ambiente.

[9]   Los efectos adversos definidos en la norma son:
a) Riesgo para la salud de la población, debido a la cantidad y calidad de efluentes, emisiones o residuos;
b) Efectos adversos significativos sobre la cantidad y calidad de los recursos naturales renovables, incluidos el suelo, agua y aire;
c) Reasentamiento de comunidades humanas, o alteración significativa de los sistemas de vida y costumbres de grupos humanos;
d) Localización en o próxima a poblaciones, recursos y áreas protegidas, sitios prioritarios para la conservación, humedales protegidos, glaciares y áreas con valor para la observación astronómica con fines de investigación científica, susceptibles de ser afectados, así como el valor ambiental del territorio en que se pretende emplazar;
e) Alteración significativa, en términos de magnitud o duración, del valor paisajístico o turístico de una zona, y;
f) Alteración de monumentos, sitios con valor antropológico, arqueológico, histórico y, en general, los pertenecientes al patrimonio cultural.

se emplace el proyecto, la declaración jurada de veracidad y autenticidad de los antecedentes, las órdenes de compra, y además la Resolución de Calificación Ambiental cuando el desarrollo es de aquellos con potencia igual o mayor a 3MW. Así las cosas, la única forma de no requerir la RCA, será cuando el proyecto no alcance el umbral de 3MW descritos, antecedente relevante que se retomará más adelante.

2. DE LOS EMBALSES

Por su parte, y como segunda obra de ingeniería que se analiza para el objeto del presente trabajo, es menester referirme a los espejos de agua de carácter artificial, y en especial, a los embalses.

Al respecto, es posible definir los embalses como "un conjunto de estructuras construidas por el ser humano con el propósito de crear un lago artificial, llamado también reservorio, para acumular agua y permitir su uso posterior"[10].

Se reconocen, así, la existencia de dos tipos distintos de embalses según sea el lugar donde se construyen: 1) el primero corresponde a los *embalses propiamente tales*, que son desarrollados dentro del cauce natural de un río, atrapando el flujo del agua mediante muros de carácter gravitacional[11] o curvos[12] que provocan la inundación de un valle, posibilitando así la generación de grandes acumulaciones de recursos hídricos en los tiempos de mayor humedad climatológica (permitiendo así sean utilizados para los fines que se hayan determinado al momento de su construcción en periodos de estiaje); y 2) corresponde a las *piscinas de acumulación*, que suponen la construcción de depósitos fuera de los cauces naturales, almacenando las aguas

---

[10]   José Arumi, Verónica, Delgado, María Ignacia Sandoval, Alejandra Sther, Roberto Urrutia, "Los embalses y su gestión sustentable bajo el escenario de escasez hídrica", en: Serie Comunicacional CHRIAM. (Concepción, Chile: Centro de Recursos Hídricos para la Agricultura y la Minería, 2020, https://drive.google.com/file/d/1f2o5f0Pm--F_3aq0Dh1zLP2OUZz2oheb/view [visitado el 28-04-2021].p. 8.

[11]   Son muros gravitacionales aquellos que soportan la embestida del agua con su propio peso.

[12]   Son muros curvos o de tipo arco, los que soportan la embestida del agua desviando la energía hacia sus soportes laterales.

dentro de sus estructuras que derivan, por lo general, de excavaciones en terrenos que se encuentran contiguos a los ríos, para permitir el transporte más eficiente del vital elemento desde las fuentes naturales superficiales, haciendo ejercicio de los correspondientes derechos de aprovechamiento de aguas.

Sin perjuicio de ello, y en relación a esta segunda categoría, estas piscinas acumuladoras también pueden ser llenadas con aguas subterráneas extraídas desde los acuíferos, por lo que su versatilidad las convierten en una buena solución de almacenamiento para los escasos períodos de abundancia que existen en la actualidad (adicionalmente, esta última categoría permite también, según el tipo de construcción y el lugar donde se emplace, utilizarlos como una manera de recargar artificialmente los acuíferos, por la percolación que se produce de las aguas hacia el seno de la tierra)[13].

Sobre los objetivos de su construcción, los embalses —en general— buscan almacenar las aguas para ser ocupadas en distintos propósitos, otorgando seguridad hídrica en periodos de escasez para usos tan diversos como el consumo humano y saneamiento, el riego, la producción de energía, el turismo y recreación, entre otras industrias, mitigando así los posibles efectos negativos de eventos climatológicos extremos[14], como aquellos que hemos conocido en los últimos años.

Pues bien, el órgano estatal encargado de la aprobación y recepción de estas obras de infraestructura es la Dirección General de Aguas, reconociéndose así su mayor desarrollo normativo en la legislación de aguas, la que ha sido complementada también por el estatuto ambiental que rige la materia, como se pasará a detallar.

2.1. Marco normativo de los embalses

Tal como se describió, los embalses, en su sentido genérico, son obras artificiales donde se acopian aguas[15] y han encontrado su con-

---

[13] En el mismo sentido: ARUMI et al. *Los embalses y su gestión sustentable...*

[14] En el mismo sentido: Dirección General De Aguas, *Atlas del agua Chile 2016*, Ministerio de Obras Públicas, 2015, https://dga.mop.gob.cl/DGADocumentos/ Atlas2016parte1-17marzo2016b.pdf 132

[15] D.F.L. N° 1122, de 1981: Fija el texto del Código de Aguas. Artículo 36.

sagración positiva en los artículos 294 y siguientes del Código de Aguas, dentro de un título especial denominado "De la construcción de ciertas obras hidráulicas". En efecto el precepto recién mencionado señala expresamente que "[R]equerirán la aprobación del Director General de Aguas, de acuerdo al procedimiento indicado en el Título I del Libro Segundo, la construcción de las siguientes Obras"[16], incorporando en su letra A) los embalses con capacidad de almacenamiento superior a 50.000 metros cúbicos[17], o bien, con un muro que tenga más de 5 metros de altura[18], exceptuándose de este procedimiento especial aquellos proyectos que, cumpliendo la premisa de capacidad y altura, su titular corresponda a un servicio dependiente del Ministerio de Obras Públicas.

De todas maneras, el reconocimiento de este tipo de obras de almacenamiento de aguas dentro de un título que ha relevado la especial necesidad de obtención de autorizaciones determinadas para su desarrollo, bajo ningún punto de vista significa que no puedan construirse las mismas con un menor volumen de almacenamiento o con muros más bajos, sino que el legislador estimó que las características descritas en la norma revestían mayor nivel de peligrosidad para la seguridad de terceros o mayor potencial para contaminar las aguas, objetos de protección recogidos en el artículo 295 del Código de Aguas[19].

A mayor abundamiento, posteriormente fue la Ley N° 19.300, de Bases Generales del Medio Ambiente, la que elevó los estándares de revisión de dichos proyectos, ordenando su ingreso al Sistema de Evaluación de Impacto Ambiental para ser evaluado con anterioridad a su ejecución o modificación, diligencia que se debe cumplir mediante una Declaración de Impacto Ambiental o un Estudio de Impacto Ambiental, según sea el caso, dependiendo de si el desarrollo genera o no, al menos, riesgo para la salud de la población debido a la cantidad y

---

[16]   D.F.L. N° 1122, de 1981: Fija el texto del Código de Aguas. Artículo 294.
[17]   Equivalente a 50.000.000 de litros de agua.
[18]   Medidos desde el coronamiento hasta el nivel del terreno natural.
[19]   De esta distinción efectuada por el legislador nace lo que en doctrina se conoce como *obras menores*, cuyo umbral de capacidad o altura es inferior a lo descrito en el artículo 294 del Código de Aguas, y las *obras mayores*, cuyas características son iguales o superiores a la hipótesis descrita en la norma comentada.

calidad de efluentes, emisiones o residuos; efectos adversos significativos sobre la cantidad y calidad de los recursos naturales renovables; reasentamiento de comunidades humanas o alteración significativa de sus sistemas de vida y costumbres; encontrarse localizado en o próximo a poblaciones, recursos y áreas protegidas; produzcan una alteración significativa al valor paisajístico o turístico de la zona; o generen alteración a sitios pertenecientes al pertenecientes al patrimonio cultural[20], plasmando dicha idea matriz, también, en el artículo 3 letra A) del D.S. N° 40, de 2013, del Ministerio del Medio Ambiente, que Aprueba el Reglamento del Sistema de Evaluación de Impacto Ambiental.

De esta manera, estamos en presencia de obras de ingeniería de supervigilancia mixta[21] pues son revisadas sectorialmente por la Dirección General de Aguas, con los requisitos técnicos y legales expresados en el D.S. N° 50, de 2015, del Ministerio de Obras Públicas, que Aprueba el Reglamento de Obras Mayores; y ambientalmente por el Servicio de Evaluación Ambiental, mediante el instrumento de gestión que administra: el Sistema de Evaluación de Impacto Ambiental.

2.2. De los permisos necesarios para construir y operar los embalses

Al respecto, y tal como se revisó respecto de los parques fotovoltaicos, la construcción y operación de los embalses también será analizada desde el punto de vista de la legislación ambiental y, a su vez, de los requisitos para su operación.

Sobre el primer punto, es preciso destacar que el artículo 10 letra A) de la Ley N° 19.300 de Bases del Medio Ambiente, incluye a todas las obras de acueducto, embalse o tranques, y sifones, que reúnen las características de Obras Mayores descritas en el artículo 294 del Código de Aguas, normativa que es detallada por el Reglamento

---

[20]   Ver Ley 19.300, de 1994: Aprueba Ley sobre Bases Generales del Medio Ambiente, Ministerio Secretaría General De La Presidencia, 09-MAR-1994, Artículos 8, 9, 10 y 11.

[21]   Esta idea dio origen a la guía sobre el Permiso Ambiental Sectorial N° 155, Servicio de Evaluación Ambiental, Guía trámite del PAS 155 para la construcción de ciertas obras hidráulicas, 2014, https://www.sea.gob.cl/documentacion

del Servicio de Evaluación Ambiental[22] en su artículo 3 letra a), con una amplia gama de eventuales obras que el Ejecutivo ha considerado como susceptibles de causar impactos ambientales.

Por lo tanto, para la ejecución de un proyecto de esta naturaleza, es decir que se encuentre dentro de la categoría de obra mayor del artículo 294 del Código de Aguas, se requiere siempre de la Resolución de Calificación Ambiental respectiva.

Ahora bien, en un segundo orden de ideas, es menester señalar que de manera adicional, la aprobación del proyecto de construcción de los embalses y posterior recepción definitiva de las obras que permiten su operación, por expreso mandato del artículo 295 del Código de Aguas, le corresponde a la Dirección General de Aguas, órgano que visará las características técnicas de los proyectos en razón de las consideraciones incluidas en D.S. N° 50, de 2015, del Ministerio de Obras Públicas, que Aprueba el Reglamento de Obras Mayores. En ese sentido, el procedimiento administrativo consta de dos etapas compuestas, en primer lugar por la aprobación y autorización de construcción del proyecto de embalse[23], "visación" que no puede ser concedida por la Autoridad sectorial mientras el titular no cuente con la Resolución de Calificación Ambiental respectiva[24], y en segundo lugar por la recepción de obras[25], mediante la cual la Dirección General de Aguas verifica que la ejecución del proyecto se realizó como reflejo fiel de lo permitido por dicho entidad estatal.

En relación a estas diligencias, es preciso destacar que revisten el carácter de instrumentos habilitantes para la operación de la obra, toda vez que ante su inexistencia, se entiende que el proyecto se en-

---

[22] D.S. N° 40, de 2013, *Aprueba Reglamento del Sistema de Evaluación de Impacto Ambiental...*
[23] D.S. N° 50: Aprueba Reglamento a que se refiere el artículo 295 inciso 2°, del Código de Aguas, estableciendo las condiciones técnicas que deberán cumplirse en el proyecto, construcción y operación de las obras hidráulicas identificadas en el artículo 294 del referido texto legal. Ministerio de Obras Públicas, artículo 4,
[24] D.S. N° 50: Aprueba Reglamento a que se refiere el artículo 295 inciso 2°, del Código de Aguas..., Artículo 7.
[25] D.S. N° 50: Aprueba Reglamento a que se refiere el artículo 295 inciso 2°, del Código de Aguas..., Artículo 56.

cuentra en ejecución y sin posibilidad alguna, en este caso particular, de comenzar a almacenar aguas de manera definitiva y permanente[26].

En ese sentido, útil es destacar que con fecha 14 de septiembre de 2021, fue publicado en el Diario Oficial el D.S. N° 131, del Ministerio de Obras Públicas, que modificó de manera parcial el Reglamento de Obras Mayores vigente[27], principalmente en lo relativo a la recepción definitiva de las obras y la autorización de operación, pues la jurisprudencia judicial y administrativa ya se había pronunciado en el sentido de prohibir la operación de obras mayores sin la debida recepción efectuada por la Dirección General de Aguas.

Así, por ejemplo, la Excelentísima Corte Suprema, con fecha 22 de febrero de 2018, en causa rol 39.985-2017, señaló expresamente que la falta de recepción definitiva de la obra hidráulica impide su operación, para luego, agregar en un posterior fallo de fecha 15 de noviembre de 2019, en causa rol 26.650-2018, que la recepción definitiva de las obras hidráulicas se constituye como la única forma de verificar (por parte de la Dirección General de Aguas) si la construcción de la obra se ajusta fielmente al proyecto de construcción aprobado y, por lo tanto, se erige como un elemento fundamental para operar de manera segura el mismo.

Finalmente, la necesidad de contar con recepción definitiva de la obra para comenzar su funcionamiento fue reiterado por el Máximo Tribunal con fecha 09 de agosto de 2021, en causa rol 31792-2021, manteniéndose hasta la fecha esta interpretación sobre la materia. Por su parte, la Contraloría General de la República también emitió pronunciamiento al respecto, estableciendo en su dictamen número 23.888 de 2020, que un proyecto sin recepción de obras no puede operar, instando a la Dirección General de Aguas a ajustarse a dicha máxima jurídica[28].

---

[26] D.S. N° 50: Aprueba Reglamento a que se refiere el artículo 295 inciso 2°, del Código de Aguas..., Art. 55 y 57.

[27] D.S. N° 50: Aprueba Reglamento a que se refiere el artículo 295 inciso 2°, del Código de Aguas...,

[28] Criterio que fue flexibilizado por el Órgano Contralor mediante su dictamen número 210.589 de 2022, en relación con las obras que comenzaron a operar con anterioridad a la entrada en vigor del Decreto Supremo del Ministerio de Obras Públicas N° 50, de 2015, permitiendo su funcionamiento sin contar con

Por dicha razón, la modificación del Reglamento de Obras Mayores, efectuada por el D.S. N° 131 de 2021, del Ministerio de Obras Públicas, entre otras cosas, instauró una etapa intermedia entre el término de la construcción de la obra mayor y la solicitud de recepción definitiva, denominada "puesta en carga"[29], para comprobar la funcionalidad, desempeño y seguridad de la construcción, mientras que también se entregó a la Dirección General de Aguas la facultad de autorizar provisoriamente la operación de ciertas obras al momento de solicitar la recepción definitiva, siempre cuando los derechos de aprovechamiento de aguas que se ejerciten con la obra se encuentren en concordancia con ésta en cuanto a los puntos de captación y/o restitución[30], además de haber concluido satisfactoriamente la denominada "puesta en carga" definida para la revisión técnica de la misma.

Así las cosas, vemos como la obtención de la recepción definitiva de la obra, y en particular para los efectos de este trabajo, del embalse, no corresponde a un mero acto administrativo trámite, sino que, por el contrario, tiene consecuencias jurídicas vitales para el desarrollador del proyecto.

Sin ella —recepción definitiva— no podrá operar, y en caso de otorgarse provisoriamente dicha autorización, se vislumbra dicho permiso de operación como *extremadamente débil* para los fines requeridos, pues es emitentemente revisable por la autoridad y no otorga prerrogativas ni la estabilidad jurídica necesaria para asegurar que la operación de almacenamiento de aguas no será interrumpida por decisión del Órgano Sectorial Competente.

A su vez, y como veremos en lo sucesivo, dicha recepción definitiva tiene consecuencias jurídicas de relevancia al momento de tratar los parques fotovoltaicos flotantes, por la dependencia funcional que éste último tendría con la obra mayor regida por el Código de Aguas.

---

la recepción definitiva ni la autorización de operación exigida por el artículo 57 del cuerpo normativo

[29] D.S. N° 50: Aprueba Reglamento a que se refiere el artículo 295 inciso 2°, del Código de Aguas... Artículo 55.

[30] Esta redacción se encuentra dirigida principalmente a la operación de Centrales Hidroeléctricas.

3. DE LA OPERACIÓN CONJUNTA DE PROYECTOS: PARQUES FOTOVOLTAICOS PMGD FLOTANTES SOBRE ESPEJOS DE AGUA ARTIFICIAL

Ahora bien, ya habiendo analizado de manera somera los parques fotovoltaicos PMGD y los embalses construidos y operados individualmente, es preciso destacar que para evitar la constante pugna entre los suelos y sus usos (principalmente agrícola versus energético) y, también, con el objeto de mitigar la pérdida de recursos hídricos por evaporación de las aguas almacenadas en los embalses, es que se ha pensado en el desarrollo de parques fotovoltaicos flotantes instalados sobre los espejos de agua artificial producidos por el embalsamiento de las aguas como una solución técnicamente viable.

Lo anterior, toda vez que, incluso las aguas almacenadas permiten el enfriamiento de los paneles propios del proyecto solar, siendo posible considerarla, desde una primera mirada, como una buena solución para aprovechar suelos cada vez más escasos, tal como sucede en otras latitudes del mundo[31], en una interrelación constante de "ganar-ganar".

Sin embargo, es preciso destacar que no existe un mayor desarrollo académico ni jurisprudencial que permita dilucidar su viabilidad jurídica, por lo que el objeto de este análisis será entregar las primeras aproximaciones a dicho escenario, a la luz de la legislación ambiental vigente.

Así las cosas, el análisis de este desarrollo de proyectos *combinados* partirá siempre desde una misma premisa: instalar parques fotovoltaicos flotantes sobre embalses ya construidos, como forma de ocupar espacios inutilizados por las aguas embalsadas. Por lo tanto, la revisión de los permisos esenciales para su construcción y operación necesariamente requerirá de la revisión de antecedentes que nos permitan dilucidar si existe, o no, un cambio de consideración en los términos definidos en el D.S. N° 40, de 2013, del Ministerio del Medio Ambiente, que Aprueba el Reglamento del Sistema de Evaluación

---

[31]   China, Singapur, Holanda, Francia, y Japón se encuentran entre los países pioneros en la tecnología de los parques fotovoltaicos flotantes.

Ambiental, factor que determinará la viabilidad o inviabilidad de su proyección bajo el marco jurídico vigente.

4. SOBRE LOS CAMBIOS DE CONSIDERACIÓN

La denominación "cambio de consideración" se refiere a la calificación en que recae la modificación de un proyecto de desarrollo, en este caso energético, tendiente a intervenir o complementar un proyecto ya existente, que para nuestro trabajo será el embalse, y que tiene la entidad suficiente para hacer variar el instrumento de evaluación ambiental original.

De esta forma, al existir un cambio de consideración se deberá evaluar los impactos ambientales producidos por este nuevo elemento, según disponen las distintas hipótesis que se encuentran reguladas en el artículo 2 letra G) del D.S. N° 40, de 2013, que Aprueba el Reglamento del Sistema de Evaluación de Impacto Ambiental, y que son:

g.1) Cuando las partes, obras o acciones tendientes a intervenir o complementar el proyecto o actividad original, constituyen en sí un proyecto incluido en el listado del artículo 3 del Reglamento (catálogo de ingreso obligatorio al SEIA).

g.2) Cuando las partes, obras o acciones tendientes a intervenir o complementar un proyecto, se ejecutan sobre un desarrollo anterior a la entrada en vigor del SEIA, y en su conjunto constituyan un proyecto incluido en el listado del artículo 3 del Reglamento (catálogo de ingreso obligatorio al SEIA).

g.3) Cuando las partes, obras o acciones tendientes a intervenir o complementar un proyecto, modifican sustantivamente la extensión, magnitud o duración de los impactos ambientales de la actividad.

g.4) Cuando las medidas de mitigación, reparación y compensación del proyecto original, tendientes a hacerse cargo de los impactos significativos se ven modificadas sustancialmente, tomando como factores para la evaluación del mérito de la variación, entre otros, la ubicación de las obras, la liberación de eventuales contaminantes directos o indirectos, la extracción y uso de recursos naturales renovables (incluidos suelo y agua), y el manejo de residuos, productos químicos y organismos genéticamente modificados, además de otras sustancias que pudieran afectar el medio ambiente.

Al respecto, el ORD. N° 131456/2013, del Director Ejecutivo del Servicio de Evaluación de Impacto Ambiental, ha otorgado una directriz sobre el sentido y alcance de la denominación "cambio de consideración", siendo relevante para estos efectos revisarlo a *contrario sensu*, pues describe que "debe entenderse que los proyectos y actividades no sufren cambios de consideración cuando las obras, acciones o medidas tendientes a intervenirlos o complementarlos no implican alteración en las características propias del proyecto o actividad. Es decir, cuando la intervención o complementación del proyecto se refiere a obras de mantención o conservación, reparación o rectificación, reconstitución, reposición, o renovación"[32].

De esta forma, y en línea con la idea expresada en el anterior acápite, es posible generar una primera advertencia: la construcción de un parque fotovoltaico PMGD flotante sobre un embalse no se condice con obras de carácter conservativo o de reparación, sino que corresponde a un desarrollo distinto al original del que existe dependencia funcional.

En tal sentido, es probable que durante el desarrollo de esta empresa, nos encontremos en presencia de un eventual cambio de consideración cuando el proyecto receptor (embalse) cuente con una Resolución de Calificación Ambiental, o bien, cuando el parque solar PMGD flotante supere los 3 MW de potencia, idea que se incorporará en análisis de cuatro distintas posibilidades de desarrollo de parques fotovoltaicos como Pequeños Medios de Generación Distribuida sobre espejos de agua artificial, dando especial énfasis en sus permisos de construcción y operación.

---

[32]   ORD. N° 131456/2013, Imparte instrucciones sobre las consultas de pertinencia de ingreso al Sistema de Evaluación de Impacto Ambiental". Servicio De Evaluación Ambiental, 2013, 11, https://www.sea.gob.cl/sites/default/files/migration_files/archivos/instructivos/Instructivo_solicitudes_pertinencias.pdf,

5. HIPÓTESIS DE COMBINACIÓN ENTRE PARQUES FOTOVOLTAICOS FLOTANTES PMGD Y ESPEJOS DE AGUA ARTIFICIAL

5.1. *Primera hipótesis: Embalse con capacidad inferior a 50.000 metros cúbicos o muro inferior a 5 metros, y parque foto-voltaico PMGD inferior a 3 MW*

Este es el ejemplo más sencillo, pues estamos en presencia de un espejo de agua artificial constituido por una obra de embalse que, por su capacidad y altura, no se encuentra dentro del catálogo de proyectos indicado en el artículo 10 de la Ley 19.300, así como tampoco dentro del listado del artículo 3 del D.S. N° 40, de 2013, del Ministerio de Medio Ambiente, que Aprueba el Reglamento del Sistema de Evaluación de Impacto Ambiental. Así las cosas, no cuenta con RCA, mientras que tampoco requiere de una autorización de operación por parte de la Dirección General de Aguas[33].

A su vez, como el proyecto de parque fotovoltaico PMGD es inferior a 3 MW de potencia, tampoco se encuentra obligado a realizar su ingreso al Sistema de Evaluación de Impacto Ambiental y, por lo tanto, tampoco requerirá de RCA que permita su construcción y posterior operación.

De esta forma, la construcción de un eventual parque fotovoltaico flotante PMGD con potencia inferior a 3 MW, sobre un embalse o tranque que tenga una capacidad de almacenamiento inferior a 50.000 metros cúbicos o un muro de coronamiento inferior a 5 metros de altura, ha quedado excluido de ser revisado por la Autoridad Ambiental, siendo sólo necesaria la Declaración en Construcción para comenzar a operar.

Sin embargo, creo necesario hacer la salvedad de que un proyecto de estas características más bien pudiera ser interesante para un cliente libre particular, pues la potencia eléctrica y la capacidad de acumulación de las aguas es baja, pudiendo catalogar al desarrollo de

---

[33] Siempre cuando el Embalse no se emplace dentro de un cauce natural, en donde necesariamente se requerirá de una autorización de modificación de cauce, consagrada en los artículos 41 y 171 del Código de Aguas.

este tipo de proyectos combinados dentro de la categoría de obras de menor envergadura.

5.2. Segunda hipótesis: Embalse con capacidad inferior a 50.000 metros cúbicos o muro inferior a 5 metros, y parque fotovoltaico PMGD superior a 3 MW

En este acápite mantenemos una de las variables, que corresponde a la existencia de un embalse con capacidad inferior a 50.000 metros cúbicos o con un muro de altura inferior a 5 metros, por lo que es de aquellos proyectos que no requieren de RCA por estar excluidos del catálogo incorporado al artículo 10 de la Ley 19.300, ni en el artículo 3 del D.S. N° 40, de 2013, del Ministerio de Medio Ambiente.

Sin embargo, el parque fotovoltaico PMGD flotante a instalar sobre las aguas embalsadas, sí tiene la potencia suficiente para ser considerado un proyecto que por tipología debe ingresar al Sistema de Evaluación de Impacto Ambiental, pues fue incluido en el artículo 10 letra C) de la Ley 19.300 y en el artículo 3 letra C) del D.S. N° 40, de 2013, del Ministerio de Medio Ambiente.

Así las cosas, cabe preguntarse ¿existen ventajas comparativas respecto de la construcción de este proyecto energético en particular, sobre un embalse considerado una obra menor? Desde nuestro prisma, la respuesta es negativa. En efecto, es altamente probable que este parque fotovoltaico PMGD flotante deba ingresar por un EIA y no por DIA, en razón de sus potenciales impactos significativos relacionados con la generación de un riesgo para la salud de la población que consume las aguas embalsadas, de manera directa o mediante el riego de productos hortofrutícolas que posteriormente pudieran ser consumidos, además de potencialmente tener la entidad suficiente para afectar la cantidad del recurso natural agua mediante su evaporación excesiva con motivo del contacto permanente con las altas temperaturas de los paneles eléctricos, además de poder afectar la calidad del recurso hídrico, y con ello las napas subterráneas al percolar e infiltrarse hacia los acuíferos.

Adicionalmente, su línea de base debe considerar necesariamente el área de influencia que comprende no sólo el parque fotovoltaico, sino que también la del embalse (aun cuando sea menor), ya que existe una dependencia funcional entre ambos proyectos, y que pudieran generar impactos acumulativos o sinérgicos.

Así las cosas, pareciera más sensato construir el desarrollo energético en tierra, buscando un sector que no reúna los requisitos para afectar los elementos descritos en el artículo 11 de la Ley N° 19.300, con el objeto de proceder a evaluarlo en el SEIA mediante una DIA, y derechamente instar por la obtención del Permiso Ambiental Sectorial (PAS) 160[34] para evitar conflictos relacionados con los terrenos rurales, lo que otorga mayor certeza jurídica y reducción de los tiempos de construcción y operación de la generadora solar.

5.3. Tercera hipótesis: Embalse con capacidad superior a 50.000 metros cúbicos o muro superior a 5 metros, y parque fotovoltaico PMGD inferior a 3 MW

Ahora bien, en este supuesto hemos variado el factor base del embalse, incorporándolo por sus características a la tipología del artículo 10 número letra A) de la Ley N° 19.300 y del artículo 3 letra A.1) del Reglamento del Sistema de Evaluación de Impacto Ambiental. Por lo tanto, supone la existencia de una RCA previa a la construcción, además de la recepción definitiva de las obras que permiten su operación.

Sin embargo, al instalar un parque fotovoltaico flotante PMGD con una potencia inferior a 3 MW sobre las aguas embalsadas, aun cuando el desarrollo energético no se encuentre dentro de la tipología de ingreso al SEIA, se generaría un inconveniente respecto a la operación del embalse, que ineludiblemente requerirá de un pronunciamiento ambiental. En este sentido, es menester destacar que el embalse propiamente tal nunca fue evaluado ambientalmente con un proyecto solar en su cuerpo, y por lo tanto, su titular podría exponerse a un procedimiento sancionatorio seguido por la Superintendencia del Medio Ambiente ante el eventual incumplimiento de la RCA[35] y

---

[34]   Permiso para subdividir y urbanizar terrenos rurales o para construcciones fuera de los límites urbanos.

[35]   Artículo 24 inciso final de la Ley 19.300, en relación con el artículo 35 letra B) de la Ley 20.417, de 2010: Crea el Ministerio, el Servicio de Evaluación Ambiental y la Superintendencia del Medio Ambiente, Ministerio Secretaría General

arriesgar sanciones pecuniarias de manera innecesaria, mientras que también se podría concebir una infracción administrativa del Código de Aguas, pues al instalar un parque fotovoltaico PMGD flotante sobre el espejo de agua, se opera el embalse sin respetar las especificaciones técnicas analizadas al momento de recepcionar de manera definitiva la obra hidráulica y autorizar su operación, exponiéndose así el titular del proyecto primitivo a la orden de paralización de operaciones por parte de la Dirección General de Aguas, además de la obligación de evacuar las aguas y mantener su altura de almacenamiento a cota cero.

En ese sentido, la solución a dicho problema sería solicitar a la Dirección General de Aguas un nuevo análisis de los antecedentes técnicos del embalse, ahora con el parque fotovoltaico PMGD flotante en su cuerpo, para obtener la recepción definitiva la obra de almacenamiento con las nuevas condiciones, siendo del todo probable según el conocimiento empírico que el órgano sectorial solicite un pronunciamiento de la Autoridad Ambiental para determinar si existe o no un cambio de consideración respecto de lo aprobado previamente para la obra hidráulica y que no contemplaba el proyecto solar en su interior, requiriendo así el ingreso de una consulta de pertinencia que pudiera ordenar la evaluación total del proyecto de embalse mediante el ingreso al SEIA, ahora con las características propias de un cuerpo de agua intervenido por una isla flotante con paneles solares en su interior.

Por todos los riesgos descritos, pareciera ser que la construcción de un parque fotovoltaico flotante PMGD con potencia inferior a 3 MW, sobre un embalse con RCA vigente, no presente ninguna ventaja comparativa con la construcción del mismo proyecto sobre la tierra, pues en el último caso requerirá sólo de los permisos sectoriales (y principalmente el PAS 160 aludido anteriormente) y de la Declaración en Construcción para comenzar a inyectar energía en los sistemas de Distribución, ya que por sí sólo y en atención a sus características individuales, se encuentra exento de ingresar al Sistema de Evaluación de Impacto Ambiental.

De La Presidencia, 26-ENE-2010, https://www.bcn.cl/leychile/navegar?idNorma=1010459 [visitada el 20-10-2021].

5.4. Cuarta hipótesis: Embalse con capacidad superior a 50.000 metros cúbicos o muro superior a 5 metros, y parque foto-voltaico PMGD superior a 3 MW

Esta hipótesis es la de mayor envergadura y, por lo tanto, la de mayor cuidado. En ese sentido, estamos en presencia de un embalse con RCA por encontrarse en la tipología del artículo 10 de la Ley N° 19.300 y artículo 3 del Reglamento del Sistema de Evaluación de Impacto Ambiental, al que se le pretende montar un parque fotovoltaico flotante PMGD, con capacidad superior a 3 MW.

Al respecto, y considerando que el parque fotovoltaico por sí solo ingresa al SEIA, estamos en presencia de un cambio de consideración respecto del embalse con RCA vigente, y por lo tanto, será necesario evaluar ambos proyectos como una unidad, atendiendo a su dependencia funcional.

Así las cosas, la línea de base deberá considerar el área de influencia tanto del desarrollo solar como de la obra hidráulica mayor, siendo altamente probable que por su envergadura e impactos significativos deba ser sujeto de un EIA que analizará los efectos sinérgicos provocados por esta nueva unidad, socavando así la posibilidad de construir la planta solar flotante sobre el espejo de agua hasta que exista la RCA que le habilite para aquello.

A su vez, y desde el punto de vista de la operación, estimamos relevante señalar que dicho parque flotante no sólo requerirá de la Declaración en Construcción para inyectar energía, sino que por su dependencia funcional con el espejo de agua, necesariamente podrá operar sólo desde que la Dirección General de Aguas otorgue la recepción definitiva del total de las obras que componen el embalse, y consecuentemente, se autorice su operación, toda vez que la obra mayor no podrá almacenar agua hasta que exista el permiso sectorial que la habilite, constituyéndose así todo tipo de barreras y gravámenes que debe soportar el desarrollador energético para llevar adelante su proyecto.

Por lo tanto, nuevamente este tipo de proyectos combinados no presenta ventajas comparativas frente a la posibilidad de construir un parque fotovoltaico en tierra, el que según su ubicación, y tal como ya ha sido analizado, incluso pudiera requerir sólo una DIA para obtener la calificación ambiental.

6. CONCLUSIONES

Dada las características climáticas de nuestro país, existe en la actualidad una explosión de proyectos tendientes a la generación eléctrica mediante la energía solar, los que luego de sucesivas modificaciones legales que incentivaron la utilización de las energías renovables no convencionales, convirtieron a los parques fotovoltaicos PMGD en los predilectos de los desarrolladores. Sin embargo, la utilización que efectúa este tipo de proyectos respecto de terrenos que originalmente se encontraban destinados a la agroindustria, ha generado tensiones entre los usos productivos del componente suelo.

Una de las soluciones a dicha problemática, y pretendiendo la eficiencia energética e hídrica, pudiera ser la construcción de parques fotovoltaicos PMGD flotantes sobre espejos de agua artificial, por cuanto los paneles instalados sobre el agua ayudan a evitar la evaporación del recurso hídrico, mientras que la temperatura del agua permite el enfriamiento de los componentes que forman parte de la generación solar.

Sin embargo, y dado el análisis efectuado, es posible establecer que la legislación ambiental chilena no se encuentra preparada para dar sustento legal al desarrollo de proyectos de carácter combinado, tornando así inviable su construcción a gran escala como solución al uso del suelo, ya que no presenta ventajas comparativas de carácter jurídico que permitan hacerlos competitivos con la construcción de los mismos parques fotovoltaicos PMGD sobre terrenos, independiente del uso de suelo que tengan.

Así las cosas, y como corolario, la construcción de parques fotovoltaico flotantes PMGD sobre embalses sólo es viable cuando ambas obras (solar e hidráulica) son de menor envergadura, y por lo tanto, se encuentran fuera del catálogo de ingreso obligatorio al SEIA, ya que para su operación sólo requerirán de la Declaración en Construcción del proyecto energético para comenzar a inyectar en los sistemas de distribución, por cuanto el espejo de agua artificial entendido como una obra menor, no se encuentra bajo la vigilancia de la autoridad ambiental ni sectorial de aguas.

Bibliografía citada

Arumi, José, Verónica Delgado, María Ignacia Sandoval, Alejandra Sther, Roberto Urrutia, "Los embalses y su gestión sustentable bajo el escenario de escasez hídrica", en: *Serie Comunicacional CHRIAM*. Concepción, Chile: Centro de Recursos Hídricos para la Agricultura y la Minería, 2020, https://drive.google.com/file/d/1f2o5f0Pm--F_3aq0Dh1zLP2OUZz2oheb/view [visitado el 28-04-2021].

Dirección General De Aguas, *Atlas del agua Chile 2016*, Ministerio de Obras Públicas, 2015, https://dga.mop.gob.cl/DGADocumentos/Atlas2016parte1-17marzo2016b.pdf [visitado el 28-04-2021].

Servicio de Evaluación Ambiental, *Guía trámite del PAS 155 para la construcción de ciertas obras hidráulicas*, 2014, https://www.sea.gob.cl/documentacion/guias-evaluacion-impacto-ambiental/permisosambientales-sectoriales

Servicio de Evaluación Ambiental, *Guía trámite del PAS 160 para subdividir y urbanizar terrenos rurales o para construcciones fuera de los límites urbanos*, 2019, https://sea.gob.cl/sites/default/files/imce/archivos/2019/03/13/guia_sea_pas_160_web.pdf

Jurisprudencia judicial

Corte Suprema Rol N° 39.985-2017, Recurso de protección, Pardo con Empresa Eléctrica Caren S.A. 22 de febrero de 2018.

Corte Suprema Rol N° 26.650-2018, Recurso de reclamación del artículo 137 del Código de Aguas. Moraga con Ministerio de Obras Públicas-Dirección General de Aguas, 15 de noviembre de 2019.

Corte Suprema Rol N° 31792-2021, Recurso de Protección. Pardo con Ministerio de Obras Públicas DGA, 09 de agosto de 2021

Jurisprudencia administrativa

Contraloría General de la República, dictamen N° 23.888, 31 de julio de 2020.

Contraloría General de la República, dictamen N° 210.589, de 05 de mayo de 2022.

Normas jurídicas

DFL 4/20018, Fija texto refundido, coordinado y sistematizado del decreto con fuerza de ley n° 1, de minería, de 1982, Ley General de Servicios Eléctricos, en materia de energía eléctrica, Ministerio de Economía, Fomento y Reconstrucción, Chile, 2006, https://www.bcn.cl/leychile/navegar?idNorma=258171 [visitado el 20-10-2021].

D.F.L. N° 1122: Fija el texto del Código de Aguas. Ministerio de Justicia. 1981, https://www.bcn.cl/leychile/navegar?idNorma=5605 [visitado el 21-08-2020].

D.S. N° 40: Aprueba Reglamento del Sistema de Evaluación de Impacto Ambiental. Ministerio del Medio Ambiente. 2013, https://www.bcn.cl/leychile/navegar?idNorma=1053563 [visitado el 20-10-2021].

D.S. N° 50: Aprueba Reglamento a que se refiere el artículo 295 inciso 2°, del Código de Aguas, estableciendo las condiciones técnicas que deberán cumplirse en el proyecto, construcción y operación de las obras hidráulicas identificadas en el artículo 294 del referido texto legal.Ministerio de Obras Públicas. 2015, https://www.bcn.cl/leychile/navegar?idNorma=1085618 [visitado el 20-10-2021].

D.S. N° 88: Aprueba reglamento para medios de generación de pequeña escala, Ministerio de Energía. 2019, https://www.bcn.cl/leychile/navegar?idNorma=1150437 [visitado el 21-10-2021].

D.S. N° 131: Modifica el Decreto Supremo N° 50, del 13 de enero de 2015, del Ministerio de Obras Públicas, que Aprueba el Reglamento a que se refiere el artículo 295 inciso 2°, del Código de Aguas, estableciendo las condiciones técnicas que deberán cumplirse en el proyecto, construcción y operación de las obras hidráulicas identificadas en el artículo 294 del referido texto legal, 2021. https://www.bcn.cl/leychile/navegar?idNorma=1165038&idParte=10269069 [visitado el 20-10-2021].

Ley 19.300, de 1994: Aprueba Ley sobre Bases Generales del Medio Ambiente, Ministerio Secretaría General De La Presidencia, 09-MAR-1994, https://www.bcn.cl/leychile/navegar?idNorma=30667 [visitada el 27-11-2020].

Ley 19.940, de 2004, Regula sistemas de transporte de energía eléctrica, establece un nuevo régimen de tarifas para sistemas eléctricos medianos e introduce las adecuaciones que indica a la ley general de servicios eléctricos, Ministerio De Economía, Fomento Y Reconstrucción, 13-MAR-2004, https://www.bcn.cl/leychile/navegar?idNorma=222380 [visitado el 20-10-2021].

Ley 20.018, de 2005, Modifica el marco normativo del sector eléctrico, Ministerio De Economía; Fomento Y Reconstrucción; Subsecretaria De Economía; Fomento Y Reconstrucción, 19-MAY-2005, https://www.bcn.cl/leychile/navegar?idNorma=238139 [visitado el 20-10-2021].

Ley 20.417, de 2010: Crea el Ministerio, el Servicio de Evaluación Ambiental y la Superintendencia del Medio Ambiente, Ministerio Secretaría General De La Presidencia, 26-ENE-2010, https://www.bcn.cl/leychile/navegar?idNorma=1010459 [visitada el 20-10-2021].

Ley 20.257, de 2008: Introduce modificaciones a la Ley General de Servicios Eléctricos respecto de la generación de energía eléctrica con fuentes de energías renovables no convencionales, Ministerio De Economía; Fomento Y Reconstrucción, 01-ABR-2008, https://www.bcn.cl/leychile/navegar?idNorma=270212 [visitada el 27-11-2020].

Ley 20.571, de 2012: Regula el pago de las tarifas eléctricas de las Generadoras Residenciales, Ministerio De Energía, 22-MAR-2012, https://www.bcn.cl/leychile/navegar?idNorma=1038211 [visitada el 20-10-2021].

Ley 20.698, de 2013: propicia la ampliación de la matriz energética, mediante fuentes renovables no convencionales, Ministerio De Energía, 22-OCT-2013, https://www.bcn.cl/leychile/navegar?idNorma=1055402 [visitada el 27-11-2020].

ORD. N° 131456/2013, Imparte instrucciones sobre las consultas de pertinencia de ingreso al Sistema de Evaluación de Impacto Ambiental". Servicio De Evaluación Ambiental, 2013, https://www.sea.gob.cl/sites/default/files/migration_files/archivos/instructivos/Instructivo_solicitudes_pertinencias.pdf [visitado el 20-10-2021].

III.
TESIS DE LICENCIATURA
(aprobada con Distinción Máxima),
Facultad de Derecho, Universidad Finis Terrae

EL DERECHO A UN MEDIO AMBIENTE SANO. LA CUESTIÓN DE LA "JUSTICIABILIDAD" EN EL CONTEXTO DE LAS DISCUSIONES HABIDAS EN LA CORTE INTERAMERICANA DE DERECHOS HUMANOS[*]

Dominique Alezthier F.[**]

INTRODUCCIÓN

El artículo 26 de la Convención Americana de Derechos Humanos (en adelante CADH)[1], ha dado pie a muy diversas discusiones doctrinarias. En las siguientes líneas abordaremos la discusión referida a la justiciabilidad del derecho a un medio ambiente sano en el marco de los Derechos Económicos, Sociales, Culturales y Ambientales (DES-CA), y que ha sido objeto de análisis tanto en la doctrina como en la jurisprudencia de la Corte Interamericana de Derechos Humanos (CIDH). Se revisará el tratamiento que se le ha dado al derecho a un medio ambiente sano, deteniéndonos en la más reciente sentencia dictada por la CIDH en el caso "Lhaka Honhat Vs. Argentina". Se expondrán las principales líneas argumentativas de la materia, esto es, por un lado, la del juez Eduardo Ferrer Mac-Gregor quien aboga por la justiciabilidad directa, y por otro lado las de los jueces Eduardo Vio

---

[*]   Este trabajo corresponde a una versión mejorada de mi Tesis de Licenciatura presentada ante la Facultad de Derecho de la Universidad Finis Terrae, la cual fue calificada con Distinción Máxima.

[**]   Licenciada en Ciencias Jurídicas con mención en Derecho Judicial, Universidad Finis Terrae, y alumna del Magíster en Derecho de los Recursos Naturales y Medio Ambiente de la misma casa de estudios. Correo: dalezthierf@uft.edu

[1]   Convención Americana sobre Derechos Humanos. Pacto de San José (artículo 26), 1978.

Grossi y Humberto Sierra Porto quienes abogan por la justiciabilidad indirecta de los DESCA.

En el marco de la Organización de Estados Americanos (OEA) se aprobó la Convención Americana sobre Derechos Humanos (CADH) que entró en vigor en el año 1978, y que, en cuanto a su estructura, está compuesta por un preámbulo y tres partes. La primera parte, titulada "Deberes de los Estados y derechos protegidos", contiene tres capítulos: el Capítulo I titulado "Enumeración de deberes"; el Capítulo II titulado "Derechos civiles y políticos", que contiene 23 artículos y el capítulo III titulado "Derechos económicos, sociales y culturales", que contiene un solo artículo: el artículo 26, que se titula "desarrollo progresivo" y expresa lo siguiente:

> En esta Convención, los Estados Partes se comprometen a adoptar providencias, tanto a nivel interno como mediante la cooperación internacional, especialmente económica y técnica, para lograr progresivamente la plena efectividad de los derechos que se derivan de las normas económicas, sociales y sobre educación, ciencia y cultura, contenidas en la Carta de la Organización de los Estados Americanos, reformada por el Protocolo de Buenos Aires, en la medida de los recursos disponibles, por vía legislativa u otros medios apropiados[2].

Como se advierte, la CADH no incluyó en su artículo 26 el derecho a un medio ambiente sano; sin embargo, esta omisión fue suplida por el Protocolo Adicional a la CADH en materia de Derechos Económicos, Sociales y Culturales —conocido también como Protocolo de San Salvador, que entró en vigor en el año 1988—, el cual en su artículo 11, denominado "Derecho a un medio ambiente sano", estableció que: "toda persona tiene derecho a vivir en un medio ambiente sano y a contar con servicios públicos básicos. Los Estados Parte promoverán la protección, preservación y mejoramiento del medio ambiente.[3]"

---

2   CADH. Pacto de San José. artículo 26.
3   Convención Americana sobre Derechos Humanos, Protocolo Adicional a la Convención Americana sobre Derechos Humanos en Materia de Derechos Económicos, Sociales y Culturales (Protocolo de San Salvador), adoptado el 17 de noviembre de 1988.

Pese a lo anterior, esta inclusión en el Protocolo no implicó su justiciabilidad directa, ya que en el artículo 19.6 sólo se permite que la CIDH conozca denuncias de violación a la educación y derechos sindicales. Las demás disposiciones, incluido el derecho a vivir en un medio ambiente sano, están sujetas a un sistema de revisión mediante informes estatales, es decir los únicos derechos que pueden denunciarse directamente ante la CIDH son los derechos civiles y políticos previstos en la Convención americana y los derechos económicos y sociales previstos en el artículo 8 y 13 del Protocolo de San Salvador[4].

De esta manera el derecho a un medio ambiente sano no puede exigirse individual y directamente ante la CIDH, sino que de manera indirecta a través de los otros derechos protegidos en la Convención Americana como lo es el derecho a la vida[5].

Sin embargo, en el año 2017 la CIDH dictó la Opinión Consultiva 23/17 en virtud de una solicitud realizada por Colombia en el año 2016 respecto a las obligaciones estatales relativas al medio ambiente, en el marco de la garantía y protección del derecho a la vida e integridad personal que establecen los artículos 4 y 5 de la Convención Americana en relación con los artículos 1.1 y 2 del tratado,[6] De manera tal, que el tribunal pueda determinar:

> de qué forma se debe interpretar el Pacto de San José cuando existe el riesgo de que la construcción y el uso de las nuevas grandes obras de infraestructura afecten de forma grave el medio ambiente marino en la Región del Gran Caribe y, en consecuencia, el hábitat humano esencial para el pleno goce y ejercicio de los derechos de los habitantes de las costas y/o islas de un Estado parte del Pacto, a la luz de las normas ambientales consagradas en tratados y en el derecho internacional consuetudinario aplicable entre los Estados respectivos". Asimismo, el Estado solicitante busca que la Corte

---

4   Daniel Cerqueira, *El derecho a un medio ambiente sano en el marco y jurisprudencia del sistema Interamericano de Derechos Humanos* Fundación para el debido Proceso. 5 https://dplf.org/sites/default/files/el_derecho_a_un_medio_ambiente_sano.pdf

5   Cerqueira, *El derecho a un medio ambiente sano en el marco y jurisprudencia del sistema Interamericano de Derechos Humanos*, 6.

6   Corte Interamericana de Derechos Humanos, *Resumen Oficial de Opinión Consultiva 23/17*, https://www.corteidh.or.cr/docs/opiniones/resumen_seriea_23_esp.pdf

determine "cómo se debe interpretar el Pacto de San José en relación con otros tratados en materia ambiental que buscan proteger zonas específicas, como es el caso del Convenio para la Protección y el Desarrollo del Medio Marino en la Región del Gran Caribe, con relación a la construcción de grandes obras de infraestructura en Estados parte de estos tratados y las respectivas obligaciones internacionales en materia de prevención, precaución, mitigación del daño y de cooperación entre los Estados que se pueden ver afectados[7].

En dicha opinión la Corte no se limitó sólo a responder la consulta planteada por Colombia, sino que se pronunció sobre otras cuestiones que fueron determinantes para el posterior desarrollo doctrinario y jurisprudencial en materia ambiental.

En el capítulo sexto de la Opinión Consultiva denominado "la protección del medio ambiente y los derechos humanos consagrados en la Convención Americana", la Corte reconoció la existencia de una relación entre el medio ambiente y los derechos humanos, haciendo referencia a distintos organismos e instrumentos internacionales, tales como el Tribunal Europeo de Derechos Humanos, la Declaración de Estocolmo, la Declaración de Johannesburgo y la Agenda 2030 para el Desarrollo Sostenible[8], en los cuales ya se ha hecho referencia a esta interdependencia entre derechos humanos y la protección del medio ambiente e incluyendo en esta interdependencia al desarrollo sostenible[9].

Especial relevancia tienen el párrafo 56 y 57 de la Opinión Consultiva, puesto que la Corte en primer lugar, señala que a partir de la entrada en vigencia del artículo 11 del Protocolo de San Salvador, se incluye el derecho a un medio ambiente sano dentro de los DESCA protegidos en el artículo 26 de la Convención Americana. En segundo lugar, declara que no hay jerarquía entre estos derechos y los derechos civiles y políticos, y por tanto son exigibles ante la autoridad

[7]   Corte Interamericana de Derechos Humanos. Opinión Consultiva OC-23/17 de 15 de noviembre de 2017 *seriea_23_esp.pdf (corteidh.or.cr)
[8]   Asamblea General de las Naciones Unidas, Acerca de la Agenda 2030 para el Desarrollo Sostenible, septiembre 2015, https://n9.cl/jjrht6
[9]   CIDH, Opinión Consultiva OC-23/17 .

competente, reconociendo por tanto la justiciabilidad directa de los DESCA[10].

Adicionalmente la Corte reconoce una autonomía de este derecho, señalando que si bien se conecta con otros derechos como el de la vida y el de la salud por el contenido ambiental que surge de la protección de estos derechos, también es cierto que no es necesaria una vinculación con estos para su protección, pues el derecho a un medio ambiente sano protege componentes específicos como ríos, bosques, entre otros, cuyos intereses jurídicos pueden no vincularse con los derechos de las personas, pues se parte reconociendo una importancia esencial a los demás organismos del planeta[11].

De esta manera, terminada la revisión de la conexión entre la degradación ambiental y los derechos humanos, la Corte IDH concluye que es dicha interacción la que tiene como resultado tanto que se acepte, por una parte, un derecho autosuficiente al medioambiente sano, y, por otra, una interconexión entre el medioambiente y otros derechos humanos.

En su voto concurrente el juez Sierra Porto objeta el pronunciamiento de la Corte con relación a la posibilidad de hacer justiciable de manera autónoma y directa el derecho al medio ambiente sano a partir del artículo 26 señalando en el párrafo 7 que:

> Al incorporar consideraciones sobre la justiciabilidad directa del derecho a un medio ambiente sano, en particular, o sobre derechos económicos, sociales y culturales, en general, se excede del objeto del debate de la Opinión Consultiva, sin haber concedido oportunidad alguna a los intervinientes en el trámite de la Opinión Consultiva de presentar argumentos a favor o en contra de dicha consideración.

En cuanto al contenido, la Corte reconoce su doble dimensión, una colectiva que involucra a las generaciones presentes y futuras, y otra dimensión individual en donde la vulneración a este derecho se conecta con otros, como el derecho a la vida, a la salud, entre otros[12].

---

10   CIDH, Opinión Consultiva OC-23/17.
11   CIDH, Opinión Consultiva OC-23/17.
12   CIDH, Resumen Oficial de Opinión Consultiva 23/17.

Además de discutir la naturaleza de los derechos, la Corte Interamericana también destacó las obligaciones que su reconocimiento implica para el Estado, y citando al Grupo de Trabajo de San Salvador, en el párrafo 60 estableció las siguientes obligaciones:[13]a) garantizar a toda persona, sin discriminación alguna, un medio ambiente sano para vivir; b) garantizar a toda persona, sin discriminación alguna, servicios públicos básicos; c) promover la protección del medio ambiente; d) promover la preservación del medio ambiente, y e) promover el mejoramiento del medio ambiente. Asimismo, ha establecido que el ejercicio del derecho al medio ambiente sano debe guiarse por los criterios de disponibilidad, accesibilidad, sostenibilidad, aceptabilidad y adaptabilidad, común a otros derechos económicos, sociales y culturales. A efectos de analizar los informes de los Estados bajo el Protocolo de San Salvador, en 2014 la Asamblea General de la OEA aprobó ciertos indicadores de progreso para evaluar el estado del medio ambiente en función. Estos indicadores son: a) las condiciones atmosféricas; b) la calidad y suficiencia de las fuentes hídricas; c) la calidad del aire; d) la calidad del suelo; e) la biodiversidad; f) la producción de residuos contaminantes y manejo de estos; g) los recursos energéticos, y h) el estado de los recursos forestales[14].

En consecuencia, la dictación de esta opinión consultiva es el hito que marca un antes y un después en las decisiones de la Corte; las cuales desde entonces se han abocado en dar una justiciabilidad directa a los DESCA. Sin perjuicio de ello, desde la misma Corte los jueces Sierra Porto y Vio Grossi mantienen las críticas a este criterio jurisprudencial desarrollado, las que expondremos más adelante.

"Lagos del Campo Vs. Perú"[15] fue el primer caso en que la Corte estableció una violación autónoma del artículo 26 de la CADH, refiriéndose al derecho a la estabilidad laboral. Sin embargo, en el año 2020 la sentencia del caso "Lhaka Honhat Vs. Argentina" avanzó en esta misma línea, pero ahora la Corte se pronunció por primera vez, sobre la violación de cuatro DESCA en su conjunto, esto es el derecho

13   CIDH, Opinión Consultiva OC-23/17.
14   CIDH. Opinión Consultiva OC-23/17.
15   Corte Interamericana de Derechos Humanos. Caso Lagos del Campo Vs. Perú, resumen oficial emitido por la Corte Interamericana, sentencia de 31 de agosto de 2017(Excepciones preliminares, Fondo, Reparaciones y Costas).

a un medio ambiente sano, el derecho a la alimentación, el derecho al agua y el derecho a la identidad cultural[16].

1. SENTENCIA "LAKA HONHAT VS. ARGENTINA"

El 6 de febrero del año 2020, la CIDH dictó una sentencia en la que se determinó que la República Argentina violó el derecho de propiedad comunitaria, los derechos a la identidad cultural, el derecho a un medio ambiente sano, el derecho a la alimentación adecuada y el derecho al agua, concluyendo en ella que, con relación a su obligación de respetar y garantizar los derechos establecidos en el artículo 1.1 de la CADH, Argentina violó entre otras disposiciones, la establecida en el artículo 26 que recoge los derechos económicos, sociales, culturales y ambientales[17].

1.1. Los hechos

El 1 de febrero del año 2018 la Comisión Interamericana sometió a la Corte el caso de las comunidades indígenas reunidas en la Asociación de Comunidades Aborígenes Lhaka Honhat, debido a que transcurrieron al menos 20 años desde que presentaron una solicitud de título de propiedad sobre su territorio ancestral, el cual habitaban de manera constante desde antes del año 1629. Dicha zona estaba constituida por los denominados Lotes Fiscales 14 y 55, que desde el año 2012 se consideraban tierras fiscales, pero que posteriormente fueron asignados como terrenos para ser transferidos a ciertas comunidades indígenas y a determinados pobladores criollos[18].

El 15 de diciembre del año 1991 se dictó el Decreto N° 2609/91, que estableció una obligación para la Provincia de Salta de unificar

---

16   Calderón, "La puerta de la justiciabilidad de los derechos económicos, sociales...", culturales y ambientales en el Sistema Interamericano: relevancia de la sentencia Lagos del Campo" en *"inclusión...*

17   CIDH, Resumen de Sentencia de 6 de febrero de 2020...

18   CIDH Sentencia caso comunidades indígenas miembros de la Asociación Lhaka vs. Honhat (nuestra tierra) vs. Argentina. 6 de febrero de 2020.

dichos Lotes Fiscales 14 y 55[19], y adjudicar a las comunidades indígenas este terreno, que no había sido subdividido, mediante un título único de propiedad. Posteriormente, en el año 1992, se conformó la "Asociación de Comunidades Aborígenes Lhaka Honhat", integrada por distintas comunidades, con el fin compartido de obtener un título de propiedad de la tierra. Así, en el año 1993 se creó una Comisión Asesora que, posteriormente en el año 1995, recomendó asignar las dos terceras partes de la superficie total de los Lotes Fiscales 14 y 55 a las comunidades indígenas del sector. Durante ese año, hubo una ocupación pacífica de algunas de estas comunidades indígenas en un puente construido en la localidad, ante lo cual, el gobernador de Salta se comprometió a emitir un decreto para asegurarles la adjudicación definitiva de la tierra prometida. Pese a lo cual, sólo se otorgaron parcelas a algunas comunidades e individuos allí asentados mediante el Decreto 461. En el año 2000, la Provincia propuso la entrega de fracciones del Lote 15 a distintas comunidades, lo cual fue rechazado por la Asociación Lhaka Honhat debido a que no contemplaba el Lote 14. Durante ese mismo año, la Asociación Lhaka Honhat interpuso una acción de amparo ante la Corte de Justicia de Salta, la cual resolvió en el año 2007 dejar sin efecto el Decreto 461. Ese mismo año, Salta emitió el Decreto 2786/07, en el que se reafirmaba el acuerdo adoptado entre la Asociación Lhaka Honhat y la Organización de Familias Criollas en donde se les reconocían 400.000 hectáreas dentro de los Lotes Fiscales 14 y 55. En los años siguientes hubo reuniones entre las familias criollas y las comunidades indígenas para precisar los acuerdos territoriales. Finalmente, en el año 2014 Salta dictó el Decreto 1498/14 mediante el cual se transfería, por un lado, la "propiedad comunitaria" compuesta por 400.00 hectáreas de los Lotes Fiscales 14 y 55 a favor de 71 comunidades indígenas, y, por otro lado, la "propiedad condominio" de los mismos lotes a favor de familias criollas. Pese a lo anterior, las acciones relacionadas con el territorio indígena no concluyeron, y durante largos años los pobladores criollos que habitaban la zona realizaron actuaciones que causaron graves detrimentos a los recursos forestales y a la biodiversidad, de tal modo que

---

[19]   Decreto No. 2609/91 de 15 diciembre 1991, Se establece la obligación de Salta de unificar los lotes 14 y 55, Provincia de Salta, Argentina.

El derecho a un medio ambiente sano. La cuestión de la "justiciabilidad"...

517

afectaron la forma en que las comunidades indígenas podían acceder al agua y a sus alimentos[20].

1.2. *Fondo*

En cuanto al fondo del asunto, el punto central no fue establecer a quién pertenecía el territorio, pues Argentina en numerosas ocasiones a través de decretos había reconocido que se trataba de un territorio indígena, por lo tanto, el punto fue determinar si el Estado hizo lo suficiente para garantizar y respetar los derechos de las comunidades[21].

En la segunda sección de la sentencia se analizan los actos de los colonos criollos en las tierras que históricamente habían pertenecido a las comunidades indígenas existentes. Entre los actos que se examinaron se destaca la tala ilegal, la expansión de la actividad ganadera y la instalación de alambrado para separar predios.[22] En tal análisis quedó establecido que, por diversas pruebas periciales, dichos actos alteraron el ecosistema natural y que era "altamente probable" que la ganadería vacuna haya acelerado un proceso de deterioro medioambiental que venía desde mucho tiempo atrás[23].

2. CONSIDERACIONES DE LA CORTE CON RELACIÓN A LA JUSTICIABILIDAD DEL DERECHO A UN MEDIO AMBIENTE SANO

Una de las primeras consideraciones que hace la Corte en el párrafo 201, es advertir que se trata del primer caso contencioso en que se pronuncia sobre el derecho a un medio ambiente sano, como también sobre el derecho a la alimentación adecuada, el derecho al agua y el derecho a participar en la vida cultural. Afirma que esto es en base al artículo 26 de la Convención Americana, y que, para su entendimiento, es necesario aplicar las normas de interpretación del

---

20 Corte Interamericana de Derechos Humanos. Resumen de Sentencia de 6 de febrero de 2020...
21 Cabrera et al., *Comentario a la sentencia de la corte Interamericana...*
22 Cabrera et al., *Comentario a la sentencia de la corte Interamericana...*
23 CIDH, Caso comunidades indígenas miembros de la Asociación Lhaka vs. Honhat...

artículo 29 de la Convención. Así también, afirma que para establecer qué derechos se entienden incorporados en tal artículo, corresponde remitirse al corpus iuris internacional en la materia, de manera de actualizar el sentido de los derechos reconocido en el artículo 26[24]. En primer lugar, hace referencia a la opinión consultiva OC-23/17 que establece el contenido y alcance de este derecho. Así, el derecho a un medio ambiente sano se constituye como un derecho fundamental de interés general y un derecho autónomo.[25] Como segundo cuerpo normativo, hace referencia a la Constitución de Argentina que en su artículo 41 reconoce el derecho al medio ambiente sano y en su artículo 30 establece que:

> [t]odos tienen el deber de conservar el medio ambiente equilibrado y armonioso, así como el derecho a disfrutarlo. Los poderes públicos defienden y resguardan el medio ambiente en procura de mejorar la calidad de vida, previenen la contaminación ambiental y sancionan las conductas contrarias". El artículo 80, además, expresa que "[e]s obligación del Estado y de toda persona, proteger los procesos ecológicos esenciales y los sistemas de vida, de los que dependen el desarrollo y la supervivencia humana.

Como tercer cuerpo normativo hace referencia al Protocolo de San Salvador ratificado por Argentina. De modo adicional, la Corte deja constancia que al menos 16 países de América incluyen este derecho en sus constituciones[26].

Luego, en el párrafo 207 se refiere a que los Estados tienen no solo el deber de respetar el derecho a un medio ambiente sano, sino que también de garantizar, salvaguardar y asegurar que terceros no vulneren este derecho. Esta obligación de garantía está prevista en el artículo 1.1 de la Convención.[27]

En concordancia con lo anterior, la Corte se refiere al principio de prevención de daños ambientales que forma parte del derecho consuetudinario, y cita sus propios dichos en esta materia: "Los Estados están obligados a usar todos los medios a su alcance con el fin de evi-

---

24   CIDH, Caso comunidades indígenas miembros de la Asociación Lhaka vs. Honhat...
25   CIDH, Caso comunidades indígenas miembros de la Asociación Lhaka vs. Honhat...
26   CIDH, Caso comunidades indígenas miembros de la Asociación Lhaka vs. Honhat...
27   CIDH, Caso comunidades indígenas miembros de la Asociación Lhaka vs. Honhat...

tar que las actividades que se lleven a cabo bajo su jurisdicción causen daños significativos al [...] ambiente"

Finalmente, la Corte reconoce que, a partir de una problemática ambiental, se pueden afectar diversos derechos y que ello se da con mayor intensidad en grupos en situación de vulnerabilidad, como los pueblos indígenas[28].

2.1. *Interdependencia entre los derechos a un medio ambiente sano, alimentación adecuada, al agua y a la identidad cultural*

En este acápite la Corte se centró en argumentar y demostrar la existente interdependencia entre cada uno de estos derechos. Para ello, hace referencia a distintos instrumentos y organismos que se han pronunciado sobre esta materia. En primer lugar, al Comité DESC cita diversas observaciones e indicaciones que se resumen en la necesaria determinación de políticas y programas en el plano ambiental, social y cultural para proteger el derecho a una alimentación adecuada. Es decir, se requiere de un tratamiento integral y en directa interdependencia entre los derechos civiles y los económicos sociales y culturales[29].

En segundo término, para demostrar el rol de las comunidades indígenas en la conservación ambiental, la Corte se remite a sus dichos en el Caso Pueblo Kaliña y Lokono Vs. Surinam, párr. 173, y su estrecha relación con el principio 22 de la Declaración de Río que establece que:

> las poblaciones indígenas y sus comunidades, [...] desempeñan un papel fundamental en la ordenación del medio ambiente y en el desarrollo debido a sus conocimientos y prácticas tradicionales. Los Estados deberían reconocer y apoyar debidamente su identidad, cultura e intereses y hacer posible su participación efectiva en el logro del desarrollo sostenible.

---

[28]   CIDH, Caso comunidades indígenas miembros de la Asociación Lhaka vs. Honhat...
[29]   CIDH, Caso comunidades indígenas miembros de la Asociación Lhaka vs. Honhat... 85-86.

En tercer término, la Corte se remite a lo expresado por el Relator Especial de las Naciones Unidas que describe el vínculo de la comunidad con sus territorios y su relevancia para la supervivencia alimentaria y cultural, así el ejercicio de sus derechos a la alimentación depende fundamentalmente de su posibilidad de acceder a los recursos naturales existentes en sus territorios. En forma concordante, el Relator Especial expresa que "el conjunto formado por la tierra, el territorio y los recursos constituye una cuestión de derechos humanos esencial para la supervivencia de los pueblos indígenas." Por último, se destaca que el bien protegido por el derecho a la alimentación no radica en la mera subsistencia física, sino que se debe incorporar la dimensión cultural.

2.2. *El voto parcialmente disidente del Juez Humberto Sierra Porto*

En su voto parcialmente disidente, el juez Sierra plantea que en el caso Lhaka Honhat Vs. Argentina, la violación al derecho a una alimentación adecuada, al agua, a la vida cultural y al medio ambiente sano, se da en virtud de la conexión que tienen con el derecho de propiedad del artículo 21de la Convención, y no de manera independiente como lo señaló la Corte.

Para fundamentar lo anterior, se remite al caso Comunidad Mayagna Awa Tingni Vs. Nicaragua, en donde la Corte determinó que: "la estrecha relación que los indígenas mantienen con la tierra debe ser reconocida y comprendida como la base fundamental de sus culturas, su vida espiritual, su integridad y su supervivencia económica" y que la propiedad incluye "la estrecha relación que los indígenas mantienen con la tierra debe de ser reconocida y comprendida como la base fundamental de sus culturas, su vida espiritual, su integridad y su supervivencia económica."[30] Con ello, el juez Sierra demuestra la

---

[30]   CIDH, Caso Comunidades Indígenas...Voto parcialmente disidente del juez Humberto Antonio Sierra Porto

estrecha relación y conexidad de estos derechos con el de propiedad comunal, como si fuesen dos caras de una misma moneda.[31]

En segundo lugar el juez Sierra se dedica a demostrar que bajo la protección autónoma de los DESCA se genera un perjuicio para los pueblos indígenas, pues si se hubiese protegido mediante el derecho de propiedad, se podría exigir de manera inmediata el cumplimiento de las obligaciones por el Estado Argentino.

Por el contrario, la Corte al decidir proteger dichos derechos mediante el artículo 26, sólo podrá exigir de manera progresiva su cumplimiento. Bajo este análisis el Juez concluye que la propuesta de autonomía directa que dio la Corte no fue necesaria, pues el mismo resultado práctico e incluso con mayores ventajas para la situación de vulnerabilidad de los pueblos indígenas, se obtiene mediante una interpretación de conexidad entre los DESCA y el derecho de propiedad[32].

El juez también deja en claro su posición respecto a la falta de competencia de la CIDH para conocer y determinar por vía autónoma y directa la afectación de estos derechos. Su principal argumento radica en que ni la Convención Americana ni el Protocolo de San Salvador le otorga competencia a la luz de los artículos 30 y 31 de la Convención de Viena. Específicamente respecto al derecho a un medio ambiente sano, argumenta que los Estados al ratificar el Protocolo de San Salvador decidieron a través de su artículo 9 admitir la vía directa e individual de petición únicamente respecto de los derechos contenidos en los artículos 8 a) y 13[33].

Respecto a la interdependencia de los DESCA, el juez critica la decisión de la Corte en cuanto a que no hizo un examen de responsabilidad respecto de cada uno de los derechos, sino que se mencionó una vulneración conjunta en atención a los hechos probados y sólo se limitó a demostrar su interdependencia sin diferenciar el alcance de cada uno. Sierra señala que esto trae como consecuencia que no

---

31   CIDH, Caso Comunidades Indígenas...Voto parcialmente disidente del juez Humberto Antonio Sierra Porto

32   CIDH, Caso Comunidades Indígenas...Voto parcialmente disidente del juez Humberto Antonio Sierra Porto

33   CIDH, Caso Comunidades Indígenas... Voto parcialmente disidente del juez Humberto Antonio Sierra Porto.

queden claras las obligaciones y acciones que el Estado debe realizar para respetar cada uno de los derechos, y plantea que podría caerse en el absurdo de pensar que, al encontrarse todos los derechos relacionados, cualquier vulneración lleva a la violación de todos los derechos de la Convención Americana[34].

2.3. *El voto parcialmente disidente del Juez Eduardo Vio Grossi*

El juez Eduardo Vio Grossi sostiene que la Corte no tiene competencia para conocer la presunta vulneración de los derechos a la identidad cultural, al medio ambiente sano, a la alimentación adecuada y al agua, como tampoco a los demás derechos económicos, sociales y culturales, pues esos derechos no son susceptibles de ser justiciables ante ella, en virtud de que no lo permite el artículo 26 de la Convención Americana[35].

Argumenta que la interpretación del artículo 26 debe hacerse según los métodos de interpretación de los tratados previstos en la Convención de Viena sobre el Derecho de los Tratados. Esto es: el de buena fe, el método literal, el método subjetivo y el método funcional o teleológico.

En el voto disidente, el juez aplica cada uno de estos elementos al artículo 26 y concluye que la sentencia no empleó adecuadamente los medios de interpretación, conduciendo a un resultado contrario a la lógica y no deseado ni previsto en la Convención. Señala que la sentencia sólo se dirige a demostrar la existencia de los derechos mediante diversos instrumentos internacionales, pero sin lograr sustentarlo en orden a que ellos son justiciables ante la Corte[36].

Así mismo, discrepa en cuanto a que la sentencia señala que existe una estrecha relación entre los derechos políticos y civiles, y los de-

---

[34] CIDH, Caso Comunidades Indígenas... Voto parcialmente disidente del juez Humberto Antonio Sierra Porto.

[35] CIDH, Caso Comunidades Indígenas... Voto parcialmente disidente del juez Eduardo Vio Grossi.

[36] CIDH, Caso Comunidades Indígenas... Voto parcialmente disidente del juez Eduardo Vio Grossi.

rechos económicos, sociales y culturales, de lo cual no se deriva que estos últimos sean justiciable, y además es la propia convención la que realiza una clara distinción entre ambos.

Con respecto al método y principio de buena fe, Vio Grossi procede a subrayar que "de la circunstancia de que en el Preámbulo de la Convención se afirme que la persona debe gozar de sus derechos económicos, sociales y culturales, tanto como de sus derechos civiles y políticos, no se colige que el efecto útil del artículo 26 sea que la violación de los derechos a que alude son justiciables ante la Corte, sino que los Estados adopten las providencias pertinentes para hacer progresivamente efectivos dichos derechos."[37] Es por ende, una proposición política y no una obligación jurídica.

Respecto al método literal, concluye que en dicha norma no se enumera ningún derecho, no prescribe el respeto de los derechos humano ni que se garantice su respeto, tampoco hace exigibles tales derechos, pues si así lo hubiese querido, lo habría expresado derechamente. Dispone en cambio una obligación de hacer y no de resultado que consiste en "Adoptar providencias tanto a nivel interno como mediante la cooperación internacional, especialmente económica y técnica, para lograr progresivamente la plena efectividad de los derechos." Así en el numeral 24 del voto disidente, el Juez Vío señala que:

> Al actuar en esa dirección, indudablemente que la Sentencia hace caso omiso del tenor literal del artículo 26 y, consecuentemente, no aplica armoniosamente a su respecto lo previsto en el artículo 31.1 de la Convención de Viena ni efectúa, en rigor, una interpretación de aquél. Al parecer, el tenor literal de lo pactado no tiene, para la Sentencia relevancia alguna y, por ende, lo considera como un mero formulismo, lo que le posibilita atribuir a dicha disposición un sentido y alcance que escapa con mucho a lo que los Estados expresamente estamparon, como si en realidad quisieron convenir otra cosa, lo que, evidentemente, choca con toda lógica.[38]

---

[37]   CIDH, Caso Comunidades Indígenas... Voto parcialmente disidente del juez Eduardo Vio Grossi.

[38]   CIDH, Caso Comunidades Indígenas... Voto parcialmente disidente del juez Eduardo Vio Grossi.

Finalmente insiste en que la interpretación no consiste en determinar el sentido y alcance de una norma en vista de lo que el intérprete desee, sino más bien en hacer aplicable el "*pacta sunt servanda*." Es por ello, que realizar una interpretación como la plasmada en la sentencia, podría desincentivar la adhesión de nuevos estados a la Convención, y además acentuarse la tendencia de los Estados parte de no dar cumplimiento completo y oportuno a los fallos, ya que con esto se está debilitando el principio de seguridad o certeza jurídica[39].

2.4. *El voto razonado del Juez Eduardo Ferrer Mac Gregor Poisot*

El juez Mc Gregor lleva una larga trayectoria abogando por la justiciabilidad directa de los DESCA y en esta oportunidad reafirma su postura destacando la importancia de esta sentencia como un hito de gran relevancia en la jurisprudencia. En primer lugar, porque es primera vez que la Corte se refiere a la justiciabilidad directa de los DESCA con relación a comunidades indígenas, su relevancia se destaca aún más considerando que ya en otras ocasiones se le había solicitado su pronunciamiento sobre estas materias y la Corte nunca reconoció dicha vulneración. En segundo lugar, porque se derivan y protegen en virtud del artículo 26 de la Convención americana cuatro DESCA. En tercer lugar, porque las reparaciones que ordena la Corte se centran en restituir la violación de cada derecho en forma diferenciada[40].

El voto del Juez MC Gregor se divide en 4 apartados que resumiré en las siguientes líneas. En su primer apartado denominado "La tierra y el territorio: su protección diferenciada desde la Convención Americana sobre derechos humanos y los DESCA," [41] el juez Mc Gregor destaca la jurisprudencia de los últimos años con relación a la forma en que se ha interpretado el contenido del artículo 21 de la Convención Americana. Así, cita diversos casos de la Corte en que ésta distin-

---

[39] CIDH, Caso Comunidades Indígenas... Voto parcialmente disidente del juez Eduardo Vio Grossi.

[40] CIDH, Caso Comunidades Indígenas... Voto razonado del juez Eduardo Ferrer Mac-Gregor Poisot.

[41] CIDH, Caso Comunidades Indígenas... Voto razonado del juez Eduardo Ferrer Mac-Gregor Poisot.

El derecho a un medio ambiente sano. La cuestión de la "justiciabilidad"...

525

gue dos conceptos generales. Por un lado, el territorio y por otro lado la tierra, que si bien se conectan no son equivalentes[42]. El término "territorio" es más amplio y abarca tanto a la tierra como a otros elementos específicos, pues hay una estrecha relación entre el territorio mismo y los recursos naturales de uso tradicional que se vinculan con el territorio como una manifestación de la identidad cultural[43].

Por otro lado, la tierra se conecta con nociones de propiedad y materialidad. Así, el territorio abarca una amplitud, considerando también la cosmovisión de las comunidades indígenas respecto a su territorio.[44] Debido a esta distinción es que, a través del artículo 21 de la Convención Americana se protege la tierra como propiedad colectiva, pero los recursos y elementos específicos que se conectan con el territorio se analizan y protegen autónomamente.

En virtud de la prueba presentada, se concluyó que las comunidades indígenas no obtienen agua suficiente para el consumo, ni alimentación, por ello es que para Mc Gregor fue de vital importancia considerar la interrelación del agua, el ambiente, la alimentación con la vida cultural, ya que sólo así se pudo analizar las vulneraciones de los DESCA, pues de lo contrario, se llegaría a la conclusión de que solo en la medida que se vulnera el derecho de propiedad se puede analizar cada uno de los DESCA, cuestión que es errado al no considerar la existencia de un derecho más amplio que se desprende del artículo 26 de la Convención Americana.

En el segundo acápite denominado "Autonomía e interdependencia de los derechos humanos" señala que por autonomía debe entenderse que cada derecho tiene un contenido jurídico propio, distinto de otros, y por interdependencia el vínculo entre los derechos que hace que la satisfacción de uno dependa del otro. Luego establece que la autonomía de los DESCA no niega su carácter interdependiente entre ellos y con los derechos civiles y políticos y cita como ejemplo varios casos, entre ellos, el caso Poblete Vilches Vs. Chile; el de Asociación

---

42 CIDH, Caso Comunidades Indígenas... Voto razonado del juez Eduardo Ferrer Mac-Gregor Poisot.
43 CIDH, Caso Comunidades Indígenas... Voto razonado del juez Eduardo Ferrer Mac-Gregor Poisot.
44 CIDH, Caso Comunidades Indígenas... Voto razonado del juez Eduardo Ferrer Mac-Gregor Poisot.

Nacional de Cesantes y Jubilados de la Superintendencia Nacional de Administración Tributaria Vs. Perú, el caso Cuscul Pivaral y otros Vs. Guatemala, etc. en los cuales la Corte ha decidido en atención al carácter interdependiente de los derechos sin desconocer su autonomía.

Asimismo, expresa que, si la Corte ya ha reconocido que a partir del artículo 26 de la Convención Americana se protegen DESCA, no habría razón para subsumir su protección en otros derechos de la Convención. Dicho razonamiento solo llevaría a una jerarquización a priori de derechos, cuestión que es contrario a lo establecido en el preámbulo de la Convención.

En el tercer acápite que se denomina "Las reparaciones con enfoque de derechos económicos, sociales, culturales y ambientales," hace hincapié en lo destacable que fue la decisión de la corte en centrar las reparaciones desde una visión integral del "territorio" y no solo de la "tierra." En efecto, para Mc Gregor, la protección autónoma de cada derecho, llevó a que las reparaciones de estos fuesen ordenadas en atención a lesiones específicas y con una intervención activa del Tribunal Interamericano, en caso contrario solo habría ocurrido una reparación acotada del derecho de propiedad.

En el cuarto acápite hace referencia a la importancia de los *Amicus Curiae* presentados por 20 organizaciones no gubernamentales, instituciones y personas de la sociedad civil. En dichos escritos se propusieron líneas interpretativas para afianzar el camino jurisprudencial emprendido por la corte como también elementos para interpretar una justiciabilidad directa.

3. CONCLUSIONES

Podemos dar cuenta de la estrecha relación que existe entre la competencia contenciosa y consultiva de la Corte IDH, puesto que la opinión consultiva 23 es el hito inicial que dio origen a los cambios de criterio interpretativo en materia contenciosa. Sin embargo, esto no quiere decir que la discusión acerca de la interpretación del artículo 26 de la Convención Americana se encuentre totalmente zanjada. No puede ignorarse las interrogantes planteadas por los jueces Vio Grossi y Sierra Porto que evidencian la necesidad de un mayor desarrollo del criterio de justiciabilidad directa, que si bien es cierto, varias interrogantes fueron contestadas en el voto particular del juez Mac-Gregor, también es cierto que la misma sentencia solo se limitó a repetir lo ya señalado en la opinión consultiva, sin hacer un aporte que pudiese dar por terminada la discusión doctrinaria y por otro lado dar una mayor solidez al derecho a un medio ambiente sano[45].

En sólo 3 líneas del párrafo 57 de la opinión consultiva se hace referencia a la justiciabilidad autónoma del derecho a un medio ambiente sano, en donde también da luces de una visión ecocéntrica cuyos titulares del derecho podrían ser la naturaleza misma. Creemos que esta visión ecocéntrica fue recogida solo en parte por la sentencia del caso "Lhaka Honhat Vs. Argentina", ya que en la mayor parte de la sentencia se identifica una visión antropocéntrica de los derechos, dado que la Corte reconoce como titulares de los derechos a las comunidades indígenas[46].

La gran relevancia de la sentencia del caso Lhaka Honhat Vs. Argentina es que se trata de una continuación del camino argumentativo que ya se había iniciado en 2017 en el caso "Lagos del Campo vs. Perú", aunque desde ese entonces ya se manifestaban los cuestionamientos del juez Sierra Porto. En este caso en particular nos quedamos con la pregunta de si posiblemente el mismo resultado de protección de los derechos de las comunidades indígenas, se pudo obtener mediante la justiciabilidad indirecta a partir del artículo 21 y 4 de la CADH. Lo más probable que la respuesta a ello solo podrá manifestarse en los próximos conflictos que conozca la Corte.

Bibliografía

Asamblea General de las Naciones Unidas, Acerca de la Agenda 2030 para el Desarrollo Sostenible, septiembre 2015, https://n9.cl/jjrht6

---

[45]   Verena Kahl y Eleanor Benz, "El caso Lhaka Honhat: la extensión de la justiciabilidad directa de los DESCA y la esperanza incumplida de la concreción del derecho a un medioambiente sano" en El caso Lhaka Honhat vs. Argentina y las tendencias de su intermericanización. noviembre 2021 disponible en: *Ferrer-Morales-Flores_ElcasoLhakaHonhat.pdf

[46]   Kahl y Benz, "El caso Lhaka Honhat: la extensión de la justiciabilidad directa de los DESCA..."

Cabrera Angel, Daniel Cerqueira y Salvador Herencia. *Comentario a la sentencia de la corte Interamericana sobre el Caso LhakaHonhat vs. Argentina.*, Justicia en las Américas, 30 de abril de 2020, en https://dplfblog.com/2020/04/30/comentarios-a-la-sentencia-de-la-corte-interamericana-sobre-el-caso-lhaka-honhat-vs-argentina/

Calderón Gamboa Jorge, "La puerta de la justiciabilidad de los derechos económicos, sociales, culturales y ambientales en el Sistema Interamericano: relevancia de la sentencia Lagos del Campo" en *"inclusión, ius commune y justiciabilidad de los DESCA en la jurisprudencia el caso lagos del Campo y los nuevos desafíos,* México, Instituto de Estudios Constitucionales del Estado de Querétaro., 2018.

Cerqueira Daniel, "El derecho a un medio ambiente sano en el marco y jurisprudencia del sistema Interamericano de Derechos Humanos" Fundación para el debido Proceso. 5 https://dplf.org/sites/default/files/el_derecho_a_un_medio_ambiente_sano.pdf

Convención Americana sobre Derechos Humanos. Pacto de San José, 1978 (artículo 26). chrome-extension://efaidnbmnnnibpcajpcglclefindmkaj/https://www.corteidh.or.cr/tablas/17229a.pdf

Convención Americana sobre Derechos Humanos. Protocolo Adicional a la Convención Americana sobre Derechos Humanos en Materia de Derechos Económicos, Sociales y Culturales (Protocolo de San Salvador), adoptado el 17 de noviembre de 1988. https://www.oas.org/dil/esp/protocolo_de_san_salvador_1988.pdf

Corte Interamericana de Derechos Humanos. Opinión Consultiva OC-23/17 de 15 de noviembre de 2017 *seriea_23_esp.pdf (corteidh.or.cr)

Corte Interamericana de Derechos Humanos, *Resumen Oficial de Opinión Consultiva* 23/17, https://www.corteidh.or.cr/docs/opiniones/resumen_seriea_23_esp.pdf

Corte Interamericana de Derechos Humanos. Caso Comunidades Indígenas Miembros de la Asociación Lhaka Honhat (Nuestra Tierra) vs. Argentina..., cit. Voto razonado del juez Eduardo Ferrer Mac-Gregor Poisot. Sentencia de 6 de febrero de 2020

Corte Interamericana de Derechos Humanos. Caso Comunidades Indígenas Miembros de la Asociación Lhaka Honhat (Nuestra Tierra) vs. Argentina..., cit. Voto parcialmente disidente del juez Eduardo Vio Grossi

Corte Interamericana de Derechos Humanos. Caso Comunidades Indígenas Miembros de la Asociación Lhaka Honhat (Nuestra Tierra) vs. Argentina..., cit. Voto parcialmente disidente del juez Humberto Antonio Sierra Porto. Sentencia de 6 de febrero de 2020 (Fondo, reparaciones y costas)

Corte Interamericana de Derechos Humanos. c... Sentencia de 6 de febrero de 2020 (Fondo, reparaciones y costas). https://www.corteidh.or.cr/docs/casos/articulos/resumen_400_esp.pdf

Corte Interamericana de Derechos Humanos. Caso Lagos Del Campo Vs. Perúresumen Oficial Emitido Por La Corte Interamerican Asentencia De 31 De Agosto De 2017(Excepciones preliminares, Fondo, Reparaciones y Costas)

Decreto No. 2609/91 de 15 diciembre 1991, Se establece la obligación de Salta de unificar los lotes 14 y 55, Provincia de Salta, Argentina

Kahl, Verena y Eleanor Benz, "El caso Lhaka Honhat: la extensión de la justiciabilidad directa de los DESCA y la esperanza incumplida de la concreción del derecho a un medioambiente sano" en El caso Lhaka Honhat vs. Argentina y las tendencias de su intermericanización. noviembre 2021